Jean SURET-CANALE

PANORAMA DE L'HISTOIRE MONDIALE

Jean Suret-Canale est Agrégé de l'Université, Docteur d'Etat ès lettres et sciences humaines, Maître de conférences honoraire à l'Université de Paris VII — Diderot.

Chez Marabout, il est également l'auteur de *Tester et enrichir ses connaissances en histoire* (8020).

Dans la même collection :

— *Panorama de l'histoire de France*, 9811.
— *L'Islam*, 9800.
— *50 grandes dates de l'histoire mondiale*, 8529.
— *100 grandes citations historiques expliquées*, MS 98.
— *Ils ont gouverné la France*, 9802.

Grand format :

— *L'histoire* (Malet et Isaac).

© 1996, **Marabout**, Alleur (Belgique).

SOMMAIRE

INTRODUCTION

La conception de l'histoire a évolué. Une de ses premières formes, qu'on trouve dans l'Orient ancien (la Perse par exemple) mais aussi dans les empires d'Extrême-Orient (Chine, Corée, Japon), est celle des *Annales* royales où, année par année, sont consignés les faits et gestes (les hauts faits principalement) du souverain, et les événements de son règne jugés importants.

La conception moderne de l'histoire apparaît avec les Grecs. Hérodote (480?-425 avant J.-C.) découvre les peuples d'Orient et prend conscience de leurs spécificités et de leurs différences par rapport aux Grecs. Il nous a laissé le récit des guerres médiques, guerres de résistance des Grecs contre les tentatives d'invasion perses. Après lui, Thucydide (480?-395? avant J.-C.) nous fait le récit de la guerre du Péloponnèse, qui oppose Athènes et Sparte. Le premier, il s'efforce d'établir une chronologie rigoureuse, de confronter les témoignages (notamment de personnes se situant dans des camps opposés), afin d'accéder à la vérité. Il tente d'expliquer les événements, qu'il attribue principalement à des causes humaines — l'ambition et la cupidité.

Longtemps, dans la tradition des *Annales* royales, l'histoire est avant tout celle des rois ou des grands hommes, l'histoire des guerres (l'« histoire-batailles »). Purement politique, elle a été qualifiée dans les années 30 de notre siècle d'« événementielle ». Elle est souvent superficielle lorsqu'elle s'en tient aux événements politiques et militaires, sans les éclairer suffisamment par leur arrière-plan économique et social. Dès le XVIIIe siècle, Voltaire avait tenté d'y substituer ce que nous appelons aujourd'hui une « histoire des civilisations ». Mais pour Marc Bloch, le *« bon sens »* que Voltaire entend mettre en œuvre en histoire n'est souvent *« rien d'autre qu'un composé de postulats irraisonnés et d'expériences hâtivement généralisées »*... *« Là a résidé,* poursuit-il, *le principal vice de la critique voltairienne, par ailleurs si souvent pénétrante. »*

L'historien, qui relate des faits dont il n'a pas été le contemporain, a pour matériaux principaux des témoignages écrits. Leur confrontation, lorsqu'il y en a plusieurs sur le même sujet, leur examen critique, sont à la base de sa démarche.

Parmi les démarches fondatrices de cette critique, on peut mentionner l'œuvre du pasteur Richard Simon, qui fonde l'exégèse biblique, osant pour la première fois procéder à un examen critique du texte de la Bible, ce qui jusque-là était considéré comme impensable, s'agissant de la parole de Dieu (1636). Sur un autre terrain, à la fin du XVIIIe siècle, le bénédictin dom Mabillon, dans son *De re diplomatica* (1681), pose les bases de l'examen critique des « diplômes », c'est-à-dire des documents médiévaux qui fondaient notamment les droits et les prétentions des établissements religieux, mais aussi les chartes accordées aux communes par les seigneurs féodaux.

A la fin du XIXe siècle, les tenants de ce qu'on appellera parfois l'histoire « positiviste », représentée notamment par Ch. V. Langlois et Charles Seignobos, développent les règles de la critique des sources. Il s'agit principalement de sources écrites, ouvrages imprimés ou manuscrits, mais surtout d'archives. Leur examen suppose une critique « externe » : restitution du texte, quand il est douteux ou qu'il en existe plusieurs versions ; critique de provenance (origine, authenticité) ; et une critique « interne » : détermination des faits, critique de la ou des interprétations contenues dans le document, etc.

Pour eux, l'histoire n'a pas à juger, pas à interpréter : *« l'histoire n'est que la mise en œuvre de documents ».***

Cette « neutralité » est en fait difficilement soutenable : le choix des faits retenus par l'historien, à lui seul, porte implicitement jugement.

---

* Marc Bloch, *Apologie pour l'histoire ou le métier d'historien*, Paris, A. Colin, 1961, p. 36.
** 2. Ch. V. Langlois et Ch. Seignobos, *Introduction aux études historiques*, Paris, Hachette, 1898, p. 275.

L'histoire de Langlois et Seignobos reste une histoire « *événe-mentielle* », ou « *historisante* », pour reprendre la terminologie de ceux qui, dans les années vingt et trente, en feront la critique, les historiens groupés autour de la revue *Annales*, fondée en 1929 par Marc Bloch et Lucien Febvre.

L'avènement, au XIXe siècle, de l'économie politique, puis de la sociologie, l'influence directe ou indirecte de Marx, vont conduire nombre d'historiens à prendre mieux en compte, dans le fil de la démarche introduite par Voltaire et reprise à sa manière par Michelet, les aspects collectifs de la vie des hommes, vie économique, vie sociale.

Ce sera le fait, en France, de pionniers comme Henri Hauser, mais surtout du groupe de la revue *Annales*, dominé par Marc Bloch et Lucien Febvre entre les deux guerres, Fernand Braudel après la Seconde Guerre mondiale.

Il arrivera que les historiens de ce courant (plutôt qu'école), tombent parfois sans s'en rendre compte, comme les représentants d'un marxisme mal compris qu'ils critiquent, dans un déterminisme mécaniste par les techniques et les structures sociales. On en est aujourd'hui à un redressement de ces excès, dont témoigne l'intérêt porté à l'histoire des mentalités.

A quoi sert l'histoire?

Dans ses formes originelles, elle sert à dire le droit (ou les prétentions) des familles nobles ou des dynasties ; avec la prise de conscience des identités nationales, au XIXe et au XXe siècle, elle sera utilisée pour fonder ces identités. Ainsi, dans l'histoire des manuels scolaires de la IIe République, notamment ceux de l'éminent historien Ernest Lavisse, il s'agira d'exalter la fierté nationale française et le régime républicain. L'équivalent s'en trouvera ailleurs, en Angleterre, en Allemagne, etc.

Trop souvent, la vérité historique est ici sacrifiée à des simplifications du style «image d'Epinal», et à de véritables falsifications «patriotiques». On sait à quelles dérives dramatiques cette façon d'utiliser (ou de falsifier) l'histoire a pu conduire et ces dérives sont, hélas, toujours d'actualité dans certains pays. Nous en voyons les effets abominables.

Il s'agit ici, non d'une fonction de l'histoire, mais d'un abus. Pour Langlois et Seignobos, il n'y a pas de « leçons » de l'histoire directement applicables. L'histoire est néanmoins, selon eux, utile pour *« expliquer les origines de l'état de choses actuel »** et elle est un instrument de culture (la méthode historique est *« hygiénique pour l'esprit, qu'elle guérit de la crédulité »*).**

Les exemples de l'histoire peuvent éclairer les réalités présentes, mais il faut être en garde contre une conception des « leçons » de l'histoire reposant sur des analogies souvent superficielles. L'histoire est trop complexe pour prêter à des généralisations prédictives qui, presque toujours, seront démenties par les événements.

Enfin, il faut dire que l'histoire, au même titre que la fiction romanesque, sert aussi... à se faire plaisir.

Croyons-en Marc Bloch, qui, dans l'introduction de son *Apologie pour l'histoire*, écrivait :

> *« Le spectacle des activités humaines [...] est, plus que tout autre, fait pour séduire l'imagination des hommes. Surtout lorsque, grâce à leur éloignement dans le temps et dans l'espace, leur déploiement se pare des subtiles séductions de l'étrange [...]*
>
> *Gardons-nous de retirer à notre science sa part de poésie. Gardons-nous surtout, comme j'en ai surpris le sentiment chez certains, d'en rougir. Ce serait une étonnante sottise que de croire que, pour exercer sur la sensibilité un si puissant appel, elle doive être moins capable de satisfaire aussi notre intelligence. »****

N. B. : L'utilisateur de cet ouvrage aura intérêt, autant que cela lui sera possible, à utiliser comme auxiliaire de sa lecture un atlas historique ; il en existe plusieurs, souvent excellents.

---

* Op. cit., p. 278.
** Ibid.
*** Marc Bloch, op. cit., Introduction, p. XI.

La préhistoire

Il est d'usage de considérer que l'histoire commence avec les premiers documents écrits. Soit, en Mésopotamie et en Egypte, à la fin du IVe millénaire avant notre ère, et ailleurs à des dates diverses, plus tardives.

Avant l'écriture, nous ne disposons que de témoignages matériels sur nos lointains devanciers : outils de pierre (ceux de bois se sont rarement conservés), peintures et gravures rupestres, traces d'habitations et de foyers, squelettes humains. C'est le domaine de la préhistoire qui recourt elle-même à l'archéologie et à la paléontologie humaine.

La notion de préhistoire est apparue tardivement, vers 1850, lorsqu'un amateur éclairé, Boucher de Perthes, attribua les silex taillés trouvés dans la vallée de la Somme à des hommes « *préhistoriques* ».

Depuis, les progrès de la préhistoire se sont appuyés sur l'étude de l'outillage (pierre taillée, puis pierre polie, enfin métaux) et sur les découvertes ostéologiques (squelettes ou fragments de squelettes humains). Depuis le milieu du XXe siècle, les progrès dans la datation de ces vestiges ont permis de préciser et d'enrichir les connaissances.

L'ANTHROPOGENÈSE

En 1950, on donnait encore à la préhistoire, et à la présence humaine sur terre, une durée d'environ 100 000 ans.

Depuis 1959, une série de découvertes faites en Afrique orientale (Tanzanie, Kenya, Ethiopie) ont profondément bouleversé nos connaissances relatives aux origines de l'homme et les ont reportées beaucoup plus loin dans le temps.

Depuis Darwin, on savait que l'homme descendait, non pas du

singe, comme les détracteurs de Darwin voulaient le lui faire dire, mais d'un ancêtre commun.

La paléontologie humaine s'est appliquée à trouver les « chaînons manquants » entre cet ancêtre et l'homme actuel. Découvert en 1856 en Westphalie (Allemagne), *l'homme de Neandertal* diffère de l'homme actuel par une boîte crânienne plus allongée, une face plus réduite (front et menton fuyants), de très fortes arcades sourcilières. Puis on découvrit en 1890, à Trinil, dans l'île de Java (Indonésie) et aussi à Chou-kou-Tien, près de Pékin, en Chine (1921-1929), des crânes encore plus primitifs dont l'appartenance humaine fut d'abord discutée et qu'on appela *pithécanthropes* (hommes-singes). Par la suite, leur appartenance humaine fut reconnue et l'on distingua ces êtres sous le nom d'*homo erectus* (homme debout, dressé sur ses jambes), l'homme actuel étant baptisé *homo sapiens* (homme capable de jugement) avec deux sous-catégories : *homo sapiens neandertalensis* (l'homme de Neandertal) et *homo sapiens sapiens*, l'homme actuel.

Dans les années vingt de ce siècle, les paléontologues avaient identifié en Afrique australe un être encore plus primitif, qu'on ne pensa pas placer dans la lignée humaine, et qui fut désigné par le nom d'*australopithèque* (singe du Sud).

Les découvertes de l'anthropologue Leakey à Olduvai (Tanzanie) — *zinjanthrope* (1959) puis *homo habilis* (1964) — ont abouti à la conclusion que ces êtres très anciens (plus d'un million d'années), voisins des australopithèques, étaient des hommes, leurs restes étant associés à un outillage rudimentaire de galets éclatés.

L'humanité a commencé par les pieds

Aujourd'hui, les données acquises peuvent être résumées comme suit. Selon la formule d'André Leroi-Gourhan, *« L'humanité a commencé par les pieds »*. C'est en effet la station érigée et la démarche bipède qui distinguent fondamentalement les hominiens des autres primates, qui sont quadrumanes. Les membres inférieurs se sont spécialisés dans la fonction de soutien du corps et d'organes de la marche (et éventuellement de la course), perdant leur capacité de préhension ; les membres supérieurs se sont spécialisés dans l'activité de préhension, l'activité manuelle, associée à l'usage du langage articulé (les commandes cérébrales de l'une et de l'autre sont connexes), ce qui suppose une organisation sociale et s'accompagne de l'élaboration d'outils.

L'outil n'est pas seulement un instrument prolongeant les organes du corps (utilisé occasionnellement par les singes) : il se situe dans une « industrie », c'est-à-dire une fabrication suivant des modèles préalablement conçus et reproduits, ce qui suppose l'usage d'un langage articulé pour transmettre l'expérience acquise, au sein du groupe social, d'un groupe à l'autre, et, dans le temps, de génération en génération. Le langage étant lui-même associé à une forme au moins élémentaire de pensée conceptuelle.

L'australopithèque le plus ancien *(australopithecus ramidus)*, dont quelques dents ont été découvertes en Ethiopie en 1992, remonterait à 4,4 millions d'années. Le squelette féminin le plus ancien, celui de *Lucy*, découvert en 1974 dans la vallée de l'Omo (Ethiopie) est daté de 3,4 millions d'années. On estime que la spécialisation bipède qui a séparé la lignée humaine des grands singes anthropomorphes remonte à au moins 5, peut-être 10 millions d'années.

Les australopithèques étaient-ils déjà des humains, fabriquant des outils et utilisant un langage articulé ? Nous n'en savons rien. Ils disparaissent il y a environ 1 million d'années.

L'homo habilis

L'*homo habilis* (homme capable d'activité manuelle), de 3 ou 2,5 millions d'années à 1 million d'années, serait un « cousin » des précédents, premier spécimen dont le caractère humain serait prouvé (restes associés à un outillage de galets éclatés, empreintes des circonvolutions cérébrales sur l'intérieur de la boîte crânienne semblant attester l'usage ou la possibilité de la parole).

Lucy comme l'*homo habilis* ont la même structure corporelle que l'homme moderne, mais sont de petite taille (l'adulte ne dépasse pas 1,40 m). Le crâne est encore très petit, le front très réduit, la capacité cérébrale à peu près la moitié de celle de l'homme actuel.

LE PALÉOLITHIQUE (= « PIERRE ANCIENNE ») OU ÂGE DE LA PIERRE TAILLÉE

Avec l'*homo erectus*, l'évolution humaine franchit une nouvelle étape. Ses restes sont associés aux industries les plus anciennes de la pierre taillée (bifaces). Il apparaît en Afrique et en Asie il y a environ 1,7 million d'années, un peu plus tard en Europe. Sa capacité cérébrale est intermédiaire entre celle de l'*homo habilis* et celle de l'homme actuel.

L'*homo sapiens*

L'homme moderne apparaît il y a environ 100 000 ans, d'abord sous la forme de l'*homo neandertalensis*, qui disparaît il y a environ 35 000 ans. L'*homo sapiens sapiens*, identique à nous-mêmes, le remplace après avoir quelque temps coexisté avec l'homme de Neandertal. Il se distingue de tous ses prédécesseurs par le développement de la face et du front, l'apparition du menton.

Avec eux, la technique de la taille de la pierre se perfectionne (débitage en lames fines, retouchées). Les rites funéraires liés probablement à des croyances religieuses apparaissent dès l'homme de Neandertal.

Vers – 35 000 apparaît l'art rupestre (gravures et peintures sur les parois de grottes) représentant essentiellement des animaux, observés avec un grand réalisme et une grande exactitude. Il disparaît vers – 10 000.

Le feu

On ignore quand a été acquise la maîtrise du feu. Les plus anciennes traces de feu associées à l'homme remontent à l'*homo erectus*, dans des sites européens datés de la glaciation de Mindel (– 480 000 à – 425 000). On a découvert récemment près de Plouhinec (Finistère) les traces d'un foyer aménagé daté de 465 000 ans. Mais ce n'est qu'à la fin du paléolithique inférieur (il y a un peu plus de 100 000 ans), que la présence de foyers dans les sites habités devient à peu près constante.

Le feu est un moyen de protection contre les animaux sauvages ; dans les régions à climat rude, il permet de lutter contre le froid en se groupant autour du foyer en plein air, ou en intégrant le foyer à l'habitation. Source de lumière, il permet d'agir et de se déplacer la nuit ou dans l'obscurité des cavernes : l'existence de lampes à huile (ou à graisse) est attestée dès le paléolithique supérieur (vers 35 000 ans avant notre ère).

Le feu va permettre d'élargir la gamme des produits utilisés pour l'alimentation humaine : la cuisson des aliments les rend plus digestes, et elle permet d'en utiliser qui seraient peu ou pas consommables sans cuisson. Il en est ainsi des graines récoltées, puis cultivées, des céréales en particulier, qui vont devenir au néolithique la base de l'alimentation de la plupart des groupes humains.

La cuisine, préparation des mets comportant cuisson pour une consommation collective, fait son apparition, et consolide la pratique, spécifiquement humaine, du repas pris en commun dans le cadre de l'unité sociale de base.

A cette étape du développement humain, la chasse, la cueillette, accessoirement la pêche, sont les sources d'alimentation humaine. Les chasseurs-cueilleurs vivent par petits groupes mobiles, avec une organisation sociale déjà complexe, dont l'exemple nous est fourni par les peuples les plus archaïques, qui ont prolongé jusqu'à l'époque contemporaine le mode de vie paléolithique.

Le clan

Ils sont organisés en groupes sociaux à la fois rivaux et alliés, que distinguent des interdits sexuels et alimentaires. Le clan, fondé sur la parenté masculine (patrilinéaire) ou féminine (matrilinéaire) est un groupe d'individus apparentés, descendant d'un ancêtre commun, en ligne féminine ou masculine. Le clan est régi par la prohibition de l'inceste (rapports sexuels et mariages interdits entre membres d'un même clan) et par des interdits alimentaires (animaux ou plantes dont la consommation est prohibée) qui marquent son identité.

Du fait de la prohibition de l'inceste, les membres d'un clan ne peuvent prendre femme que dans un autre clan, ce qui implique alliance ou association entre clans.

Les interdits alimentaires sont à l'origine du totémisme : pour expliquer les interdits, des mythes ont été forgés, faisant de l'animal interdit l'ancêtre du clan, ou faisant état d'une alliance entre l'animal et le fondateur du clan. L'erreur des anthropologues qui ont été les premiers confrontés au totémisme a été de voir dans le mythe l'origine de l'interdit, alors que c'est, à l'inverse, l'interdit qui a suscité le mythe, lequel n'existe pas toujours.

LA RÉVOLUTION NÉOLITHIQUE

Au paléolithique, qui couvre plusieurs millions d'années, des débuts de l'humanité à environ 10 000 années (ou moins) avant notre ère, a succédé le néolithique (= « pierre nouvelle ») ou âge de la pierre polie.

A partir de 10 000 ans avant J.-C. au Moyen-Orient (Anatolie, Syrie, Palestine, Mésopotamie), 6 000 ans en Afrique (au Sahara alors humide), 5 000 ans en Europe et en Amérique centrale, se manifestent des changements capitaux dans le mode de vie des humains.

L'agriculture

C'est l'apparition progressive de l'agriculture et de l'élevage. Certaines plantes utiles ont été ménagées, puis peu à peu semées ou bouturées pour être reproduites. C'est le début de l'agriculture. Le premier animal domestiqué a probablement été le chien, utilisé dès le paléolithique comme compagnon de chasse. Au Moyen-Orient, les hommes vont accompagner les troupeaux d'ovins (moutons) et de bovins, qui pratiquent la transhumance, passant l'hiver dans les plaines humides et fraîches, et l'été, quand ces plaines deviennent torrides et desséchées, dans les montagnes à la recherche des pâturages et de la fraîcheur. De l'accompagnement, on passera à la domestication (mouton vers – 10 000, chèvre vers – 7 500, porc vers – 6 500, bœuf vers – 5 000).

Dans le même temps, on passe du ramassage des graines de certaines plantes annuelles, les graminées, à la culture des céréales, *blé*, *orge*. En Chine, le néolithique débute vers – 5 000, avec comme céréale majeure le riz, le blé étant également cultivé, ainsi que le millet ou *kaoliang*. Sur le continent américain, peuplé tardivement par des Asiatiques venus par le détroit de Behring, il y a au plus 40 000 ans, la seule céréale connue et cultivée est le maïs, qui passe de l'état de plante spontanée, objet de cueillette, à celui de plante cultivée entre – 5 000 et – 3 000. L'Amérique utilise de nombreuses plantes cultivées inconnues de l'ancien continent (pomme de terre, haricot, tomate, manioc, arachide) qui seront, avec le maïs, importées en Europe après l'arrivée de Christophe Colomb. L'Amérique, en dehors du chien, probablement apporté d'Asie par les premiers immigrants, ne connaîtra comme animaux domestiqués que le lama (animal de bât) et un animal de basse-cour, le dindon. L'Europe, de son côté, a toute une gamme de légumes et de fruits cultivés, et d'animaux de basse-cour.

L'artisanat

L'agriculture et l'élevage s'accompagnent de l'apparition de techniques nouvelles : céramique, vannerie (pour stocker les réserves de nourriture), tissage. Alors que les chasseurs-cueilleurs paléolithiques étaient généralement nomades ou semi-nomades, l'habitat sédentaire devient la règle et les premiers villages fortifiés font leur apparition. Face à ces transformations, le passage à peu près contemporain de la technique de la pierre taillée à celle de la pierre polie est un élément relativement peu significatif, même s'il a été retenu pour « marquer » la période par les premiers préhistoriens.

La révolution néolithique

Dans les années trente de ce siècle, le préhistorien et anthropologue marxiste anglais Gordon Childe a appelé cette profonde transformation des conditions d'existence humaine « révolution néolithique ».

Depuis, ce terme a été contesté : le terme de *révolution* évoque un changement brusque, alors que le processus s'est étendu sur plusieurs millénaires ; toutes les transformations évoquées n'ont pas été partout simultanées : les premiers agriculteurs du Moyen-Orient ignoraient la poterie ; à l'inverse, au Japon, la céramique apparaît avec la culture *Jomon*, vers – 11 000, bien avant l'agriculture. En Palestine, les premiers villages pré-agricoles apparaissent entre – 10 000 et – 8 300 ; la première agglomération sédentaire fortifiée qu'on puisse qualifier de ville, Jéricho, apparaît vers – 7 500 ; les premiers villages de véritables agriculteurs-éleveurs n'apparaissent qu'entre – 7 500 et – 6 600.

Malgré ces réserves, la formule de Gordon Childe reste commode. Face aux millions d'années du paléolithique, les quelques millénaires de transition vers un autre état économique et social ne représentent qu'une très courte période.

La révolution néolithique ne se situe pas seulement au niveau des techniques. La productivité de l'agriculture et de l'élevage, la sédentarité permettent de dégager un surplus par rapport aux besoins élémentaires de subsistance.

Les sociétés paléolithiques ne connaissaient de division du travail qu'au niveau du sexe et de l'âge : la chasse au gros gibier (et la guerre) étaient l'apanage des hommes dans la force de l'âge ; la cueillette, parfois la pêche, et le piégeage de petits animaux étaient le fait des femmes et des enfants.

Avec le néolithique apparaissent les premiers métiers spécialisés. Les surplus de la collectivité permettent d'entretenir, partiellement ou totalement, des gens de métier : potiers, vanniers, tisserands, sorciers-médecins et/ou chamans — devins —, puis, avec l'apparition des métaux, forgerons et bijoutiers.

L'apparition de l'usage des métaux qui, dans la division chronologique traditionnelle de la préhistoire, marquait le début d'un

« âge des métaux » succédant à l'âge de pierre, n'introduit pas en réalité de rupture profonde (la fonte du cuivre apparaît en Anatolie et en Egypte vers − 3 800, le bronze apparaît vers − 2 800 en Mésopotamie et en Egypte, le fer vers − 1 500).

L'inégalité sociale

Avec les progrès de la division du travail se développe l'inégalité sociale. Les sociétés paléolithiques étaient relativement égalitaires : il y avait, certes, inégalité entre les sexes et les âges : privilèges du sexe masculin, privilèges des anciens sur les jeunes. Dans le partage des produits de la chasse, mis en commun, certaines parties du gibier étaient réservées aux anciens, aux chefs de famille. Toutefois, la modicité des ressources, l'absence de réserves, limitaient la portée de cette inégalité.

Dans les sociétés néolithiques, le surplus obtenu peut être mis en réserve (pour faire face aux mauvaises années), mais il peut aussi permettre l'entretien de non-producteurs, dispensés partiellement ou totalement du travail productif en raison de fonctions spécialisées, religieuses, militaires, politiques.

Ainsi peut apparaître une aristocratie privilégiée, vivant du travail du commun du peuple, hommes libres et esclaves.

L'esclavage

L'esclavage apparaît également dans ce contexte : c'est le sort réservé aux prisonniers de guerre, ou aux criminels et asociaux, comme substitut de la peine de mort. L'esclave patriarcal est incorporé à la famille des maîtres, dont il partage les conditions de vie, sauf à subir un traitement plus dur (il est chargé des corvées les plus pénibles).

Des sociétés sédentaires et hiérarchisées, avec aristocratie et esclaves, ont pu apparaître en dehors de la « révolution néolithique » : c'est le cas de collectivités amérindiennes de pêcheurs de la côte pacifique du Nord des Etats-Unis et du Canada, chez qui les ressources exceptionnelles de la pêche permettaient les mêmes effets (accumulation de réserves et sédentarité).

L'opposition entre privilégiés, vivant totalement ou en partie du travail des autres, et travailleurs suscite des conflits que l'autorité morale des chefs de famille ou de clan ne suffit plus à arbitrer.

L'Etat

L'Etat fait son apparition, généralement sous la forme d'un roi mandataire de la puissance divine, ou divinisé lui-même, ce qui lui donne une autorité morale supérieure, sans le dispenser de se doter de moyens de coercition (garde armée permanente, etc.).

Nous entrons alors de plain-pied dans l'histoire, qui nous fait passer, selon la formule d'un ancien auteur, Léon Moret, *« des clans aux Empires »*.

La chronologie

L'histoire suppose la possibilité de *situer dans le temps* les événements et de mesurer la *durée* qui sépare un événement d'un autre. Les mouvements apparents du Soleil (reflétant en réalité les mouvements de la Terre) ont servi de base naturelle à la mesure du temps.

Le jour

Le jour se définit par la durée séparant deux passages successifs du Soleil au sommet de sa course (à midi). Il correspond à une rotation de la Terre sur elle-même. Les divisions, du jour en 24 heures, de l'heure en 60 minutes, de la minute en 60 secondes, sont conventionnelles.

L'année

L'année se définit comme la durée qui sépare deux levers du Soleil au même point de l'horizon, correspondant à un tour complet de la Terre autour du Soleil.

Le mois

Le mois était à l'origine (et demeure dans le calendrier musulman) une mesure lunaire : le temps séparant deux passages à la nouvelle lune, correspondant à un tour complet de la Lune autour de la Terre.

Repères

• Dans les sociétés rurales ou anciennes, des événements hors du commun (grande sécheresse, inondation, épidémie) servent de repère : on situe les événements en années avant ou après une de ces catastrophes mémorables.

• Dans l'Empire japonais, le temps est divisé en ères correspondant au règne d'un souverain.

• Les Grecs anciens compteront le temps à partir de la première olympiade (période de quatre ans séparant la tenue des jeux Olympiques qui réunissaient tous les Grecs) : 776 avant J.-C.

• Les Romains comptaient les années à partir de la date supposée de la fondation de Rome, soit 753 avant J.-C.

• Au VIᵉ siècle de notre ère, on substitua à ce point de départ l'ère chrétienne, débutant à la date présumée de la naissance du Christ.

Flottement sur l'an un

La date de naissance de Jésus-Christ fut proposée bien après l'événement, au VIᵉ siècle, par le moine Denys le Petit. Celui-ci, initiateur du calendrier chrétien, s'est trompé de 6 ou 7 ans dans ses calculs. Les deux seuls points de repère des Evangiles sont un passage de Matthieu qui précise que la naissance de Jésus eut lieu au temps du roi Hérode le Grand (or, celui-ci est mort en l'an 4 avant J.-C.), et un passage de Luc qui fait état d'un recensement ayant eu lieu à ce moment. Or, il n'y a aucune trace d'un recensement général dans l'Empire romain à cette époque. L'historien des Juifs Flavius Josèphe signale un recensement particulier à la Palestine, mais dans les années 6-7 après J.-C. Il y a donc incertitude sur la date exacte de la naissance du Christ.

LES CALENDRIERS

L'élaboration des calendriers comporte une difficulté : l'année ne compte pas un nombre exact de jours (elle dure un peu moins de 365 jours 1/4) ni de mois lunaires (le mois lunaire dure 29 jours 12 heures et 44 minutes).

Le calendrier julien

Pour faire coïncider division en années et en jours, Jules César réforma, en 45 avant J.-C., le calendrier romain (dont l'année comptait 365 jours). Il fit ajouter après le sixième jour précédant les calendes de mars un jour supplémentaire (*bis sextus* = le deuxième sixième jour) une année sur quatre : avec 3 années de 365 jours et une année bissextile de 366 jours, le calendrier correspondait de plus près à l'année astronomique.

Mais, la durée réelle de l'année étant un peu inférieure à 365 jours 1/4 (exactement 365 jours 5 heures 48 minutes 46 secondes !), ce calendrier commença à donner des signes de décalage au Moyen Age. L'année conventionnelle avait pris du retard par rapport à l'année astronomique.

Le calendrier grégorien

Le calendrier *julien* (du nom de Jules César) fut alors remplacé par le calendrier *grégorien* (du nom du pape Grégoire XIII, auteur de la réforme en 1582). Le calendrier fut avancé de 10 jours, et, pour éviter que ce retard réapparaisse, on décida de supprimer une fois par siècle, trois siècles sur quatre, une année bissextile. On compte comme année bissextile toute année dont le chiffre est divisible par quatre (le mois de février, qui compte habituellement 28 jours, en compte alors 29). Les années « séculaires » (dont le chiffre se termine par deux zéros), en principe toutes bissextiles, ne le sont que si leurs deux premiers chiffres sont divisibles par quatre (1600, 2000 sont bissextiles ; 1700, 1800, 1900 ne le sont pas).

Les chrétiens orthodoxes ont conservé le calendrier julien pour le calcul de leurs fêtes religieuses. La Russie l'avait conservé jusqu'en 1918 : de ce fait, la « Révolution d'octobre » 1917 (24 octobre du calendrier julien) a eu lieu le 7 novembre du calendrier grégorien...

Dans notre calendrier, le mois est devenu une division conventionnelle comptant, suivant les mois, 30 ou 31 jours, 28 jours (29 les années bissextiles) pour le mois de février.

Le calendrier hégirien

Le calendrier musulman ou *hégirien*, qui se donne pour point de départ l'hégire (la fuite, ou la retraite du prophète Mohammed de La Mecque à Médine), le 16 juillet 622, est un calendrier *lunaire*, fondé sur une année conventionnelle de douze mois lunaires. L'année hégirienne ne correspond donc pas à l'année astronomique. 34 années hégiriennes correspondent à peu près à 33 années du calendrier grégorien. On ne peut donc « convertir » une année du calendrier hégirien en date du calendrier grégorien en y « ajoutant » 622 ans : il faut consulter une table de conversion spéciale.

QUELQUES DÉTAILS PRATIQUES

Le premier siècle de notre ère commence au 1er janvier de l'an 1 et se termine au 31 décembre de l'an 100. Les années « séculaires » (se terminant par deux zéros) appartiennent donc au siècle qui les précède et non au siècle qui suit. Le XXIe siècle commencera donc le 1er janvier non pas de l'an 2000, mais de l'an 2001.

De même le IIIe millénaire de notre ère commencera avec l'an 2001.

Pour connaître le siècle auquel appartient une année, il faut donc ajouter une unité au chiffre des centaines, sauf pour la dernière année séculaire : 45 après J.-C. se situe au premier siècle de notre ère ; 1789 appartient au XVIIIe siècle, et 1800 également.

Avant J.-C., on compte à l'envers, de l'an 1 avant J.-C. (– 1) à l'an 100 avant J.-C. (– 100) qui est la première année du 1er siècle avant J.-C., l'an 1 avant J.-C. étant la dernière.

Même chose pour les millénaires : le IIIe millénaire avant notre ère commence en l'an 3000 avant J.-C., se poursuit par 2999, 2998, etc. pour se terminer par l'an 2001 avant J.-C.

L'ANTIQUITÉ

L'Orient ancien : l'Egypte

Située au nord-est de l'Afrique, reliée à l'Asie par l'isthme de Suez, l'Egypte occupe une place à part dans l'Orient ancien.

Le Nil

C'est une partie du grand désert du Sahara, mais traversée du sud au nord par un grand fleuve, le Nil, alimenté par les pluies tropicales de son bassin supérieur, et qui lui procure l'eau et la fertilité. L'eau et les limons apportés chaque année par la crue du fleuve (correspondant à la saison des pluies tropicale) permettent les cultures sur les terres libérées au moment de la décrue.

La vallée du Nil est protégée par son environnement désertique. Elle a connu des invasions, mais relativement rares, et qui n'ont pas rompu la continuité d'une civilisation qui a duré environ trois millénaires. La sécheresse du climat de l'Egypte, l'abondance des monuments de pierre (fournis par les montagnes qui bordent la vallée du Nil à l'est) ont permis la conservation de nombreux vestiges de la civilisation égyptienne : inscriptions gravées, peintures des tombeaux, papyrus (le papyrus est une plante des marais du Nil, dont les feuilles préparées ont servi de support à l'écriture : le mot « papier » en est dérivé) et enfin momies, corps embaumés des souverains et des grands personnages.

Les nomes

L'Egypte fut constituée à l'origine de quelques dizaines d'unités politiques, conservées comme circonscriptions administratives sous le nom de « nomes », chacune ayant son dieu généralement à visage animal, probablement d'origine totémique.

Au cours du IVe millénaire avant notre ère, les nomes se regroupèrent pour former deux royaumes, celui de Basse-Egypte, centré sur le delta du Nil, et celui de Haute-Egypte — la haute vallée du Nil. Vers la fin du IVᵉ millénaire (autour de 3200 avant J.-C.) les deux royaumes furent réunis : le roi unificateur, nommé Ménès par Hérodote, qui correspond peut-être au roi Narmer des inscriptions égyptiennes, établit sa capitale à Thinis, dans le delta ; ce fut la capitale des deux premières dynasties, dites *thi-nites*.

Durant environ 3 000 ans, de Narmer à la conquête perse (– 525), il y eut continuité de l'Etat égyptien, avec la succession de trente dynasties. Le souverain, que nous appelons *pharaon*, porte comme emblème de son pouvoir le *pschent*, coiffure formée de la réunion d'un haut bonnet conique, insigne de la royauté de Haute-Egypte, et d'une coiffure plus basse, rouge, insigne de la royauté de Basse-Egypte. En fait, la civilisation égyptienne se prolongea encore pendant un millénaire, les rois perses, macédoniens, puis l'empereur romain ayant pris la succession des pharaons. On peut dater la fin de la civilisation égyptienne de la fermeture du dernier temple d'Isis, à Philae, sur l'ordre de l'empereur byzantin Justinien, en 535 après J.-C.

L'ÉCRITURE ÉGYPTIENNE : LES HIÉROGLYPHES

En Egypte comme ailleurs, l'écriture prit naissance à partir de petits dessins ou pictogrammes, représentant ce que l'on voulait désigner. Mais alors qu'ailleurs ces dessins évoluèrent rapidement pour se transformer en signes conventionnels, l'écriture égyptienne conserva les dessins primitifs, en les complétant par des signes conventionnels. On les appelle des *hiéroglyphes* (en grec = « gravures sacrées ») : en effet, cette écriture, réservée aux prêtres et aux fonctionnaires royaux, revêtait aux yeux du peuple un caractère mystérieux, sacré. A l'origine, les signes hiéroglyphiques étaient des *idéogrammes* (signes représentant l'être ou l'objet que l'on voulait désigner). A partir de là, le même signe fut utilisé pour représenter le son correspondant (à la manière des dessins d'un rébus) ; enfin, on y ajouta des signes correspondant à un son isolé (une consonne : les voyelles ne sont pas représentées).

C'était une écriture complexe, utilisant un grand nombre de signes. Elle était utilisée par les prêtres à des fins religieuses, gravée dans la pierre (dans les temples) ou peinte (dans les tombeaux). Elle était aussi utilisée à des fins pratiques, administratives, par les scribes au service des rois et des temples.

Apparue à la fin du IVe millénaire, l'écriture égyptienne se maintiendra durant plus de trois millénaires avec peu de modifications. Pour les besoins pratiques (écriture sur papyrus), des formes d'écriture cursive, où le dessin initial disparaît, seront utilisées (hiératique, puis démotique).

LA SOCIÉTÉ ÉGYPTIENNE

La masse de la population était formée de paysans-éleveurs qui cultivaient les terres recouvertes annuellement par la crue du Nil.

La principale culture était celle des céréales (blé, orge). Le labour s'effectuait avec des araires à soc de bois, tirés par deux bœufs ; les semailles se faisaient à la volée ; les semeurs étaient suivis de gardiens de troupeaux dont les chèvres et les moutons piétinaient le sol de manière à y faire pénétrer les graines. On cultivait aussi le lin, seule plante textile utilisée.

L'élevage était pratiqué au-delà des zones de culture. La chasse et la pêche étaient pratiquées dans les fourrés marécageux, encore nombreux en bordure du fleuve.

Le surplus de la production était suffisant pour entretenir un nombre important de non-producteurs, aristocrates, fonctionnaires, prêtres, et bien entendu le pharaon et sa cour, ainsi que les artisans et serviteurs qui étaient attachés aux uns et aux autres.

Pendant la morte saison, les paysans pouvaient être requis pour des corvées, notamment celles nécessaires à la construction des temples et des tombeaux royaux.

La famille

La famille égyptienne était monogame, et la femme (à la différence d'autres sociétés orientales) y jouissait d'une grande liberté et d'une relative égalité. En raison du climat, les Égyptiens n'ont jamais éprouvé le besoin de se vêtir chaudement : les femmes portaient une robe collante, couvrant le corps de la gorge aux mollets, retenue par des bretelles ; les hommes portaient le pagne, pièce d'étoffe fixée à la ceinture, le torse restant nu.

Transports et métallurgie

Les transports se faisaient presque exclusivement par voie fluviale, sur le Nil. Des mesures de poids de métal (or sous l'Ancien Empire, argent sous le Nouvel Empire) faisaient office de monnaies de compte (pour apprécier la valeur des marchandises en équivalent or ou argent). Mais si l'on s'en tient aux documents dont nous disposons, le commerce était réduit à un petit commerce local de troc ; le grand commerce n'apparaît pas avant le VIIIe siècle avant notre ère, en Basse-Égypte, et il est le fait de commerçants étrangers, grecs notamment. L'usage de la monnaie restera inconnu jusqu'à la conquête d'Alexandre (IVe siècle avant J.-C.).

Le cuivre a été utilisé dès avant la période thinite, mais à des usages ornementaux. Le bronze est importé au cours du IIe millénaire. Mais la pierre taillée ou polie continue d'être largement utilisée, sous des formes parfois très sophistiquées (vases de pierre) comme sous des formes usuelles (pour la moisson, faucilles de bois garnies de lames de silex).

Le fer n'apparaît que tardivement, à la fin du IIe millénaire, en même temps que le cheval (venu d'Asie) et l'usage de la roue (pour les chars, machines de guerre plus que moyens de transport).

Le pharaon et sa cour

Au sommet de la société, nous trouvons le pharaon et sa cour. Il est entouré de serviteurs et d'artisans spécialisés, de fonctionnaires, de scribes et de soldats. Les fonctionnaires subalternes contrôlent la livraison de la part de la production réservée au souverain, surveillent l'emmagasinage des récoltes, et leurs sceaux sont apposés sur les bouchons des jarres à provisions. Ils veillent également à l'arpentage des terres cultivées après la crue, et cette nécessité fera apparaître les premières formes de la *géométrie* (en grec = « mesure de la terre »).

Entre le souverain et la paysannerie prennent place des aristocraties civile, militaire et religieuse.

L'aristocratie des prêtres, au service des temples, joue un rôle capital et semble par moments dominer la société tout entière. On le verra lors du conflit entre le pharaon Aménophis IV et les prêtres du temple d'Amon-Ra à Thèbes (XIVe siècle avant notre ère).

LA RELIGION ÉGYPTIENNE

Les croyances religieuses ont joué un rôle capital dans la société égyptienne.

Des palais des pharaons, construits en terre séchée, il n'est pratiquement rien resté : en revanche, d'énormes moyens furent consacrés à la construction des temples, en pierre, ornés de statues géantes et couverts d'inscriptions hiéroglyphiques, ainsi qu'à la construction des tombeaux des rois et des grands notables.

Les nombreux dieux égyptiens sont pour la plupart à corps humain et figure d'animal, héritage probable de divinités totémiques.

La religion égyptienne accorde un intérêt capital à la vie future, ce qui explique l'importance donnée aux tombeaux : ainsi, les pyramides de Gizeh, tombes de pharaons des premières dynasties. La pyramide de Khéops, la plus grande, fut jusqu'au XIXe siècle la construction la plus volumineuse jamais construite par les hommes. Par la suite, les tombeaux furent aménagés sous terre ou à flanc de montagne (hypogées, comme ceux de la vallée des rois) de manière à échapper aux pillards. Les corps des pharaons (et aussi ceux de leurs proches et des grands personnages) étaient embaumés, entourés de bandelettes. Leurs momies, grâce au climat sec de l'Egypte, ont été conservées. Des salles aux murs couverts de peintures et d'inscriptions abritaient mobilier et provisions, réelles ou symboliques (miniaturisées), qui devaient accompagner le défunt dans l'au-delà.

Cette religion évoluera, mais se maintiendra dans ses traits essentiels jusqu'à la fin de l'Empire romain, au IVe siècle de notre ère, où elle sera supplantée par le christianisme.

LES GRANDES PÉRIODES HISTORIQUES

On distingue dans l'histoire de l'Egypte trois périodes majeures : l'Ancien Empire, le Moyen Empire, et le Nouvel Empire.

L'Ancien Empire

Après les deux premières dynasties thinites (– 3150 à – 2700) commence l'Ancien Empire (– 2700 à – 2180). La capitale est alors Memphis, en Basse-Egypte. C'est sous l'Ancien Empire, sous la IVe dynastie (– 2625 à – 2510) que furent construites les trois grandes pyramides de Gizeh et le Sphinx qui les accompagne. Des expéditions de pillage sont conduites dans les régions frontalières, la Nubie au sud, la Palestine et le Liban à l'est, où les Egyptiens se procurent du bois de construction, à peu près absent de la vallée du Nil.

De – 2180 à – 2040, une période de troubles, dite « première période intermédiaire », semble avoir été marquée par une crise sociale. Un texte relatif à cette époque nous dit :

> *« Les pauvres sont devenus propriétaires de bonnes choses. Toute ville dit : supprimons les puissants parmi nous [...] L'or et le lapis-lazuli, l'argent et la turquoise, la cornaline et le bronze, ornent le cou des servantes, alors que les maîtresses de maisons* [disent] : *Ah ! Si nous avions quelque chose à manger ! »*

Le Moyen Empire

Le Moyen Empire (– 2040 à – 1785) se termine par une deuxième période de troubles et d'anarchie (deuxième période intermédiaire : – 1785 à – 1580) marquée par l'invasion des Hyksos venus d'Asie.

Le Nouvel Empire

Le Nouvel Empire (– 1580 à – 1080) est marqué par l'établissement de la capitale à Thèbes, en Haute-Egypte. Plusieurs des pharaons de cette époque cherchent à s'implanter en Asie, conquérant des territoires ou les réduisant à la vassalité, concluant avec des souverains asiatiques (notamment ceux de Hattousa — les Hittites — et du Mitanni) des alliances matrimoniales.

Aménophis IV (– 1378 à – 1354) tente une révolution religieuse en remplaçant le culte du dieu de Thèbes Amon-Ra par celui d'Aton (le disque solaire) et prend le nom d'Akhnaton (celui qui plaît à Aton). Les temples d'Amon-Ra sont fermés, son nom martelé sur les inscriptions. Il s'agissait, de toute évidence, de réduire la puissance des prêtres d'Amon-Ra. Ils prendront leur revanche sous son successeur, Toutankhaton, jeune et faible, qui retombera sous leur tutelle et changera son nom pour celui de Toutankhamon, bien connu par la découverte de son tombeau et des splendeurs qu'il contenait. Ramsès II (– 1301 à – 1235), dont la momie est exposée au Musée du Caire, est fort connu, moins en raison de ses exploits réels que de la publicité dont il sut s'entourer, multipliant les inscriptions à sa gloire, et usurpant des monuments de ses prédécesseurs, dont il fit marteler le nom pour y substituer le sien.

L'Egypte conquise

En – 663, l'Egypte fut conquise par les Assyriens. Elle s'en libéra et redevint indépendante de – 650 à – 525, sous la dynastie saïte (du nom de sa capitale, Saïs, dans le Delta). En – 525, l'Egypte est conquise par les Perses qui font de l'Egypte une province (satrapie) tout en respectant ses institutions. Mais les Egyptiens se révoltèrent et deux dernières dynasties (la XXIXe et la XXXe) mirent en échec la domination perse. Celle-ci fut rétablie en − 341, ce qui mit définitivement un terme à l'indépendance de l'Egypte.

En − 333, le roi de Macédoine Alexandre, après avoir défait le grand roi perse Darius III, fut accueilli en Egypte en libérateur. Il se présenta comme le successeur des pharaons, et se fit consacrer comme dieu, fils d'Amon (assimilé par les Grecs à Zeus), à son oracle de l'oasis de Siouah. Il fonda, sur la Méditerranée, la ville nouvelle d'Alexandrie qui devint la capitale de l'Egypte. Après la mort d'Alexandre en − 323, l'Egypte redevint un Etat autonome, mais sous la domination d'une aristocratie gréco-macédonienne conduite par la dynastie lagide (descendants de Lagos, compagnon d'Alexandre) dont les membres portèrent tous le nom de Ptolémée. Après le suicide de la reine Cléopâtre (− 30), l'Egypte devint province romaine.

La Mésopotamie

A peu près en même temps qu'en Egypte, peut-être même un peu avant, vers la fin du IVe millénaire avant notre ère, l'écriture apparaît en Mésopotamie.

Ce mot veut dire en grec *« au milieu des fleuves »*. Il désigne une plaine basse et de climat aride traversée par deux fleuves, l'Euphrate et le Tigre, dont les eaux se rejoignent aux abords du golfe Persique. La partie de la plaine la plus proche de la mer est un ancien golfe comblé par les alluvions.

La Mésopotamie est entourée de plateaux et de montagnes : à l'ouest, les plateaux de la Syrie et de la Palestine ; au nord, les plateaux et les montagnes de l'Anatolie, du Kurdistan et de l'Arménie ; à l'est, les hauts plateaux de l'Iran.

C'est sur ces plateaux et dans ces montagnes que l'agriculture et l'élevage apparaissent au VIIe millénaire avant notre ère.

Cette plaine normalement aride est fertilisée par les eaux des deux grands fleuves et par les alluvions provenant des montagnes. C'est un point commun avec l'Egypte, mais à peu près le seul.

A la différence de l'Egypte, c'est un espace non protégé ; le commerce s'y est développé de bonne heure, ainsi que des formes de propriété privée ; elle manque de bois, de pierre, de métaux, qui doivent être importés des régions voisines. Les matières disponibles sur place sont l'argile, les roseaux, et le bitume (résultant de suintements pétroliers : l'Irak qui occupe aujourd'hui l'espace mésopotamien est un des principaux producteurs mondiaux de pétrole).

Elle est exposée aux invasions des peuples des montagnes environnantes, plus frustes et attirés par les richesses de la plaine.

L'ÉCRITURE CUNÉIFORME

Comme en Égypte, l'écriture commença par des picto-grammes. Mais ici, au lieu d'être gravés sur la pierre ou peints sur des papyrus, les signes furent tracés sur des plaques d'argile molle, qu'on faisait ensuite sécher ou cuire. On utilisait pour cela un roseau taillé imprimant des marques en forme de coin (ou de clou). D'où le nom d'écriture *cunéiforme* (= « en forme de coin »).

Du fait de cette technique, les dessins furent vite simplifiés et firent place à des combinaisons de coins imprimés d'allure tout à fait abstraite. Comme les hiéroglyphes, les signes représentent à l'origine une chose, puis le son correspondant. Mais la décompo-sition des sons n'y sera jamais poussée plus loin que la syllabe.

L'HISTOIRE COMMENCE À SUMER

Dès le milieu du IVe millénaire avant notre ère, des commu-nautés agricoles s'établissent en Mésopotamie, aménageant dans les terrains marécageux des canaux utilisés pour le trans-port et pour l'irrigation. L'aménagement des digues et des canaux, supposant une autorité locale, est sans doute à l'origine des premières formes du pouvoir. A la fin du IVe millénaire, ces communautés s'organisent en « cités-Etats » (une quinzaine).

Cette structure apparaît dans la partie la plus basse de la plaine, à proximité de la mer, le pays de Sumer. Les Sumériens, dont la langue n'est apparentée à aucune langue connue, seraient venus de l'est. Ce sont les inventeurs de l'écriture cunéi-forme.

Chaque cité est placée sous la protection d'un dieu local, dont le chef politique, roi-prêtre, est le mandataire. Parmi ces cités, mentionnons Ur (dont la Bible fait venir Abraham), Uruk, Eridu, Lagash, Umma.

Ces cités sont constamment en guerre et, parfois, en soumet-tant une ou plusieurs cités rivales, créent des empires, vite désagrégés. A la différence de l'Egypte, la Mésopotamie ne connaîtra pas de structure étatique centralisée permanente.

La société sumérienne est hiérarchisée : le roi, les prêtres, les hommes riches, dominent une population de paysans et d'artisans où il y a des riches et des pauvres. La propriété privée, y compris celle de la terre, et l'esclavage existent. Les commerçants et les bateliers (qui assurent les transports) jouent un grand rôle, à la différence de l'Egypte. L'écriture, utilisée à des fins religieuses, l'est aussi à des fins commerciales (inventaires, contrats). En guise de signature ou de sceau, les Sumériens utilisent des cylindres de pierre gravés, qui sont imprimés dans l'argile molle des tablettes.

Faute de pierre, les constructions sont faites d'argile séchée et de roseaux. Aussi, les monuments, palais royaux ou temples, particulièrement les *ziggourats*, sortes de pyramides à étages, reliées par des plans inclinés (prototypes de la « tour de Babel » de la Bible), n'ont pas survécu, sinon dans leurs fondations.

Les Sumériens cultivent le blé, l'orge, le palmier-dattier ; ils élèvent des porcs et des bovidés. Ils pratiquent la pêche dans les canaux ou les bras des fleuves, accessoirement la chasse, dans les marais non aménagés.

SUMER ET AKKAD —
CHALDÉENS ET ASSYRIENS

Au nord du pays sumérien, vivaient les Akkadiens, agriculteurs et pasteurs parlant une langue de la famille sémitique (qui comprend notamment l'hébreu et l'arabe). En – 2340, le roi d'Agadè (Akkad), Sargon, s'empara du pays de Sumer et créa un empire qui disparut vers – 2200, victime d'invasions, elles-mêmes peut-être facilitées par une période de sécheresse et de crise sociale.

Les Akkadiens empruntèrent aux Sumériens leur écriture. Par la suite, le sumérien cessa d'être parlé et fut supplanté par l'akkadien. Mais le sumérien continua à être utilisé à des fins religieuses (comme le latin dans l'Eglise catholique). Pour comprendre et lire cette langue morte, des dictionnaires akkadien-sumérien furent élaborés, et ont rendu possible le déchiffrement du sumérien.

Au XVIIIe siècle avant notre ère, Hammourabi (– 1792 à – 1750), dont le code gravé sur une pierre nous a été conservé (il est exposé au Musée du Louvre), créa un empire réunissant les pays de Sumer et d'Akkad, la Chaldée, avec pour capitale Babylone. Le premier empire babylonien fut détruit en – 1594 par les Hittites, dont nous parlerons plus loin.

Vers – 1100, les Assyriens, établis plus au nord et venus des montagnes, imposèrent leur domination grâce à l'usage du fer et à la domestication du cheval. Ils dominèrent l'ensemble de la Mésopotamie et s'implantèrent bien au-delà, s'emparant un temps de l'Égypte. Ils terrorisèrent les populations par leurs méthodes de guerre (prisonniers écorchés vifs).

Deux de leurs rois les plus célèbres portèrent le nom d'Assourbanipal. L'empire assyrien fut détruit avec la prise et la destruction de sa capitale, Ninive, par les Mèdes et les Babyloniens. Il se constitua alors un deuxième empire babylonien dont le roi Nabuchodonosor II (– 605 à – 562) soumit et déporta partiellement en Chaldée le peuple juif (captivité de Babylone).

En 539, Babylone tomba aux mains des Perses et la Mésopotamie fut incorporée à l'empire perse.

LES VOISINS DE LA MÉSOPOTAMIE

De nombreuses civilisations et des États apparurent dans toute la ceinture montagneuse qui entoure la Mésopotamie, régions où étaient nés de bonne heure l'agriculture et l'élevage et où, dès le XIXe siècle avant J.-C., des colonies de commerçants mésopotamiens s'étaient établies, notamment à l'ouest, d'où étaient importés bois, pierres précieuses et cuivre (de Chypre).

À l'ouest, en Anatolie, se constitua vers – 1650 l'*empire hittite*. Les Hittites parlaient une langue de la famille indo-européenne. L'empire hittite fut détruit vers – 1190 par des envahisseurs indo-européens, les « *Peuples de la Mer* ».

D'autres États prirent la relève, comme la *Lydie*, dont la capi-

tale était Sardes, et dont les ressources en or valurent à son roi
Crésus une réputation de richesse illimitée.

Au nord apparut aux IXe-VIIIe siècles le royaume d'*Ourartou*,
précurseur de l'Arménie, dont la population parlait également
une langue indo-européenne.

Dans la Syrie actuelle et une partie de la Mésopotamie se
développa, à partir du XVIe siècle avant J.-C., le royaume de
Mitanni.

Le peuple hébreu

Une mention spéciale doit être faite du peuple hébreu (ou juif),
implanté en Palestine. Issu de tribus nomades de langue sémitique, il fut longtemps errant, de Mésopotamie (Abraham, venu
d'Ur) en Egypte (avec Joseph). D'Egypte, Moïse le conduisit sur
le plateau pierreux de Palestine, *« la Terre promise »*, où il se
fixa. Il reçut de Moïse ses lois civiles et religieuses.

Etat assez important vers le Xe siècle avant J.-C., sous les
règnes des rois David et Salomon, il se divisa par la suite et fut
asservi successivement par les Babyloniens, les Perses et les
Romains.

Son importance historique vient de sa religion, qui est à l'origine des grandes religions monothéistes, christianisme et islam.

Comme tous les peuples de la région, les Juifs avaient leur dieu
tribal, Yahweh. Mais ce dieu avait des caractéristiques singulières.
Il était interdit de le représenter (et, pour éviter l'idolâtrie, de faire
aucune image taillée). D'autre part, c'était un dieu « jaloux »,
exclusif, qui interdisait à son peuple d'adorer d'autres dieux.

La Bible (en grec = « le livre »), livre sacré des Juifs, attribue les
malheurs du peuple juif à ses infidélités à l'égard de son Dieu.
De la notion de dieu « jaloux », on passa à celle de Dieu unique.

Autres voisins

A l'est de la Mésopotamie, *Suse, capitale de l'Elam*, apparaît, avec sa langue et son écriture, à peu près en même temps
que les premières cités sumériennes.

Au-delà, sur les plateaux de l'Iran, *Mèdes* et *Perses* feront leur apparition dans l'histoire beaucoup plus tard, au VIe siècle avant notre ère. Leur religion, codifiée par Zoroastre, oppose un dieu de la lumière et du Bien, symbolisé par le feu, Ahura-Mazda, à un dieu du Mal et des ténèbres, Ahriman. Ils parlent une langue indo-européenne. Réunis sous le règne de Cyrus (– 559 à – 530), ils constituèrent un immense empire, comprenant l'Iran et une partie de l'Asie centrale, la Mésopotamie, l'Anatolie, à quoi son fils Cambyse ajouta l'Egypte. En revanche, au début du Ve siècle avant J.-C., les Perses échouèrent dans leurs tentatives pour conquérir la Grèce. L'empire perse, solidement structuré, fut divisé en provinces administrées par des satrapes (gouverneurs), avec une grande route reliant Sardes à Suse et à Persépolis. Les peuples conquis furent soumis au tribut, mais on respecta leurs usages et leur religion.

L'empire perse fut détruit par la conquête d'Alexandre, au IVe siècle avant J.-C.

La Méditerranée : Crétois, Phéniciens, Grecs

LA GRÈCE

La Grèce est une péninsule qui se situe dans le prolongement des Balkans. Elle est montagneuse, son littoral est profondément découpé, avec une succession de promontoires, de presqu'îles et de baies. Le littoral de l'Anatolie, avancée massive du continent asiatique, est également très découpé. Entre les deux, la mer Egée est occupée par une multitude d'îles et d'archipels.

Le climat, méditerranéen, est doux dans l'ensemble, mais avec des hivers parfois rudes, et des étés très chauds et secs.

Relief et climat sont favorables à l'élevage ; les petites plaines intérieures ou côtières permettent la culture des céréales, principalement du blé. Aux cultures céréalières s'ajoutent la culture de la vigne, fournissant le vin, et de l'olivier, fournissant de l'huile.

Le compartimentage du relief explique la persistance d'unités politiques réduites. Le découpage de la côte et les îles sont à l'origine du développement précoce de la navigation et du commerce maritime.

Peuplement de la Grèce

La tradition grecque fait état, avant l'arrivée des Grecs, de la présence d'une population antérieure, les Pélasges. Nous ne savons rien de leurs origines, pas plus que de celles des Crétois qui, de − 2200 à − 1450, furent les créateurs de la première grande civilisation égéenne.

Dans le même temps, entre − 1950 et − 1580, la Grèce continentale était envahie par des populations de langue indo-européenne, les Grecs. Ioniens et Achéens fournirent les premières vagues d'une immigration qui s'étendit aux îles de la mer Egée.

La famille linguistique indo-européenne

La plupart des langues de l'Europe, et un certain nombre de langues parlées en Asie et en Inde, appartiennent à la famille linguistique indo-européenne. Leur parenté a été découverte au XIXe siècle lorsque l'on a constaté la ressemblance du sanskrit, langue religieuse de l'Inde, avec le grec et le latin.

Les langues indo-européennes ont une origine commune, la langue primitive étant parlée par une population que certains situent dans le sud de la Russie, d'autres en Anatolie, au sud du Caucase. Au cours des IVe et IIIe millénaires avant notre ère, les populations de langue indo-européenne se sont répandues, d'une part sur toute l'Europe, d'autre part en Iran, en Asie centrale et dans le nord de l'Inde.

On a souvent attribué cette expansion à la possession de la métallurgie du fer et à l'usage militaire du char tiré par des chevaux, mais cette relation est aujourd'hui mise en doute.

Dans leur expansion, les populations de langue indo-européenne ont assimilé les populations soumises majoritaires, dans lesquelles elles se sont fondues.

L'identification des Indo-Européens ou Aryens à une « race », répandue au XIXe siècle et véhiculée par l'idéologie nazie, ne repose sur aucun fondement.

Les travaux de Georges Dumézil ont dégagé, à travers l'étude des données linguistiques, des éléments sur les croyances religieuses et l'organisation sociale des Indo-Européens « primitifs », qui témoignent de l'existence d'une société déjà hiérarchisée et comportant une organisation tripartite : guerriers, prêtres et agriculteurs-éleveurs.

LA CIVILISATION CRÉTOISE

De – 2200 à environ – 1450, une brillante civilisation se développe en Crète, fondée sur le commerce maritime.

Cette grande île, placée presque au centre de la Méditerranée orientale, était en relation maritime avec le monde égéen, l'Orient, l'Egypte et la Méditerranée occidentale (Sicile, Sud de l'Italie).

A partir de communautés paysannes, se formèrent des Etats autour de « palais » princiers. Le Prince (ou roi) disposait d'un vaste palais, avec des greniers et des locaux de stockage des produits prélevés sur le travail des paysans. Le palais était doté d'un système d'adduction d'eau et d'évacuation des eaux usées. Les Crétois maîtrisaient la technique du bronze, dont le commerce maritime leur fournissait les éléments (cuivre de Chypre, étain d'Europe occidentale). Leur céramique, avec des motifs ornementaux empruntés à la mer (poissons, animaux marins), devait être un article d'exportation. Les fresques des palais nous montrent des hommes vêtus de pagnes (comme les Egyptiens) et des femmes portant des robes élégantes. La Crète recevait d'Egypte des tissus, du papyrus ; des pays riverains de la mer Noire, du blé.

Les Crétois avaient une écriture (« linéaire A ») qui n'a pu jusqu'ici être déchiffrée et nous ignorons de ce fait à quel groupe linguistique ils se rattachaient. Ce sont les Grecs (Achéens) qui, vers – 1700, lancèrent contre la Crète une première expédition destructrice.

Les *Achéens* (ou *Mycéniens*, du nom de leur principale cité, Mycènes), qui tenaient leur civilisation des Crétois, réoccupèrent les principaux sites des « palais » crétois (dont Cnossos, le principal site). Ils empruntèrent leur écriture aux Crétois : cette écriture, le « linéaire B », a été déchiffrée en 1952 par B. Ventris : elle se compose de 80 à 90 signes syllabiques, et la langue transcrite est un grec archaïque.

La civilisation crétoise fut brusquement détruite vers – 1450.

A la fin du Ier millénaire, une nouvelle invasion grecque, celle des Doriens, aboutit à une régression (disparition de l'écriture) et à la disparition de l'organisation palatiale.

LA CIVILISATION MYCÉNIENNE : L'ILIADE ET L'ODYSSÉE

La littérature nous a donné un témoignage (à examiner avec esprit critique, car exprimé longtemps après les événements relatés) sur la société mycénienne. Il s'agit de l'*Iliade* et de l'*Odyssée*, deux longs poèmes épiques attribués à un aède (poète et chanteur) aveugle, Homère.

Ils ont pour sujet ou arrière-plan la *guerre de Troie* qui opposa les Achéens coalisés à cette ville, et se termina après un long siège par la chute et la destruction de la ville, au début du XIIe siècle avant notre ère (peut-être en − 1183).

Troie était une ville d'Asie Mineure, à proximité des détroits qui font communiquer la mer Noire avec la Méditerranée.

L'*Iliade* (d'« *Ilion* », autre nom de Troie) relate un épisode de la guerre, la colère d'Achille, offensé par Agamemnon, chef de l'expédition. L'*Odyssée* (d'« *Odysseus* », que nous transcrivons par « *Ulysse* ») est le récit du retour de Troie d'Ulysse, roi de la petite île d'Ithaque (dans les îles Ioniennes), qui l'entraîne dans une navigation fantastique à travers la Méditerranée.

Composés probablement au VIIIe siècle, en Ionie (îles et côtes du Sud-Ouest de l'Asie Mineure, où s'étaient réfugiés les Achéens refoulés par l'invasion dorienne), il est possible que les poèmes homériques nous donnent une image qui est celle du VIIIe siècle plutôt que du XIIe, tout comme, dans la *Chanson de Roland*, Charlemagne et ses compagnons nous sont décrits sous les traits de chevaliers des temps féodaux…

LES PHÉNICIENS

La Phénicie correspond au littoral de la Palestine et du Liban. Elle était occupée par des peuples de langue sémitique. Le littoral de la Phénicie, bordant une zone montagneuse et d'accès difficile, se prêtait, comme la Grèce, à la formation de petites cités maritimes, la pauvreté du pays incitant à chercher des ressources complémentaires dans le commerce maritime.

Ces cités (Byblos, Tyr, Sidon, pour citer les principales) étaient en contact avec l'Egypte (à qui elles fournissaient le bois de leurs forêts), avec la Mésopotamie, et avec les Etats voisins de la Syrie et de l'Anatolie.

Leur apogée se situe entre le Xe et le VIIIe siècles avant notre ère. Les Phéniciens prirent dans le commerce maritime méditerranéen le relais des Crétois et des Mycéniens, mais étendirent leur activité, plus que leurs devanciers, à la Méditerranée occidentale et à l'Atlantique. Ils allèrent chercher l'étain jusque dans les îles Cassitérides (les îles Scilly, au sud-ouest de l'Angleterre). Cependant, sur la côte d'Afrique, ils ne semblent pas avoir dépassé le sud du Maroc : le prétendu *Périple d'Hannon*, qui relate une exploration de la côte ouest-africaine, est un faux tardif ; l'expédition phénicienne qui aurait, sur ordre du pharaon Néchao II, fait le tour de l'Afrique en partant du golfe de Suez, est sujette à caution.

Pour s'assurer des escales dans leurs navigations, les Phéniciens établirent des comptoirs le long de leurs itinéraires : de Chypre jusqu'au Sud de l'Espagne : Gadès, aujourd'hui Cadix, en passant par la Sicile, et l'Afrique du Nord (Utique, Carthage). Ces « colonies » étaient des détachements d'une cité-mère, avec laquelle elles gardaient des liens religieux, mais en étant totalement indépendantes : ainsi Tyr était la cité-mère de Carthage, « *Kart-Hadatsch* » = « la ville nouvelle », près de la ville actuelle de Tunis.

Carthage, fondée vers – 814, créa elle-même des colonies sur les côtes de l'Afrique du Nord, de l'Espagne et de la Sicile.

Les Phéniciens jouèrent le rôle d'intermédiaires commerciaux, échangeant les produits de luxe de l'Orient contre les métaux importés de la Méditerranée occidentale. Produisant peu (sauf le bois de leurs montagnes), ils développèrent un artisanat fournissant des produits peu originaux, copies à bon marché d'objets similaires égyptiens ou chaldéens (céramique, bronzes, orfèvrerie) mais avec deux spécialités : la verrerie dont ils semblent avoir été les inventeurs, et les étoffes de pourpre, teintes à partir d'un coquillage répandu sur leurs côtes, le murex.

L'alphabet

Mais surtout, les Phéniciens furent les inventeurs de l'alphabet. Commerçants, les Phéniciens avaient besoin d'une écriture simple, pratique : à partir de l'écriture cunéiforme, ils inventèrent un système de 22 signes représentant seulement les consonnes (comme dans l'hébreu et l'arabe, les voyelles ne sont pas représentées).

Cet alphabet apparaît à Ougarit (aujourd'hui Ras Shamra, en Syrie) dès le XIVe siècle avant notre ère ; il semble définitivement constitué au Xe siècle et devient au VIIIe siècle d'un usage courant. Les Grecs, qui avaient oublié l'écriture mycénienne, l'adoptèrent en y ajoutant des signes représentant les voyelles.

A partir du IXe siècle avant J.-C., les cités phéniciennes furent souvent soumises aux puissances du Moyen-Orient, gardant leur autonomie en payant tribut : de même furent-elles incorporées à l'Empire perse, puis à celui d'Alexandre, mais cette fois en perdant toute indépendance.

LE MONDE GREC AUTOUR DE LA MÉDITERRANÉE

Comme les Phéniciens, les Grecs, à partir du VIIIe siècle avant notre ère, vont créer des colonies. Ce sont des cités nouvelles, indépendantes, mais gardant des liens religieux et politiques avec leurs cités-mères (en grec = *métropoles*). Elles sont établies sur les rives de la mer Noire, en Afrique (Naucratis, en Egypte, Cyrène, en Libye), en Sicile et en Italie du Sud (qu'on désignera sous le nom de « *Grande Grèce* »), sur les côtes sud de la Gaule (Marseille, colonie de Phocée, cité ionienne d'Asie Mineure).

Malgré leurs divisions, en groupes parlant des dialectes différents (éolien, ionien, dorien) et en cités souvent rivales, les Grecs ont le sentiment d'appartenir à un même peuple. Ils se retrouvent dans des cérémonies religieuses communes comme à Delphes, où le sanctuaire d'Apollon, assorti d'un oracle, celui de la pythie, est administré par des délégués de toutes les cités grecques, ou encore à Olympie, où, en l'honneur de Zeus, qui y a un temple, ont lieu depuis – 776, tous les quatre ans, les «jeux Olympiques» où s'affrontent dans des concours les athlètes de toutes les cités grecques.

La Cité grecque

C'est, à l'origine, un agrégat de tribus apparentées, fixées sur un petit territoire, petite plaine ou île. Une place fortifiée y sert de refuge en cas de guerre.

Le terme de cité *(polis)* y désigne initialement la collectivité des citoyens qui la peuplent. Il en viendra à désigner la ville, la place fortifiée servant de capitale.

Là où l'agriculture et l'élevage constituent la principale ressource (avec la trilogie: blé-vigne-olivier, associée à l'élevage sur les collines et les montagnes), les chefs des familles les mieux pourvues en terres vont constituer une aristocratie (ainsi à Athènes les «Eupatrides» — qu'on pourrait traduire par *«gens de bonne famille»*). Le sort des cultivateurs pauvres, souvent dépossédés de leurs terres, voire réduits en esclavage pour dettes, est pénible.

Mais les uns et les autres font travailler des esclaves (prisonniers de guerre réduits en esclavage, ou razziés dans des opérations de piraterie, ou achetés).

Dans les cités commerçantes, marchands et artisans enrichis tendent à supplanter la vieille aristocratie terrienne, en s'appuyant sur les pauvres.

La religion grecque

Les Grecs ont la même religion polythéiste (= *«qui admet un grand nombre de dieux»*). Les principaux dieux ont une origine indo-européenne, ce qui permet d'établir des correspondances avec les dieux d'autres populations de même origine (ainsi Zeus, le dieu du Ciel chez les Grecs, correspond au Jupiter latin).

D'autres dieux sont probablement empruntés aux populations de l'Asie Mineure.

A la différence des dieux égyptiens, les dieux grecs ont figure humaine (quitte à avoir un « attribut » animal, héritage totémique probable : la chouette pour Athéna, l'aigle pour Zeus).

Ils sont aussi des dieux locaux, protecteurs d'une cité (ainsi Athéna à Athènes).

Ces dieux sont immortels, mais ont les caractères et les défauts des hommes.

Les *héros* ou *demi-dieux* sont des hommes devenus immortels à la suite d'exploits légendaires (ainsi Héraclès, au demeurant fils de Zeus et d'une mortelle).

Les légendes ou mythes relatifs à l'origine des dieux et des héros, et à leurs aventures, constituent la *mythologie*.

La religion grecque est étroitement liée à la vie de la cité, comme à la vie des familles : la cité a ses divinités protectrices, la famille également. Tous les actes de la vie publique ont un caractère religieux et sont accompagnés de prières, libations, sacrifices. Les fêtes de la cité sont des fêtes religieuses ; les compétitions sportives (jeux), les représentations théâtrales sont, à l'origine, des manifestations religieuses.

Une cité commerçante et démocratique : Athènes

Athènes, dont le territoire, l'Attique, correspond à un promontoire montagneux avec quelques petites plaines, a une population apparentée à celle de l'Ionie (le littoral sud de l'Asie Mineure).

Sa position, et ces liens ethniques, expliquent sa vocation commerciale et maritime. La tradition rapporte qu'il y avait eu des rois à Athènes. Au début du VIe siècle avant J.-C., le gouvernement d'Athènes était aristocratique : il était aux mains des « Eupatrides », grands propriétaires terriens.

En – 594, Solon soulage les pauvres (paysans surtout) en interdisant l'esclavage pour dettes. Au pouvoir des Eupatrides, il substitue celui des riches marchands et artisans, avec l'appui du petit peuple, opprimé par les Eupatrides.

C'est en s'appuyant sur cette base populaire que Pisistrate, en

La vie politique grecque

• **Cité :** *communauté des citoyens, limitée aux natifs libres : les étrangers, les esclaves n'en font pas partie. Le terme en viendra à désigner également le* territoire *de la cité, et la* ville *qui en est la capitale.*

• **Démocratie :** *en grec =* « *pouvoir du peuple* ». *Régime politique où tous les citoyens participent également à la direction des affaires (à l'exception des étrangers et des esclaves).*

• **Aristocratie :** *en grec =* « *pouvoir des meilleurs* », *on emploie aussi le terme* oligarchie *(en grec =* « *pouvoir d'un petit nombre* »).*

Régime politique où le pouvoir est aux mains d'une minorité, un certain nombre de familles (qui justifient leur pouvoir en se prétendant « *les meilleures* » *!), en général riches et bien pourvues en terres. Par extension, désigne cette minorité elle-même (une aristocratie, une oligarchie).*

• **Tyrannie :** *pouvoir absolu exercé par un individu (tyran) qui s'en est emparé par la force, sans y avoir droit par la naissance (à la différence des* rois, *qui, en Grèce, disposent rarement d'un pouvoir absolu).*

Souvent, les tyrans ont pris le pouvoir en s'appuyant sur le peuple, contre les aristocraties au pouvoir.

Le terme n'est pas nécessairement pris en mauvaise part : il y a des « *bons* » *et des* « *mauvais* » *tyrans. Mais le fait que, la plupart du temps, le pouvoir absolu a conduit à l'abus de pouvoir a fini par conférer au terme une signification péjorative.*

– 560, établit une « tyrannie ». C'est lui qui fera mettre par écrit les poèmes homériques, jusque-là transmis par la voie orale.

En – 507, après le renversement de la tyrannie, Clisthène établit la démocratie. Désormais le pouvoir appartient à l'*Assemblée du peuple* à laquelle ont accès tous les citoyens, qui se réunissent sur la place de l'Agora, et à un *Conseil des Cinq Cents* formé par tirage au sort (le tirage au sort est compris comme une désignation par les dieux). Dix stratèges élus commandent l'armée, formée des citoyens en armes.

Cependant, cette démocratie est limitée aux citoyens : en sont exclus les *métèques* (en grec = « cohabitants »), étrangers ou gens d'origine étrangère fixés à Athènes, et, bien entendu, les esclaves, qui, à l'apogée de la puissance athénienne, forment la majorité de la population.

Une cité aristocratique et militaire : Sparte

Fondée par les conquérants doriens et établie dans une vallée de la presqu'île du Péloponnèse, Sparte conserve des caractères archaïques.

Peu nombreux, les Spartiates sont avant tout des soldats et sont soumis dès l'enfance à une très rude discipline.

Jusqu'à trente ans, ils vivent en caserne, et restent astreints aux repas en commun, dont l'élément principal, le « brouet noir » n'est pas réputé pour ses qualités gastronomiques. Les *périèques* (= « ceux qui habitent autour ») sont d'anciens habitants du pays, libres mais dépourvus de droits politiques. Les Spartiates vivent du travail des *hilotes*, anciens habitants du pays réduits à un véritable servage et attachés à la terre.

Les *lois de Lycurgue*, datant probablement du VIIIᵉ siècle, avaient prescrit l'égalité entre les citoyens qualifiés d'« égaux », en leur distribuant des lots de terre équivalents, travaillés par les hilotes qui y sont attachés. Il est interdit aux égaux de travailler eux-mêmes la terre ou d'exercer une profession : ils doivent être constamment disponibles pour combattre.

Sparte a conservé la royauté, exercée par *deux rois* qui n'ont qu'un rôle religieux et militaire (ils commandent les armées). Le pouvoir réel appartient à un *Conseil des Anciens*, composé de 30 membres (les deux rois et 28 membres élus parmi les « égaux », âgés de plus de soixante ans), qui nomme *cinq éphores* (= surveillants) chargés de gouverner.

Les guerres Médiques et la formation de l'empire maritime athénien

A la fin du VIe siècle avant J.-C., les Perses, qui ont soumis l'Asie Mineure (y compris les cités grecques du littoral), entreprennent de conquérir la Grèce. Ils s'en prennent d'abord à Athènes, qui avait apporté son aide à la cité ionienne de Milet, révoltée contre la tutelle perse. Hérodote nous a transmis le récit des « guerres Médiques » (du nom des Mèdes, alliés des Perses et confondus avec eux).

Deux attaques seront conduites par les Perses contre Athènes, en – 490 par le roi Darius Ier, puis en – 480 par son fils Xerxès.

Chaque fois, les Perses seront mis en échec. Pourtant, la disproportion des forces est écrasante, en faveur des Perses. Mais l'armée perse n'a ni unité, ni sentiment patriotique ; elle est formée de contingents hétérogènes des divers peuples de l'empire, n'ayant ni communauté de langue, ni unité d'armement et de méthodes de combat, recrutés de force et menés au fouet. Au contraire, les armées grecques, et au premier chef l'armée athénienne, sont formées de citoyens-soldats, qui luttent pour leur terre et leur liberté.

En – 490, l'armée perse débarque au nord de l'Attique, dans la plaine de Marathon ; elle est battue par l'armée athénienne, inférieure en nombre de moitié, mais réussit à se rembarquer. C'est la victoire de Marathon. Le messager qui parcourut à la course les 40 kilomètres séparant ce lieu d'Athènes, pour annoncer la victoire, et qui mourut d'épuisement à l'arrivée, a donné le nom de « marathon » à la course de fond sur longue distance.

En – 480, une énorme armée perse franchit les détroits et progresse par voie de terre vers Athènes, avec l'appui d'une flotte fournie par les Phéniciens. Au passage du défilé des Thermopyles, un contingent spartiate commandé par le roi Léonidas se sacrifie pour retarder l'avance de l'armée perse, qui envahit et occupe l'Attique. Les Athéniens se réfugient dans les îles voisines, protégés par une puissante flotte de guerre qu'ils ont eu la prévoyance de construire, à l'instigation de Thémistocle. Les deux flottes se heurtent à la bataille navale de Salamine, qui se termine par la victoire des Athéniens et la destruction de la flotte perse. L'année suivante, battus sur terre à Platées, les Perses évacuent la Grèce.

Grands vainqueurs des guerres Médiques, les Athéniens réunissent leurs principaux alliés, essentiellement les cités des îles de la mer Egée et de la côte ionienne de l'Asie Mineure, en une grande alliance, la *Confédération de Délos* (le siège et le trésor de la confédération sont dans le temple d'Apollon, dans la petite île de Délos).

Mais l'alliance va vite devenir une tutelle : les contributions des alliés deviennent un tribut, la confédération un empire maritime athénien : des colonies de soldats athéniens sont implantées chez les « alliés », prêtes à réprimer d'éventuelles révoltes.

Athènes au Vᵉ siècle

Grâce aux richesses drainées dans son empire, Athènes au Vᵉ siècle brille par l'éclat de sa civilisation.

Elle s'orne de monuments, dont le plus célèbre est le Parthénon, temple de la déesse tutélaire d'Athènes, Athéna, sur la colline de l'Acropole, réduit fortifié de la cité. Athènes se dote de fortifications, ainsi que son port, le Pirée, auquel elle est reliée par un couloir fortifié, les Longs Murs.

Le théâtre de Dionysos, qui peut accueillir de 15 000 à 30 000 spectateurs, est illustré par des tragédies d'Eschyle, de Sophocle, d'Euripide, et par les comédies d'Aristophane. Thucydide, qui fera le récit de la guerre du Péloponnèse, est le premier véritable historien. Les sophistes et leur critique Socrate, qui aura pour disciples le philosophe Platon et l'historien Xénophon, illustrent la philosophie.

Avec eux, nous sommes déjà dans la période postérieure à l'apogée d'Athènes, qui se situe pour l'essentiel dans les années – 461 à – 431, trente années dominées par le rôle politique de

Périclès. Riche Athénien d'origine aristocratique, Périclès, avec la seule fonction de stratège (un parmi dix autres), exerce une influence prépondérante comme chef du parti démocratique. Athènes au Vᵉ siècle compte 140 000 citoyens, pour 70 000 métèques et 200 000 esclaves : la démocratie athénienne est celle d'une minorité.

La richesse d'Athènes facilite le jeu des institutions : les indemnités versées aux citoyens permettent aux plus pauvres d'exercer leurs droits politiques.

Les guerres entre cités

A la fin du Vᵉ siècle, une coalition se forme contre Athènes, dirigée par Sparte. Sparte domine sur terre, Athènes domine sur mer. Sparte joue sur l'antagonisme entre Athènes et ses alliés, devenus tributaires et soumis à une lourde exploitation. La guerre entre cités se double de guerres civiles, car, à l'intérieur des cités, le parti aristocratique sympathise avec Sparte, le parti démocratique avec Athènes. Une expédition maritime envoyée par Athènes en Sicile contre Syracuse, alliée de Sparte, se termine par un désastre (l'armée athénienne est détruite). Dans la dernière phase de la guerre, les Spartiates occupent l'Attique, privant les Athéniens, réfugiés dans l'enceinte fortifiée, de tout approvisionnement. Après la destruction de sa flotte, Athènes doit capituler (– 404). Elle perd son empire, sa flotte, doit raser ses fortifications, et accepter un gouvernement aristocratique, celui des « Trente tyrans », rapidement renversé : mais Athènes ne retrouvera jamais sa grandeur passée.

Les Perses profitent des dissensions entre cités (où Thèbes intervient face à Athènes et Sparte) pour rétablir leur domination sur les cités grecques d'Asie Mineure.

Philippe de Macédoine

Située au nord de la Grèce, la Macédoine, bien que sa population fût apparentée aux Grecs, était considérée comme étrangère à la Grèce. Au cours du IVᵉ siècle avant J.-C., le roi de

Macédoine Philippe II consolide la puissance de son Etat grâce à son armée (la *« phalange »*, bloc massif de seize rangs de fantassins armés de lances) et grâce aux mines d'or du mont Pangée, qui lui donnent le moyen de corrompre et de recruter des partisans en Grèce. La Macédoine se fait admettre dans la communauté grecque et se présente en champion de la revanche des Grecs contre les Perses. Après une longue résistance, marquée à Athènes par les interventions du grand orateur démocrate Démosthène, Thèbes et Athènes sont vaincues par les Macédoniens à la bataille de Chéronée (– 338). C'est la fin de l'indépendance grecque.

L'empire d'Alexandre et le monde hellénistique

ALEXANDRE, ROI DE MACÉDOINE ET SES CONQUÊTES

À la mort de Philippe II (– 336), son fils Alexandre, âgé de vingt ans, lui succède. Ayant eu pour précepteur le plus grand savant de l'Antiquité, Aristote, disciple de Platon, et ayant reçu également une solide éducation physique et militaire, Alexandre poursuit le projet de son père : reprendre la lutte contre les Perses à la tête des Grecs coalisés.

Grâce à la supériorité de sa « phalange », et en dépit de son infériorité numérique, Alexandre inflige au roi perse Darius III une première défaite au Granique (– 334), qui lui donne la maîtrise de l'Asie Mineure, puis une seconde fois à Issos, à l'entrée de la Syrie (– 333), où Darius s'enfuit en abandonnant sa famille et ses trésors.

Désormais, il ne s'agit plus seulement de libérer les territoires grecs d'Asie et d'en écarter les Perses : c'est la conquête de tout l'empire qu'Alexandre entreprend.

Il prend le temps de s'assurer le contrôle de la Phénicie (prise de Tyr après un siège de sept mois), puis il occupe l'Egypte. Au contact du delta du Nil, sur le littoral, il fonde une ville gréco-macédonienne qui portera son nom : Alexandrie.

Il reprend alors la lutte contre les Perses : c'est à Arbèles, dans le Nord de la Mésopotamie, qu'aura lieu la bataille décisive (– 331). L'armée perse est mise en pièces, mais Darius III réussit à s'enfuir. Alexandre occupe les grandes villes de l'empire : Babylone, Suse, Persépolis. Réfugié dans une province orientale de son empire, la Bactriane, Darius III y est assassiné sur l'ordre du gouverneur (satrape) qui croyait ainsi se ménager les bonnes grâces d'Alexandre : Alexandre fait rendre les honneurs funèbres au roi défunt et fait châtier le meurtrier.

Maître de l'empire perse, Alexandre s'engage alors dans une politique de fusion entre aristocraties macédonienne et perse : il reprend les insignes de la monarchie perse, épouse une fille de Darius, et engage ses principaux officiers à épouser des filles de l'aristocratie perse. Cette politique est difficilement acceptée par certains de ses compagnons, habitués à considérer le roi comme un chef de guerre, *« primus inter pares »* (premier parmi des égaux) et non comme un despote divinisé, devant lequel on doit se prosterner.

Ces conquêtes ne satisfont pas Alexandre, qui veut conquérir le monde entier (connu des Anciens…). Il va s'attaquer à l'Inde, par la terre avec ses troupes terrestres, par la mer avec une escadre partie de Mésopotamie.

Alexandre pénètre en – 327 dans la vallée de l'Indus, et se heurte au roi Poros, dont l'armée compte 200 éléphants de combat. Il y impose sa domination. Il veut poursuivre vers la plaine du Gange : mais ses soldats refusent d'aller plus loin, et Alexandre doit rebrousser chemin.

Il s'établit à Babylone, dont il veut faire sa capitale. Il projetait d'aller conquérir la Méditerranée occidentale lorsqu'il meurt brusquement, à 32 ans, d'une crise de paludisme (– 323).

LES SUCCESSEURS D'ALEXANDRE

L'empire d'Alexandre ne lui survécut pas : ses généraux, après divers règlements de comptes entre eux, se le partagèrent. Les descendants d'Antigone (les Antigonides) s'attribuèrent la Macédoine et la Grèce ; les descendants de Lagos (les Lagides), qui portèrent tous le nom de Ptolémée, régnèrent en Egypte, résidant à Alexandrie. L'Asie, bientôt réduite à la Mésopotamie et la Syrie, fut le domaine des descendants de Séleucos, les Séleucides, qui portèrent alternativement les noms de Séleucos et d'Antiochos, avec deux capitales, Séleucie en Mésopotamie, Antioche en Syrie.

L'Asie centrale et l'Anatolie se morcelèrent en petits Etats comme les royaumes du Pont et de Pergame en Asie Mineure ; des principautés macédoniennes subsistèrent en Afghanistan, foyer d'une civilisation gréco-bouddhique.

LA CIVILISATION HELLÉNISTIQUE

Dans tout l'ancien empire d'Alexandre, les garnisons gréco-macédoniennes installées de l'Egypte à l'Asie centrale constituèrent une aristocratie nouvelle qui se mêla, comme l'avait voulu Alexandre, aux aristocraties locales.

Les monarchies nouvelles empruntèrent à la tradition locale ses méthodes de gouvernement (rois divinisés, apparat oriental), mais la langue de l'administration, du commerce, de la civilisation, fut le grec. Dès l'époque des derniers rois perses, les Grecs, artisans, commerçants, mercenaires, s'étaient répandus dans tout l'Orient. Ils y diffusèrent la civilisation grecque. Les villes fondées par Alexandre et ses successeurs, Alexandrie d'Egypte, mais aussi de nombreuses « Alexandrie » en Asie — dont Alexandria Eschata (Alexandrie la plus éloignée) : probablement l'actuelle Khodjend, au Tadjikistan —, Séleucie, Antioche, furent des villes gréco-macédoniennes, foyers de civilisation grecque.

De la Grèce, affaiblie et ruinée, vinrent de nombreux émigrants espérant faire fortune dans les pays d'Orient.

Les foyers de cette civilisation d'inspiration grecque, qu'on appellera « hellénistique », se trouveront hors de Grèce : ainsi à Pergame (qui donnera son nom à un nouveau support de l'écriture, le parchemin, *« pergamênê »*, fait de peaux d'âne ou de veau séchées et préparées), à Antioche, mais surtout à Alexandrie d'Egypte.

Les Lagides, établis à Alexandrie, se firent les successeurs des pharaons et exploitèrent de la même façon les populations, mais avec le soutien d'une aristocratie gréco-macédonienne de soldats-propriétaires de domaines et de commerçants.

Le port d'Alexandrie était célèbre par son phare (établi sur l'île de Pharos, qui donnera son nom aux « phares »), par son musée, sorte d'institut de recherches où furent attirés savants et écrivains, et dont la bibliothèque (d'ouvrages grecs) comportait plus de 400 000 volumes.

Ce fut un foyer de civilisation grecque, avec ses critiques comme Aristarque, qui s'employa à rétablir la version authentique des poèmes homériques, en marquant d'une broche (en grec *obelos*) les passages selon lui « interpolés » (rajoutés) ; ce fut aussi un foyer de recherches scientifiques où Eratosthène (− 276 à − 193) s'employa à calculer, avec une bonne approximation, la dimension de la sphère terrestre.

Les vieilles croyances religieuses grecques perdent de leur vigueur : d'un côté les philosophes (stoïciens, épicuriens, cyniques, etc.), sans rompre avec la religion (même les épicuriens, pratiquement athées, ne nient pas l'existence des dieux, mais se contentent d'affirmer qu'ils ne s'occupent pas des hommes ni des affaires terrestres), se constituèrent en sectes parmi les élites, proposant à leurs adeptes une règle de vie et une morale ; de l'autre, les milieux populaires assimilèrent dieux grecs et dieux orientaux, ainsi, en Egypte, Sérapis, combinaison d'Osiris — dieu égyptien — et des dieux grecs Zeus et Hadès.

Rome

LES DÉBUTS DE ROME
ET LA CONQUÊTE DE L'ITALIE

Rome était une petite cité de l'Italie centrale, fondée, selon la tradition, en 753 avant J.-C., date qui servait de point de départ au calendrier romain. Elle faisait partie du Latium, dont la langue, le latin, était, comme la plupart des langues parlées dans la péninsule (dites italiotes), une langue indo-européenne.

Son site initial était celui des sept collines contrôlant un point de passage du Tibre, sur une route Nord-Sud reliant les deux principaux foyers de civilisation de l'Italie, le pays étrusque au Nord, et les colonies grecques de l'Italie du Sud.

Les Etrusques, peuple mystérieux, venaient peut-être d'Asie Mineure, et leur langue, que l'on n'a pu déchiffrer à ce jour, n'était pas une langue indo-européenne. Rome a fortement subi leur influence, notamment dans le domaine religieux, et fut probablement un temps sous leur tutelle. Selon la tradition, elle aurait été initialement gouvernée par des rois, avant de devenir République en – 509.

Les institutions

La population de Rome comprenait deux éléments bien distincts : les *patriciens*, grandes familles aristocratiques dont les membres, à l'origine, détenaient seuls le pouvoir politique. Le *Sénat* (assemblée des anciens) était composé initialement des chefs des grandes familles patriciennes. La masse de la population libre, la *plèbe*, réussit non sans peine, du Ve au IIe siècle avant J.-C., à se faire reconnaître des droits politiques. Des assemblées populaires, les *comices*, réunissaient les hommes en état de porter les armes. Peu à peu, les riches plébéiens réussirent à obtenir les mêmes droits que les patriciens. La désignation officielle de l'Etat romain, « Senatus populusque romanus » (Le Sénat et le peuple romain) — SPQR — traduit cette situation.

Mais la République romaine ne devint pas pour autant démocratique : par une série de dispositions, dans le mode de fonctionnement des comices, la réalité des droits politiques fut en réalité réservée aux riches.

Les magistrats — notamment les *deux consuls* qui remplacèrent les rois, étaient élus pour un an. Ils avaient le commandement des armées. La masse des citoyens était formée par les paysans de la campagne romaine, mobilisés comme soldats en cas de guerre, mais qui devaient fournir leur équipement et leurs armes : les plus pauvres, les « prolétaires », étaient exclus de cette armée de soldats-citoyens.

Du Ve au IIIe siècle avant notre ère, Rome étendit progressivement sa domination à l'ensemble de l'Italie, terme qui excluait l'actuelle Italie du Nord, la plaine du Pô, alors occupée par les Gaulois et que les Romains appelaient la *« Gaule cisalpine »* (la Gaule située de ce côté — celui de Rome — des Alpes).

LES GUERRES PUNIQUES
(DE PŒNI OU PUNI = LES PHÉNICIENS)

L'Italie du Sud conquise, Rome va intervenir en Sicile, et s'y heurter aux Carthaginois qui s'y sont établis, voisinant avec des colonies grecques comme Syracuse ou Agrigente.

Carthage avait constitué dans la Méditerranée occidentale un empire maritime, avec un domaine territorial dans son arrière-pays immédiat, correspondant à une partie de l'actuelle Tunisie (c'est ce petit territoire que les Romains désignent sous le nom d'« *Afrique* »), des comptoirs en Sicile, en Sardaigne et en Espagne, et sur les côtes de l'Afrique du Nord (Algérie et Maroc).

Le gouvernement de Carthage était oligarchique, aux mains d'une aristocratie de marchands et d'armateurs ; Carthage avait une flotte puissante, commandée par des membres de l'aristocratie, et une armée de mercenaires, sur le modèle des armées hellénistiques, à l'exemple desquelles elle s'était dotée d'éléphants de combat.

Du Ve au IIIe siècle avant J.-C., Carthage s'était trouvée en compétition avec les colonies grecques de Sicile et d'Italie du Sud. Au IIIe siècle, le conflit s'ouvre avec Rome, jusque-là puissance terrienne, mais que la logique de son expansion va conduire à devenir une puissance maritime.

Trois guerres Puniques vont opposer Rome et Carthage. La *première guerre Punique* (– 264 à – 241) aboutit à l'expulsion des Carthaginois de Sicile et à la naissance d'une force navale romaine. Suite à sa victoire, Rome s'empare ensuite de la Sardaigne et de la Corse (– 238), puis, en – 222, de la Gaule cisalpine.

La *deuxième guerre Punique* (– 219 à – 202) met l'existence de Rome en péril. Prenant l'offensive, le général carthaginois Hannibal, avec une puissante armée dotée d'éléphants de combat, parti d'Espagne, traverse la Gaule et les Alpes pour porter la guerre en Italie, où les Romains subissent deux défaites cuisantes (au lac Trasimène, – 217, et à Cannes, – 216). Mais Hannibal hésite à s'attaquer à Rome, protégée par ses murailles. Les Romains reprennent l'initiative, attaquant les Carthaginois en Espagne, puis en Afrique même, qu'Hannibal doit rejoindre en toute hâte. En – 202, Scipion, dit l'Africain, remporte sur Hannibal la victoire décisive de Zama, près de Carthage.

Carthage doit capituler (– 201) : elle doit livrer ses éléphants, presque toute sa flotte de guerre, ses possessions extérieures (en Espagne notamment), payer un énorme tribut et s'engager à ne plus faire la guerre, sauf autorisation de Rome. Hannibal doit s'exiler.

Malgré cette défaite, Carthage continue d'inquiéter les Romains. Caton l'Ancien, un homme politique romain, se rend célèbre en terminant tous ses discours par la formule : « *Et pour le reste, je pense qu'il faut détruire Carthage.* »

C'est l'objet de la *troisième guerre Punique* (– 149 à – 146), une exécution plutôt qu'une guerre : malgré une résistance désespérée, Carthage est prise, rasée, son emplacement déclaré maudit. Plus tard, pourtant, une colonie romaine s'établit sur son emplacement. Le territoire de Carthage devient la *province romaine d'Afrique* (– 146).

L'EMPIRE MÉDITERRANÉEN DE ROME

Avant même la fin des guerres Puniques, Rome avait commencé la conquête de l'Orient. Rome, sous prétexte de défendre les cités grecques, s'attaque au roi de Macédoine et au roi séleucide de Syrie : en – 148, la Macédoine est annexée et devient province romaine. Les cités grecques, qui s'étaient crues libérées de la tutelle macédonienne, se révoltent contre celle de Rome : elles sont écrasées. En – 146, l'année de la destruction de Carthage, les Romains prennent d'assaut, détruisent et pillent la riche cité commerçante de Corinthe. La Grèce est annexée et devient la *province d'Achaïe.*

A l'ouest, après avoir pris le contrôle des possessions carthaginoises d'Espagne, Rome poursuit sa conquête vers l'intérieur, marquée par le siège et la prise de Numance (– 134). Pour relier l'Espagne à la Gaule cisalpine, Rome annexe le Sud de la Gaule transalpine (– 118) qui devient la *province de Narbonnaise* avec comme points d'appui les colonies romaines de Narbonne et d'Aix. La *« province romaine »* a donné son nom à la *« Provence ».*

LES CRISES DE LA RÉPUBLIQUE ROMAINE

Les conquêtes romaines vont se poursuivre au cours des deux derniers siècles précédant notre ère.

En Orient, les généraux romains Sylla et Pompée ont à lutter contre Mithridate, roi du Pont (pays situé sur les rives de la mer Noire, dans le Nord de la Turquie actuelle). Le Pont devient province romaine, de même que la Bithynie, dont le roi lègue son royaume à Rome. La Syrie devient province romaine en – 64. A l'ouest, la Gaule, entre la Province narbonnaise, les Alpes et le Rhin, est conquise entre – 58 et – 52 par Jules César.

L'immense extension de la domination romaine va avoir pour conséquence de profonds bouleversements sociaux et politiques.

Rome tire de l'exploitation des pays conquis d'énormes richesses : celles-ci vont aux plus riches, qui, à l'issue de l'exercice de magistratures publiques, reçoivent le gouvernement de provinces, et y récupèrent (et au-delà) le montant de leurs dépenses électorales.

En revanche, les paysans-soldats, petits et moyens propriétaires, se trouvent ruinés par les guerres incessantes qui les maintiennent loin de leurs domaines. A la fin du IIe siècle avant notre ère, les frères Tiberius et Caius Gracchus, tribuns de la plèbe (magistrature créée pour défendre les intérêts de la plèbe), proposent une redistribution des terres usurpées par les riches ; ils échouent dans leur tentative de réforme.

Désormais, la forme prépondérante de l'exploitation agricole en Italie devient la *villa*, vaste domaine foncier, travaillé par des esclaves (les conquêtes les ont amenés en Italie par milliers), sous la direction d'un intendant lui-même esclave.

Les hommes libres ruinés prennent l'habitude de vivre en parasites des distributions publiques de vivres et des libéralités d'un riche « patron », dont ils deviennent les *« clients »*, lui constituant une sorte de cour et lui apportant leur concours dans ses campagnes électorales.

Les contrastes de fortune s'accroissent ; les membres de l'ancien patriciat sont concurrencés par les plébéiens enrichis et, parfois, par des affranchis d'hommes très riches qui en ont fait leurs hommes de confiance. Les mœurs austères de la vieille société romaine font place à des mœurs dissolues et au déploiement d'un luxe ostentatoire. Les cultes orientaux se répandent au détriment des vieux cultes romains. Le prestige de la culture grecque s'affirme, et l'art et la littérature des Romains s'en inspirent.

Le fonctionnement des institutions républicaines s'altère, au profit des généraux vainqueurs : Marius, Sylla, Pompée, et enfin Jules César profitent de leurs conquêtes pour s'imposer à Rome. Sylla s'était fait attribuer la dictature à vie — la dictature était une magistrature d'exception, en principe limitée à six mois, comportant les pleins pouvoirs, en cas de grave danger exté-

rieur. Mais il abdique en – 79, après avoir réformé la constitution romaine. Jules César se fait de même nommer dictateur, et
prend le titre d'*Imperator* (dont nous avons tiré le mot *« empereur »*), qui exerce l'*imperium*, c'est-à-dire le commandement
militaire. Il est assassiné le jour des ides de mars (15 mars – 44),
par un groupe de conspirateurs (Brutus et Cassius) qui espéraient
rétablir la République.

LA FIN DE LA RÉPUBLIQUE
ET L'ÉTABLISSEMENT DE L'EMPIRE

La République n'est pas restaurée. Le petit-neveu et fils adoptif
de Jules César, Octave, élimine son principal concurrent, Marc
Antoine, principal lieutenant de César, et à cette occasion
annexe l'Egypte qui devint province romaine.

Marc Antoine, avec qui il avait partagé les domaines de Rome
et qui avait reçu l'Orient, s'était établi à Alexandrie et avait
épousé la reine Cléopâtre, ce qui le fit soupçonner de vouloir établir à Rome la monarchie.

La victoire remportée à Actium (– 31) sur la flotte égyptienne
met fin au conflit : Marc Antoine, puis Cléopâtre se suicident.
Octave reste seul maître.

Prudemment, Octave ménage les susceptibilités des Romains
en conciliant l'exercice de fait d'un pouvoir absolu avec le respect apparent des institutions romaines.

Il affecte de n'être que le *« princeps »* (terme dont nous avons
fait « prince »), le premier inscrit sur la liste des sénateurs : terme
qui servira à désigner l'empereur, qui porte aussi le titre d'*Imperator* (titulaire du commandement des troupes). Il reçoit la *puissance tribunitienne* (ce qui le rend inviolable), il est à la tête des
institutions religieuses comme *Grand Pontife (Pontifex maxi-
mus)*. Le Sénat lui décernera le titre d'*« auguste »*, terme à
connotation religieuse, qui remplace désormais ou accompagne
son nom d'Octave. Ses successeurs prendront également le nom
de César, qui deviendra un titre.

De – 27, date à laquelle il reçoit le nom d'Auguste, à sa mort en + 14, Octave Auguste exerce un pouvoir absolu et incontesté.

Quelques annexions lui permettent de porter, en Europe, la frontière de l'Empire sur le Rhin et le Danube. Il échouera en 9 après J.-C., dans une tentative d'annexion de la Germanie (entre le Rhin et l'Elbe).

L'armée romaine se transforme en armée de métier : aux légions stationnées sur les frontières (le *« limes »*) s'ajoutent les *cohortes prétoriennes*, une garde personnelle recrutée en Italie, commandée par les «préfets du prétoire». Bien payé, le soldat romain reçoit, à sa libération du service, la citoyenneté romaine, s'il ne l'a pas, un pécule et un lot de terre. Aux magistratures traditionnelles, pour lesquelles l'empereur dispose d'un droit de présentation, s'ajoutent de nouvelles fonctions : à Rome, un «préfet de la ville» *(Praefectus Urbis)* est chargé de la police, un «préfet de l'annone», du ravitaillement (l'annone désigne les distributions publiques de vivres aux citoyens romains).

Le long règne d'Auguste est marqué par une forte action culturelle (pour employer notre vocabulaire) : Auguste fait relever les édifices en ruine et construire de nouveaux monuments ; avec son ami Mécène, il soutient les écrivains et les artistes, tels Virgile, auteur de l'*Enéide* (poème épique sur les origines de Rome inspiré de l'*Iliade*), Horace, poète de la douceur de vivre, ou encore Tite-Live, historien de Rome.

LE HAUT-EMPIRE

Les deux premiers siècles de l'Empire — en gros les deux premiers siècles de notre ère — furent une période de paix et de stabilité.

Peu de conquêtes nouvelles : en 43, l'empereur Claude annexe la Bretagne (l'Angleterre actuelle) qui devient province romaine. En 106, l'empereur Trajan conquiert la Dacie, au nord du Danube, correspondant à peu près à la Roumanie actuelle. La Dacie est peuplée de colons venus d'un peu partout, et le latin y deviendra la langue de communication (au lieu du grec qui domine dans la partie orientale de l'Empire) : il en sortira la langue roumaine, qui est une langue latine.

Après Auguste, le respect apparent des formes républicaines va peu à peu s'estomper au profit de pratiques ouvertement monarchiques, inspirées des anciennes monarchies orientales ; l'empereur est l'objet d'un culte, associé à celui de Rome, qui a valeur de reconnaissance de l'autorité romaine.

Auguste n'avait pas de fils : il aurait voulu transmettre le pouvoir à son gendre Agrippa, puis à ses fils : tous moururent avant lui. A sa mort, le pouvoir revint à son beau-fils (enfant d'un premier mariage de son épouse Livie), Tibère. La dynastie *julio-claudienne* (de Julius, nom de la famille de César et Auguste, et Claudius, celui de la famille de Tibère) comprit, après Tibère, Caligula (un déséquilibré), Claude, érudit et bon administrateur, mais sans autorité, enfin Néron. Tous moururent de mort violente (assassinés ; empoisonné pour Claude). Après cette dynastie (de 14 à 68 après J.-C.), la *dynastie flavienne*, fondée par Vespasien, fait accéder au pouvoir une famille d'origine provinciale (d'Italie centrale) (69 à 96) ; avec la dynastie des *Antonins*, c'est une famille d'origine espagnole qui accède à l'Empire (96 à 192).

Sauf Claude, les empereurs de la dynastie julio-claudienne doivent aux historiens romains, principalement à Tacite, une très mauvaise réputation. Notamment Néron, qui fit périr son rival Britannicus, sa mère Agrippine (qui avait empoisonné son mari Claude d'un plat de champignons pour faire accéder Néron au pouvoir), sa femme Octavie, ses anciens maîtres Sénèque et Burrhus.

Dans les dynasties suivantes, la plupart des empereurs sont considérés comme « bons » : Vespasien et Titus pour les Flaviens, Nerva, Trajan, Hadrien, Antonin le Pieux, Marc Aurèle pour les Antonins. Marc Aurèle fut un empereur philosophe, disciple des stoïciens. Empereur pacifique, il dut cependant passer la plus grande partie de son règne à batailler sur les frontières menacées.

L'assassinat de son fils Commode (180-192) ouvre une crise profonde, qui marque à la fois la fin de la dynastie des Antonins et la fin du Haut-Empire.

LA PAIX ROMAINE

Pendant les deux premiers siècles de notre ère, sous la protection du *limes*, la frontière fortifiée où sont stationnées les légions, et exception faite de quelques zones de combats (le Nord de la Bretagne, où Hadrien fait édifier un mur contre les attaques des Pictes et des Scots qui peuplent l'Ecosse ; l'Orient — Arménie, Mésopotamie —, où ont lieu des combats continuels contre les Parthes, successeurs des Perses), la sécurité est assurée, permettant le développement de l'économie et des échanges commerciaux.

Les villes se multiplient et se développent. Elles sont dotées d'administrations autonomes, sur le modèle romain, avec un Sénat et des magistrats élus. Comme à Rome, le pouvoir y est réservé aux riches ; avec des contreparties : les magistrats doivent assumer à leurs frais de lourdes charges — construction et entretien d'édifices publics, temples, thermes, aqueducs, cirques et théâtres — et ils doivent donner à leurs frais les jeux du cirque.

Cette « paix romaine » ne doit pas être idéalisée. Les pauvres, les provinciaux durement exploités se révoltent parfois. C'est le cas de la Judée en 60-70, sous Titus (destruction du Temple de Jérusalem par les Romains), à nouveau en 132-135 sous Hadrien. En 152-155, une révolte des paysans égyptiens sera réprimée sous les Antonins. Chaque fois, l'armée romaine a le dernier mot.

Tant que richesses et esclaves continuent d'affluer à Rome du fait des razzias effectuées sur les frontières, un certain équilibre économique et social se maintient.

Avec la fin des conquêtes, puis la multiplication des attaques des « Barbares » — ceux qui vivaient hors du territoire romain — s'ouvre une crise économique et sociale.

Le gaspillage insensé de certains empereurs et de l'aristocratie romaine commence à vider l'Empire de ses richesses accumulées, au profit notamment de l'Orient extérieur à l'Empire, fournisseur de produits de luxe. Faute d'or et d'argent, les empereurs font frapper des monnaies de mauvaise qualité, dont la valeur s'effondre, entraînant la hausse des prix.

Les hommes libres qui ne vivent pas en parasites des riches sont concurrencés par les esclaves. Mais le travail des esclaves — qui ne sont pas intéressés à leur travail — est peu productif. En Italie, de ce fait, la culture est en partie remplacée par l'élevage extensif. La « villa » esclavagiste va peu à peu faire place au *colonat* : le colon, homme libre ou esclave, reçoit une parcelle de terre dont il est tenancier, et doit au maître des corvées et une portion de sa récolte, dont le reste lui revient, ce qui le rend intéressé à la production.

Entre les riches — membres anciens ou nouveaux de l'aristocratie romaine, mais aussi parvenus, y compris certains affranchis de l'empereur — et les pauvres et les esclaves, la « classe moyenne » qui avait fourni l'armée romaine sous la République disparaît.

L'armée romaine se recrute de plus en plus par l'engagement de mercenaires, souvent Barbares immigrés, qui recevront au terme de leurs années de service la citoyenneté romaine et un lot de terre.

Le pouvoir impérial devient de plus en plus instable : les armées des frontières (armée du Rhin, armée du Danube, armée d'Orient) sont de plus en plus tentées de marcher sur Rome pour y imposer leur chef comme empereur. A la faveur de ces troubles internes, les frontières sont souvent dégarnies et exposées aux incursions des Barbares ; des insurrections paysannes (en Gaule, celles des « *Bagaudes* ») menacent les villes.

LE BAS-EMPIRE

A partir du IIIe siècle, attaques extérieures et troubles internes se multiplient.

La romanisation de l'Empire s'achève : l'empereur Claude avait, le premier, fait entrer des Gaulois au Sénat. Avec Septime Sévère (193 à 211), on verra un Libyen accéder à l'Empire. Son fils Caracalla promulgue un édit qui consacre la romanisation des provinciaux : l'*édit de Caracalla* (212) fait de tous les hommes libres de l'Empire des citoyens romains.

Entre 224 et 227, la dynastie des Sassanides fonde en Perse un empire rénové qui se manifeste comme un redoutable adversaire : en 260, l'empereur Valérien est fait prisonnier par les Parthes et meurt en captivité.

Dans le même temps, à la faveur des troubles et de l'instabilité politique (de 235 à 284, 22 empereurs reconnus, en 49 ans !), les Barbares s'infiltrent dans l'Empire. En 238, les Goths, une tribu germanique, franchissent pour la première fois le Danube et envahissent les provinces romaines de Mésie et de Thrace ; de 256 à 259, une autre tribu germanique, les Alamans, pénètre en Gaule, puis en Italie, jusqu'aux portes de Milan. Les villes romaines, jusque-là ouvertes, se protègent de murailles, y compris Rome où l'empereur Aurélien commence en 271 la construction d'une nouvelle enceinte, la première depuis celle des rois de Rome.

Dioclétien (284-305) tente de sauver l'Empire en le réorganisant : jugeant qu'un seul homme ne peut plus assurer sa défense, il divise l'Empire en quatre : deux empereurs « Augustes » régneront simultanément en Occident (à Milan) et en Orient (à Nicomédie, en Asie Mineure), assistés chacun par un « César », empereur adjoint et successeur désigné.

En 326, l'empereur Constantin s'établit à Byzance, ville grecque contrôlant le détroit du Bosphore qui fait communiquer la mer Noire avec la Méditerranée. Il lui donne son nom : « Constantinople » (= « ville de Constantin »).

En 395, l'Empire romain se divise définitivement en un Empire romain d'Occident, qui disparaîtra en 476 sous les coups des Barbares, et un Empire romain d'Orient, qui durera encore près d'un millénaire (jusqu'à la prise de Constantinople par les Turcs en 1453), mais qui devient rapidement un empire de culture grecque et que l'on désignera à partir du VIe siècle sous le nom d'*Empire byzantin.*

L'ÉMERGENCE ET LA VICTOIRE DU CHRISTIANISME

Le brassage des populations dans le cadre de l'Empire a ébranlé les vieilles croyances et cultes locaux. Rome a importé les cultes des divinités orientales, que l'on cherche à identifier avec les dieux gréco-romains. Ce *syncrétisme* (fusion de croyances) conduit, sinon au monothéisme, du moins à la croyance en un dieu majeur (Zeus-Jupiter, assimilé à Osiris). Les cultes traditionnels gréco-romains n'avaient aucune dimension morale : la mythologie attribuait aux dieux les pires vices et les pires infamies. Prières et sacrifices, observation de rites, avaient pour but de se concilier les dieux, d'obtenir leurs faveurs et de désarmer éventuellement leur colère.

Certains cultes orientaux (notamment ceux qui viennent d'Egypte) laissent apparaître une dimension morale : après la mort, dans une vie future, les bons seront récompensés, les méchants punis.

Avec leurs rituels impressionnants, leurs mystères et leurs révélations réservées aux initiés, ces cultes promettent aux élus le bonheur après la mort, le « salut ». Ils obtiennent le plus grand succès, dans toutes les couches de la société. Ainsi, le culte de Sérapis (fusion de Zeus et d'Osiris), ou celui de Mithra, qui évoque le rachat par le sacrifice d'un taureau.

C'est dans ce contexte, qui est celui d'une société en crise, que le christianisme fait son apparition.

Il représente d'une certaine façon l'aboutissement d'une évolution de la pensée religieuse, mais marque en même temps une rupture radicale avec l'ensemble des cultes païens. Dérivé du judaïsme, il propose le monothéisme et rejette les autres cultes, y compris le culte impérial, ce qui sera compris comme une manifestation d'incivisme et lui vaudra la persécution.

Sur les débuts du christianisme, sur la vie de Jésus, son fondateur, nous ne disposons d'aucun témoignage direct contemporain, ni dans les textes ni dans l'archéologie. Notre seule source est fournie par les Evangiles. Ces textes ne sont ni des biographies de Jésus ni le compte rendu de ses discours, mais un témoignage de la foi des premiers chrétiens, mis par écrit longtemps après les faits relatés. Le christianisme initial connaissait un grand nombre de textes fondateurs : plusieurs évangiles, plusieurs « apocalypses » (révélations de choses cachées, prophéties). Le concile de Nicée (325) ne conservera que les textes formant aujourd'hui le « Nouveau Testament » (dont les 4 Evangiles et l'Apocalypse de Jean), les autres évangiles et apocalypses étant déclarés « apocryphes » (non authentiques).

Que nous disent les Evangiles ? Jésus serait né en Palestine sous le règne d'Auguste, vers 6 ou 7 avant notre ère (le choix de la date retenue comme début de l'ère chrétienne, effectué au VIᵉ siècle, est erroné ; voir sur ce point l'encadré de la page 22).

Né dans le foyer d'un charpentier, c'est à trente ans seulement qu'il commence sa prédication, parcourant la Palestine, accomplissant des miracles, chassant les démons et guérissant les malades. Il s'adresse d'abord aux Juifs : il se présente comme le *« Messie »*, le messager de Dieu venant sauver de ses malheurs le peuple d'Israël, annoncé par les prophètes. Il est l'*« oint »* de Dieu (en grec = *chrestos*). Il annonce que le royaume de Dieu est proche, mais précise que ce royaume *« n'est pas de ce monde »*. Il soulève une immense espérance en promettant l'accès au royaume des cieux aux pauvres et aux déshérités. Il fait de nombreux adeptes, dont les plus proches sont les 12 apôtres.

Aux prises avec les instances officielles du judaïsme (notamment lorsqu'il chasse les marchands du Temple de Jérusalem), il est mis en accusation par les autorités religieuses juives, pour s'être déclaré *« fils de Dieu »* et *« roi des Juifs »*. Il est condamné, livré à l'autorité romaine qui lui infligera le supplice de la crucifixion. Ses disciples portent témoignage de sa résurrection et de sa montée au ciel.

D'abord mouvement interne du judaïsme, le christianisme s'affirme très vite comme dépassement du judaïsme, s'adressant à tous les hommes. Le principal propagateur du christianisme naissant aurait été Paul de Tarse (saint Paul), Juif mais citoyen romain, d'abord adversaire acharné des chrétiens, puis, converti par une illumination sur le chemin de Damas, propagateur du christianisme parmi les non-Juifs, au début surtout en Orient et en Grèce.

Le christianisme enseigne que Jésus est bien le Messie, fils de Dieu fait homme, et qu'il est mort sur la Croix pour racheter les péchés des hommes, qu'il est ressuscité puis monté au ciel où il se trouvera à la droite du Père au moment de la résurrection des morts et du Jugement dernier. Le mystère de la Sainte Trinité affirme l'existence d'un Dieu unique en trois personnes, le Père, le Fils, et le Saint-Esprit.

Le christianisme prêche l'amour du prochain, le pardon des offenses, le détachement des biens de ce monde.

Comment s'explique le succès, puis le triomphe du christianisme dans le monde romain finissant ? Les cultes orientaux reposaient sur des mythes, situés dans un passé et des lieux incertains. Les Evangiles portaient témoignage de faits précisément situés dans le temps et dans l'espace, sur un personnage vivant, réel, Dieu fait homme. Cette historisation le rendait plus frappant, plus crédible.

Le christianisme comportait un « volet » contestataire, pour les pauvres contre les riches, contre l'oppression de Rome (l'Apocalypse de Jean en porte témoignage : la « Babylone » qu'il dénonce, c'est Rome).

Ce « volet », par-delà le prétexte du refus de sacrifier aux dieux, y compris à Rome et à Auguste, explique la persécution des premiers chrétiens, et les nombreux martyrs (témoins de la foi), suppliciés pour avoir refusé de renoncer à leur foi : il y eut plusieurs vagues de persécutions, la dernière et la plus importante sous Dioclétien.

Mais, progressivement, *le christianisme va gagner toutes les couches de la société. Constantin, par l'édit de Milan (313) accorde enfin aux chrétiens la tolérance.* Malgré quelques tentatives pour revigorer le paganisme (la principale ayant été celle de l'empereur Julien (361-363), fervent helléniste, pour qui la civilisation antique se confondait avec le paganisme), le christianisme finit par l'emporter.

Religion adoptée par les empereurs, il devient religion d'Etat :

en 392, l'empereur Théodose marque le terme de l'évolution en *interdisant les cultes païens et en faisant fermer les temples*.

Le christianisme initial avait connu de multiples variantes : le patronage impérial favorisa l'instauration d'une doctrine établie comme « orthodoxe » (donnant la juste opinion). Les sectes rivales, qualifiées d'« hérétiques », furent proscrites et finirent par disparaître, sauf l'hérésie « monophysite » (qui n'admet qu'une seule nature du Christ la nature divine) — doctrine de l'Eglise copte d'Egypte et d'Ethiopie.

En Occident, la chute de l'Empire romain va faire de l'Eglise (du grec *ecclesia* = « l'assemblée des fidèles »), avec ses évêques (du grec *episcopos* = « surveillant ») — un par cité — et ses prêtres (en grec presbuteros = « doyen »), *la seule structure de la société civile romaine qui subsiste face aux Barbares*. En Orient, l'Empire se maintient, et l'Eglise se trouve naturellement sous son autorité.

En Occident, devant le vide politique, l'évêque de Rome, que l'on appellera le pape, prend une autorité croissante et s'affirme comme le chef de l'Eglise *catholique* (= « universelle »).

Cette prépondérance sera contestée par l'Eglise orientale, dominée par le patriarche de Constantinople et le pouvoir impérial byzantin.

Cette divergence conduira en 1054 au schisme (séparation) entre l'Eglise catholique romaine, qui reconnaît l'autorité suprême du pape et emploie le latin comme langue liturgique, et l'Eglise orthodoxe grecque ou orientale, dont la langue liturgique est le grec (mais aussi, en Syrie, l'araméen, en Egypte le copte, en Europe le « vieux slavon »). Les deux Eglises sont séparées par des différences dans la discipline (prêtres mariés dans l'Eglise orientale) et par des points de doctrine (querelle du *« filioque »* : le Saint-Esprit procède-t-il seulement du Père, ou du Père **et du Fils** — en latin, *filioque*).

LA GAULE ET LES GAULOIS

Les manuels scolaires de la IIIe République commençaient l'« histoire de France » par l'étude de *« nos ancêtres les Gaulois »*.

A vrai dire, la Gaule antique occupait un territoire beaucoup plus étendu que celui de la France actuelle : elle s'étendait jusqu'au Rhin, englobant la Belgique, le Luxembourg, une partie des Pays-Bas et de l'Allemagne rhénane, la Suisse. Sans parler de l'Italie du Nord, la plaine du Pô, que les Romains appelaient « Gaule cisalpine ».

Venus d'Europe centrale, les Celtes (dont les Gaulois constituent la principale fraction) semblent avoir franchi le Rhin au début du Ier millénaire avant notre ère. On leur attribue le « premier âge du fer » ou civilisation de Hallstatt (du nom d'une localité autrichienne). Ils auraient alors occupé l'Est de la France, l'Allemagne du Sud, l'Autriche, la Suisse.

L'organisation sociale

L'archéologie nous les montre organisés en principautés, dont les chefs sont enrichis par le contrôle des routes commerciales (notamment celle qui, de Bretagne, par les vallées de la Seine, de la Saône et du Rhône, assure le transport de l'étain vers Marseille et la Méditerranée). Ils se font enterrer dans de somptueux tombeaux, avec un char et de nombreux accessoires et bijoux de fer, de bronze, d'or. Ainsi la sépulture de Vix (en Bourgogne), qui contenait le plus grand vase de bronze connu de l'Antiquité, fabriqué sans doute en Italie du Sud.

Une transformation sociale s'effectue vers − 500 : les tombes princières disparaissent, on ne trouve plus que les traces de modestes villages avec des cimetières sans luxe excessif. C'est le « deuxième âge du fer » ou civilisation de La Tène (du nom d'une localité suisse).

Il semble qu'à cette époque, la poussée gauloise se développe, refoulant les occupants antérieurs de la France, Ibères et Basques, vers le sud-ouest, Ligures vers le sud-est. Celtes ou Gaulois occupent les îles Britanniques, envahissent temporairement l'Italie, la

Grèce, et l'Asie Mineure où ils créent un royaume gaulois en plein cœur de l'Anatolie (la Galatie, de *Galatos* = « *Gaulois* », en grec).

Les langues celtes

Toutes ces populations parlent des langues ou dialectes appartenant à la famille celtique, elle-même branche de la grande famille linguistique indo-européenne.

Il n'en subsiste aujourd'hui que le gaélique (en Ecosse), l'irlandais (en Irlande occidentale) et le gallois (au pays de Galles) — tous dans l'archipel britannique —, et, en France, le breton, parlé en Bretagne occidentale.

Bien que l'Irlande indépendante ait fait de la langue celtique sa langue officielle à l'égal de l'anglais, toutes ces langues sont résiduelles et en recul.

Une vision romaine des Gaulois

Notre principale source de connaissances sur les Gaulois, en dehors de l'archéologie, reste le livre de Jules César *Commentaires de la guerre des Gaules*, ouvrage de propagande destiné à préparer la conquête du pouvoir par son auteur, à Rome. Il contient des renseignements précieux, mais biaisés par l'optique du conquérant, persuadé de la supériorité de la civilisation romaine.

Cette optique se retrouve dans la présentation de l'histoire scolaire de la IIIe République : les Gaulois sont présentés comme des « *barbares* » que la conquête romaine va transformer en « *Gallo-Romains* » civilisés.

Les découvertes archéologiques ont conduit à corriger quelque peu cette vision « romaine » de la civilisation gauloise.

Certes, les Gaulois furent ces guerriers blonds à longue moustache et à longue chevelure, excellents cavaliers, armés de longues épées de fer, que nous décrivent à la fois Jules César et les bas-reliefs des monuments romains. Ils étaient inférieurs aux Romains dans bien des domaines, ce qui explique qu'ils aient été vaincus par eux.

Une civilisation du bois

Leur civilisation était une civilisation du bois (et non de la pierre, comme celles des Méditerranéens). Leurs forteresses étaient de bois. Mais, par Marseille et les autres colonies grecques du littoral méditerranéen, des éléments de la civilisation grecque avaient pénétré en Gaule. Les Gaulois avaient emprunté aux Grecs l'usage de la monnaie et celui de leur alphabet : mais nous n'avons pas de littérature écrite en langue gauloise, seulement quelques inscriptions et un calendrier.

La société gauloise était hiérarchisée : au sommet, une aristocratie militaire, possédant de grands domaines et des esclaves ; une classe de prêtres, les *druides*, organisée à l'échelle de la Gaule entière, avec des cérémonies communes annelles sur le territoire des Carnutes (près de Chartres) ; enfin, une paysannerie soumise comprenant probablement de nombreux éléments venus des populations conquises et assimilées.

Excellents artisans du bois, les Gaulois, ayant adopté la vigne et le vin venus des pays méditerranéens, inventèrent le tonneau (les Méditerranéens conservaient le vin dans des outres ou dans des amphores de terre cuite). Ils améliorèrent, à l'époque de La Tène, les instruments de culture, substituant à l'araire de bois l'araire à soc de fer tiré par des chevaux, capable de labourer les sols lourds et argileux. Alors que les Grecs et les Romains étaient vêtus de pièces de tissu drapées, attachées par des fibules (de grosses épingles de sûreté en bronze), les Gaulois, sous un climat plus froid, utilisaient des vêtements taillés et cousus, dont les « braies », ancêtres de nos pantalons.

Les grandes subdivisions

Conquise par les Romains, la « Gaule chevelue » (Gaule cisalpine et Province narbonnaise exclues) comportait trois grandes subdivisions : la *Celtique*, la plus importante, avec pour capitale Lyon (sur l'itinéraire majeur qui conduisait de la Méditerranée à la Manche), la *Belgique*, qui comprenait un vaste territoire (beaucoup plus étendu que celui de la Belgique actuelle), limité par le Rhin, la mer du Nord et la Manche, la Seine et la Marne au sud, enfin l'*Aquitaine*, au sud de la Garonne.

A l'intérieur de ces grandes subdivisions, les tribus gauloises, encore en mouvement du temps de Jules César, se fixèrent, et leurs territoires servirent de base, à l'époque romaine, à un découpage en « cités », dont les noms se retrouvent encore aujourd'hui dans l'appellation de certaines provinces, ou des villes qui leur servaient de capitales : ainsi, l'Auvergne tire son nom de la tribu des Arvernes ; le Périgord (et la ville de Périgueux) doit le sien à la tribu des « *Petrocorii* » ; de la petite tribu des « *Parisii* » vient le nom de Paris, qui s'est substitué à son nom gallo-romain de Lutèce.

La conquête par Jules César

Malgré la conscience d'une identité commune et l'existence de liens religieux (l'organisation des druides), les Gaulois furent incapables de s'unir contre la conquête romaine. De longue date, les Romains s'étaient fait des « alliés » de certaines tribus, afin de les utiliser contre les autres. C'est ainsi que le prétexte à l'intervention de Jules César en Gaule fut fourni par un appel à l'aide des Eduens, alliés de Rome, menacés par les Helvètes, qui avaient décidé d'émigrer. Les Helvètes occupaient la plaine suisse ; les Eduens étaient installés en Bourgogne. Presque aussitôt après avoir refoulé les Helvètes, les armées romaines intervinrent pour refouler au-delà du Rhin la tribu germanique des Suèves, qui avait commencé à envahir la Gaule.

De − 58 à − 56, César et ses lieutenants soumettent toute la Gaule. Mais les exactions des Romains conduisent les Gaulois, en − 52, à s'unir dans une révolte générale, dirigée par le jeune chef arverne Vercingétorix. Après quelques succès, Vercingétorix est finalement bloqué dans la forteresse d'Alésia et contraint à capituler.

Au cours des cinq siècles de domination romaine, la Gaule fut progressivement « assimilée » ; les forteresses de bois des tribus gauloises furent remplacées par des villes sur le modèle romain, avec des édifices en pierre, des temples, des thermes, des aqueducs. Le latin remplaça peu à peu le gaulois.

L'Inde antique

LES CIVILISATIONS DE L'INDUS

L'Inde est entrée dans la civilisation, sinon dans l'histoire, à peu près au même moment que la Mésopotamie et l'Egypte.

Au pied de l'Himalaya, la chaîne de montagnes la plus haute du monde, s'étendent les vastes plaines de l'Indus, à l'ouest, et du Gange, à l'est, qui séparent l'Himalaya du vaste plateau méridional du Dekkan.

Vers – 2500, une civilisation similaire à celle de la Mésopotamie, mais un peu plus tardive, se développe dans la vallée de l'Indus, autour de deux villes majeures distantes d'environ 600 km, Mohenjo-Daro et Harappa. Elles témoignent d'un urbanisme assez développé (comportant notamment un système d'évacuation des eaux usées). A côté de ces deux villes, on a relevé les traces d'une centaine de sites habités. Cette civilisation avait une écriture, mais celle-ci n'a pu être déchiffrée à ce jour. Comme les Mésopotamiens, les hommes de cette civilisation utilisaient des cylindres gravés ou des sceaux comme signature ou comme marque de propriété.

Ce n'est que dans les années 20 du XXe siècle que l'archéologie a révélé cette civilisation oubliée. Vers – 1500, cette civilisation est brusquement détruite : massacre à la suite d'une invasion ? Inondations ? Nous ignorons tout des causes de sa disparition.

LES INVASIONS INDO-EUROPÉENNES

Autour de – 1500, des tribus agro-pastorales parlant une langue indo-européenne, venues de l'Iran voisin, envahissent le nord de la plaine de l'Indus (le Pendjab = les « cinq rivières »), puis l'ensemble des plaines indo-gangétiques.

Au cours du premier millénaire avant notre ère, l'expansion de ces tribus « aryennes » ou indo-européennes se poursuit. Elles abandonnent progressivement la vie pastorale semi-nomade pour la sédentarisation et l'agriculture. Le riz est mentionné dès 800 avant J.-C. ; l'utilisation du fer et l'usage de la monnaie sont constatés vers 500 avant J.-C.

Les castes

C'est dans cette période que s'élaborent les structures caractéristiques de la société indienne, celles des castes, groupes socio-professionnels endogames (c'est-à-dire où l'on ne prend femme qu'à l'intérieur de sa caste), les castes étant séparées par de nombreux interdits.

Au sommet, deux castes privilégiées constituent la classe dirigeante : la caste des *guerriers (Kshatriya)* — qui fournit les princes et les rois —, et la caste des *prêtres (Brahmanes)*. Les marchands et les paysans-éleveurs forment la troisième caste majeure, subordonnée aux précédentes. Par la suite, cette troisième caste *(Vaiçya)* se subdivisera en un grand nombre de castes, avec des statuts et des caractéristiques diverses selon les régions. Enfin, dans la quatrième caste, on trouve les artisans et les serviteurs *(Çûdra)*, probablement les anciens aborigènes asservis. La cinquième catégorie, extérieure aux castes, est celle des *« parias »* ou *« intouchables »*, leur seul contact étant considéré, pour les castes supérieures, comme sacrilège.

Les Indo-Européens imposeront leur modèle social à toute l'Inde : mais les parlers antérieurs à l'invasion indo-européenne (langues dravidiennes) subsisteront dans tout le Dekkan.

LITTÉRATURE ET RELIGION

Les écrits les plus anciens sont mythologiques ou religieux et ne traitent pas d'histoire. Les écrits religieux, et notamment les « *Veda* », sont composés en sanskrit, une langue archaïque, peut-être artificielle, en tout cas depuis longtemps langue morte, non parlée. C'est la découverte, au XIXᵉ siècle, de la parenté du sanskrit avec le latin et le grec qui a fait découvrir l'existence de la famille linguistique indo-européenne.

Les *Veda* comprennent des hymnes, des prières sacrificielles, des formules magiques, dont l'efficience supposait un respect minutieux des sons et des tons. Un hymne védique explique l'origine du monde et des castes : un grand corps cosmique aurait été offert en sacrifice aux dieux et démembré : sa bouche devint le Brahmane, les bras donnèrent les guerriers, les cuisses les bourgeois, les pieds les serviteurs.

D'autres écrits sont des commentaires des hymnes védiques, des guides de grammaire et d'étymologie, destinés à permettre la compréhension des Veda. Les *Upanishad* sont des traités philosophiques — base de la philosophie hindoue ; les *Upveda* traitent de divers domaines de connaissance (médecine, musique, etc.).

Les grandes épopées mythiques (*Mahābhārata* et *Rāmāyana*) nous donnent une idée de la société à l'époque où elles ont été composées (Iᵉʳ millénaire avant notre ère) mais peu de données historiques utilisables.

La religion hindoue, le brahmanisme ou hindouisme, est un polythéisme dont l'influence est attachée à la caste des Brahmanes. On y relève une trentaine de divinités, avec une prééminence de la triade Brahmā, Vishnou et Siva. Ces divinités ont en général figure humaine, mais certaines, à l'instar des divinités égyptiennes, ont une figure animale, comme Ganesha, le dieu à tête d'éléphant.

L'hindouisme se caractérise par un ritualisme pesant : innombrables interdits (dont celui relatif aux bovins, considérés comme sacrés, avec interdiction de les tuer et de consommer leur chair), respect des formules jusqu'aux intonations (une erreur d'intonation suffit à rendre la prière inefficace), pratique des sacrifices.

L'hindouisme servait d'appui à la puissance des Brahmanes : ce sont des membres de la caste guerrière et rivale, celle des Kshatriya, qui furent à l'origine des religions hostiles à l'hindouisme, bouddhisme et jaïnisme.

Le Bouddha, fils d'un roi dont le royaume était situé sur les flancs de l'Himalaya, juste au sud de l'actuelle frontière du Népal et de l'Inde, appartenait à la caste des guerriers. Né sans doute dans la seconde moitié du VIe siècle avant J.-C., il mourut en – 483, date qui sert de point de départ au calendrier bouddhiste.

Sa doctrine semble bien avoir été, au départ, une philosophie athée, machine de guerre contre la puissance des Brahmanes.

Après une jeunesse dorée, à 29 ans, la révélation de la souffrance humaine le conduisit à se faire ermite, à chercher le détachement des passions humaines et de la souffrance pour atteindre le nirvana (l'extinction des passions). Il donna l'exemple d'une vie ascétique et constitua autour de lui le premier noyau d'une communauté monastique — les couvents de moines, voués au célibat, sont une des caractéristiques du bouddhisme.

Le bouddhisme connaît son apogée au Ve siècle avant J.-C. Par la suite, une contre-offensive hindouiste, puis l'invasion musulmane au XIIe siècle, vont pratiquement faire disparaître le bouddhisme de l'Inde : il ne subsiste plus que hors de l'Inde, au Sri Lanka et en Asie du Sud-Est (Birmanie, Thaïlande, Cambodge) où il est religion d'Etat, et il s'est implanté au Vietnam, en Chine, en Corée, au Japon, mais sans y occuper une position dominante. Au Tibet, en Mongolie, il était devenu la base d'Etats théocratiques, dominés par les moines, avec à leur tête un personnage choisi dès l'enfance comme incarnation de Bouddha (Bouddha vivant).

Au départ philosophie athée, ne reconnaissant ni dieux, ni être suprême, le bouddhisme va devenir peu à peu une religion : le culte s'adresse d'abord aux reliques et aux lieux où Bouddha aurait accompli les actes majeurs de sa prédication. En Mongolie, au Tibet, le bouddhisme monastique intégrera de nombreux éléments du polythéisme antérieur (innombrables génies, eux-mêmes objets de culte).

Le jaïnisme (du nom de son fondateur, Vardhamāna ou Jina) est né également aux VIe-Ve siècles avant notre ère : c'est une philosophie prêchant aussi le renoncement au monde et la recherche du salut en dehors du ritualisme brahmanique. Son influence est restée plus limitée.

LES DÉBUTS DE L'HISTOIRE

Dans le même temps où naissent ces doctrines nouvelles, la conquête perse (fin du VIe siècle avant J.-C.) met en contact, par son intermédiaire, le Moyen-Orient et l'Inde.

Ce contact est à l'origine de l'introduction de la monnaie, et aussi de l'écriture : la première utilisée dans les vallées de l'Indus et du Gange est dérivée de l'écriture des scribes perses, dérivée elle-même de l'écriture cunéiforme.

Ce contact va être amplifié et devenir direct avec les conquêtes d'Alexandre.

Au VIe siècle avant J.-C., un premier royaume de la vallée du Gange, le Māgadha, exerce une certaine suprématie. En – 321, le trône y est usurpé par Çandragupta Maurya, qui étend la domination du Māgadha jusqu'au Nord du Dekkan. Il reprend en – 303 aux Séleucides les provinces indiennes conquises par Alexandre. Son fils conquiert le Dekkan jusqu'à Mysore ; son petit-fils Açoka (– 269 à – 232) achève la conquête du Dekkan. Ainsi, l'empire *Maurya*, au IIIe siècle avant J.-C., réalise la première unité politique de l'Inde.

Mais, à la fin du IIIe siècle avant notre ère, des invasions venues d'Asie centrale vont bouleverser l'Inde du Nord.

Cependant, le commerce se développe dans l'Inde et entre l'Inde et le Moyen-Orient : des relations, plus ou moins fidèles, font connaître l'Inde au monde hellénistique : les Grecs reconnaissent la parenté entre les ascètes propagateurs du bouddhisme et du jaïnisme, les « gymnosophistes » (les « philosophes nus »), et les tenants de certaines écoles philosophiques grecques qui prêchent le dénuement (comme les cyniques) ou le détachement des passions.

Ce n'est qu'aux IVe et Ve siècles après J.-C. qu'une nouvelle unité politique du monde indien (limitée à l'Inde du Nord) se constituera avec l'empire *Gupta*.

La Chine antique

LES ORIGINES

———

Après l'Inde, la Chine constitue, hors du domaine de l'Antiquité classique, le deuxième foyer de civilisation ancienne.

Ici, en Asie orientale, deux grandes plaines alluviales sont parcourues, l'une, au nord, par le fleuve Jaune *(Houang-ho)*, l'autre, au sud, par le fleuve Bleu *(Yang-Tsé-Kiang)*. Elles ont fourni un cadre favorable au développement d'une civilisation agricole. Les céréales cultivées furent ici, dans la vallée du Houang-ho, le blé et le millet *(kaoliang)*, le riz, qui fait son apparition vers − 4000 au sud du Yang-Tsé-Kiang et se généralise vers − 800. L'élevage du ver à soie apparaît dès la fin du IIᵉ millénaire avant notre ère.

L'histoire traditionnelle de la Chine situe à la fin du IIIᵉ millénaire avant notre ère la première dynastie, celle des *Xia* (− 2205 à − 1800 ?). La tradition lui attribue l'invention du bronze, dont l'archéologie confirme l'apparition à cette époque.

La seconde moitié du IIᵉ millénaire nous montre l'existence d'Etats structurés, avec des villes ceintes de murs, des rois résidant dans des palais, une noblesse, des paysans durement exploités et des esclaves. Cette civilisation se développe dans l'actuelle Chine du Nord.

Occupée par des populations très diverses (dont certaines subsistent aujourd'hui dans les régions montagneuses, d'autres ayant été assimilées ou refoulées vers le sud), la Chine du Sud sera progressivement colonisée et occupée par les *Han* (nom que se donnent à eux-mêmes les Chinois).

LES PREMIÈRES DYNASTIES

La première dynastie « historique » (dont l'existence est dûment attestée), celle des *Shang* (ou *Yin*) est établie dans la vallée du fleuve Jaune et couvre la période allant du XVIIIe (ou du XVIe ?) siècle jusqu'au XIIe siècle avant J.-C. La dernière capitale, du XIVe au XIIe siècle, était proche de la ville actuelle d'Anyang. On y a retrouvé des tombes royales et des vestiges d'établissements humains.

La technique du bronze est alors à son apogée. On constate l'utilisation du cheval et du char (attelé de deux chevaux). On y a trouvé des inscriptions divinatoires sur os ou sur écailles de tortue, première forme de l'écriture chinoise ; celle-ci, comme les autres, dérive de signes pictographiques, qui seront progressivement schématisés. Cette écriture est *idéographique*, c'est-à-dire que chaque signe représente une chose ou une idée, et non un son. Elle est indépendante de la langue parlée et pourra être de ce fait comprise et utilisée par des peuples parlant d'autres langues que le chinois (Vietnamiens, Coréens, Japonais), ainsi qu'entre Chinois parlant des dialectes différents au point de ne pouvoir se comprendre par la parole.

Vers − 1200, la dynastie des *Zhou* remplace celle des Shang. En − 771, chassés de leur capitale, située dans la vallée de la Wei, par la pression des nomades venus du nord, les Zhou établissent leur capitale plus à l'ouest, à l'emplacement de l'actuelle ville de Luoyang. La civilisation du bronze se répand, l'écriture se diffuse, et c'est de cette époque que datent les premiers écrits autres que de simples inscriptions : notamment les annales royales, à partir du VIIIe siècle. Elles enregistrent les actes des rois, mais aussi les anomalies climatiques et les éclipses, ce qui permet de les dater. On compose aussi des recueils de poèmes de cour, et des ouvrages de divination (la divination joue un rôle social très important).

Le terme de « dynastie » ne doit pas faire illusion : à côté du royaume des Zhou, la Chine est divisée en plusieurs royaumes et principautés.

Du Vᵉ au IIIᵉ siècle avant J.-C., c'est la période dite des « *Royaumes combattants* », dont sept principaux, qui se livrent des guerres acharnées. Pour se protéger, ils construisent de grandes murailles de défense sur leurs frontières. Les royaumes du Nord en édifient également pour se protéger contre les invasions des nomades. Celles-ci subsisteront et formeront l'amorce de la « Grande Muraille ».

C'est à cette époque que vécut Confucius (*Kongfuzi* = « le maître Kong »), à la cour du royaume de Lu, de − 551 à − 479. Il demeure le maître à penser de la Chine traditionnelle. Le *confucianisme* est plus une morale qu'une religion : il intègre le *culte des ancêtres* indispensable à la solidarité de la famille ou du clan ; il prêche le respect des hiérarchies, l'obéissance de l'inférieur au supérieur, du fils au père, de l'épouse au mari, du sujet au souverain, ainsi que le respect des usages et des rites. Le pouvoir royal est justifié par un « mandat du ciel », qui se perd si le souverain ne remplit pas ses devoirs à l'égard de son peuple.

LA FONDATION DE L'EMPIRE CHINOIS

C'est, finalement, le royaume des *Qin (T'sin)* qui va réaliser, à son profit, l'unification de la Chine et créer, des confins de la Mandchourie et de la Mongolie au nord (domaine des nomades) à la vallée du Yang-Tsé-Kiang au sud, l'*empire chinois*. Il durera plus de deux millénaires (de − 221 à 1911). C'est du nom de cette dynastie que vient notre mot de « *Chine* ». Les Chinois se désignent eux-mêmes sous le nom de *Han*, et leur empire sous le nom d'*empire du Milieu*.

Ayant soumis les autres royaumes, le roi des Qin prend alors le titre d'« Auguste souverain » (*Shi Huangdi* — autrefois orthographié *Che Houang-ti*) (− 221).

L'organisation de l'empire

L'empire est divisé en 36, puis 48 circonscriptions. L'ancienne noblesse est déchue de ses privilèges et déportée aux frontières ;

les fortifications intérieures sont détruites et les armes saisies. En revanche, les murailles protégeant l'espace chinois contre les nomades du Nord sont conservées et complétées en un système défensif unique : la *grande muraille*.

L'empereur réalise l'unification monétaire : il généralise l'usage de la monnaie de cuivre, percée en son centre d'un trou carré, permettant de réunir les pièces par une ficelle : la *sapèque*. Il unifie les poids et mesures, impose une norme pour l'écartement des essieux des charrettes, unifie l'écriture qui prend alors sa forme définitive. Il fait construire un *réseau de routes impériales* partant de la capitale, installée à Xian en – 202, et développe le commerce.

Conquêtes, aménagement de la « grande muraille », grands travaux, construction des palais et du tombeau royal (des fouilles récentes ont mis au jour une partie du tombeau impérial, construit à une vingtaine de kilomètres de la capitale : il comporte une armée de soldats figurés grandeur nature, en terre cuite) font peser sur la population paysanne des charges écrasantes (300 000 hommes requis pour l'aménagement de la grande muraille).

Le contrôle par l'Etat se manifeste par la perception d'un impôt par tête (capitation) qui exige un recensement exhaustif (enfants compris) et par la soumission des communautés paysannes à diverses corvées et au service militaire.

Un ministre des châtiments

Pour briser les oppositions, l'empereur instaure un système pénal terrifiant, qui sera atténué par la suite, mais qui restera caractéristique du système impérial (supplices *« chinois »*, existence d'un *« ministre des châtiments »*).

Pour éliminer les critiques, l'empereur fera brûler tous les livres (– 213), à l'exception des livres « utiles » (de médecine, d'agriculture, de divination) et procédera à un massacre des lettrés.

La lourdeur de cette oppression, l'effort excessif exigé de la population, la haine des anciens privilégiés déchus, provoqueront, sous le règne de son successeur, qui ne régnera que deux ans, une révolte générale, et la chute de la dynastie, suivie d'une période de troubles. Pour avoir persécuté les lettrés, la dynastie des Qin sera flétrie par l'histoire traditionnelle. Mais c'est elle qui a mis en place les principes d'organisation qui demeureront ceux de l'empire chinois pendant deux mille ans.

La dynastie des Han

La dynastie suivante, celle des *Han* (– 206 à + 220), adoucira la législation pénale de Shi Huangdi : en – 167, les mutilations pénales seront remplacées par des peines de travaux forcés, ce qui fournira une abondante main-d'œuvre pénale pour les grands travaux (grande muraille, routes, canaux, défrichements, digues).

Les nomades qui menaçaient l'empire, les Xiong-nu (peut-être les mêmes que l'histoire européenne connaîtra sous le nom de Huns), sont contenus et refoulés. L'empire étend sa domination sur l'Asie centrale (Turkestan chinois et russe), sur la Corée, la Chine du Sud, le Viêt-nam.

Le commerce se développe ainsi que l'artisanat : exportation des soieries et des laques. En – 119 est établi un monopole d'Etat du sel et du fer qui accroît les ressources publiques et limite celles des marchands.

Les œuvres anciennes (les « classiques ») recueillies par la tradition orale sont transcrites dans la nouvelle écriture et commentées. L'esprit critique se développe, mettant en cause certaines superstitions. La première synthèse de l'histoire chinoise est rédigée, à partir des traditions et des annales royales.

En 97 après J.-C., un empereur envoie un ambassadeur en Occident pour nouer contact avec l'Empire romain : mais ce messager ne semble pas avoir dépassé le golfe Persique.

LA CHINE AU DÉBUT
DU PREMIER MILLÉNAIRE DE NOTRE ÈRE

Périodes de crise et périodes de reconstitution de l'unité se succèdent : au IIIe siècle après J.-C., l'anarchie gagne et la Chine se divise ; c'est l'époque des « *Trois Royaumes* » (220 à 280).

L'unité sera reconstituée en 280 par la dynastie des Tsin (265 à 316). De nouvelles invasions de nomades du Nord dévastent à nouveau la Chine de 304 à 439.

Introduit au début de l'ère chrétienne, le bouddhisme s'implante en Chine ; aux Ve et VIe siècles, temples et monastères bouddhistes accumulent des richesses considérables, et suscitent des réactions hostiles de la part de certains empereurs (biens confisqués).

Au premier siècle de notre ère, les Chinois découvrent la polarité de l'*aiguille aimantée* (principe de la boussole).

Au IIe siècle, le *papier*, produit à l'origine à partir de fibres de chanvre, remplace, comme support de l'écriture, les lamelles de bois ou la soie.

Par l'Asie centrale (la *« route de la soie »*), par la mer (par l'intermédiaire de l'Inde), des contacts — réduits, et le plus souvent indirects — s'établissent avec l'Empire romain.

La dynastie des *Sui* (581-618) rétablit l'unité de la Chine, reprend les grands travaux des époques antérieures (reconstruction et prolongement de la Grande Muraille) et en réalise de nouveaux (construction du Grand Canal ou Canal Impérial, qui relie le Hoang-ho au Yang-Tsé-Kiang).

L'Amérique précolombienne

LES ORIGINES

Le peuplement du continent américain est récent : il est possible qu'il remonte à 40 000 ans ; les traces en sont certaines depuis 20 000 ans environ.

Les premiers immigrants, venus par le détroit de Behring, étaient des chasseurs-cueilleurs d'origine asiatique ; ils n'ont introduit en Amérique aucune plante cultivée de l'Ancien continent, mais ont probablement amené avec eux le seul animal domestique de l'époque, le chien, compagnon de chasse... mais parfois mangé en cas de besoin.

Du fait de leur isolement, les civilisations précolombiennes (celles existant avant l'arrivée en Amérique de Christophe Colomb, en 1492) présentent une grande originalité.

Le nom d'« *Indiens* » appliqué à la population autochtone de l'Amérique reflète l'erreur de Christophe Colomb qui croyait avoir atteint l'Inde. Pour éviter les confusions avec la population de l'Inde, on a forgé le terme « *Amérindiens* » pour désigner la population autochtone de l'Amérique.

Le passage du paléolithique au néolithique s'est effectué sans aucune influence extérieure, de – 5 000 à – 3 000. Il a été marqué par la « domestication » d'une céréale fondamentale propre à l'Amérique, le *maïs*. Une graminée, le *quinoa*, est cultivée sur les hauts plateaux andins, mais elle est restée très localisée et sa productivité est faible.

Avec le maïs, originaire du Mexique, de nombreuses autres plantes locales sont devenues cultivées : le *haricot*, la *tomate*, le *piment*, le *tabac* ; certaines sont adaptées aux climats tempérés (la *pomme de terre*, venue des hauts plateaux andins), d'autres aux climats tropicaux, comme le *manioc*, l'*arachide*, le *cacaoyer*.

Toutes ces plantes seront importées sur l'Ancien continent à partir du XVIe siècle.

La domestication des espèces animales est restée réduite : hors du chien, déjà mentionné, elle portera sur le *lama* et l'*alpaga*, des camélidés sans bosse utilisés dans la cordillère des Andes comme animaux de bât ou pour leur laine, le *cobaye* (ou cochon d'Inde) et le *dindon* (« poule d'Inde »).

L'usage des métaux n'a été connu que tardivement, et ceux-ci ont fourni des objets de culte ou de prestige (bijoux) plus que des objets d'usage courant. Le *cuivre* fait son apparition dans les pays andins vers – 500 ; l'*or* et l'*argent* sont également utilisés, souvent sous forme d'alliages (cuivre et or, facile à marteler, cuivre à l'arsenic, puis bronze).

De grands foyers de civilisation s'édifient à partir du Ier millénaire avant notre ère, avec des Etats comportant cités, temples, écriture et usage de calendriers.

LES CIVILISATIONS MÉSO-AMÉRICAINES

Une première aire de civilisation se situe en Amérique centrale (Mexique et Guatemala). C'est la zone d'origine de la culture du maïs. Elle comporte des milieux notablement différents : le plateau central de l'Anahuac, à plus de 1 000 mètres d'altitude, de climat tempéré à nuance aride ; les plaines côtières, étendues surtout en bordure du golfe du Mexique, de climat tropical humide.

Les civilisations de cette région présentent un certain nombre de traits communs : existence de centres urbains, présence d'édifices religieux — pyramides portant un sanctuaire à leur sommet —, sculptures de pierre — statues ou stèles —, des formes d'écriture qui restent un mélange de pictogrammes, d'idéogrammes, dont certains sont utilisés pour leur valeur phonétique, à la manière des rébus.

Les Olmèques

La plus ancienne civilisation connue de cette région est celle des *Olmèques* (– 1200 à – 400), dans la forêt tropicale côtière du golfe du Mexique. Ils ont sculpté d'énormes têtes monolithiques de basalte.

Teotihuacan

La seconde civilisation à signaler dans l'ordre chronologique est celle de *Teotihuacan* (IIIe siècle avant J.-C. à environ 750 après J.-C.). Elle se développe sur les hauts plateaux, mais la découverte récente dans la plaine du golfe du Mexique de la cité d'El Pital (100 à 500 après J.-C.) montre que des civilisations analogues se sont développées sur le littoral.

Elle porte le nom de sa capitale, Teotihuacan, qui se trouvait à 40 km au nord de Mexico. Deux pyramides y étaient consacrées, la plus grande (63 m de hauteur) au culte du Soleil, l'autre (de 43 m de hauteur) au culte de la Lune. Parmi les dieux principaux, Tlaloc, dieu de la Pluie, et Quetzalcoatl, le serpent à plumes, qui continueront de figurer dans le panthéon des civilisations ultérieures. Les prêtres semblent y avoir joué un rôle considérable. A son apogée, Teotihuacan occupait 20 km^2 et devait atteindre 150 000 habitants. Elle est brusquement abandonnée vers 750.

Les Mayas

A peu près à la même époque (IIIe siècle après J.-C. jusqu'à environ 900), la civilisation *maya* se développe plus au sud, dans les basses terres (Yucatan-Guatemala). Le peuple maya occupe toujours cette même région. Une centaine de cités y ont existé, avec deux types de monuments : pyramides au sommet occupé par un sanctuaire ; palais aux nombreuses salles avec voûtes en encorbellement, et cours. De nombreuses stèles à inscriptions sont datées. Les dates étaient fixées avec précision, selon un calendrier très complexe dont l'origine remonterait à 3113 avant J.-C. L'art de la céramique y est développé ; on fabrique des bijoux ciselés en pierres semi-précieuses (notamment en néphrite, variété de jade). L'usage des métaux reste inconnu.

La civilisation maya dépérit à la fin du Xe siècle et les cités sont abandonnées. Les causes de cette décadence restent inconnues. L'hypothèse d'une usure des sols par la culture extensive sur brûlis du maïs, ayant abouti à une diminution des ressources et à l'abandon des cités, n'est plus retenue aujourd'hui. La décadence est peut-être à mettre en relation avec une période de sécheresse sévère qui couvre le IXe et le Xe siècle.

Les Toltèques

Sur le plateau de l'Anahuac, l'héritage de Teotihuacan est repris au IXe siècle par un peuple venu du nord, les *Toltèques* (de langue nahuatl, comme les Aztèques qui leur succéderont). Ils fondent en 856 une capitale à Tula, à 80 km au nord de Mexico. Elle sera détruite en 1168.

Nomades guerriers, les Toltèques reprennent la civilisation de Teotihuacan en y apportant une nuance de violence et de cruauté. Les chefs de guerre prennent le pas sur les prêtres. La religion prescrit la « nourriture » des dieux par le sang humain ; ils exigent des victimes humaines, dont les prêtres ouvrent la poitrine avec un couteau de silex ou d'obsidienne, pour leur arracher le cœur et le jeter encore palpitant aux pieds des statues des dieux. Ces pratiques se poursuivront chez les Aztèques.

Vers la fin du Xe siècle, une invasion toltèque en pays maya, qui y établit une cité, Chichen-Itza, introduisit en pays maya l'usage du métal jusque-là inconnu.

Après la chute de Tula, d'autres groupes ethniques apparentés prennent le relais, créant de nouvelles cités, perfectionnant les techniques : orfèvrerie et ciselure, céramique, enluminure de manuscrits.

Les Aztèques

Une tribu venue du nord, celle des *Mexicas* ou *Aztèques* fonde en 1325 la nouvelle capitale de *Tenochtitlan* (Mexico). Elle est construite au milieu d'un lac, sur des îles artificielles. Une

93

pyramide y porte deux temples jumelés, l'un consacré au dieu solaire de la tribu aztèque, l'autre au dieu autochtone Tlaloc. A côté, un sanctuaire est consacré à Quetzalcoatl. Les anciens dieux locaux sont ainsi associés au dieu tribal. A côté, des îles portent des édifices ; d'autres îles artificielles, radeaux de clayonnages couverts de limons et arrimés, les «*chinampas*», portent des cultures.

Les Aztèques pratiquent la sculpture, l'orfèvrerie, la mosaïque de pierres semi-précieuses, la mosaïque de plumes. Les biens les plus précieux sont les bijoux en néphrite et les plumes d'oiseaux tropicaux.

L'«empire» aztèque, dont Moctezuma sera le dernier souverain, est en fait une confédération assez lâche de tribus, villages et cités, jouissant d'une large autonomie, avec à sa tête une alliance de trois cités : Tenochtitlan, Texcoco et Tlacopan.

Mais les populations sont soumises au tribut, et l'empire dispose d'une force militaire faisant respecter cette obligation, avec une administration financière et judiciaire. Il s'appuie sur un réseau commercial de marchands organisé en corporation, actif d'un océan à l'autre.

LES CIVILISATIONS ANDINES

La seconde grande aire de civilisation précolombienne est constituée par les hauts plateaux andins allongés sur plusieurs milliers de kilomètres, avec des prolongements de part et d'autre, sur la plaine côtière du Pacifique, et vers l'Amazonie.

Les premiers indices d'agriculture y apparaissent au IIIe millénaire avant J.-C. Au IIe millénaire, l'agriculture devient prépondérante comme source d'alimentation, et la poterie apparaît. Le quinoa et la pomme de terre sont cultivés en altitude ; le maïs (introduit de l'Amérique centrale vers – 500), le coton, sont cultivés dans les régions basses ; l'élevage est pratiqué (lama, alpaga, cobaye). L'or, l'argent, sont utilisés et la métallurgie du cuivre apparaît vers – 500.

La *civilisation de Chavin* (– 1100 à – 200), dans la plaine côtière du Pérou, est marquée par l'apparition de grandes villes fortifiées, et par la pratique de l'irrigation, pour utiliser les eaux des rivières venues des Andes dans une plaine côtière aride. On y observe aussi des temples, les débuts de l'orfèvrerie, la fabrication de tissus (de coton ou d'alpaga) utilisés notamment à l'enveloppement des momies (les défunts sont conservés en position fœtale, repliés sur eux-mêmes, et desséchés).

D'autres civilisations prendront le relais, comme celle de *Tiahuanaco* (en Bolivie, près du lac Titicaca), centre d'un empire entre 900 et 1100 environ, ou celle de l'empire *chimu* (vers 1200) où le bronze fait son apparition.

Les Incas

L'empire inca sera le dernier à occuper l'espace andin. De 1200 à 1400 environ, la petite tribu inca, établie près de Cuzco, au Pérou, comptera 8 chefs.

Une victoire remportée près de Cuzco en 1438 sur une coalition qui menaçait de détruire le petit Etat sera le point de départ d'une rapide expansion. A partir de cette date, les 9e et 10e Incas (c'est le nom des empereurs) conquièrent un immense territoire, de Quito au nord (en Equateur) au Chili au sud.

Au moment de l'arrivée des Espagnols, l'empire inca avait à peine un siècle d'existence. Mais il avait su établir une organisation propre à assurer sa domination : transferts de populations pour briser les résistances, imposition du quechua (la langue des Incas) comme langue de communication. Un réseau de routes (souvent en escaliers : le milieu andin est accidenté, et les routes étaient parcourues à pied ; l'usage de la roue était inconnu) reliait les garnisons, des dépôts d'approvisionnement étant constitués aux relais.

Le culte du dieu Soleil, dont l'Inca était supposé être le descendant, était à la base de la religion.

Une noblesse et un clergé servaient d'intermédiaires au pouvoir central. La population paysanne, groupée en communautés villageoises *(ayllus)*, avait un terroir réparti en trois fractions : une réservée au dieu Soleil (son produit servait à l'entretien du culte et des prêtres), une réservée à l'Inca (pour l'Etat, servant aussi à alimenter une réserve de secours), une à l'*ayllu*, chaque chef de famille recevant une parcelle, les autres parties étant cultivées par la collectivité. Par ailleurs, le paysan était soumis à la corvée *(mita)* pour les travaux publics, et au service militaire.

Les Incas ne connaissaient pas l'écriture, mais ils utilisaient, pour transmettre des messages, et notamment des renseignements statistiques, des « *quipus* », cordelettes garnies de nœuds.

Comme l'empire aztèque, l'empire inca sera détruit au début du XVIe siècle par la conquête espagnole.

Les civilisations africaines

L'Afrique méditerranéenne (Egypte, Libye, Maghreb) a été inté-
grée à l'étude des civilisations de l'Orient ancien et du monde
gréco-romain.

L'Afrique noire — au sud du Sahara — est restée pratiquement inconnue des Anciens. Ceux-ci n'ont jamais traversé le
Sahara et les seuls témoignages vérifiables concernent des
contacts avec les oasis du Fezzan et les marais du Bahr el-Gha-
zal sur le haut Nil.

Le *Périple d'Hannon*, récit de voyage d'un Carthaginois sur
la côte d'Afrique, est un faux tardif, où la fantaisie s'allie à
quelques données sur le littoral marocain empruntées à d'autres
auteurs grecs. Le périple effectué par des Phéniciens vers 600
avant J.-C. sur ordre du pharaon Néchao, qui leur aurait fait
faire le tour de l'Afrique, en partant de la mer Rouge et en revenant par les *« colonnes d'Hercule »* (le détroit de Gibraltar), s'il
a eu lieu, n' a eu aucune suite.

En fait, ni les Anciens, ni les Arabes après eux, n'ont réussi à
dépasser, par la voie maritime, le Sud du Maroc. Les navires de
ce temps ne pouvaient pas naviguer contre le vent : or, le littoral
atlantique du Sahara occidental est battu en permanence par les
vents alizés de nord-est, très violents. Si des navigateurs se sont
aventurés au-delà du Sud du Maroc, ils n'ont jamais pu revenir
en arrière.

Ce n'est pas par la voie maritime, mais par celle du désert que
les Arabes (et les Berbères d'Afrique du Nord convertis par eux
à l'islam) ont pu, dès les VIIe et VIIIe siècles, atteindre l'Afrique
subsaharienne. Ils y ont réussi grâce au dromadaire, connu
certes des Romains, mais dont ceux-ci n'avaient pas acquis la
maîtrise, comme animal de transport et de combat.

La région atteinte est celle qui jouxte immédiatement le désert,
et qui va être appelée en arabe le *« Sahel »* (= le « rivage »), — la
traversée du désert étant comparée à une traversée maritime, —

et par ces voyageurs arabes ou berbères, l'Afrique noire va entrer dans l'histoire.

L'archéologie et la paléontologie nous renseignent sur ce qui précède. Les découvertes faites depuis les années 50 en Afrique de l'Est nous ont appris que, selon toute vraisemblance, l'humanité a fait son apparition dans cette région, dans une période qui se situe entre 8 et 4 millions d'années. Une récente découverte au Tchad nous montre que ces premiers hominiens n'étaient pas confinés, comme on a pu le croire pendant un temps, à l'Afrique de l'Est. Avec l'apparition de l'*homo erectus*, l'homme se répand sur les autres parties du vieux continent.

LE NÉOLITHIQUE

Du IVe millénaire au début du IIIe millénaire avant notre ère, des civilisations néolithiques ont occupé le Sahara encore humide et ont peut-être fourni une des composantes de la civilisation égyptienne. Sur la falaise de Tichit, en Mauritanie, on a retrouvé les traces de quelque trois cents villages dominant un lac aujourd'hui disparu. Certains de ces villages présentent une extension quasi urbaine, bien qu'ils n'aient tiré leurs ressources que de la cueillette, de la chasse et de la pêche.

La métallurgie du cuivre apparaît dès le IIe millénaire, celle du fer au Ve siècle avant notre ère, et peut-être même plus tôt, entre le Xe et le VIIe siècle avant notre ère, au Niger. Les techniques utilisées plaident pour une invention locale, et non pour une importation.

Au Ve siècle avant J.-C. apparaît une première forme d'expression artistique avec les statuettes de terre cuite de Nok (Nigeria du Nord).

Le delta intérieur du Niger et la vallée de la Gambie semblent avoir été les foyers de différenciation du *riz africain* (différent du riz asiatique), sous ses deux formes de riz inondé et de riz « pluvial » (cultivé sans irrigation). Deux variétés de *mil*, et une céréale spécifique, le *fonio*, sont d'origine africaine. L'*igname*, tubercule alimentaire, est la principale plante cultivée des régions tropicales humides d'Afrique, où le *palmier à huile* apporte également son concours à l'alimentation.

Les hauts plateaux éthiopiens, à l'est, sont également un foyer majeur d'apparition et de diversification d'espèces végétales cultivées, comme le *tef* (céréale non panifiable), le bananier *ensete* (dont on consomme, non les fruits, mais la pulpe extraite des nervures des feuilles), et le *caféier*.

LES PREMIERS ETATS

C'est au VIIIe siècle que les premiers raids chameliers arabes venus de l'Afrique du Nord atteignent, dans l'actuel Niger, l'oasis du Kaouar, et, à l'ouest, la ville et le royaume de Ghana en Mauritanie.

Le terme de *Ghana* utilisé par les chroniqueurs arabes semble être un titre du souverain, dont le royaume s'appelait en réalité le *Ouagadou*, et la capitale Koumbi Saleh. Le Ouagadou, sous contrôle royal, commercialise l'or extrait des placers aurifères alluviaux du haut Sénégal et du haut Niger. Cette région fournira pendant tout le Moyen Age l'essentiel de son or au monnayage arabe.

L'archéologie nous a appris que la civilisation ouest-africaine n'est pas née du contact avec le monde arabe. Les premières traces d'occupation de Koumbi Saleh remontent à environ – 500 ; les fouilles de Djenné-Djéno, ville commerçante située à 3 km de l'actuelle ville de Djenné (Mali), abandonnée vers 1400, nous montrent une urbanisation débutant au Ve siècle de notre ère, donc avant l'arrivée des Arabes au Sahel, avec une métallurgie du fer et un commerce à longue distance d'objets importés (cuivre, or). On peut faire les mêmes constatations sur le site de Sinthiou Bara (près de Bakel, dans la vallée du Sénégal), occupé du Ve au Xe siècle.

Dans le rôle d'intermédiaire commercial avec le monde arabe, le Ghana va être relayé par le Mali (centré sur la haute vallée du Niger) — XIIIe-XVe siècles —, puis par l'empire songhaï (XVe-XVIe siècles), dans la vallée moyenne du Niger, dont la capitale est Gao.

A l'est, sur les rives du lac Tchad, l'empire du Bornou joue le même rôle à partir du XIe siècle, et subsistera jusqu'au XIXe siècle (sous le nom de Kanem-Bornou depuis le XVIe siècle).

Ces Etats combinent la tradition africaine avec une islamisation limitée aux milieux commerçants et aux cours royales. Le pèlerinage à La Mecque du « *Mansa* » (roi) du Mali Kankou Moussa (le Gongo Moussa de nos auteurs médiévaux), au début du XIVe siècle, fera sensation dans les pays arabes, dans la mesure où le souverain, au cours de son voyage, sema l'or à profusion.

L'intrusion des Portugais sur les côtes ouest-africaines au XVe siècle, bientôt suivis par les Hollandais, les Anglais, les Français, va détourner le commerce transsaharien vers l'Atlantique. C'est pour tenter de reprendre le contrôle du commerce de l'or et éventuellement atteindre ses sources que le souverain du Maroc lancera en 1591 une expédition qui s'emparera de Tombouctou et détruira l'empire songhaï, sans atteindre son objectif.

Tombouctou et Djenné sont, à cette époque, des centres commerciaux majeurs et des foyers de culture islamique.

Le haut Nil

Dans la haute vallée du Nil, la Nubie (aujourd'hui le Soudan) est le foyer d'une civilisation originale qui s'est développée en relation avec l'Egypte. Une dynastie nubienne a régné en Egypte aux VIIIe et VIIe siècles avant notre ère. Les royaumes de Napata et de Méroé, tout en ayant leurs traditions propres, sont influencés par le modèle égyptien.

Du IIIe siècle avant J.-C. au IIIe siècle après J.-C., pendant que l'Egypte tombe sous domination étrangère, le royaume de Méroé connaît son plein développement : c'est un centre de métallurgie du fer ; ses souverains se font édifier des pyramides. L'écriture méroïtique, dérivée des hiéroglyphes égyptiens, a pu être déchiffrée, mais l'interprétation des textes reste problématique. Ce royaume disparaît au IVe siècle.

Royaumes chrétiens

Le christianisme conquiert la Nubie à cette époque, sous la forme du christianisme monophysite, celui des Coptes d'Egypte. Les royaumes chrétiens de Makouria et d'Alodia subsistent après la conquête arabe de l'Egypte, mais seront submergés par la poussée islamique au XIVe siècle.

Un autre royaume chrétien subsiste : celui d'Axoum, sur les hauts plateaux d'Ethiopie. Des relations étroites et des migrations réciproques entre Ethiopie et Arabie du Sud ont introduit en Ethiopie une langue sémitique. Des inscriptions sabéennes (du royaume de Saba, en Arabie du Sud) y apparaissent dès le Ve siècle avant J.-C. Le royaume d'Axoum apparaît au début de l'ère chrétienne et entretient des relations avec le monde romain par le port d'Adoulis sur la mer Rouge. Il se convertit au christianisme monophysite au IVe siècle de notre ère.

A la différence de la Nubie, l'Ethiopie chrétienne, dont le centre de gravité, après la chute d'Axoum, s'est déplacé vers le sud, résiste à l'Islam, et elle survivra jusqu'à l'époque contemporaine. On a connaissance, au Moyen Age, de l'existence de ce royaume chrétien coupé du reste de la chrétienté par les musulmans. On cherchera à prendre contact avec lui : au début du XVIe siècle, par l'océan Indien, une ambassade portugaise prendra contact avec son souverain, le négus, que l'Occident connaît sous le nom de « Prêtre Jean ».

Développements commerciaux

Par la mer Rouge, les Egyptiens avaient atteint le pays de Pount (probablement la Somalie), où ils allaient chercher l'encens. Après eux, les Romains fréquentèrent la côte, probablement jusqu'à la hauteur de Zanzibar. Du IXe au XIIIe siècle, Arabes du Sud et Persans créèrent des comptoirs sur la côte orientale de l'Afrique, en exportant des peaux, de l'encens, de l'ivoire, et y important tissus, objets de fer et céramiques.

En liaison avec ces comptoirs, se développe en Afrique australe, au sud du Zambèze, dans la deuxième moitié du Ier millénaire après J.-C., l'exploitation du cuivre et de l'or. Dès le

101

Xe siècle, l'or de cette région est exporté vers l'Inde par le comptoir de Kilwa, créé par les Arabes en 957, puis par celui de Sofala, plus au sud, créé probablement au XIIe siècle.

Dès le XIe siècle, une civilisation originale se développe dans ces régions méridionales, laissant des ruines dont les plus connues sont celles de Zimbabwe (dont le nom a été pris par l'Etat indépendant successeur de la Rhodésie du Sud) et de Mapungubwe. Les Portugais y découvriront au XVIe siècle l'empire du Monomotapa.

Dans la zone forestière qui couvre le Sud du Nigeria, les populations Yorouba et Igbo développent des civilisations originales. Il s'y crée des « cités-états » fortement peuplées, associant le commerce et l'artisanat aux activités agricoles. Alors que, dans l'ensemble de l'Afrique noire, la sculpture du bois (statuettes et masques) à usage religieux s'exprime dans des formes stylisées (auxquelles on donnera improprement le nom d'«art nègre»), cet art fait place ici à un art réaliste : les figures de rois, en terre cuite ou en laiton, découvertes à Ife (pays Yorouba), dont les plus anciennes datent du XIIe siècle, ont une facture très « classique », qui s'apparente à celle de la sculpture grecque.

Les invasions « barbares », le royaume franc et les Mérovingiens

En 406, sous une formidable pression, les frontières de l'Empire romain s'effondrent. Alors s'ouvre la période de ce que nous appelons les « invasions barbares ». Le mot « Barbares » désigne, ici, sans nuance péjorative, les étrangers au monde gréco-romain ; les Allemands, plus prudemment, disent : *« Völkerwanderungen » = « migrations de peuples »*.

Depuis longtemps, les empereurs avaient ouvert leurs frontières à ces « Barbares », pour repeupler l'Empire en les utilisant comme colons ou comme soldats. Certains d'entre eux accèdent aux plus hauts emplois et s'allient à l'aristocratie romaine : ainsi Stilicon, chef des armées de l'empereur Théodose, ou Ricimer, maître de fait de l'Empire d'Occident de 456 à 472.

Mais désormais, la pénétration n'est plus pacifique. Pendant 25 ans, tout l'Occident romain et une partie de l'Orient (les Balkans) vont être traversés et occupés par les envahisseurs.

Ces envahisseurs étaient essentiellement des tribus germaniques, poussées à l'est par d'autres envahisseurs, venus d'Asie centrale, les Huns. Ceux-ci s'attaquèrent d'abord à la Chine (qui les désigne sous le nom de *« Xiong-nu »*). Repoussés de Chine vers la fin du Ier siècle de notre ère, ils se tournèrent vers l'ouest et s'établirent dans la plaine du Danube.

En 450, leur roi Attila — dont on disait que même l'herbe ne repoussait plus après son passage — ravagea la Gaule. Paris (qu'on appelait encore Lutèce) échappa à sa furie et les chrétiens attribuèrent leur salut à l'intervention de sainte Geneviève, qui leur avait promis la protection divine.

Le général romain Aetius réunit toutes les troupes disponibles et infligea une défaite à Attila aux champs Catalauniques (en

Champagne, près de Troyes). Attila ravagea ensuite l'Italie, mais mourut en 453. Son empire ne lui survécut pas.

Sous la poussée des Huns, les Germains avaient envahi l'Empire romain. Ces Germains appartenaient, par leur langue, à la famille indo-européenne. Parmi les nombreuses tribus germaniques, on peut mentionner les Francs, qui s'établirent dans le Nord de la Gaule (Belgique et Rhénanie), les Alamans qui occupèrent une partie de l'Allemagne du Sud, la Suisse, l'Alsace et la Lorraine, les Burgondes, qui s'installèrent dans les vallées de la Saône et du Rhône (ils donneront leur nom à la *Bourgogne*), les Goths (Wisigoths, qui occupèrent l'Aquitaine et l'Espagne ; Ostrogoths, qui occupèrent l'Italie), les Vandales (qui occupèrent le Sud de l'Espagne, puis l'Afrique du Nord). La Bretagne (la Grande-Bretagne actuelle) est évacuée par les légions romaines en 407, et envahie par les Angles et les Saxons venus de l'Allemagne du Nord. Une partie des Bretons (population celtique) se réfugie de l'autre côté de la Manche, en Armorique, qui prendra le nom de *Bretagne*.

CLOVIS ET LE ROYAUME FRANC

Partis de l'Allemagne centrale (région qu'on appelle la Franconie — en allemand « *Franken* »), les Francs ont empiété sur la rive gauche du Rhin et ont occupé la Belgique et le Nord de la France. Ils se divisent en deux groupes, les Francs du Rhin, et les Francs Saliens, au bord de la mer.

En 481, Clovis (*Chlodowig*, qui a donné Clovis, mais aussi Ludovic et Louis) devient, après son père Chilpéric, et son grand-père Mérovée (dont on ne sait à peu près rien, mais qui a donné son nom à la dynastie *mérovingienne*), roi (chef de guerre) des Francs Saliens de Tournai.

Clovis battit d'abord le général romain Syagrius, qui s'était constitué un petit Etat entre la Somme et la Loire, et lui prit sa capitale, Soissons (486).

Le vase de Soissons

Ici se place un incident qui est significatif de la nature des pouvoirs du chef franc, et de la manière dont Clovis va les étendre. Au cours du pillage de la ville, les Francs avaient emporté un vase sacré richement orné appartenant à la cathédrale. Il était de tradition chez eux de partager le butin après la victoire ; le roi avait droit à un cinquième de l'ensemble, les soldats se partageant le reste. L'évêque intervint auprès de Clovis pour récupérer ce vase ; Clovis, soucieux de se concilier les chrétiens, demanda à ses soldats d'exclure le vase du partage : un soldat s'y opposa, et brisa le vase.

Un an plus tard, passant ses troupes en revue avant le départ en campagne, Clovis s'en prit à ce soldat, lui reprocha le mauvais état de ses armes, et jeta sa hache à terre. Comme le soldat se baissait pour la ramasser, Clovis lui fracassa le crâne en disant : « *Ainsi as-tu fait du vase de Soissons.* »

Cet épisode, rapporté par le chroniqueur Grégoire de Tours, peut paraître étrange : pourquoi Clovis n'a-t-il pas réagi la première fois et a-t-il attendu un an pour s'en prendre au soldat qui avait contredit sa volonté ?

La chose se comprend quand on sait quelle est la nature du pouvoir d'un roi tribal : il n'a pas un pouvoir absolu, et les membres de la tribu se considèrent comme ses égaux. Comme chef de guerre, il a tout pouvoir sur ses hommes pendant la guerre : celle-ci terminée, avec le partage du butin, il perd l'essentiel de son autorité. Lors de la revue d'armes qui précède le retour en campagne, il l'a récupérée et il en profite pour régler ses comptes avec le soldat qui l'a offensé.

La politique de Clovis

Nous saisissons ici deux éléments de la politique de Clovis. D'une part, il va, pour consolider son pouvoir, s'assurer une autorité dépassant celle attribuée normalement à un chef de guerre ; d'autre part, il va s'efforcer d'obtenir l'appui des classes dominantes de la société gallo-romaine, et pour cela se concilier les chrétiens ; en particulier leurs chefs, les évêques, seule autorité qui subsiste dans cette société.

Après avoir éliminé Syagrius, Clovis s'emploie à se faire reconnaître roi par tous les Francs Saliens, éliminant ses rivaux par la ruse ou le meurtre.

Peu après, les Alamans s'attaquent aux Francs du Rhin : Clovis se porte à leur secours, défait les Alamans à Tolbiac (probablement Zülpich, près de Cologne) en 496.

C'est là que, selon la chronique, il aurait pris la décision de se convertir au catholicisme : pendant la bataille, une croix lui serait apparue dans le ciel tandis qu'une voix lui disait : *« In hoc signo vinces »* (*« Sous ce signe tu vaincras »*). L'ennui est que la même légende est attribuée à l'empereur Constantin, dans sa lutte contre son rival Maxence.

Ce qui est probable, c'est que cette légende fut présentée pour justifier sa conversion.

Les Alamans furent repoussés, et Clovis annexa une partie de leur territoire, y compris sur la rive droite du Rhin, et il profita de cette circonstance pour imposer son autorité aux Francs du Rhin. En 507, Clovis battit les Wisigoths à Vouillé, près de Poitiers, et leur enleva toute la Gaule de la Loire aux Pyrénées, ne leur laissant que la Septimanie (le Bas-Languedoc).

Le royaume franc

A sa mort, en 511, Clovis se trouve ainsi à la tête d'un royaume des Francs qui couvre presque toute l'ancienne Gaule (à l'exception du royaume burgonde et de la Septimanie), et englobe une partie de la Germanie.

Le succès de Clovis est dû en grande partie à son alliance avec l'Eglise catholique, avec ses évêques, qui représentent, après l'effondrement des structures politiques de l'Empire romain, la société civile (et particulièrement l'aristocratie) gallo-romaine.

Encore païen, Clovis avait épousé une princesse chrétienne, Clotilde ; puis, avec tous ses guerriers, après la victoire de Vouillé, sans doute vers 500, il se fit baptiser à Reims par l'évêque saint Remi.

L'alliance du royaume franc avec l'Eglise catholique restera une constante de la politique franque, et la clé de son succès sur les autres tribus germaniques.

En effet, les autres envahisseurs barbares (Ostrogoths, Wisigoths, Vandales, Burgondes) s'étaient convertis au christianisme, mais s'étaient ralliés à l'hérésie arienne (du nom d'Arius, qui niait la divinité du Christ). Ils se trouvaient ainsi en opposition, tant sur le plan religieux que sur le plan politique, avec la population romanisée.

LES MÉROVINGIENS

Les successeurs de Clovis devaient s'emparer du royaume burgonde et d'une partie de l'Allemagne du Sud.

Mais l'unité du royaume franc ne se maintint pas. Les successeurs de Clovis, considérant le royaume franc comme un bien privé, se le partagèrent, selon la coutume franque qui attribuait une part égale de l'héritage à chaque fils.

En outre, les Mérovingiens (nom qui fut donné à la dynastie issue de Clovis) se battirent et se massacrèrent allégrement pour la conquête du pouvoir, entre père et fils, entre oncles et neveux, entre frères, entre cousins.

Les quatre fils de Clovis s'étaient partagé le royaume : après la mort de trois d'entre eux, le survivant, Clotaire Ier (558-561), rétablit l'unité à son bénéfice ; mais, après sa mort, nouveau partage entre ses quatre fils. L'unité fut à nouveau rétablie sous le roi Dagobert Ier (629-639), qui laissa une réputation de sagesse.

Trop étendu, souvent partagé, le royaume des Francs se divisa en quatre grands ensembles majeurs : l'Aquitaine (où très peu de Francs s'étaient établis), la Burgondie (l'ancien royaume burgonde) au sud, et au nord, la Neustrie (France de l'Ouest) et l'Austrasie (Est de la France, pays de la Meuse, du Rhin et du Danube). En Austrasie, les Gallo-Romains étaient rares et la population germanique prépondérante.

L'affaiblissement du pouvoir royal

A partir du VIIe siècle, le pouvoir des rois mérovingiens s'affaiblit.

Pour s'attacher des fidèles, les Mérovingiens distribuèrent terres et richesses de leur patrimoine, et se trouvèrent progressivement dépourvus de moyens et d'autorité.

Ce sont les grands propriétaires, d'origine franque ou gallo-romaine, qui devinrent puissants et presque indépendants. Le pouvoir réel passa peu à peu entre les mains de leur représentant, le maire du palais, à l'origine intendant de la maison royale, jouant désormais le rôle de premier ministre. Il faut prendre avec distance critique l'image des derniers Mérovingiens, *« rois fainéants »*, obligés, faute de ressources, de se déplacer en char à bœufs : c'est une image de propagande présentée par leurs successeurs carolingiens pour justifier leur usurpation.

Vers 720, le maire du palais d'Austrasie, Charles Martel, étendit son autorité à tout le royaume des Francs, et s'illustra en repoussant, à Poitiers, les Arabes qui avaient conquis l'Espagne et détruit le royaume wisigoth.

Son fils Pépin le Bref (741-768) osa faire ce que ses prédécesseurs n'avaient pas osé : il déposa le dernier roi mérovingien, le fit tondre (la longue chevelure était l'attribut du pouvoir dans la dynastie mérovingienne) et le fit enfermer dans un couvent. Il prit lui-même le titre de *« roi des Francs »*. Dépourvu de la légitimité attachée à la naissance, Pépin le Bref se fit légitimer par l'Eglise ; il avait aidé le pape, en lutte contre les Lombards envahisseurs de l'Italie, et celui-ci n'avait rien à lui refuser. Il lui fit demander qui devait être roi : celui qui n'en avait que le titre ou celui qui en exerçait réellement le pouvoir ? Le pape lui répondit que celui qui exerçait le pouvoir devait porter le titre de roi. Renouvelant un usage des Hébreux rapporté par la Bible, Pépin se fit sacrer roi, par onction d'huile sainte, d'abord par saint Boniface, puis par le pape lui-même dans la basilique de Saint-Denis.

C'est l'origine de la cérémonie du sacre des rois de France, que l'on fit par la suite remonter à Clovis, et que l'on situa dans la cathédrale de Reims.

LA CIVILISATION MÉROVINGIENNE

L'époque mérovingienne marque un recul certain de la civilisation. L'usage de la lecture et de l'écriture régresse, et ne se maintient guère que dans le clergé. Les auteurs (écrivant en latin) se font rares. L'histoire ne nous est guère connue que par deux chroniqueurs, Grégoire de Tours et Frédégaire. Le commerce se réduit et les villes se dépeuplent. En revanche, les monastères se multiplient. Les riches vivent dans leurs domaines à la campagne.

Pourtant, les relations commerciales avec l'Orient, par la Méditerranée, se maintiennent : on reçoit d'Egypte du papyrus et de Byzance des étoffes précieuses ; des marchands juifs et syriens sont présents dans le royaume franc.

Au VIIIe siècle, la conquête arabe va interrompre ces relations.

L'art est en pleine décadence et les figurations humaines sculptées sont rares et maladroites.

Si, pour les Gallo-Romains, spécialement en Aquitaine et dans le Midi, le droit romain reste en vigueur, les tribus germaniques immigrées introduisent leur coutume propre, variable suivant la tribu : Francs Saliens, Burgondes, ont chacun leur loi.

Alors que le droit romain interdit la vengeance privée, les coutumes germaniques admettent que chaque famille puisse exiger réparation pour le préjudice porté à l'un de ses membres : tué pour tué, mutilé pour mutilé ; à défaut, le meurtre ou la blessure pourront être rachetés : c'est le *« wehrgeld »*, somme d'argent qui compense le préjudice causé, selon un tarif qui tient compte de la situation sociale de la victime.

Les coutumes barbares sont à l'origine des « droits coutumiers » qui prendront forme au Moyen Age, en général par province, et qui prévaudront dans la France du Nord, tandis que, dans le Midi, le droit romain reste en vigueur.

LE MOYEN AGE

De l'Empire romain d'Orient à l'Empire byzantin

Pendant que l'ancienne Gaule et une partie de la Germanie sont devenues le royaume des Francs, les Wisigoths ont créé un royaume en Espagne, les Vandales un autre en Afrique du Nord, divers conquérants barbares, après les Ostrogoths, déferlent sur l'Italie. Les Barbares occupent tout l'espace de l'ancien Empire romain d'Occident.

Dans le même temps, l'Empire subsiste en Orient. Depuis 476 et la déposition du dernier empereur romain d'Occident, les empereurs de Constantinople affectent d'avoir recueilli tout l'héritage de Rome.

JUSTINIEN (527-565)

En fait, les empereurs résidant à Constantinople ne conservent que la partie orientale de l'Empire : les Balkans, l'Asie Mineure, la Grèce, la Syrie, l'Egypte et la Cyrénaïque. Encore les Balkans sont-ils à diverses reprises envahis, et Constantinople doit se protéger par un imposant système défensif : dès le V siècle, une triple enceinte la protège du côté terrestre, et une chaîne peut barrer l'accès du port, la Corne d'Or.

L'empereur Justinien (527-565) va s'assigner pour objectif la reconstitution de l'Empire romain dans son ancienne extension : en bref, la reconquête de l'espace romain d'Occident.

Né dans une modeste famille de paysans macédoniens, il était le neveu d'un soldat, Justin, qui parvint aux plus hautes charges, et finalement à l'Empire. Justin, qui voulait en faire son successeur, lui fit donner une solide éducation et lui donna des responsabilités. D'autre part, Justinien fut appuyé dans sa carrière par sa femme, l'impératrice Théodora. Elle était elle-même de très humble origine, fille du gardien des ours au cirque, et avait commencé sa carrière comme actrice. En 532, lors d'une sédition, elle relèvera le courage de son mari et l'obligera à faire front.

L'empire d'Orient était affaibli par des dissensions internes : la politique très autoritaire et oppressive (notamment en matière d'impôts) de l'administration impériale, par ailleurs notoirement corrompue, soulevait la contestation contre le pouvoir établi. Autre facteur de faiblesse : les conflits religieux (dissimulant souvent des conflits sociaux ou politiques). L'Eglise avait à faire face à des hérésies ; en Occident, nous avons vu que les Barbares, sauf les Francs, s'étaient généralement ralliés à l'hérésie arienne : sous la pression des Francs catholiques, ils l'abandonnèrent progressivement.

Les hérésies

En Orient, se développe l'hérésie *nestorienne*, du nom du patriarche de Constantinople Nestorius, qui veut distinguer en Jésus l'homme et le fils de Dieu. En 431, l'hérésie nestorienne est condamnée par le concile d'Ephèse (concile œcuménique = réunissant les représentants de toutes les Eglises) ; Nestorius est déposé, excommunié et banni. Les nestoriens se réfugient en Perse où ils fondent une Eglise qui fera des adeptes en Asie, jusqu'en Chine.

En 451, le concile de Chalcédoine condamne l'hérésie *monophysite* (en grec = « *d'une seule nature* »), qui n'admettait en Jésus-Christ que sa nature divine. Les chrétiens de Syrie et d'Egypte restèrent majoritairement attachés à cette hérésie, l'opposition religieuse recouvrant une opposition politique à l'autorité impériale, qui faisait peser sur ces provinces une lourde exploitation, notamment par des impôts écrasants.

L'ŒUVRE INTÉRIEURE DE JUSTINIEN

Justinien entreprend de restaurer et de consolider l'autorité impériale : il va se poser en souverain absolu, à la manière orientale.

113

Il réforme l'administration, de manière à la rendre plus efficace, en la simplifiant et en luttant contre la corruption.

Il attache une importance particulière à l'Eglise, qu'il considère comme devant être entièrement soumise à son autorité : le patriarche de Constantinople, qui se pose de plus en plus comme chef de l'Eglise d'Orient, n'est que son instrument.

Il fait construire de nombreuses églises, dont les plus célèbres sont la cathédrale Sainte-Sophie à Constantinople, impressionnante par la hardiesse de sa coupole, et Saint-Vital de Ravenne, en Italie.

Par ailleurs, il va s'employer à codifier le droit romain, la législation romaine qui, avec les lois remontant à la République et celles édictées au cours des siècles par les empereurs, forme un chaos inextricable.

Il fait réaliser une synthèse sous la direction du juriste Tribonien : le *Corpus juris civilis (Ensemble du droit civil)*. Cette œuvre comprend trois parties distinctes : le *Code Justinien* proprement dit, qui comprend les lois édictées par Justinien et par ses prédécesseurs, depuis l'empereur Hadrien ; le *Digeste*, qui réunit des textes des juristes romains de l'époque classique, du IIe siècle avant J.-C. au IIIe siècle après J.-C., en les groupant suivant un plan méthodique, de manière à en faire un instrument pratique ; enfin, les *Institutes*, qui sont un manuel destiné aux étudiants.

La première édition, en 529, est encore rédigée en latin. La seconde, publiée en 534, y ajoute les lois postérieures, les *Novelles*, qui sont rédigées en grec.

LES CONQUÊTES DE JUSTINIEN

Justinien va entreprendre la reconquête de la partie occidentale de l'Empire. Pour ce faire, il neutralise son principal adversaire à l'est, le roi perse de la dynastie des Sassanides, en lui achetant la paix.

Avec le concours de brillants généraux comme Bélisaire et Narsès, il détruit d'abord le royaume vandale et reconquiert l'Afrique du Nord et les îles de la Méditerranée occidentale (Sardaigne, Sicile, Corse, Baléares). Puis il chasse les Barbares d'Italie, qui devient une province de l'Empire avec, pour capitale, non plus Rome, mais Ravenne, sur l'Adriatique, point d'arrivée des navires en provenance de Constantinople. Elle est gouvernée par un *« exarque »* (titre grec porté par les représentants de l'empereur). Enfin, sur les Wisigoths, il reconquiert le Sud de l'Espagne. Le royaume franc n'est pas touché par cette reconquête : en effet, Clovis avait établi des relations diplomatiques avec l'Empire d'Orient.

L'EMPIRE BYZANTIN

Les conquêtes de Justinien ne furent pas durables. Dès la fin du règne, la reprise des combats contre les Perses, le mécontentement dû aux charges inhérentes aux dépenses militaires et aux constructions de prestige, avaient créé un climat de crise.

Sous ses successeurs, les conquêtes de Justinien furent progressivement perdues. En Italie, une nouvelle invasion barbare, celle des Lombards, qui s'établissent en Italie du Nord, et pénètrent jusqu'en Italie du Sud, ne laissent à l'Empire que quelques positions côtières, sur les rives de l'Adriatique, dans le Sud et en Sicile. Le Sud de l'Espagne est à son tour perdu.

Dans les Balkans, l'Empire est attaqué par de nouveaux envahisseurs, peuples slaves et apparentés comme les Bulgares.

Les conquêtes arabes

Aux VIIe et VIIIe siècles, la conquête arabe met en péril l'existence même de l'Empire : convertis à l'islam, les Arabes se lancent à la conquête du monde ; ils enlèvent à l'Empire plus de la moitié de son territoire, les provinces les plus riches : Syrie, Egypte, Afrique du Nord. En Syrie et en Egypte, la population chrétienne monophysite, persécutée par l'administration byzantine, accueille les Arabes en libérateurs ; les Arabes tolèrent les *« gens du livre »* (juifs et chrétiens) moyennant paiement d'un tribut, qui s'avère beaucoup plus léger que les impôts exigés par Constantinople. De 674 à 678, les Arabes mettent le siège devant Constantinople, qui sera sauvée par une arme secrète, le feu grégeois (*« grégeois »* = *« grec »* en vieux français) — un mélange à base de salpêtre, de soufre et de bitume —, projeté sous forme d'engins incendiaires.

L'Empire est sauvé, mais désormais réduit à la Grèce, aux Balkans, et à l'Anatolie, plus quelques positions résiduelles en Italie. Les Arabes, puis les Turcs, lui disputent le territoire de l'Anatolie, les Bulgares celui des Balkans. L'Empire subsistera encore près d'un millénaire, jusqu'à la prise de Constantinople par les Turcs en 1453.

On va, à partir du règne de Justinien, le désigner de plus en plus par le nom d'*Empire byzantin.*

Affaibli, il garde pourtant un prestige considérable et Constantinople éblouit ses visiteurs par ses richesses accumulées. C'est un centre commercial important. Sa monnaie d'or (le *« besant »,* du mot Byzance) circule dans tout le monde méditerranéen et au-delà.

Mais l'Etat byzantin devient de plus en plus un Etat grec. Le grec se substitue au latin dans l'administration et la justice. En 627, la titulature impériale latine est abandonnée au profit d'une titulature grecque : l'empereur prend le titre de *« basileus »* (en grec = *« roi »*) et d'*« autocrate des Romains »* (autocrate = *« qui tient son pouvoir de lui-même »*).

L'Eglise en Occident : la papauté

La disparition de l'Empire d'Occident avait laissé à l'Eglise et à ses structures la fonction de représentation de la société civile face aux Barbares.

L'Eglise s'était implantée principalement dans les villes et dans les milieux de l'aristocratie romanisée : en témoigne l'étymologie du mot « païen », qui désigne les réfractaires au christianisme : il vient du latin « paganus », « habitant de la campagne », qui a donné « païen » mais aussi « paysan ».

Chaque ancienne « cité » avait un évêque ; celui-ci appartenait généralement à l'aristocratie locale. Peu à peu se créa un réseau d'églises paroissiales, où un prêtre exerçait les fonctions de curé. La décentralisation fut lente : en Gaule, ce n'est qu'en 402 qu'un concile donna aux prêtres le droit de baptiser, et ce n'est qu'en 529 que le concile de Vaison leur donna le droit de prêcher.

Dans le diocèse d'Auxerre, on ne comptait à la fin du Ve siècle que 20 églises paroissiales, 8 dans les bourgs et 12 dans les domaines ruraux ; à la fin du VIe siècle, 37, dont 13 dans les bourgs et 24 dans les domaines privés. Dans les chapelles ou églises de ces domaines, le prêtre apparaît comme l'un des serviteurs du grand propriétaire.

Rome, privée de son rôle de capitale dès les derniers empereurs, qui résidaient le plus souvent à Milan, et sous le régime byzantin, dont l'exarque résidait à Ravenne, restait la capitale religieuse comme résidence des papes.

Le pape

L'évêque de Rome avait toujours eu un rôle exceptionnel. Le premier évêque de Rome aurait été saint Pierre, qui y subit le martyre. Selon le témoignage de saint Matthieu, le Christ lui-même aurait donné mandat à saint Pierre de diriger l'Eglise par la formule : *« Tu es Pierre, et sur cette pierre, je bâtirai mon Eglise. »*

L'évêque de Rome joue le rôle d'arbitre parmi les évêques d'Occident. Ailleurs, sa prééminence est contestée. En 451, le concile de Chalcédoine pose le principe de l'égalité entre le pape et les quatre patriarches d'Orient (de Constantinople, d'Antioche, de Jérusalem et d'Alexandrie). Le pape Léon Ier proteste contre cette prétention de le mettre au même rang que les patriarches : il se pose dès ce moment en chef de l'Eglise universelle.

Le titre de *pape* (du grec *« pappas »* = *« père »*), porté en Orient par de nombreux évêques et même les prêtres (le mot *« pope »* qui désigne les prêtres de l'Eglise d'Orient a la même origine), fut peu à peu réservé à l'évêque de Rome.

LE PAPE ET LES LOMBARDS — GRÉGOIRE LE GRAND

Après la mort de Justinien, l'Italie fut envahie par une nouvelle tribu germanique : les Lombards (*Langobardi* = *« les hommes à la longue lance »*). Les empereurs byzantins se révélèrent incapables de défendre l'Italie et le pape prit la tête de la défense contre les Lombards. Contre eux, il chercha l'appui du royaume franc.

C'est avec le pape Grégoire le Grand (590-604) que la papauté prend toute sa dimension, religieuse et politique.

Grégoire appartenait à une grande famille patricienne de Rome, chrétienne depuis longtemps. En 573, il occupe les fonctions de « préfet de la ville » et y acquiert une expérience administrative. Mais bientôt, il se retire de la vie publique pour se consacrer à la vie monastique. En 590, Rome est ravagée par la peste (dont meurt son prédécesseur), par la famine, par des inondations. Il est alors élu pape malgré lui, par l'acclamation unanime du peuple et du clergé.

Grégoire organise des prières et des processions pour conjurer les malheurs du temps, mais il fait aussi venir du blé de Sicile, où il a des propriétés.

Il organise la défense de Rome contre les Lombards et, en tant qu'administrateur des biens de l'Eglise de Rome, le « patrimoine de saint Pierre », dont les domaines s'étendent jusqu'en Sicile, il s'affirme comme représentant d'un pouvoir temporel.

Il reste formellement soumis à l'empereur de Byzance, mais affirme sa prétention à être le premier des évêques du monde chrétien, contestant avec âpreté au patriarche de Constantinople sa prétention à se proclamer « *patriarche œcuménique* », c'est-à-dire « *du monde entier* ».

GRÉGOIRE LE GRAND ET LE DÉVELOPPEMENT DE LA VIE MONASTIQUE

Le monachisme (du grec « *monachos* » = « *solitaire* ») fut d'abord, comme son étymologie l'indique, le fait d'ascètes qui s'étaient retirés du monde pour se consacrer, dans la solitude, à la méditation et à la prière. Les premiers moines, en Egypte, se retiraient dans le désert. Par un curieux retournement de sens, le terme de « *moine* » en vient à désigner des religieux vivant en communauté pour se consacrer à Dieu.

Dans les troubles consécutifs aux invasions, de nombreux chrétiens vont chercher dans les monastères un refuge ; la vie austère des moines, leur piété leur vaut un certain respect superstitieux et de nombreux dons des fidèles.

Cinquante ans avant Grégoire le Grand, un autre Romain, saint Benoît, avait choisi la vie monastique et fondé une abbaye (communauté dont le chef porte le titre d'abbé) dans une partie désolée de l'Apennin, entre Rome et Naples, au mont Cassin (529).

Chargé d'organiser la vie des moines, il édicte une *règle* qui organise dans le détail leur emploi du temps et leurs obligations. Ils sont astreints aux vœux de chasteté, de pauvreté et d'obéissance, à une vie austère (nourriture frugale, offices religieux de jour et de nuit), et à la pratique conjuguée de la prière, du tra-

119

vail manuel et du travail intellectuel (notamment, la copie de manuscrits).

Cette règle sera adoptée par de nombreux couvents masculins et féminins, qui, du nom de saint Benoît (en latin « *Benedictus* »), seront qualifiées d'abbayes *bénédictines*.

On distingue désormais dans le clergé le clergé *séculier* (= « *qui vit dans le siècle* », dans le monde profane) — prêtres, évêques — et le clergé *régulier* (= « *soumis à une règle* »), moines et nonnes.

L'ÉVANGÉLISATION DES BARBARES : ANGLO-SAXONS ET GERMAINS

————

Les derniers souverains ariens d'origine germanique se convertirent au catholicisme, le roi wisigoth en 587, les Lombards vers 650.

L'invasion de l'ancienne province romaine de Bretagne par les Angles et les Saxons y avait réintroduit le paganisme. Les Bretons chrétiens, réfugiés dans l'ouest de la Grande-Bretagne (pays de Galles) et l'Irlande, se trouvèrent coupés du monde chrétien. L'Irlande, convertie massivement au christianisme au Vᵉ siècle par saint Patrick, devint un bastion chrétien, où se développa un puissant mouvement monastique, mais avec des usages et une liturgie à part.

Les moines irlandais évangélisèrent l'Ecosse (l'Eglise d'Ecosse fut créée vers 580). En revanche, ils se refusèrent à évangéliser les Anglo-Saxons, leurs ennemis mortels, ne voulant pas les « *retrouver au ciel* ». Un moine irlandais, saint Colomban, partit pour le continent où il créa, dans les Vosges, le monastère de Luxeuil ; sa règle, beaucoup plus sévère que celle de saint Benoît, ses critiques contre les mœurs du clergé local, lui attirèrent l'hostilité des pouvoirs locaux. En 610, il dut quitter Luxeuil pour s'établir dans la région du lac de Constance, où il évangélisa les Alamans, dont la conversion fut achevée par son disciple saint Gall.

L'évangélisation de l'Angleterre

Grégoire le Grand s'inquiéta de la persistance du paganisme en Angleterre. Il fit acheter en Gaule de jeunes esclaves anglo-saxons, les fit éduquer dans des monastères, et, en 596, les envoya en Angleterre au nombre d'une quarantaine, sous la direction de saint Augustin (à ne pas confondre avec le père de l'Eglise, évêque d'Hippone en Afrique du Nord et contemporain de l'invasion vandale).

Augustin fut accueilli par le roi de Kent, et y fonda dans sa capitale, Canterbury, la première église, qui devint le premier évêché, puis archevêché d'Angleterre, siège du primat de l'Eglise d'Angleterre.

Les Anglais furent assez rapidement convertis, des abbayes furent créées sous la tutelle directe de Rome, et suivant les rites et la liturgie romains. Le particularisme rituel et liturgique irlandais fut progressivement éliminé. L'Angleterre et ses couvents, comme l'Irlande précédemment, devint un foyer de culture et d'évangélisation.

L'évangélisation en Europe centrale et orientale

La Germanie encore païenne fut évangélisée à partir du VIIe siècle par des moines anglo-saxons ; parmi eux, le Saxon Winifred, qui prit le nom de *Boniface*. Saint Boniface créa en Germanie de nombreux évêchés et abbayes, devint archevêque de Mayence, et mourut massacré en Hollande par les Frisons païens (755).

L'évangélisation des Slaves, en Europe centrale et orientale, fut surtout le fait de missionnaires byzantins.

Deux moines grecs, Cyrille et Méthode, inventèrent au IXe siècle un alphabet dérivé de l'alphabet grec, *l'alphabet cyrillique*, pour transcrire les langues slaves. La liturgie initiale fut traduite du grec en *vieux slavon*, langue qui joua pour l'Eglise orthodoxe des pays slaves le même rôle que le latin dans la liturgie romaine.

En revanche, les Tchèques, les Polonais, les Croates furent convertis par des missionnaires latins.

Ainsi, dans le cadre d'une Eglise qui se voulait universelle, se séparèrent peu à peu l'*Eglise catholique romaine*, reconnaissant l'autorité du pape, dans l'Europe de l'Ouest, et l'*Eglise orthodoxe grecque* ou orientale, se réclamant du patronage du patriarche « œcuménique » (universel) de Constantinople.

Les différends entre les deux Eglises aboutirent en 1054 au schisme (= « *séparation* »).

Mahomet et l'islam — La conquête arabe

L'ARABIE AVANT L'ISLAM

Péninsule de l'Asie occidentale, attenante par l'isthme de Suez à l'Afrique dont elle est séparée par la mer Rouge, l'Arabie est une région aride et en grande partie désertique, comme le Sahara dont elle paraît le prolongement en Asie. Quelques oasis, dans les montagnes de l'Ouest et du Sud, permettent l'agriculture.

Au début du VIIe siècle, les Arabes, qui parlent une langue sémitique, sont en majorité des éleveurs nomades. Ils sont organisés en tribus, en lutte perpétuelle les unes contre les autres.

Quelques villes comme La Mecque ou Yatrib (Médine) sont des centres commerciaux où aboutissent des caravanes venues de Syrie ou de Perse.

La majorité des Arabes sont païens : ils ont à La Mecque un sanctuaire commun, la *Kaaba*, où étaient adorées une pierre noire, mais aussi les idoles particulières à chaque tribu (il y en avait 360).

Mais les contacts existent avec le monde byzantin, avec la Perse, avec l'Ethiopie. Le judaïsme et le christianisme sont présents en Arabie. En 525, suite à une intervention éthiopienne, le christianisme monophysite est même devenu un temps religion officielle en Arabie du Sud.

LA VIE DE MAHOMET (MUHAMMAD)

Né vers 570, Mahomet (altération française du nom arabe Muhammad), de bonne heure orphelin, est d'abord berger. Vers l'âge de 25 ans, il devient caravanier, au service d'une

123

riche veuve, Khadidja, commerçante à La Mecque. Il l'épousera par la suite.

Vers l'âge de 40 ans, une vision lui révèle que Dieu l'a choisi comme prophète. Il commence à prêcher une nouvelle religion, l'*islam* (= *« la soumission »* — sous-entendu : à Dieu).

Au début, sa prédication a peu de succès. Il indispose les riches commerçants de La Mecque en attaquant le culte des idoles (le pèlerinage à la Kaaba était pour eux une source de revenus), et en demandant aux riches de distribuer leurs biens aux pauvres.

Pour fuir les persécutions, il quitte La Mecque pour s'établir à Yatrib, qu'on appellera désormais Médine (*« Medina »* = en arabe *« la ville »*, sous-entendu, du Prophète).

C'est la fuite, ou l'*émigration* (en arabe *« hidjra »*, dont nous avons fait le mot *« hégire »*). C'est l'hégire (622) qui sert de point de départ au calendrier musulman (*« musulman »* : de l'arabe, *« muslim »* = « croyant, fidèle »).

Mahomet espère trouver à Yatrib, où les Juifs et les Chrétiens sont nombreux, une audience plus favorable. C'est le succès. Mahomet devient le chef politique et religieux de Médine. Il regroupe ensuite sous son autorité de nombreuses tribus. En 629, il revient à La Mecque en vainqueur. Il se concilie les Mecquois en reprenant au compte de la nouvelle religion le pèlerinage à la Kaaba (dont les idoles ont été expulsées) et en faisant de La Mecque la ville sainte de l'Islam. Il y meurt en 632, ayant gagné à la nouvelle religion et à son autorité la majorité des Arabes.

LA RELIGION MUSULMANE — LE CORAN

Les principes de la nouvelle religion sont contenus dans le *Coran* (en arabe = *« la récitation »*), révélations transmises à Mahomet, notées par ses disciples, et retranscrites ensuite.

Le Coran est à la fois un livre saint (comme la Bible) et l'équivalent de notre code civil : avec les règles de la religion, il définit les règles de la vie sociale.

L'islam se réfère à l'Ancien Testament (la Bible des Hébreux) et reconnaît en Abraham et Moïse des prophètes ; il y ajoute Jésus, reconnu comme prophète, mais non comme fils de Dieu.

Il propose un monothéisme strict. La profession de foi, la « *shahada* », est simple : « *Il n'y a d'autre Dieu qu'Allah et Mahomet est le prophète d'Allah* ». Comme la religion juive, l'islam interdit toute représentation de Dieu et, pour éviter l'idolâtrie, toute représentation de l'homme ou des animaux. De ce fait, l'art musulman est strictement ornemental et non figuratif.

Les obligations du croyant sont simples, sinon aisées à observer. Elles tiennent dans les « *cinq piliers de l'islam* » qui sont :

1. la récitation de la « *shahada* », par laquelle on affirme son appartenance à l'islam ;

2. *les cinq prières par jour* qu'on doit faire après s'être purifié par des ablutions, le front tourné vers La Mecque ;

3. le *jeûne du mois de ramadan* : pendant tout ce mois, on doit, du lever au coucher du soleil, s'abstenir de toute nourriture ou boisson ;

4. l'*aumône* aux pauvres ;

5. au moins une fois dans sa vie, *accomplir le pèlerinage de La Mecque*.

L'islam interdit la consommation du vin et de l'alcool, la consommation du porc et des viandes impures (l'animal consommé doit avoir été abattu rituellement, c'est-à-dire égorgé et vidé de son sang) — prescription reprise du judaïsme.

Il interdit les jeux de hasard et le prêt à intérêt.

Il tolère la polygamie, mais en la limitant à quatre femmes légitimes.

LA CONQUÊTE ARABE

Avant sa mort, Mahomet avait appelé ses disciples à convertir le monde entier, et promis le paradis à ceux qui mourraient dans la « guerre sainte », pour le triomphe de la foi :

> « *Faites la guerre à ceux qui ne croient pas en Dieu ni en son Prophète. Faites-leur la guerre jusqu'à ce qu'ils paient le tribut, tous sans exception, et qu'ils soient humiliés.* »

Pendant les trente années qui suivirent la mort du prophète, les Arabes convertis à l'islam se lancèrent à la conquête du monde, constituant un immense empire, s'étendant de l'Espagne à l'Inde.

Ils s'attaquèrent d'abord à leurs deux puissants voisins, l'Empire byzantin et l'empire perse des Sassanides, tous deux épuisés par les luttes incessantes qu'ils se livraient depuis des siècles, et minés par des crises intérieures.

Les Arabes s'emparèrent d'abord de la Syrie et de l'Egypte (634-639) où la population chrétienne, mais monophysite, subissait à la fois l'exploitation du fisc byzantin et la persécution religieuse. Ils furent accueillis comme des libérateurs : en effet, le tribut imposé aux non-musulmans, pourvu qu'ils fussent adeptes d'une « religion du livre » monothéiste (juifs, chrétiens, zoroastriens), était relativement léger.

Puis, par la victoire de Nehavend (642), ils détruisirent l'Empire perse des Sassanides et se rendirent maîtres de toute la Perse, puis de l'Asie centrale, jusqu'aux abords de l'Inde.

Ils échouèrent devant Constantinople, et l'Empire byzantin survécut, en perdant presque toutes ses dépendances asiatiques, l'Anatolie restant disputée entre Byzantins et Arabes.

A l'ouest, ils conquirent sur les Byzantins l'Afrique du Nord, puis, en 711, ils franchirent le détroit de Gibraltar et s'emparèrent de l'Espagne, détruisant le royaume wisigoth. En 719, ils envahirent le royaume franc, mais ils furent arrêtés à Poitiers par Charles Martel. En 759, ils furent rejetés au-delà des Pyrénées, ne conservant que le Bas-Languedoc (Septimanie).

De 632 à 661, l'ensemble de cet empire fut soumis à l'autorité du *khalife* (= « *lieutenant* », ou « *vicaire* » du Prophète), successeur de Mahomet, réunissant pouvoirs politique et religieux.

En 661, le gendre du prophète, Ali, fut renversé par le gouverneur de Syrie Moawiya, de la famille des Omeyyades, qui se proclama khalife et fixa sa capitale à Damas, en Syrie. Ceux qui n'approuvent pas cette usurpation et se réclament de la légitimité d'Ali sont les *chiites* (aujourd'hui majoritaires en Iran et en Irak). Ceux qui reconnaissent l'autorité des successeurs de Moawiya sont les *sunnites*, largement majoritaires.

En 750, les Omeyyades furent renversés par une nouvelle dynastie, celle des Abbassides, qui fixèrent leur capitale à Bagdad, en Mésopotamie (aujourd'hui Irak).

Mais un descendant des Omeyyades réussit à s'échapper et à gagner l'Espagne où il fonda le khalifat de Cordoue. Plus tard, un khalifat chiite s'établit au Caire.

Le monde musulman avait perdu son unité politique, mais constituait un espace culturel et économique (commercial) actif et riche.

LA CIVILISATION ARABO-MUSULMANE

Dans presque tous les pays conquis, la langue arabe finit par s'imposer, de la Syrie à l'Espagne, refoulant ou faisant même disparaître les parlers locaux. Seule la langue iranienne résista à cette assimilation.

Développement culturel

Le Coran prescrit de rechercher toute connaissance, fallût-il pour cela aller jusqu'en Chine : les premiers khalifes firent traduire en arabe les grands ouvrages de l'Antiquité grecque (œuvres d'Aristote, de Ptolémée). Les Arabes assimilèrent la culture des Grecs et des Persans, ainsi que leurs techniques (notamment celles de l'irrigation).

Ils perfectionnèrent les connaissances des Anciens en mathématiques, en astronomie, en géographie. Ils furent les inventeurs de l'algèbre, et empruntèrent à l'Inde, dans la numération, l'usage du zéro (chiffres dits arabes).

C'est grâce aux traductions arabes, retraduites en latin, des auteurs grecs, que le Moyen Age européen découvrit les auteurs grecs antiques, notamment Aristote.

Les Arabes développèrent la médecine et les ouvrages d'Avicenne (Ibn Sina) (980-1036) furent également traduits en latin à la fin du Moyen Age.

En recherchant la pierre philosophale (le moyen de changer des métaux en or), les Arabes développèrent l'*alchimie*, qui donna naissance à la *chimie*, et découvrirent divers acides, sels, et l'*alcool* (terme qui vient de l'arabe).

Les villes arabes devinrent des foyers de culture, avec leurs collèges ou « medersas » (écoles associées aux mosquées). La vie y était rythmée par l'appel aux cinq prières quotidiennes, lancé par les muezzins du haut des minarets, hautes tours accompagnant les mosquées.

La mosquée

Lieu de prière, la mosquée comporte une cour avec un bassin pour les ablutions ; à l'intérieur, elle est garnie de tapis ou de paillasses pour y faire la prière, les chaussures devant être laissées à l'entrée. Dans la mosquée, presque rien sinon le *mihrab*, une niche qui indique la direction de La Mecque, et le *minbar*, chaire du prédicateur qui harangue les croyants lors de la grande prière du vendredi, qui est le jour sacré des musulmans, l'équivalent du dimanche des chrétiens ou du sabbat des juifs.

Artisanat et commerce

Les villes furent des foyers d'artisanat, dont les *bazars*, où les artisans-boutiquiers se regroupent par professions, alimentent un commerce actif. La profession de marchand était d'autant plus considérée qu'elle avait été celle du Prophète.

Par caravanes, par mer, les marchandises s'échangèrent d'un

bout à l'autre de l'espace musulman, l'or du monnayage arabe étant fourni par le Soudan.

Palais et mosquées s'inspirèrent de l'architecture byzantine et de l'architecture persane. L'interdiction de figurer des représentations humaines ou animales commande la décoration ; les décors intérieurs utilisent des faïences aux couleurs vives, des stucs, des plâtres ou des bois finement ajourés et découpés, avec des figures géométriques entrelacées, parfois inspirées par la végétation, utilisant aussi à des fins décoratives l'écriture arabe, formant ce qu'on appellera des « *arabesques* ».

Charlemagne —
Les Carolingiens

Nous avons vu comment les maires du palais d'Austrasie ont pris le pouvoir réel dans le royaume franc et éliminé les derniers Mérovingiens.

Pépin le Bref

Pépin le Bref (« le petit ») osa le premier prendre le titre royal et se faire sacrer par l'Eglise, avec la caution du pape.

Pour payer au pape sa dette de reconnaissance, Pépin conduisit en Italie deux expéditions contre les Lombards (754 et 756) ; il leur fit restituer l'exarchat de Ravenne, qu'il remit, non à l'empereur byzantin, mais au pape, par une donation déposée sur le tombeau de saint Pierre. Ce fut l'origine de ce qui deviendra plus tard les Etats pontificaux, dont un faux tardif fit attribuer l'origine à une « donation » de l'empereur Constantin.

Par ailleurs, Pépin s'attacha à soumettre les Aquitains, et à chasser les Arabes de la Septimanie (le Bas-Languedoc) qu'ils occupaient encore.

CHARLEMAGNE

Pépin le Bref meurt en 768, après avoir partagé ses Etats entre ses fils Charles et Carloman. Carloman étant mort en 771, Charles se trouve seul roi. Il sera surnommé *« Charles le Grand »* (en latin *« Carolus Magnus »*, dont nous avons fait *« Charlemagne »*).

Il va régner 43 ans sur le royaume des Francs, qu'il agrandira considérablement. C'est lui qui donnera son nom à la dynastie *carolingienne*.

Il poursuit la politique d'alliance avec la papauté de ses prédécesseurs. En Italie, Charlemagne se porte à nouveau au secours du pape menacé par les Lombards. Il les bat, prend leur capitale Pavie, enferme leur roi Didier dans un couvent, et se proclame lui-même roi des Lombards. Son titre est désormais : *« Francorum et Langobardorum Rex »* = *« roi des Francs et des Lombards »*. A cette occasion, le domaine pontifical est à nouveau reconnu et agrandi.

Charlemagne en Espagne

Charlemagne fit de nombreuses expéditions contre les Arabes d'Espagne (les « Sarrasins » des chansons de geste) ; il les repoussa au-delà des Pyrénées et s'empara d'un territoire sur le versant sud des Pyrénées, la « marche » d'Espagne — du francique *« marka »* = *« frontière »* ; zone de protection militaire —, avec pour principale ville Barcelone. Il ne réussit pas à prendre Saragosse, et c'est au retour de cette campagne que le comte de la marche de Bretagne, Roland, fut tué, non par des « Sarrasins » comme le dit la *Chanson de Roland*, mais par des montagnards basques.

Charlemagne en Allemagne

En Germanie, Charlemagne mit fin à l'indépendance de la Bavière, puis, au terme de dures campagnes, conquit la Saxe (entre la Hollande et l'Elbe), dernière partie de la Germanie restée indépendante et païenne. Il ne fallut pas moins de trente ans et de dix expéditions pour briser la résistance des Saxons.

Charlemagne soumit la Saxe à un régime de terreur : de nombreuses tribus saxonnes furent déportées en territoire franc, les Saxons furent contraints de se faire baptiser et d'observer les principes de la religion chrétienne sous peine de mort.

Les armées de Charlemagne intervinrent également au-delà de l'Elbe contre les Slaves, au nord de l'Allemagne contre les Danois, dans la plaine du Danube contre les Avars.

A la fin de l'année 800, Charlemagne revint à Rome.

Le jour de Noël, dans la basilique Saint-Pierre de Rome, affectant d'agir par surprise, le pape Léon III posa sur la tête de Charlemagne la couronne impériale, tandis que les Romains présents s'écriaient : « *A Charles Auguste couronné par Dieu, grand et pacifique empereur des Romains, vie et victoire !* »

Une reconstitution de l'Empire

Les conquêtes de Charlemagne avaient reconstitué, l'Espagne et l'Afrique du Nord en moins, la Germanie en plus, l'équivalent de l'ancien Empire romain d'Occident. L'Empire paraissait ainsi rétabli, avec la caution de l'Eglise, et le fil de l'histoire, rompu trois siècles plus tôt, renoué.

Cependant, depuis 476, les empereurs byzantins s'étaient présentés comme les héritiers de tout l'Empire et cette prétention de Charlemagne de reconstituer à son bénéfice l'empire d'Occident ne pouvait être bien accueillie de leur part.

En revanche, le khalife de Bagdad Haroun al-Rachid envoya à Charlemagne une ambassade munie de riches cadeaux, dont une clepsydre (horloge à eau) et un éléphant... Il y avait des raisons politiques à ce rapprochement : l'un et l'autre étaient aux prises avec les musulmans d'Espagne, qui relevaient du khalife de Cordoue, ennemi mortel de celui de Bagdad...

L'EMPIRE DE CHARLEMAGNE ET SES FAIBLESSES

L'étendue de l'empire de Charlemagne ne doit pas dissimuler ses faiblesses internes. Les principes de son organisation restent peu différents de ceux en pratique chez les Mérovingiens.

Organisation administrative

L'Empire est divisé en *comtés* (200 environ) ayant chacun à leur tête un comte. Ce titre et cette fonction remontaient au Bas-Empire. Le « *comes* » (« commensal ») de l'empereur était un de ses familiers, délégué par lui. Mais le comte n'est plus un fonctionnaire, car l'empereur carolingien n'a plus les moyens de le rétribuer. Le comte se rémunère en percevant une partie des revenus de l'Etat ; il va devenir rapidement un potentat local, nommé à vie, puis transmettant sa fonction à son héritier. Certes, l'autorité des comtes était limitée par celle des évêques exerçant leur autorité religieuse dans la même circonscription.

Charlemagne faisait surveiller comtes et évêques par des inspecteurs, les *missi dominici (« envoyés du maître »)* ; ils allaient par deux, un laïque et un ecclésiastique. Mais leur surveillance était d'une efficacité limitée.

Pour récompenser ses fidèles et se les attacher, Charlemagne, comme ses prédécesseurs depuis Charles Martel et comme les Mérovingiens, leur donne des « bénéfices », un ensemble de terres avec leurs revenus, en principe à titre précaire et révocable, mais dont en fait seule une faute grave ou une trahison pouvait motiver le retrait.

Charlemagne admet et sanctionne la *recommandation*, c'est-à-dire l'action, pour un homme libre, de se placer sous la protection d'un plus puissant, d'un *« seigneur »*. La fidélité au seigneur est une obligation, sauf si celui-ci commet à l'égard du protégé une injustice notoire (s'il veut le battre, le tuer, ou le déposséder).

Ainsi se mettent en place les éléments de ce qui deviendra la féodalité, une chaîne de liens personnels entre inférieurs (vassaux) et seigneurs, qui fait peu à peu disparaître l'autorité de l'Etat.

Aussi bien, le sens de l'Etat n'existe pas : le royaume est considéré comme un bien patrimonial, et les Carolingiens, comme les Mérovingiens, partagent l'empire entre leurs fils.

Charlemagne n'a pas d'armée permanente. Suivant la tradition des Francs, il convoque chaque année ses sujets — en principe tous les hommes libres, en fait ceux qui ont les moyens de s'équiper, donc les plus riches, car ils ne reçoivent ni équipement, ni solde.

A l'occasion de ce rassemblement, il leur fait jurer fidélité, et donne lecture des lois qu'il a édictées, divisées en chapitres, d'où leur nom de *« capitulaires »*. L'assistance fait connaître son assentiment (moins une approbation que le constat que la déci-

133

sion impériale a été entendue et que les intéressés s'obligent à la respecter) en frappant de la lance ou de l'épée sur les boucliers.

Faute de revenus suffisants, Charlemagne, comme ses prédécesseurs mérovingiens, vit du revenu de ses domaines propres, se déplaçant avec sa cour de domaine en domaine pour y consommer sur place les produits accumulés.

C'est seulement à la fin de sa vie que Charlemagne se fixa à Aix-la-Chapelle (aujourd'hui Aachen, en Allemagne, près de la frontière belge), ville thermale (Charlemagne affectionnait les bains et la natation).

LA RENAISSANCE CAROLINGIENNE

Charlemagne était à l'origine, comme la plupart des grands seigneurs de ce temps, illettré. Lire et écrire était l'affaire du clergé. Charlemagne s'efforça de réagir contre l'ignorance : il fit lui-même, sur le tard, l'effort d'apprendre à lire et à écrire.

Il appela auprès de lui des savants, souvent étrangers, comme Alcuin, un Anglo-Saxon. Il créa une école du palais pour instruire les jeunes gens de son entourage et les rendre capables de remplir des emplois administratifs.

Son règne verra une modeste renaissance des études, fondées sur la connaissance des auteurs latins, classiques, mais surtout chrétiens. C'est ce qu'on appellera la « renaissance carolingienne ». Elle sera sans lendemain. L'image d'Epinal de Charlemagne, patron des écoliers, relève, largement, du mythe.

Le démembrement
de l'Empire carolingien

L'empire créé par Charlemagne ne devait pas lui survivre long-temps. Après sa mort, en 814, en moins de trente ans, le démembrement de l'empire était un fait accompli.

A ce démembrement, deux causes majeures : d'abord, l'immensité de l'empire ; ensuite, cause décisive, pour les Carolingiens comme pour les Mérovingiens, soumis à la tradition franque, le domaine dynastique est un patrimoine, et, en l'absence d'un droit d'aînesse, il est voué au partage s'il y a plusieurs héritiers.

LOUIS LE PIEUX (OU LE DÉBONNAIRE) (814-840)

Charlemagne avait lui-même, en 806, partagé à l'avance ses Etats entre ses trois fils. Les deux aînés étant morts avant lui, l'empire échut au seul survivant, Louis, que Charlemagne fit couronner avant sa mort, en 813.

Louis, surnommé *le Pieux* (et par d'autres, de manière plus péjorative, *le Débonnaire*), devint donc seul empereur en 814. Il était en effet pieux, mais de caractère faible. En 817, ayant échappé à un accident qui aurait pu être mortel, il décida de prévoir sa succession, en associant à l'empire son fils aîné Lothaire, et en donnant aux cadets des royaumes : à Pépin, l'Aquitaine, à Louis, la Bavière et la Bohême.

Ce partage maintenait l'unité de l'empire, les royaumes restant soumis à l'autorité suprême de l'empereur.

Mais Louis le Pieux, devenu veuf, se remaria : il eut de ce second mariage, en 825, un fils, Charles, à qui il voulut également attribuer un royaume. Ses autres fils se révoltèrent, firent prisonnier leur propre père, et l'enfermèrent dans un couvent (832).

Le procédé parut si odieux qu'il provoqua un soulèvement

général en faveur de l'empereur déchu : deux ans plus tard, Louis le Pieux était rétabli dans ses fonctions. Mais les querelles entre ses fils continuèrent, les cadets ne voulant pas reconnaître l'autorité de Lothaire.

LE PARTAGE DE L'EMPIRE

A la mort de Louis le Pieux, en 840, le problème du partage ressurgit. Pépin étant mort, les querelles se poursuivirent entre les fils survivants : Lothaire, devenu empereur, et ses frères Louis et Charles. Ces derniers se liguèrent contre leur aîné : en 842, à Strasbourg, Charles et Louis jurèrent devant leurs armées de rester unis tant qu'ils n'auraient pas imposé la paix à Lothaire, et, pour être compris de leurs troupes, ils prêtèrent serment devant elles dans les deux langues vulgaires en usage : le *roman*, parler dérivé du latin, en usage dans l'Ouest de l'empire, domaine de Charles surnommé le Chauve, et le *tudesque*, c'est-à-dire la langue germanique parlée dans l'Est. Ces langues deviendront le français et l'allemand.

Le texte écrit du *serment de Strasbourg* est le premier document connu en langue vulgaire de l'histoire de France et de l'histoire d'Allemagne.

L'année suivante, Lothaire, vaincu, dut accepter la paix.

Le *traité de Verdun* (843) découpait l'empire en trois parts : Charles, dit le Chauve, recevait la partie occidentale, limitée à l'est par l'Escaut, la Meuse, la Saône et le Rhône ; Louis, dit le Germanique, les terres à l'est du Rhin, plus une enclave sur la rive gauche avec les villes de Mayence, Worms et Spire, *« pour sa provision de vin »*. Lothaire, avec le titre d'empereur, reçut le territoire intermédiaire, un long couloir allant des Pays-Bas à l'Italie et comprenant la plus grande partie de la Belgique, la Lorraine, l'Alsace, la vallée de la Saône et du Rhône, la Provence, l'Italie du Nord, avec les deux capitales, Aix-la-Chapelle et Rome.

La part de Charles le Chauve, sous le nom de *« Francie occidentale »*, allait devenir le royaume de France, une France coupée de sa partie orientale, mais comprenant au nord la Flandre et au sud la Catalogne ; la part de Louis le Germanique, la « *Francie orientale* », allait devenir le royaume d'Allemagne. La part de Lothaire, peu cohérente, allait se disloquer très vite, mais Lothaire devait laisser son nom à une fraction centrale de son domaine, la « *Lotharingie* », aujourd'hui la Lorraine.

LES NOUVELLES INVASIONS : NORMANDS, HONGROIS, SARRASINS

Le partage de l'empire fut très mal reçu, surtout dans le clergé, où l'on avait la nostalgie d'un univers chrétien où il n'y aurait qu'un seul chef spirituel, le pape, et un seul chef temporel, l'empereur. Cette nostalgie allait traverser tout le Moyen Age.

La décomposition de l'empire fut accélérée par les nouvelles invasions qui se produisirent aux IXᵉ et Xᵉ siècles, rompant toutes les frontières et pénétrant profondément à l'intérieur.

Les Normands

Ce furent d'abord les invasions normandes. Le terme de *Normands* (hommes du Nord) désignait des bandes de marins pillards de langue germanique, venus de Scandinavie (surtout Norvège et Danemark).

Chaque année au printemps, à partir du IXᵉ siècle, ils partent en expédition. Sur leurs barques non pontées, les drakkars, ils gagnent les côtes de l'Europe occidentale, remontent les fleuves très loin vers l'intérieur, pillant au passage cités et monastères. Païens, ils n'ont pas la crainte révérencieuse qu'inspirent aux chrétiens abbayes et églises, où souvent se sont accumulés des trésors provenant des dons des fidèles. Bientôt, ils franchiront le détroit de Gibraltar, pour aller ravager la vallée du Rhône et l'Italie.

Etablis à demeure dans une île de la Seine près de Rouen, ils tentèrent à quatre reprises de prendre Paris, qui était alors réduit à l'île de la Cité. Les trois premières fois, on acheta leur retraite à prix d'argent. En 885, les Parisiens, dirigés par leur évêque Goslin et leur comte Eudes, entreprirent de leur barrer la route. La ville fut assiégée pendant un an, en vain. En 886, une armée dirigée par l'empereur Charles le Gros vint au secours de la ville. Mais au lieu de combattre, l'empereur versa aux Normands une grosse somme pour qu'ils lèvent le siège, et les autorisa de plus à aller piller la Bourgogne. Les grands déposèrent Charles le Gros en 887, pour sa lâcheté et son incapacité.

Les Normands finirent par s'implanter en Basse-Seine. En 911, le roi Charles le Simple se résigna à reconnaître à leur chef Rollon la possession du territoire qu'ils avaient occupé, avec le titre de duc, en échange de son allégeance au roi et de sa conversion au catholicisme. Le *traité de Saint-Clair-sur-Epte* (911) donna ainsi naissance à la *Normandie*. Les Normands s'assimileront très vite et adopteront la langue française.

Les Arabes

En Méditerranée, la conquête arabe avait rendu très difficiles les communications maritimes entre l'Occident et l'Orient. Les musulmans, devenus marins, pillèrent les côtes françaises et italiennes et s'établirent à demeure en Sicile, voire sur le continent (ainsi, en Provence, dans le massif des Maures, à la Garde-Freinet).

Les Hongrois

L'Europe continentale fut, de son côté, attaquée par des nomades venus d'Asie, les Hongrois, qui ravagèrent la Germanie et poussèrent des pointes jusqu'en Bourgogne. Ils finirent par s'établir dans la plaine du Danube et y créèrent le royaume de Hongrie. La terreur qu'ils inspirèrent a laissé sa trace dans le folklore : l'« ogre » des contes de fées, c'est le Hongrois...

LES CONSÉQUENCES DES INVASIONS ET LA FIN DES CAROLINGIENS

Les derniers Carolingiens, occupés à se disputer entre rivaux, ou à combattre les rébellions incessantes des « grands », se montrèrent incapables d'organiser la résistance contre les envahisseurs. Ravages et pillages eurent pour conséquence un appauvrissement général.

Devant l'effacement du pouvoir impérial ou royal, les « grands », notamment les *comtes* qui étaient devenus héréditaires dès le règne de Charles le Chauve, se transformèrent en petits souverains locaux et organisèrent la résistance : ainsi, à Paris, le comte Eudes. Plus généralement, les grands propriétaires, les « seigneurs », entreprirent de se défendre eux-mêmes en aménageant des lieux fortifiés, généralement sur une hauteur facile à défendre : au début, un enclos de bois avec une tour où le seigneur pouvait se réfugier avec sa famille, ses gardes, et ses richesses.

Les paysans se placèrent sous la protection des seigneurs qui, contre une partie de leurs récoltes ou de leurs revenus, et des corvées, s'engagèrent à les défendre.

A l'autorité de l'Etat se substituaient des liens entre personnes, entre inférieurs et supérieurs, qui allaient donner naissance au système féodal.

La fin des Carolingiens

L'unité de l'empire fut fugitivement rétablie, au moins en apparence, par Charles le Chauve, qui reçut la couronne impériale et réunit à la Francie occidentale la Lorraine et l'Italie, mais mourut presque aussitôt. Après lui, Charles le Gros, fils de Louis le Germanique, devint empereur en 881, mais fut déposé pour incapacité en 887.

En Allemagne, la dynastie carolingienne s'éteignit en 911. En France, les derniers Carolingiens, réduits à la possession de la ville de Laon et de ses environs, durent disputer le trône aux représentants de la famille du comte Eudes, comtes de Paris, puis ducs de France, dont le domaine allait de Soissons à Orléans.

Eudes, qui s'était distingué dans la résistance aux Normands, fut proclamé roi après la déchéance de Charles le Gros. Mais son autorité fut contestée par le prétendant carolingien Charles le Simple, qui l'obligea à lui céder une partie du royaume, et à le reconnaître comme successeur : il devint roi en 898.

Hugues le Grand, neveu d'Eudes, prit le titre de duc de France. Il laissa le roi carolingien Louis IV occuper le trône, mais lui enleva Laon, et ne se résigna à lui restituer son seul domaine que sous menace d'excommunication par un concile.

Après la mort du dernier roi carolingien, Louis V, encore tout jeune, les grands élurent comme roi le duc de France Hugues Capet (987), mettant fin à la dynastie carolingienne.

Du royaume de Germanie au Saint Empire romain germanique

L'ALLEMAGNE APRÈS LE TRAITÉ DE VERDUN

Le royaume attribué à Louis le Germanique, comprenant tous les territoires de l'empire franc situés à l'est du Rhin, plus l'enclave de Mayence, Worms et Spire sur la rive gauche, fut appelé d'abord *« Francie orientale »*, puis *« Germanie »*, enfin *« Allemagne »* chez les Français (du nom des Alamans, qui n'étaient qu'une tribu germanique parmi d'autres), et *« Deutschland »* chez ses habitants [à partir du mot utilisé pour désigner la langue allemande, *« deutsch »* (= *« compréhensible »* — par rapport au latin !)].

Organisation administrative

Dans l'ensemble germanique, plusieurs peuples ayant leurs coutumes et leurs dialectes, issus des anciennes tribus, se partageaient le territoire. On en comptait quatre principaux : au sud, la *Bavière* et la *Souabe* (où avaient fusionné Suèves et Alamans), au nord la *Franconie* et la *Saxe*.

Chacun de ces territoires avait à sa tête un *duc* (*« Herzog »* en allemand), véritable souverain héréditaire qui avait sa cour et son armée.

Aux frontières de l'est se constituèrent des « marches » dont les chefs (en allemand, *« Markgraf »* = *« comte de marche »*) avaient pour mission de défendre le pays contre les envahisseurs éventuels, mais qui allaient bientôt faire de ces territoires les amorces d'une conquête aux dépens des Slaves à l'est de l'Elbe (marches de Brandebourg, de Lusace, de Misnie) ou des Hongrois (*« Ostmark »*, *« marche de l'Est »*, amorce de l'Autriche).

De nombreux évêchés et abbayes, pourvus de grands domaines, formaient de véritables Etats ecclésiastiques, avec leur administration et leur armée, ne se distinguant des domaines laïques que par le fait qu'ils n'étaient pas héréditaires.

Après l'extinction de la dynastie carolingienne en 911, la couronne d'argent du royaume de Germanie devint élective, au choix des grands seigneurs laïques et ecclésiastiques.

En 919, le duc de Saxe Henri l'Oiseleur fut élu roi par les Saxons et les Franconiens. Il obligea la Souabe et la Bavière à le reconnaître et à faire leur soumission. Appelé à intervenir en Lorraine (alors vaste territoire compris entre l'Escaut et la Meuse à l'ouest, le Rhin à l'est), il s'y fit reconnaître comme roi. Désormais, le duché de Lorraine, principal reste de l'héritage de Lothaire, bien qu'en partie de langue française, fut rattaché de fait à l'Allemagne.

Vainqueur des Slaves et des Hongrois, Henri Ier avait acquis une autorité suffisante pour faire reconnaître comme roi, avant sa mort, son fils Othon (en allemand : *Otto*).

OTHON LE GRAND (936-973)

Othon était illettré et ne parlait que le saxon. Mais il était vigoureux et actif. Il réussit à s'imposer comme le plus grand souverain de son temps, au prix d'incessantes « chevauchées » qui le firent qualifier de « roi ambulant ».

Dès le début de son règne, il dut affronter une rébellion de trois de ses grands vassaux, les ducs de Lorraine, de Bavière et de Franconie. Ils les vainquit, les destitua, les remplaça par des membres de sa famille.

Il lutta avec succès contre les Hongrois et mit fin à leurs incursions. A l'est, entre l'Elbe et l'Oder, les populations slaves furent refoulées, exterminées, ou assimilées par les colons allemands, inaugurant le *« Drang nach Osten »* (la *« poussée vers l'est »*) qui se poursuivit durant tout le Moyen Age. Le roi de Bohême (pays peuplé par une nation slave, les Tchèques) dut se reconnaître comme son vassal (950).

En Italie du Nord, où régnait une dynastie locale, il intervint à l'appel du pape, prit pour lui-même la couronne de fer des rois lombards, puis, avec son armée, vint à Rome pour se faire donner, comme Charlemagne, la couronne impériale.

Mais l'atmosphère n'était pas celle de l'an 800 : les Italiens n'appréciaient pas l'invasion germanique et Othon prit la précaution, pendant la cérémonie, d'avoir à son côté son écuyer et homme de confiance, l'épée à la main, à toutes fins utiles.

Néanmoins, lorsque, ce 2 février 962, Othon est couronné à Rome « *Empereur et Auguste* », il semble que l'empire chrétien, disparu depuis 887 avec la déposition de Charles le Gros, ressuscite.

LE SAINT EMPIRE ROMAIN GERMANIQUE

Dès lors, les rois germaniques portèrent les trois couronnes : la *couronne d'argent des rois d'Allemagne*, qu'ils recevaient à Aix-la-Chapelle, la *couronne de fer des rois lombards* qu'ils recevaient à Monza, près de Milan, et enfin la *couronne impériale d'or*, qu'ils ceignaient à Rome.

L'empire restauré par Othon le Grand fut connu à partir du XVe siècle sous le nom de « *Saint Empire romain de nationalité germanique* », terminologie qui connotait le caractère chrétien de l'empire, et le caractère dominant de la nationalité allemande dans sa composition.

En gros, il réunissait la Germanie, grossie de ses annexions à l'est, et l'ancienne part de Lothaire. Seule la France restait en dehors.

Les rois allemands prirent au sérieux leur titre impérial et s'épuisèrent en chevauchées pour faire reconnaître leur autorité en Italie.

D'autre part, l'alliance entre empereur et pape fait place, désormais, à une rivalité. Othon avait exigé du pape Jean XII, qui l'avait couronné bon gré mal gré, un serment de fidélité. Celui-ci ayant intrigué contre lui, Othon revint à Rome, le déposa, lui nomma un successeur et exigea que, désormais, l'élection pontificale soit soumise à son agrément préalable.

La dynastie saxonne prit fin en 1024, remplacée par une dynastie franconienne (jusqu'en 1125), puis par une dynastie souabe (jusqu'en 1250).

C'est sous les empereurs franconiens et souabes que rebondit la rivalité entre papes et empereurs, la « *querelle du sacerdoce et de l'Empire* ».

La France
sous les premiers Capétiens

Lorsque mourut, en 987, le dernier roi carolingien de Laon, Louis V, il y avait un prince carolingien susceptible de lui succéder : son oncle Charles, fils de Louis IV et duc de Lorraine.

Sous l'influence de l'archevêque de Reims, Adalbéron, ennemi mortel des Carolingiens, les grands réunis à Senlis écartèrent cette candidature ; Adalbéron fit valoir que Charles de Lorraine s'étant reconnu vassal d'un roi étranger, le roi d'Allemagne Othon, le choix de ce candidat mettrait en péril l'indépendance du royaume de France.

Il lui fit préférer le duc de France Hugues Capet, qui fut couronné et sacré à Noyon le 3 juillet 987.

Depuis l'élection comme roi du comte Eudes, après la déposition de l'empereur Charles le Gros, Carolingiens et comtes de Paris — puis ducs de France — avaient alterné sur le trône de France. Hugues Capet n'était donc pas le premier de sa lignée à occuper le trône de France.

Cependant, la puissance des ducs de France s'était considérablement affaiblie au cours du Xe siècle, par des partages et des dons. Le duc de France était devenu le plus modeste des grands féodaux qui se partageaient le territoire français. A ce titre, il ne leur portait pas ombrage, et les « grands » espéraient bien le confiner dans un rôle purement honorifique.

L'ETAT DE LA FRANCE EN 987

Le royaume de France, l'ancienne Francie occidentale, comprenait un certain nombre de grands fiefs : au nord de la Loire, le comté de Flandre, le duché de Normandie (le mieux organisé et le plus riche), le comté de Champagne, le duché de Bourgogne, le comté d'Anjou, le comté de Blois. Avec le comté de Blois, le duché de France est le plus petit de ces grands fiefs, un simple couloir de terres allant de Senlis à Orléans, en passant par Paris.

Le duché de Bretagne (qui s'était qualifié un temps de « royaume ») restait en dehors du royaume franc, ne reconnaissant pas la suzeraineté du roi de France.

Au sud, quatre grands fiefs : le duché d'Aquitaine, le plus vaste de tous (englobant le Poitou et l'Auvergne), le duché de Gascogne, le comté de Toulouse, et le comté de Barcelone.

Le Nord parlait des dialectes de « *langue d'oïl* » (« *oui* » se disait « *oïl* ») ; le Sud parlait des dialectes de « *langue d'oc* » (« *oui* » se disait « *oc* »).

Comme en Allemagne, il y avait aussi de grands fiefs ecclésiastiques comme les évêchés de Tournai, de Reims, ou l'abbaye de Cluny.

LES PREMIERS CAPÉTIENS

De 987 à 1108, pendant plus d'un siècle, quatre rois capétiens se succédèrent : Hugues Capet (987-996), Robert II le Pieux (996-1031), Henri Ier (1031-1060), Philippe Ier (1060-1108).

Leur territoire était réduit. Au sein même du domaine royal, de petits châtelains, leurs vassaux directs, se livraient au brigandage, et, à l'abri de leurs donjons, défiaient l'autorité du roi. Ainsi les sires de Montlhéry, du Puiset, de Coucy. C'est le cinquième roi capétien, Louis VI le Gros (1108-1137), qui réussit enfin à s'en débarrasser.

Philippe Ier (qui devait son nom grec à sa mère, une princesse russe de Kiev) réussit à agrandir un peu le domaine royal en y ajoutant le Gâtinais, le Vexin, les villes de Corbie au nord, et de Bourges au sud, prenant ainsi pied au sud de la Loire.

Les Capétiens portent le titre de « *Dei gratia, Rex Francorum* » = « *roi des Francs, par la grâce de Dieu* ». Dans les limites du royaume, les actes officiels sont datés par les années de leur règne. Ils portent la couronne d'or, ornée de fleurs de lys.

Ils tiennent en main la « main de justice », un bâton d'ivoire terminé par une main d'or. Le sacre leur donne un caractère sacré et inviolable. Depuis le règne de Philippe Ier, le sacre était censé conférer au roi le pouvoir de guérir les scrofuleux, et, aussitôt sacré, le roi *« touchait les écrouelles »* (les ganglions) des malades pour les guérir.

Pour le reste, ils étaient pauvres et faibles, et incertains de l'avenir, puisque la couronne était devenue élective.

Les premiers Capétiens eurent la chance d'avoir tous des fils en âge de régner avant leur mort. Chacun d'eux prit la précaution de faire sacrer roi son fils aîné, de son vivant, en faisant entériner ce choix par les grands. Le sacre assurait à celui à qui il avait été conféré une protection sûre, toute tentative qui aurait été faite pour remettre en question son droit à régner étant désormais sacrilège.

Ainsi, peu à peu, d'élective, la couronne devint de fait héréditaire dans la famille capétienne. Il fallut cependant attendre Philippe Auguste, au XIIIe siècle, pour qu'un roi jugeât inutile de faire sacrer roi son fils de son vivant.

La conquête de l'Angleterre par les Normands

L'ANGLETERRE AVANT LES NORMANDS

Au VIIIe siècle, sept petits royaumes anglo-saxons se partageaient l'Angleterre. Nous avons vu comment ils furent convertis au christianisme par l'action de Grégoire le Grand, devenant à leur tour des foyers de culture latine, contribuant à évangéliser les Germains.

Au IXe siècle, l'Angleterre, comme le continent, subit les attaques des Normands, spécialement des Danois, qui s'y établirent à demeure. Le roi de Wessex, Alfred le Grand (871-899), réussit à unifier les royaumes anglo-saxons et à contenir les Danois. Mais après lui, le roi de Danemark Knut le Grand se rendit maître de toute l'Angleterre et le roi saxon Ethelred dut se réfugier auprès du duc de Normandie dont il épousa la fille. Son fils, Edouard le Confesseur, reprit le contrôle de l'Angleterre.

Elevé à la cour de Normandie, fils d'une Normande, Edouard appela auprès de lui de nombreux Normands qui occupèrent les plus hautes charges, y compris celle d'archevêque de Cantorbéry, chef de l'Eglise d'Angleterre. Cela indisposa l'aristocratie saxonne qui obligea Edouard à chasser les Normands.

A la mort d'Edouard, sans enfant, son beau-frère Harold lui succéda et fut accepté comme roi légitime par tous les Saxons.

LA CONQUÊTE NORMANDE

Le duc de Normandie Guillaume était le cousin du roi Edouard. Il lui avait rendu visite en Angleterre, en 1051, et prétendait qu'Edouard lui avait alors promis sa succession. Il affirmait en outre qu'Harold, fait prisonnier à la suite d'un naufrage et libéré par Guillaume qui avait payé pour lui rançon, lui aurait juré à cette occasion de l'aider à recueillir la succession du roi Edouard.

Guillaume accusa Harold de parjure, réclama la couronne d'Angleterre, et obtint l'appui du pape qui lui donna raison et excommunia Harold.

L'expédition normande

Guillaume se prépara dès lors à une expédition pour s'emparer de la couronne d'Angleterre. L'appui du pape donnait à une éventuelle expédition normande contre l'Angleterre le caractère d'une croisade. Outre les Normands, de nombreux aventuriers participèrent à l'expédition, attirés par les promesses de butin.

Guillaume promettait aux participants, après la victoire, une récompense proportionnée à l'importance de leur concours : ainsi, à un moine de Fécamp qui lui amenait un navire et 20 soldats, il promit un évêché en Angleterre.

Dès le mois de juin 1066, Guillaume avait réuni 14 000 cavaliers, 45 000 fantassins, 1 400 navires ou embarcations. Pendant quatre mois, des vents contraires bloquèrent l'expédition à l'embouchure de la Somme. En septembre, un vent favorable permit la traversée et Guillaume prit pied en Angleterre avec son armée le 28 septembre 1066.

Il ne rencontra aucune résistance : Harold était occupé à repousser une attaque des Norvégiens dans le Nord. Victorieux des Norvégiens, Harold se reporta en toute hâte vers le sud. Les deux armées se trouvèrent face à face près de Hastings le 14 octobre 1066.

Guillaume l'emporta par une ruse de guerre. Les Saxons ne disposaient que de fantassins ; la cavalerie de Guillaume, après plusieurs charges, s'avéra incapable d'entamer leur résistance. Guillaume leur donna l'ordre de simuler une fuite : imprudemment, les fantassins saxons s'élancèrent à leur poursuite. Alors, tournant bride, les cavaliers normands les attaquèrent de tous côtés. Harold et sa garde résistèrent trois heures durant ; pour les

149

briser, Guillaume fit effectuer par ses archers un tir plongeant : lancées très haut, les flèches retombèrent en pluie sur les Saxons. Le corps de Harold fut retrouvé le lendemain sous un monceau de cadavres.

Il y a peu d'exemples dans l'histoire d'une bataille ayant eu des effets aussi décisifs. Elle suffit en effet à Guillaume pour se rendre maître de toute l'Angleterre : la plus grande partie de la noblesse saxonne avait péri sur le champ de bataille ; l'Angleterre n'avait pas de places fortes et les quelques résistances locales furent brisées. Trois mois après la victoire de Hastings, Guillaume, surnommé désormais le Conquérant, se faisait couronner et sacrer roi d'Angleterre dans l'abbaye de Westminster, près de Londres.

Guillaume, qui était déjà un des plus puissants vassaux du roi de France, se trouvait désormais, en tant que roi d'Angleterre, son égal : situation difficile pour le roi capétien ! Elle sera à l'origine de la longue rivalité franco-anglaise qui va traverser tout le Moyen Age...

L'ORGANISATION DE LA CONQUÊTE

Guillaume le Conquérant mit son nouveau royaume en coupe réglée : il s'appropria tous les biens de la famille royale, ceux de Harold, ceux de sa famille, et ceux de tous les Saxons qui avaient combattu à Hastings.

Il garda pour lui les villes, la plupart des forêts, et mille cinq cents manoirs (grands domaines ruraux), répartis dans toute l'Angleterre, ce qui lui donnait une richesse inégalée parmi les autres rois de ce temps.

Le partage des terres

Les autres terres confisquées furent réparties en plus de 60 000 fiefs distribués aux participants de l'expédition : les simples soldats, souvent d'anciens paysans ou artisans, devinrent chevaliers ; les chefs devinrent barons ou comtes ; les religieux reçurent évêchés et abbayes.

Guillaume le Conquérant prit soin de ne pas créer de grands fiefs d'un seul tenant, dont les titulaires auraient pu lui tenir tête ; les possessions des plus grands seigneurs étaient dispersées. Dans chaque comté (en anglais, *« shire »*) le roi était représenté par un *« sheriff »* nommé et révocable par lui, dont l'autorité s'exerçait sur tous en son nom.

La distribution des biens faite, Guillaume fit dresser un inventaire détaillé de toutes les propriétés et fiefs, assorti d'un recensement de la population, comté par comté, qui fut achevé en 1086. Les données recueillies furent transcrites sur un registre qui reçut le nom de *« Domesday Book »* (*Livre du Jugement dernier*), puisque chacun y trouvait son compte inscrit, comme pour le Jugement dernier. C'est un document sans équivalent pour cette époque, qui nous donne une connaissance détaillée de l'état démographique, social et économique de l'Angleterre au XIᵉ siècle.

Les conquérants, y compris ceux qui descendaient des anciens Normands, étaient depuis longtemps francisés : le *Domesday Book* les désigne d'ailleurs sous le nom de *« Francs »* (*« Franci »*) et non de Normands.

Etablis en Angleterre, ils y formèrent l'aristocratie, laïque et religieuse ; ils continuèrent à parler français et à vivre selon les usages français. Jusqu'au XIVᵉ siècle, le français resta la langue officielle en Angleterre, celle de la cour et des tribunaux (il en reste aujourd'hui quelques formules, en vieux français). Par la suite, la langue vulgaire, l'anglo-saxon ou anglais, langue germanique, devint la langue nationale, non sans s'être modifiée au contact du français, lui empruntant une part importante de son vocabulaire.

La société féodale

Au cours des chapitres précédents, nous avons été conduits à utiliser parfois les termes *fief*, *suzerain*, *vassal*, caractéristiques de la société féodale.

Cette société est née de l'anarchie consécutive aux dernières invasions (celles des Normands, Hongrois et Sarrasins) et de l'effondrement de l'autorité de l'Etat qui l'a accompagnée.

A cette autorité, celle de l'Etat impérial, plus ou moins reprise par les rois barbares puis par les Carolingiens, se substitue un pouvoir de fait émietté aux mains des hommes puissants, comtes ou ducs devenus héréditaires, grands propriétaires disposant d'un donjon fortifié et d'hommes d'armes. C'est le morcellement féodal.

A vrai dire, le processus qui va conduire à ce terme s'esquisse dès le Bas-Empire, et s'accentue aux temps mérovingiens, puis carolingiens. Dès le temps de Charlemagne, les grands propriétaires suffisamment riches pour avoir des chevaux, et pourvoir à leur équipement militaire, sont en fait les seuls appelés à l'armée, quitte à s'y faire accompagner par des hommes plus pauvres qui dépendent d'eux et qu'ils équipent.

En l'absence de l'autorité de l'Etat, la loi fait place à l'exercice de la violence : les hommes riches et puissants imposent leur autorité aux plus pauvres et aux plus faibles.

Les catégories sociales

L'esclavage hérité de l'Antiquité disparaît peu à peu, encore qu'il subsiste dans les régions méditerranéennes. La distinction majeure n'est plus entre hommes libres et esclaves, mais entre ceux qui ne travaillent pas et ceux qui travaillent.

Dans la première catégorie, les seigneurs, ou nobles, ou encore chevaliers — hommes d'armes. Dans la lutte contre les envahisseurs ou les pillards, les humbles se mettent sous leur protection, quitte à être parfois aussi mal traités par eux que par les brigands. En échange de cette protection, ils se donnent à leur seigneur, lui font totalement ou partiellement abandon de leurs droits et de leurs biens, qu'il leur rétrocède moyennant redevances en argent, en nature, ou en travail (corvées).

Dans la même catégorie (et issu du même milieu), le clergé, évêques, prêtres, abbés et moines, qui se consacrent à la prière et au salut des âmes. En principe non combattants, ils ont néanmoins des hommes d'armes à leur service, et se comportent comme les laïcs dans la gestion de leurs intérêts.

Deuxième catégorie : tous ceux qui travaillent et sont dans la dépendance des premiers. Au temps du roi Robert le Pieux (996-1031), l'évêque de Laon Adalbéron leur assigne pour tâche : « *fournir à tous l'or, la nourriture et le vêtement* ».

Leurs statuts sont très divers : il y a parmi eux des hommes libres, mais qui se sont « donnés » à un seigneur ; il y a aussi d'anciens esclaves. Pour les seigneurs, et pour Adalbéron qui exprime leurs idées, ils constituent la classe servile.

Cette division tripartite sera plus tard systématisée et trouvera son expression dans la division de la société en trois « ordres » dont deux privilégiés, noblesse et clergé. On a voulu y voir une résurgence de l'idéologie des premiers peuples indo-européens, mais la simple logique conduisait à leur apparition, sans qu'il soit nécessaire d'aller lui chercher des références anciennes.

LES PROGRÈS TECHNIQUES ET ÉCONOMIQUES

Après la Renaissance, et jusqu'au XIXe siècle, on a vu souvent dans le Moyen Age une période de barbarie (stigmatisée par l'adjectif « *gothique* ») et de régression matérielle et culturelle. Ce qui n'est vrai qu'en partie, et ne vaut réellement que pour le Haut Moyen Age. Il est vrai que le recul de civilisation, marqué par le recul de la connaissance (à commencer par la pratique de la lecture et de l'écriture) et des arts, engagé depuis le Bas-Empire, se poursuit avec quelques irrégularités (la brève

« renaissance » carolingienne) et tombe à son niveau le plus bas au temps des invasions normandes et hongroises.

Un essor culturel

Mais, à partir du XIᵉ siècle, des progrès culturels et artistiques se manifestent, et se poursuivront jusqu'à la Renaissance qui apparaît comme un aboutissement en même temps qu'une rupture.

Sur le plan matériel, le Moyen Age est une période où apparaissent maints perfectionnements techniques, qui vont permettre, à partir du XIᵉ siècle, des progrès dans la production et dans la population. Certains de ces perfectionnements étaient déjà connus, mais vont désormais se généraliser.

Parmi ces perfectionnements qui vont avoir des conséquences économiques et sociales, il faut signaler le ferrage des chevaux : le fer à cheval supprime l'usure des sabots et limite les blessures susceptibles de mettre le cheval hors service. L'emploi de la ferrure s'accompagne d'un perfectionnement du harnais qui accroît la stabilité du cavalier (IXᵉ siècle).

A cette acquisition, qui se situe à peu près au temps de Charlemagne, s'ajoute une révolution dans le mode d'attelage des chevaux. L'attelage antique faisait porter l'effort de traction du cheval sur le poitrail ; la forme moderne, qui apparaît pour la première fois dans des documents du Xᵉ siècle, est le collier d'épaules ; il fait peser l'effort sur l'ossature des épaules, ce qui permet une augmentation considérable de la capacité de traction. L'attelage antique, pour augmenter la capacité de traction, plaçait plusieurs chevaux de front, en général deux, au maximum quatre (le quadrige). Le Moyen Age invente l'attelage en file qui permet de démultiplier la capacité de traction presque à l'infini.

De l'araire à la charrue

L'instrument agricole majeur de l'Antiquité était l'araire, tiré par des bœufs, guidé par des mancherons tenus par le cultivateur, et comportant un soc de bois garni de fer, ou entièrement en fer. Cet instrument convenait aux sols relativement légers des pays méditerranéens.

Dans l'Europe du Nord (y compris la Gaule), si les plateaux calcaires, aux sols légers mais peu fertiles, présentent des caractéristiques semblables, les sols lourds, argileux, souvent couverts de forêts, sont difficiles à défricher, difficiles à labourer ensuite. Les peuples du Nord ont partiellement substitué à l'araire la charrue, dont le soc dissymétrique retourne la terre. La charrue est généralement pourvue d'un avant-train et de roues qui lui donnent plus de stabilité. La traction chevaline, parfois substituée à la traction bovine, et plus efficace, se répand. Ces moyens nouveaux joueront un rôle dans les grands défrichements du XIe siècle.

Le moulin à eau

Autre progrès : la diffusion du moulin à eau, qui remplace la meule tournée à bras d'homme, ou mue par un animal. Connu dès l'Antiquité, le moulin à eau se répand à partir du IVe siècle. Le moulin est utilisé pour moudre le blé, mais est aussi employé à d'autres usages (moulin à tan, moulin à foulon, et « martinet » servant à la forge).

Il semble que les céréales cultivées dans l'Antiquité se prêtaient mal à la mouture mécanique et que les progrès du moulin à eau aient été rendus possibles par la diffusion de variétés mieux adaptées à ce traitement.

Mais surtout, le moulin à eau exige un aménagement des cours d'eau (barrages et lacs de retenue). Cet aménagement modifie le milieu naturel (les castors, abondants dans les cours d'eau à l'époque gauloise, disparaissent). Cet aménagement a une autre utilité : lacs et étangs de retenue vont servir à la pisciculture. L'Eglise prescrit à cette époque de nombreuses périodes où l'on doit « faire maigre », où la consommation de viande est proscrite et doit faire place à celle du poisson (le mercredi, le vendredi et le samedi, le carême, les quatre-temps, etc.). Seigneurs laïques et ecclésiastiques vont se faire « aménageurs » de cours d'eau (les abbayes joueront dans ce domaine un grand rôle). Ils exploiteront ainsi les ressources créées : usage des moulins (le plus souvent monopole seigneurial), et fourniture du poisson.

Ces progrès, et la plus grande sécurité (toute relative) résultant de la fin des invasions, vont permettre l'extension des surfaces cultivées par de grands défrichements, jusqu'au début du XIIIᵉ siècle, et une croissance de la population.

LA CONDITION PAYSANNE

Les statuts paysans sont très divers. Mais deux types majeurs peuvent être distingués.

Les vilains

Le « *vilain* » (terme dérivé de « *villa* », qui désignait dans l'Antiquité la grande ferme esclavagiste) est un paysan libre, mais soumis à l'autorité des seigneurs laïques ou ecclésiastiques et lourdement exploité.

Le vilain dispose d'une tenure, exploitation agricole et terres qui lui sont concédées par le seigneur, qui perçoit à ce titre une redevance en argent (le *cens*), des redevances en nature (partie de la récolte ou du bétail), des redevances en travail (les *corvées*). Le paysan est soumis à un impôt personnel, la *taille*. Il existe quelques terres dépourvues de tutelle seigneuriale, héritage de l'époque franque, les « *alleux* » ou « *francs-alleux* » ; ce sont des exceptions, des curiosités. Le droit féodal pose en adage : « *Nulle terre sans seigneur.* »

Le paysan « libre » est en général inclus dans une communauté rurale qui oblige ses membres à suivre certaines règles, et leur donne des droits : droits d'usage sur les terres communes (bois, prés, landes) et aussi sur les terres privées après la récolte ou quand elles sont en jachère (droit de « *vaine pâture* »).

Le mépris professé par les seigneurs à l'égard des vilains s'exprime dans la connotation péjorative qui s'est attachée à l'adjectif *« vilain »* (en sens contraire : *« gentil »* = *« noble »*, *« de bonne famille »*).

Les serfs

Plus dure est la condition du serf (du latin *« servus »* = *« esclave »*). Mais par un déplacement de sens, ce mot ne veut plus dire esclave. Le serf est un paysan attaché à la terre (à la *glèbe* = la terre cultivée), qu'il ne peut quitter. A la différence de l'esclave antique, il ne peut plus être vendu et acheté seul, mais il l'est éventuellement en même temps que la terre à laquelle il est attaché. Aux redevances communes à tous les paysans s'ajoutent pour lui des charges supplémentaires : il ne peut se marier sans autorisation de son seigneur, et s'il se marie hors du domaine seigneurial, il doit payer au seigneur un droit de *« formariage »* ; à sa mort, ses biens ne vont pas à ses héritiers, mais au seigneur, sauf paiement à celui-ci d'un droit dit de mainmorte. Au pire, il est *« taillable et corvéable à merci »*, c'est-à-dire selon le bon plaisir du seigneur.

Le ban

Le domaine seigneurial est soumis à l'autorité du seigneur, désignée sous le nom de *ban*. Au nom de cette autorité, c'est le seigneur qui fixe la date de la moisson ou des vendanges (ban de la moisson, ban des vendanges), de manière à faire procéder à la moisson ou aux vendanges sur ses terres en priorité, avec la main-d'œuvre fournie par la corvée, et aussi à procéder plus facilement au prélèvement de sa part sur les récoltes paysannes.

Ce droit de ban s'exprime également dans le monopole que s'octroie le seigneur de l'utilisation du moulin ou du four « banal » (seigneurial) où le paysan a obligation de faire moudre son blé et de faire cuire son pain, au tarif fixé par le seigneur.

L'exploitation du paysan est renforcée du fait que celui-ci relève de la justice seigneuriale, qui, bien entendu, en cas de conflit, donnera toujours raison au seigneur. Celui-ci, censé avoir devoir de protection sur ses « hommes », n'hésite pas le cas échéant à les maltraiter. Le paysan supporte directement les conséquences des guerres privées entre seigneurs (maisons et récoltes brûlées, population massacrée). L'exploitation du paysan débouche parfois sur des révoltes : en ce cas, la répression est féroce (rebelles mutilés, pendus, brûlés vifs).

L'Eglise, en tant que propriétaire, perçoit les mêmes « droits féodaux » que les seigneurs laïques, mais exige en plus de tous la *dîme* (à l'origine un dixième des récoltes).

L'ARTISANAT ET LE COMMERCE — LES VILLES

Sans disparaître complètement, les villes, au Xe siècle, ont été réduites à leur plus simple expression : à l'intérieur d'une enceinte fortifiée très restreinte, construite souvent avec des débris des monuments de l'époque gallo-romaine, la résidence du comte, celle de l'évêque (avec l'église cathédrale), quelques maisons, souvent des espaces vacants où subsistent des champs ou des prés. Certaines villes ont disparu. D'autres apparaissent, désignées par le terme germanique de *« bourg »* (place fortifiée), souvent à côté (et sous la protection) d'un château seigneurial.

Les bourgeois

Comme les paysans, les *bourgeois*, habitants des villes, sont soumis à l'autorité des seigneurs, paient des taxes et des redevances et relèvent de la justice seigneuriale. Leurs conditions sont très diverses : une aristocratie ou patriciat de marchands (grands commerçants), une classe moyenne de petits artisans et commerçants, des ouvriers misérables. Les métiers sont parfois organisés en corporations, avec des règles, mais ce n'est pas toujours le cas.

La renaissance du commerce et la demande du marché, à la faveur des croisades, entraînent une forte croissance et un enrichissement des villes. Fortement groupés, riches, les habitants des villes vont entreprendre de secouer la tutelle seigneuriale, soit à prix d'argent (en achetant des « franchises » aux seigneurs en difficulté, notamment pour leur départ à la croisade), soit par la force, par la révolte. Ils se réunissent secrètement pour *« faire commune »* : ils se jurent un appui mutuel, pour imposer à leur seigneur des concessions consignées dans un acte écrit, signé du seigneur et authentifié par son sceau, document qu'on appelle une *« charte »*.

Ces chartes limitent la nature et le montant des redevances exigées, et parfois imposent la création d'une autorité urbaine indépendante représentée par un *maire* ou *bourgmestre*, et des *échevins* élus.

Il arrivera que des seigneurs, pour peupler leurs terres, créent eux-mêmes des bourgs dotés de privilèges (dénommés *« villes franches »* ou *« sauvetés »*) qui attireront les fugitifs.

Souvent, la ville, dotée d'institutions municipales et d'une milice, impose sa tutelle à son environnement rural, comme un seigneur collectif.

Le gouvernement urbain est rarement démocratique : les droits y sont réservés aux maîtres des métiers et aux grands négociants : le terme de bourgeoisie va s'appliquer de plus en plus à cette minorité privilégiée.

SEIGNEURS ET NOBLES

Possesseur d'un domaine, et guerrier, c'est la définition initiale du seigneur qui se dessine dès les Mérovingiens.

Le chevalier

Il est assez riche pour combattre à cheval, et dispose de l'équipement nécessaire, la lance et l'épée, le bouclier, le casque, et un revêtement métallique qui évoluera, cotte de mailles et finalement cuirasse. A l'origine, tout homme d'armes combattant à cheval prend la qualité de chevalier ; avec le temps, la catégorie sociale va se fermer. On ne devient chevalier que si l'on est soi-même fils de chevalier ; au terme d'un apprentissage fait chez un plus grand seigneur comme *page* ou *écuyer* (celui qui porte l'écu, le bouclier de son maître), la qualité de chevalier est conférée au terme d'une cérémonie solennelle, l'*adoubement*, au cours de laquelle le parrain du jeune homme (souvent le seigneur qui a parfait son éducation) le frappe du plat de l'épée sur l'épaule. Peu à peu, la cérémonie prendra un caractère religieux, précédée d'une nuit de prières, et sanctionnée par la bénédiction d'un prêtre. La chevalerie va ainsi se transformer en une caste fermée, la noblesse.

Suzerain et vassal

Normalement, le chevalier est possesseur d'un *fief*.

C'est une terre qui lui a été concédée par un seigneur plus puissant, son *suzerain*, dont il est le *vassal*. Pour être mis en possession d'un fief, soit par don, soit par héritage, il faut se soumettre à la cérémonie de l'*hommage* : le vassal, sans armes, s'agenouille devant son suzerain, place ses mains jointes dans les siennes en signe de soumission et se déclare son « homme ». Le suzerain le relève, lui donne le baiser de paix, et lui remet un objet (bâton, lance) symbolisant le fief. C'est l'*investiture*. Puis, le vassal, sur les Evangiles ou sur des reliques, prête serment de fidélité à son suzerain.

Au suzerain, le vassal doit fidélité ; il lui doit le *service d'ost* (d'armée : le rejoindre avec ses hommes en cas de guerre), le *service de cour* ou de conseil (se rendre à ses côtés pour l'assister, le conseiller, l'accompagner dans certaines circonstances), l'aide pécuniaire, concours matériel en argent, dans quatre cas : quand le suzerain, prisonnier, doit payer rançon pour être libéré ; quand il marie sa fille aînée ; quand il fait son fils aîné chevalier ; quand il part pour la croisade.

En retour, le suzerain doit à son vassal aide et protection, et ne doit commettre à son égard aucune injustice. Toute infraction à ces devoirs réciproques, pour l'un comme pour l'autre, est qualifiée de *félonie* et a pour sanction la confiscation du fief (quand le suzerain est coupable, c'est son propre suzerain qui est chargé de rendre justice).

L'autonomie du seigneur

Dans ces limites, chaque seigneur est pratiquement indépendant. A la base, tout chevalier qui dispose d'un *donjon*, place forte en principe inexpugnable et où il peut se retirer en cas d'attaque, d'où il exerce protection et domination sur son fief, est un petit souverain.

L'insécurité du Xe siècle va multiplier les châteaux forts, à l'origine une tour ou donjon de bois, entourée d'une palissade à l'abri de laquelle les paysans se réfugient en temps de guerre. Ils se situent en général sur une hauteur, présentant une position naturelle défensive, ou à défaut sur une éminence artificielle qu'on appelle la « motte » et qui symbolise le pouvoir féodal.

Les guerres privées entre seigneurs sont incessantes, et la population paysanne en fait les frais. La guerre tourne souvent en brigandage pur et simple : maints petits ou grands seigneurs rançonnent et pillent les voyageurs, les marchands.

Mais le seigneur joue aussi un rôle économique : il se manifeste comme aménageur du territoire (moulins, étangs), met en place une administration, avec des « officiers », percepteurs de redevances et juges.

L'EGLISE

Nous avons vu qu'elle comporte deux catégories distinctes, clergé *régulier* et clergé *séculier*. Si les règles monastiques comportent l'obligation du célibat, celle-ci n'est pas clairement établie pour les prêtres ; en 1215, le concile du Latran rappelle aux prêtres que le mariage leur est interdit : cela deviendra une spécificité de l'Eglise romaine ; les prêtres de l'Eglise orthodoxe grecque sont mariés.

Les membres du clergé qui occupent les postes les plus importants sont en général issus de la noblesse, en partagent les préjugés et souvent le mode de vie.

A la faveur des troubles, craignant la fin du monde ou espérant racheter leurs péchés, de nombreux seigneurs font aux églises et aux abbayes des donations. La croyance dans le caractère sacré des membres du clergé les protège en général (pas toujours !) contre les pillages et les exactions.

Eglises et abbayes s'enrichissent également par la possession de reliques, supposées pouvoir opérer des miracles. Les plus prestigieuses attirent des pèlerinages, ainsi celles de l'apôtre saint Jacques à Compostelle, dans le Nord de l'Espagne resté chrétien, ou celles de saint Martin, évangélisateur de la Gaule, à Tours. Le commerce des reliques se pratique sans vergogne, et, entre églises et abbayes concurrentes, on n'hésite pas à pratiquer le vol de reliques.

Les armes spirituelles

La puissance de l'Eglise s'exprime par ses armes spirituelles : l'homme condamné par l'Eglise peut être *excommunié*, c'est-à-dire retranché de la communauté des fidèles, exclu des sacrements et mis au ban de la société.

Si l'excommunication qui frappe un roi ou un grand seigneur ne suffit pas, elle peut être suivie de l'*interdit* jeté sur son royaume ou son fief : les offices religieux sont supprimés, la plupart des sacrements suspendus. La crainte provoquée par cette sorte d'excommunication collective est souvent assez forte pour que la pression populaire contraigne la personne visée à résipiscence.

Pour se racheter, le coupable devra expier par une pénitence imposée par l'Eglise : jeûne, flagellation, séjour dans un couvent, pèlerinage lointain assorti parfois de circonstances aggravantes (faire le pèlerinage nu-pieds, ou chargé de chaînes).

En contrepartie de ses revenus, l'Eglise a des devoirs sociaux : l'aumône aux pauvres, l'accueil des indigents et des malades dans des hôpitaux, pour les abbayes, l'accueil des voyageurs et des pèlerins.

Les curés des paroisses enregistrent baptêmes, mariages et obsèques. Leurs registres tiennent lieu, et tiendront lieu jusqu'à la Révolution, en France, d'état civil.

L'Eglise, plus ou moins bien, joue aussi un rôle pacificateur.

Eglises et couvents, ayant un caractère sacré, servent de refuge : il est sacrilège d'y saisir ou d'y tuer un fugitif.

La plupart des assemblées ecclésiastiques du XIe siècle sont en même temps des *assemblées de paix*, où l'on s'efforce d'éteindre les conflits, ou au moins d'imposer des principes dans la conduite des guerres. L'Eglise s'efforce d'établir la *« paix de Dieu »* (des règles dans la conduite de la guerre, protégeant certaines personnes, en premier lieu les membres du clergé). Puis elle s'efforce de limiter les effets de la guerre en l'interdisant, d'abord le dimanche, puis du mercredi soir au lundi matin, en souvenir de la passion du Christ : c'est la *« trêve de Dieu »*.

Les croisades

LES ORIGINES DES CROISADES

Parmi les pèlerinages les plus longs et les plus périlleux, mais les plus prestigieux par le bénéfice spirituel qu'on pouvait en attendre, figurait le pèlerinage à Jérusalem, où se trouvait le Saint-Sépulcre, le tombeau du Christ.

Des Arabes aux Turcs

Les Arabes, tolérants à l'égard des « *gens du livre* », n'avaient jamais fait obstacle au pèlerinage, dont ils tiraient quelque profit. Le khalife Haroun al-Rachid avait même fait à Charlemagne la politesse de lui envoyer les clés du Saint-Sépulcre.

La situation va changer dans le cours du XIe siècle avec l'invasion de l'Orient par un peuple nomade venu d'Asie centrale, les Turcs seldjoukides. Bien que musulmans, ils s'en prennent aux Arabes et détruisent Bagdad, siège du khalifat abbasside. Ils s'emparent de l'Anatolie, et menacent Constantinople. L'empereur byzantin, en 1073, lance un appel à l'aide à la chrétienté d'Occident, en s'adressant au pape.

En 1078, les Turcs s'emparent de Jérusalem et rendent désormais le pèlerinage quasi impossible : pèlerins rançonnés, torturés. Jérusalem se trouve fermée aux chrétiens.

Dans le contexte religieux de l'époque, cette nouvelle eut un impact considérable. Interdire le pèlerinage à Jérusalem, c'était priver les plus grands pécheurs d'une ultime possibilité de rachat.

D'où l'idée d'aller délivrer le tombeau du Christ, avec la conviction que mourir pour une telle cause, c'était à coup sûr gagner le paradis.

La profondeur de la foi chrétienne est, incontestablement, la cause première et déterminante des croisades.

Mais d'autres motivations interviennent. Après la fin des dernières invasions, une certaine stabilisation économique et sociale, et un début d'expansion économique et démographique se manifestent. Après les grands défrichements, l'espace commençait à manquer. Chez les féodaux, le goût de l'aventure, la passion des combats, de l'exploit (la *« prouesse »*), enfin l'attrait des richesses de l'Orient, mettaient en mouvement les imaginations.

Déjà, en Espagne, en Italie du Sud, des chevaliers venus de toute la chrétienté étaient venus se joindre aux chrétiens autochtones pour combattre et refouler les musulmans. Ainsi, un prince bourguignon, passé au service du roi de Castille, dans le Nord de l'Espagne, créa par ses victoires un nouvel État chrétien qui allait devenir le Portugal (1094). Un peu avant, les descendants d'un baron normand, Tancrède de Hauteville, partis combattre les Sarrasins en Italie du Sud, conquirent la Sicile et le Sud de la péninsule, pour y fonder un royaume, le royaume normand des Deux-Siciles (1047-1073).

LA PREMIÈRE CROISADE

La prédication d'Urbain II

Le pape Urbain II avait réuni à Clermont, en Auvergne, un concile, pour délibérer de la réforme du clergé de France.

Le dernier jour du concile, le 28 novembre 1095, une foule de prélats, de prêtres, de chevaliers, venus du centre et du midi de la France, étaient présents. Urbain II s'adressa à la foule : il lui dépeignit en termes pathétiques les souffrances endurées par les pèlerins qui allaient se recueillir sur la tombe du Christ. Il termina son discours en appelant les chrétiens aux armes pour délivrer le Saint-Sépulcre. Il rappela cette parole du Christ : *« Renonce à toi-même, prends la croix et suis-moi. »*

Aussitôt, les membres de l'assistance, dont on peut penser qu'ils s'y étaient préparés, firent avec des morceaux d'étoffe rouge des croix qu'ils fixèrent sur leurs vêtements en criant :

« *Dieu le veut ! Dieu le veut !* » Mettre cette croix sur ses vêtements, c'était « *se croiser* », s'engager à partir pour la croisade.

Après le concile, Urbain II fit une tournée de prédication dans
le centre et le midi de la France. Il envoya à tous les évêques une
circulaire les invitant à prêcher et à faire prêcher la croisade. Le
pape promettait à tous les croisés la rémission de leurs péchés et
une amnistie, même pour les crimes. Femmes, enfants, et biens
des croisés étaient déclarés inviolables et placés sous la protection de l'Eglise.

Deux expéditions

Trois mois à peine après la prédication d'Urbain II, une foule
de trente à quarante mille personnes, avec femmes et enfants, se
mettait en route sous la direction du moine Pierre l'Ermite et d'un
pauvre chevalier, Gautier Sans Avoir. Cette « *croisade populaire* » traversa l'Europe non sans difficultés, pillant sur son passage, soulevant des réactions de défense des populations des
pays traversés. Lorsqu'ils arrivèrent devant Constantinople, l'empereur byzantin s'empressa de les faire passer sur l'autre rive du
Bosphore. Ce qui restait de ces croisés populaires fut exterminé
par les Turcs près de Nicée.

Pendant ce temps, la « *croisade des chevaliers* » s'organisait.
Son départ avait été fixé au 15 août 1096. Par quatre itinéraires
distincts, afin d'éviter les difficultés de ravitaillement, les croisés
rejoignirent Constantinople.

Des souffrances à la victoire

Cette armée réunissait peut-être un million de personnes, dont
au plus 300 000 combattants. Beaucoup de croisés avaient
emmené famille, serviteurs, et même animaux familiers.

L'empereur byzantin se hâta de les faire passer sur la rive
asiatique, et profita de leur présence pour reconquérir quelques
places fortes sur les Turcs, sans les y laisser entrer.

La traversée du plateau d'Anatolie, sous un soleil de feu, dans
un paysage desséché, sans eau, fut une terrible épreuve pour les

croisés, vêtus de gros drap et alourdis par leurs cottes de mailles et leurs cuirasses. Ils souffrirent atrocement de la chaleur et de la soif, tout en étant harcelés par les archers turcs.

Ayant subi de lourdes pertes, il leur fallut traverser la chaîne du Taurus, aussi haute que les Pyrénées. Ils débouchèrent alors sur la côte de Syrie et furent arrêtés pendant huit mois devant la place forte d'Antioche. L'ayant prise, ils se trouvèrent à leur tour assiégés. La découverte dans une église d'une lance, dont on leur dit que c'était celle qui avait percé le flanc du Christ sur la Croix, ranima les courages : les croisés affamés firent une sortie et mirent les Turcs en déroute.

Le 6 juin 1099, trois ans après leur départ, les croisés survivants (40 000 à peine) arrivèrent en vue de Jérusalem. Certains en moururent d'émotion. Le siège commença. Le 15 juillet 1099, un vendredi à trois heures de l'après-midi — le jour et l'heure de la mort du Christ —, les croisés forcèrent l'enceinte de Jérusalem. Toute la garnison et la population furent massacrées, et la ville fut mise au pillage.

L'organisation de la conquête

Les croisés occupèrent le pays, créant un royaume de Jérusalem attribué au plus prestigieux de leurs chefs, Godefroy de Bouillon. On y rattacha à la manière féodale des principautés conquises au cours de l'expédition : principauté d'Edesse pour le comte Baudouin de Boulogne ; principauté d'Antioche pour le Normand Bohémond ; principauté de Tripoli pour le comte Raymond de Toulouse.

Le pays fut distribué en fiefs, les coutumes féodales instituées selon le modèle franc, codifiées plus tard dans les *Assises de Jérusalem*.

Pour défendre la Palestine, des ordres de moines-soldats furent créés : l'ordre de Saint-Jean-de-Jérusalem *(Hospitaliers)*, l'ordre du Temple (de Jérusalem) *(Templiers)*, plus tard l'ordre des *chevaliers Teutoniques*. Ils étaient soumis aux mêmes règles que les moines ordinaires (vœux d'obéissance, de pauvreté, de chasteté), mais voués au métier des armes.

LES AUTRES CROISADES

Il est d'usage d'en compter huit. En effet, les musulmans reprirent l'offensive. Le sultan Saladin, qui avait établi sa domination sur l'Egypte et la Syrie, reprit Jérusalem en 1187, et les croisés durent se replier sur la forteresse côtière de Saint-Jean-d'Acre.

Les autres croisades eurent donc pour objectif de venir en aide aux chrétiens de Terre sainte et de reprendre Jérusalem. Mais, de plus en plus, des objectifs moins honorables, recherche de gloire et de butin, prirent le dessus.

La IIIe croisade

La IIIe croisade (1189-1191) fut marquée par la participation des trois principaux souverains d'Europe, l'empereur germanique Frédéric Barberousse (qui y mourut de congestion, pour s'être baigné dans un torrent glacé après un repas trop copieux), le roi d'Angleterre Richard Cœur de Lion, et le roi de France Philippe Auguste.

Saint-Jean-d'Acre, tombée aux mains des Turcs, fut reprise et resta aux mains des chrétiens jusqu'en 1292. Mais les croisés ne purent reprendre Jérusalem. Ils nouèrent avec leurs adversaires des relations « chevaleresques », et il fut question d'un mariage entre le frère de Saladin et la sœur de Richard Cœur de Lion, qu'empêcha finalement une menace d'excommunication.

La IVe croisade

La IVe croisade (1198-1204), décidée par le pape Innocent III, fut une expédition féodale, en l'absence des rois de France et d'Angleterre, alors en guerre l'un contre l'autre.

Le pape voulait que l'expédition eût pour but l'Egypte, base de la puissance des musulmans. Pour aller en Orient, les croisés s'adressèrent à la République de Venise, dont la flotte était alors la plus importante de la Méditerranée. Pour payer leur passage, pour lequel ils ne disposaient que de la moitié de la somme demandée, Venise leur proposa de l'aider à prendre la cité maritime (rivale) de Zara (Zadar) sur la côte adriatique. Une ville chrétienne… Le marché fut conclu, la ville prise et pillée, puis remise à Venise.

Puis, au lieu de faire voile pour l'Egypte, les croisés, à l'instigation des Vénitiens et sous prétexte de rétablir au pouvoir un empereur détrôné, se dirigèrent vers Constantinople. Sur place, les relations entre Grecs et croisés ne tardèrent pas à s'envenimer. Les croisés, campés aux portes de la ville, décidèrent de s'en emparer : ce fut le sac de Constantinople (12 avril 1204). Après avoir mis la ville au pillage, les croisés mirent en place comme empereur le comte Baudouin de Flandre. Les Vénitiens prirent une partie de Constantinople et s'approprièrent la plupart des îles de la mer Egée. L'Empire latin de Constantinople (1204-1261) fut presque aussitôt attaqué, au nord par les Bulgares (qui vainquirent et tuèrent l'empereur Baudouin dès 1205), à l'est par les Grecs qui s'étaient repliés sur Nicée. L'empereur byzantin Michel Paléologue reprit Constantinople en 1261.

La croisade avait été totalement détournée de ses objectifs au profit d'une expédition de pillage contre d'autres chrétiens.

Les autres croisades

Les autres croisades furent des échecs. La VIe croisade (1228-1229) eut pour singularité d'être dirigée par l'empereur germanique Frédéric II, qui partit pour la croisade excommunié, et, sur place, négocia avec le sultan d'Egypte la rétrocession de Jérusalem contre un traité d'alliance. Jérusalem retomba aux mains des Turcs en 1244.

Les VIIe et VIIIe croisades furent entreprises par le roi de France Saint Louis, respectivement contre l'Egypte et contre Tunis : Saint Louis y mourut de la peste en 1270.

Moins spectaculaires, mais plus efficaces, furent les expéditions qui, au bénéfice des royaumes chrétiens du Nord de l'Espagne (Leon, Castille, Asturies, Navarre, Aragon), aboutirent peu à peu à la reconquête de l'Espagne sur les musulmans. Dès la première moitié du XIIIe siècle, l'Andalousie, avec Cordoue, tomba aux mains des rois de Castille. Il ne resta plus aux mains des musulmans que le petit royaume de Grenade, protégé par les montagnes de la sierra Nevada, à l'extrême sud de l'Espagne.

LES CONSÉQUENCES DES CROISADES

Les croisades n'aboutirent donc que pour un temps au résultat espéré, la libération de la Terre sainte des mains des musulmans. Mais les croisades eurent d'immenses conséquences économiques et sociales. Les relations maritimes et le commerce entre l'Occident et l'Orient reprirent. Les croisés établis en Orient prirent l'habitude de vivre à l'orientale, et en importèrent en Europe certains éléments : goût des objets de luxe jusque-là inconnus en Occident, produits de l'artisanat — tapis, tissus précieux, soieries venues de la Chine, épices (sucre, poivre, cannelle, etc.).

Les intermédiaires du commerce entre Occident et Orient, les villes italiennes en particulier, devinrent de puissantes cités maritimes : ainsi en fut-il de Venise, Gênes, Pise. Les deux premières, établies en Grèce, y établirent de véritables empires coloniaux, Venise dans la mer Egée, Gênes dans la mer Noire.

Les croisades eurent aussi pour effet d'affaiblir la puissance des féodaux. Pour couvrir leurs frais, beaucoup d'entre eux, avant de partir en croisade, durent vendre tout ou partie de leurs biens, ou emprunter en les mettant en gage. Pour obtenir de l'argent, ils vendirent parfois à leurs sujets, bourgeois des villes ou paysans des communes rurales, des chartes d'affranchissement.

L'Eglise en Occident —
La lutte du sacerdoce
et de l'Empire

EVOLUTION DE L'EGLISE ROMAINE

Du IXe au XIe siècle, période où les dernières invasions, puis les guerres privées féodales, maintinrent un climat de violence, l'Eglise traversa une crise grave.

A l'origine, la désignation des évêques était faite par les chrétiens de leur diocèse (en fait, les «grands» du diocèse); puis cette élection fut réservée au clergé. En fait, depuis les Mérovingiens, les souverains et les «grands» intervenaient sans vergogne dans la désignation des évêques. Dans la pratique, les évêques étaient le plus souvent nommés par l'empereur, le roi, ou le féodal le plus important du lieu. D'autant que l'enjeu était aussi bien matériel que spirituel: l'*investiture* accordée à un évêque comportait l'attribution des biens et des fiefs attachés à l'évêché.

Depuis Othon le Grand, les empereurs s'étaient efforcés d'imposer leur tutelle aux papes, et de les choisir eux-mêmes. A plus forte raison se réservaient-ils l'investiture des évêques, avec les fiefs et revenus qui leur étaient attachés. Ayant besoin d'argent, ils n'hésitèrent pas à mettre aux enchères les évêchés, pour les attribuer au plus offrant, sans souci de la valeur morale des candidats.

Ce trafic des fonctions ecclésiastiques, pratiqué à tous les niveaux, formellement interdit par l'Eglise, fut qualifié de *simonie* (du nom de Simon le Magicien, qui avait voulu acheter à Jésus le pouvoir de faire des miracles). Par ailleurs, beaucoup de prêtres et d'évêques étaient mariés (ou vivaient en concubinage) et s'efforçaient d'obtenir pour leurs enfants des «bénéfices» ecclésiastiques. La pratique, en principe interdite, du mariage des prêtres fut appelée *nicolaïsme* (du nom d'un diacre Nicolas qui avait donné ce mauvais exemple).

LES TENTATIVES DE RÉFORME
ET LA QUERELLE DES INVESTITURES

L'engagement dans la voie des réformes fut facilité par l'action de l'empereur (germanique) Henri III (1039-1056), pieux et sincèrement convaincu de la nécessité d'une réforme — sans en voir sans doute les conséquences politiques. Il mit en place en 1048 un pape réformateur, Léon IX. Après sa mort, la longue minorité de son fils Henri IV facilita l'émancipation de la papauté. Le pape Nicolas II, par un décret, réserva l'élection des papes à un collège de cardinaux (à l'origine, les curés des paroisses de Rome). Quelques années plus tard, le pape Grégoire VII (1073-1085) engageait la lutte pour les réformes : affirmation de l'autorité du Saint-Siège, envoi dans toute la chrétienté de légats (ambassadeurs) dotés de pleins pouvoirs pour lutter contre les abus, proscription de la simonie et du nicolaïsme. Un décret sur les investitures (1075) interdit toute intervention des laïques dans la désignation des évêques et des abbés.

Aucun souverain n'était disposé à accepter pareille révolution. Ce fut, de 1075 à 1122, l'objet de la *« querelle des investitures »*.

Le conflit fut aigu avec l'empereur Henri IV, devenu adulte, qui avait l'appui des évêques allemands, en majorité simoniaques et mariés. Sans tenir compte du décret, Henri IV nomma trois évêques en Italie. Grégoire VII le menaça d'excommunication. Henri IV prétendit déposer le pape ; celui-ci riposta en déposant l'empereur, en l'excommuniant, et en déliant ses vassaux de leur serment de fidélité. Ces vassaux y virent une excellente occasion de secouer la tutelle impériale. Face à leur révolte, Henri IV dut faire amende honorable, venir en tenue de pénitent au château de Canossa (1077) implorer le pardon du pape. Mais la réconciliation ne dura pas : peu après, Henri IV reprenait l'offensive et chassait le pape de Rome.

Ce n'est qu'en 1122, sous le règne d'Henri V, qu'un compromis fut enfin conclu entre l'empereur et le pape. Le *concordat de Worms* spécifia que, désormais, les évêques d'Allemagne et d'Italie seraient élus par le clergé et le peuple ; mais ils ne prendraient possession de leurs fiefs qu'avec l'accord de l'empereur. La querelle des investitures était apparemment close.

LA QUERELLE DU SACERDOCE ET DE L'EMPIRE

Le conflit entre Empire et papauté rebondit sous la dynastie souabe des Hohenstaufen, avec l'empereur Frédéric Barberousse (1152-1190) puis avec Frédéric II (1216-1250).

Ce dernier avait hérité de son père Henri VI les domaines allemands des Hohenstaufen et la dignité impériale, de sa mère, héritière des rois normands, le royaume des Deux-Siciles. Il disposait de ce fait d'une puissance inégalée et ses possessions encerclaient les Etats pontificaux. Elevé en Sicile, résidant le plus souvent à Palerme, Frédéric II était plus italien qu'allemand. Erudit, il s'entourait de savants aussi bien musulmans que chrétiens. Parti excommunié pour la croisade, il employait des soldats musulmans pour lesquels il avait fait construire une mosquée. On l'accusait d'athéisme : il aurait dit que l'humanité avait été trompée par trois imposteurs : Moïse, Jésus et Mahomet.

L'élection du pape Grégoire IX, vieillard impérieux et intransigeant, ouvrit le conflit : à plusieurs reprises excommunié, Frédéric II résista. Mais la lutte entre ses partisans, les *« gibelins »* (de l'allemand *« Waiblingen »*, autre nom des Hohenstaufen), et les partisans du pape, les *« guelfes »* (de l'allemand *« Welf »*, nom d'une famille princière rivale des Hohenstaufen), sévit dans toute l'Allemagne et l'Italie. La lutte continua après la mort des deux adversaires ; le pape poursuivit de sa vindicte les fils et le neveu de Frédéric ; il appela en Italie le duc d'Anjou, frère de Saint Louis, qu'il fit roi des Deux-Siciles ; le dernier des Hohenstaufen

173

fut tué en 1268 et le pape se réjouit de l'extermination de la « *race de vipères* ».

La puissance impériale ne s'en releva pas : il n'y eut pas d'empereur pendant 23 ans, et, à l'issue de ce « Grand Interrègne », les empereurs germaniques n'eurent plus, même en Allemagne, qu'une autorité symbolique.

L'EGLISE AUX XIIe ET XIIIe SIÈCLES

La papauté

Le pape ne fut pas seulement en conflit avec les empereurs. Il se heurta également aux autres rois. Le pape Innocent III (1198-1216) affirma plus que tout autre la supériorité du pape sur les souverains laïques. Il osa proclamer :

> « *Nous sommes établis par Dieu au-dessus des peuples et des royaumes… Comme la Lune reçoit sa lumière du Soleil, […] ainsi le pouvoir royal tire tout son éclat et son prestige du pouvoir pontifical.* »

Innocent III joua, en Allemagne et en Italie, des querelles entre familles rivales et favorisa (imprudemment !) l'accès au trône impérial de Frédéric II. Il entra en conflit avec le roi de France Philippe Auguste, pour le contraindre à reprendre sa femme qu'il avait répudiée sans raison valable, et aussi avec le roi d'Angleterre Jean sans Terre, qui dut reconnaître le royaume d'Angleterre comme vassal du Saint-Siège.

Cette prétention conduisit le pape à déférer devant les tribunaux romains les conflits internes à l'Eglise, pour lesquels on put désormais faire appel « *en Cour de Rome* ». L'administration pontificale, de plus en plus nombreuse, dut être entretenue par une fiscalité pontificale de plus en plus exigeante : cens dû par les royaumes qui s'étaient reconnus vassaux du Saint-Siège (Angleterre, Deux-Siciles, Aragon, Portugal), denier de Saint-Pierre perçu dans certains Etats, taxes perçues à l'occasion des procès en Cour de Rome. Cette exploitation devait nourrir, surtout en

Allemagne, mais aussi dans d'autres pays, une hostilité profonde à l'égard de l'autorité romaine.

Les réformes monastiques

Les chrétiens attachaient une extrême importance au comportement du clergé, surtout des moines. Ceux-ci, en se consacrant à la prière et à une vie austère, étaient ainsi mis en mesure de racheter les péchés des laïques ; s'ils ne répondaient pas à cette exigence, la colère de Dieu était à craindre pour tous.

Ce fut l'origine des réformes monastiques successives. La réputation de sainteté d'un ordre lui valait les dons des fidèles et l'enrichissement. L'enrichissement avait pour conséquence le relâchement de l'austérité et des mœurs.

En 910, le relâchement de la règle bénédictine conduisit le comte Guillaume d'Aquitaine à la remettre en honneur en créant l'abbaye de Cluny, en Bourgogne. Le monastère de Cluny fut bientôt célèbre pour l'austérité de sa règle et la vie exemplaire de ses moines : des centaines de monastères adoptèrent sa règle, se plaçant sous l'autorité directe de l'abbé de Cluny, qui devint ainsi, après le pape, le personnage le plus important de la chrétienté.

Mais l'enrichissement conduisit à leur tour les « *clunisiens* » au relâchement. A la fin du XIe siècle, le monastère de Cîteaux, près de Dijon, devint à son tour un modèle, surtout lorsqu'il fut animé, au début du XIIe siècle, par saint Bernard, qui, devant l'afflux des postulants, fonda un nouveau monastère dans le site tout proche de Clairvaux (1115). Non seulement saint Bernard imposa aux « *cisterciens* » une règle sévère, mais son autorité morale le conduisit à intervenir un peu partout pour la réforme du clergé. Mais cinquante ans après, les cisterciens avaient cédé à leur tour à la facilité, et l'ancien moine Guyot de Provins pouvait écrire que les cisterciens « *convoitent tout ce qu'ils voient et réduisent les pauvres gens à la mendicité* ».

C'est encore en réaction face à ce relâchement dû à la richesse, mais aussi avec le souci d'évangéliser le peuple, que se créèrent à peu près en même temps, au XIIIe siècle, les ordres dits mendiants, *Dominicains* (ou Frères prêcheurs) (1216) et *Fran-*

ciscains (1209-1223). On les appela mendiants parce que, ayant fait vœu de pauvreté, ils ne devaient vivre que de leur travail ou d'aumônes.

L'ordre des Dominicains, fondé par un noble espagnol, saint Dominique, s'attacha à la lutte contre l'hérésie dans le midi de la France. L'ordre des Franciscains eut pour fondateur saint François d'Assise, fils d'un riche marchand de cette ville italienne, qui abandonna ses biens pour parcourir les campagnes en prêchant. D'abord suspects, les franciscains furent finalement légitimés par le Saint-Siège. Leur règle accentua l'obligation de pauvreté en interdisant aux membres de l'ordre de toucher de leurs mains à de l'argent. Un siècle plus tard, des dirigeants de l'ordre trouvèrent un accommodement avec la règle… en mettant des gants pour manier les pièces de monnaie !

Les hérésies

Les hérésies qui se développèrent dans le même temps eurent la même origine que les réformes monastiques : une réaction contre les abus et mauvais exemples donnés par le clergé.

Mais tandis que les réformes monastiques furent entérinées par les autorités ecclésiastiques, dans le cas des hérésies, la volonté de réforme aboutit à la rupture.

Ce fut le cas de l'hérésie vaudoise, qui se développa à la fin du XIIᵉ siècle sous l'impulsion d'un marchand de Lyon, Pierre Valdès, qui, comme saint François d'Assise, avait renoncé à ses biens pour vivre dans la pauvreté. Mais les vaudois allaient plus loin que saint François d'Assise, en affirmant que chacun pouvait interpréter et prêcher les Evangiles. Les vaudois ou *« pauvres de Lyon »* furent excommuniés, persécutés, et se réfugièrent dans les hautes vallées des Alpes. Leurs descendants se rallièrent au protestantisme.

Plus redoutable fut l'hérésie albigeoise. Les albigeois constituent une fraction de la secte des *« cathares »* (en grec = les *« purs »*). Cette hérésie rompait avec les dogmes de l'Eglise catholique sur de nombreux points. Leur doctrine semble inspirée du manichéisme, religion elle-même issue de celle des anciens

Perses ; le manichéisme, qui avait connu un certain succès dans les premiers siècles de l'ère chrétienne, s'était perpétué dans les Balkans chez les bogomiles, d'où il était passé en Italie, puis dans le Midi de la France.

Pour les cathares, le monde est dominé par la lutte entre un dieu du Bien, créateur des êtres, et un dieu du Mal, qui les a enfermés dans des corps. A leur tête, les cathares ont des « *parfaits* », astreints au célibat et à la pauvreté. Les croyants pouvaient se faire pardonner tous leurs péchés en recevant à l'heure de la mort le « *consolamentum* » (consolation) conféré par un parfait qui leur plaçait les mains sur la tête. L'inconvénient est que le « *consolamentum* » ne pouvait être reçu qu'une fois, et que si le « consolé » ne mourait pas naturellement, il devait, pour être sauvé, se laisser mourir de faim…

L'hérésie se répandit particulièrement dans le comté de Toulouse (le Languedoc).

Devant ses progrès, le pape Innocent III appela contre elle à la croisade. Le Midi occitan était riche et avait une civilisation raffinée. L'appel à la croisade donna l'occasion à la chevalerie du Nord de la France de venir piller sous prétexte de croisade. La croisade servit de couverture aux pires atrocités ; ainsi, après la prise de Béziers, près de 20 000 hommes, femmes et enfants furent massacrés : quelques croisés scrupuleux ayant demandé au légat pontifical comment distinguer les bons chrétiens des hérétiques, celui-ci leur répondit : « *Tuez-les tous, Dieu reconnaîtra les siens.* »

La résistance militaire des cathares écrasée, l'hérésie subsistait néanmoins. Pour l'extirper, le pape Grégoire IX créa en 1231 l'Inquisition. Tribunal religieux, l'Inquisition (confiée en général aux dominicains) disposa en fait, sinon en droit, d'un pouvoir sans limites. Les aveux furent obtenus par la torture ; ceux qui refusaient d'abjurer et les « *relaps* », c'est-à-dire ceux qui, après avoir abjuré, étaient revenus à l'hérésie (revenir sur des aveux obtenus par la torture revenait au même), étaient livrés au « *bras séculier* », c'est-à-dire à la justice laïque, pour être brûlés vifs.

La monarchie capétienne aux XIIe et XIIIe siècles

LA PACIFICATION DU DOMAINE

À la mort de Philippe Ier (1108), la royauté capétienne n'était guère plus puissante et respectée qu'au temps d'Hugues Capet.

Le domaine royal, plus petit que celui de la plupart des grands feudataires du roi, comptait un certain nombre de petits châtelains brigands qui défiaient l'autorité du roi.

Seul résultat à l'actif des Capétiens en 1108, ils ont réussi à imposer de fait l'hérédité de la couronne dans leur famille.

Deux siècles plus tard, à la mort de Philippe le Bel (1314), la situation est complètement modifiée : la plupart des grands fiefs ont été réunis au domaine royal et l'État est redevenu une réalité.

Dans le processus qui va conduire à ce résultat, une première étape est constituée par la pacification du domaine royal : ce fut l'œuvre du roi Louis VI, dit le Gros (1108-1137).

Louis le Gros

Malgré son physique (dont rend compte son surnom), qui, passé la quarantaine, devait l'obliger à renoncer aux chevauchées, Louis le Gros était un homme brave et batailleur. À son avènement, il était déjà associé au trône depuis dix ans. Il devait s'employer à mettre hors d'état de nuire les petits châtelains brigands du domaine : ce fut une œuvre de longue haleine ; le château du Puiset fut trois fois pris et brûlé par le roi, trois fois reconstruit par le sire du Puiset. À la fin de son règne, le domaine était définitivement pacifié.

L'ALLIANCE DE LA ROYAUTÉ
AVEC LA BOURGEOISIE

———

Dans le processus de restauration de l'Etat au bénéfice de la monarchie capétienne, la royauté s'est appuyée sur la bourgeoisie en plein essor, dont l'ascension sociale était liée à la renaissance du commerce, favorisée par l'ouverture consécutive aux croisades.

Les villes, nous l'avons vu, avaient commencé à s'émanciper, par la violence ou pacifiquement (à prix d'argent), de la tutelle seigneuriale. Le roi, lui-même en butte aux velléités d'émancipation des « communes » de son domaine, n'est pas favorable aux bourgeois par principe.

Mais les villes et la monarchie ont des intérêts communs : l'abaissement des grands féodaux, l'établissement de la paix intérieure et de la sécurité des routes.

Un exemple de ces relations contradictoires : celui de la ville de Laon. En 1111, les bourgeois de Laon « font commune » contre leur seigneur, l'évêque de Laon, Gaudry, un véritable brigand qui pressurait ses sujets et les faisait torturer par un esclave noir à son service. A la faveur d'une absence de l'évêque, ses représentants furent contraints de signer une charte, que Gaudry, de retour, sanctionna moyennant argent. Les bourgeois, par précaution, firent garantir, également à prix d'argent, leur charte par le roi Louis VI.

Mais un an après, moyennant finance, Gaudry obtenait du roi l'annulation de la charte. Et il s'employait à récupérer sur les bourgeois ce qu'il avait payé au roi. Les bourgeois de Laon s'insurgèrent, et mirent à mort l'évêque qui s'était caché dans un tonneau pour échapper aux émeutiers… Le roi revint châtier les Laonnais dont beaucoup furent pendus. Ce n'est que seize ans plus tard que le successeur de Gaudry accorda à Laon une nouvelle charte. Donc : pas d'appui de principe du roi à la bourgeoisie, mais une convergence d'intérêts contre les féodaux plus ou moins brigands, contre les guerres féodales, pour le maintien de la paix et la justice.

179

LA LUTTE CONTRE LES GRANDS FEUDATAIRES

Louis VI eut moins de succès avec ses grands vassaux, bien qu'il ait essayé d'imposer son arbitrage dans certains conflits locaux, comme en Berry et en Auvergne.

En face de lui, Henri Ier Beauclerc, duc de Normandie et roi d'Angleterre, usurpateur du trône au détriment de son frère, que le roi veut rétablir, l'emporte : Louis VI est mis en échec. La situation devient encore plus inquiétante lorsque Geoffroy Plantagenêt, comte d'Anjou, épouse la princesse Mathilde, fille unique et héritière d'Henri Ier. Deux grands fiefs, la Normandie et l'Anjou, vont se trouver réunis entre les mains d'un même grand vassal qui est au surplus roi d'Angleterre...

Toutefois, lorsque l'empereur germanique Henri V, allié du roi d'Angleterre, tente en 1124 d'envahir la France, les autres grands féodaux — le duc de Bourgogne, les comtes de Blois, de Champagne, de Nevers, de Vermandois, de Flandre — viennent au secours du roi et obligent l'empereur à la retraite.

En 1137, la dernière année du règne, un mariage inespéré semble devoir consolider la monarchie capétienne : le duc d'Aquitaine, le plus important des vassaux du roi, dont les domaines comprennent la Guyenne, la Gascogne, le Poitou et l'Auvergne, décide de marier sa fille unique et héritière Aliénor au jeune Louis, fils de Louis VI et héritier du trône.

Devenu roi peu après, sous le nom de Louis VII, le nouveau souverain part pour la croisade, en laissant la régence du royaume au conseiller de son père, l'abbé de Saint-Denis Suger, excellent gestionnaire. Suger mourut peu après le retour du roi qui prit alors une décision désastreuse : il se sépara d'Aliénor, et demanda l'annulation de son mariage par l'Eglise, en invoquant un degré de parenté prohibé (1152).

Le mariage annulé, Aliénor se remaria aussitôt avec Henri Plantagenêt, déjà comte d'Anjou, du Maine et de Touraine, puis duc de Normandie. Avec l'héritage d'Aliénor, ce grand vassal possédait toute la moitié ouest du royaume, dix fois le domaine royal. Deux ans plus tard, en 1154, Henri Plantagenêt devenait roi d'Angleterre sous le nom d'Henri II. En 1158, Henri II s'emparait de la Bretagne, en 1177, de la Marche.

LE PREMIER CONFLIT ANGLO-FRANÇAIS

L a royauté capétienne semblait ne pas devoir peser lourd face à la puissance d'Henri II.

Louis VII va se trouver en conflit avec son puissant vassal et mis en échec à plusieurs reprises. Il sera sauvé par la fronde des propres vassaux d'Henri II contre celui-ci, et bientôt par les conflits entre le roi d'Angleterre et ses quatre fils, pressés de se partager son héritage. Enfin, en Angleterre même, l'autorité du roi sera ébranlée par un crime jugé inexpiable, l'assassinat par ses courtisans — qui croyaient ainsi lui plaire — du chef de l'Eglise d'Angleterre, l'archevêque de Cantorbéry Thomas Beckett, dans sa cathédrale, au pied de l'autel.

Dans le reste du royaume, l'autorité de Louis VII comme arbitre est reconnue, avec l'appui du clergé, qui cherche à se libérer des féodaux locaux en se plaçant sous la tutelle directe du roi.

Louis VII, mort en 1180, eut pour successeur Philippe II, couronné et associé au trône l'année précédente, connu sous le nom de Philippe Auguste.

Philippe Auguste

Philippe Auguste, bien que brave et sachant se battre, fut surtout un politique, avisé, volontiers dissimulé et peu scrupuleux. Dès son avènement, après un mariage qui lui avait apporté l'Artois, il se heurta à une coalition des grands féodaux du Nord : Bourgogne, Blois, Champagne et Flandre. Il réussit à les dissocier, isolant et battant le comte de Flandre qui dut lui céder Amiens et le Vermandois.

Dans ce conflit, il avait bénéficié de la neutralité d'Henri II. Il n'hésita pas à se retourner contre lui, soutenant son fils Richard Cœur de Lion en révolte. Richard devait succéder à Henri II, et les deux rois amis, *« couchant dans le même lit et mangeant dans*

181

la même assiette », partirent ensemble à la croisade. Mais Philippe Auguste, revenu en France et profitant de l'emprisonnement de Richard par le duc d'Autriche, qui en exigeait rançon, s'allia avec le frère de Richard, Jean sans Terre (ainsi surnommé parce qu'Henri II, à la différence de ses frères, ne lui avait donné aucun fief), et le reconnut comme roi d'Angleterre moyennant cession d'une partie de la Normandie et de la Touraine. De retour, Richard reprit le pouvoir et infligea à Philippe Auguste plusieurs défaites : celui-ci venait d'obtenir une trêve lorsque Richard mourut en Limousin, en combattant un vassal rebelle.

Jean sans Terre, qui lui succéda, s'était aliéné ses sujets par sa brutalité et son avidité. Un incident fit sa perte. Jean sans Terre avait enlevé et épousé de force la fiancée d'un de ses vassaux, le comte de la Marche. Celui-ci fit appel à la justice du roi de France, suzerain de Jean pour ses fiefs de France. Jean sans Terre ayant refusé de comparaître, il fut condamné pour félonie, et Philippe Auguste prononça à ce titre la confiscation de tous ses fiefs en France (1202). Il réunit ainsi au domaine royal l'Anjou, le Maine, la Touraine, le Poitou, la Saintonge et la Normandie. Seule la Guyenne resta en possession de Jean sans Terre.

Jean tenta alors de former une coalition avec le comte de Flandre et l'empereur germanique Othon IV. Jean fut battu en Poitou à La Roche-aux-Moines, l'empereur et ses alliés furent battus par Philippe-Auguste à Bouvines (1214), le comte de Flandre et le comte de Boulogne faits prisonniers.

Philippe Auguste renforça son autorité par l'installation dans le royaume de baillis (au nord de la Loire) ou sénéchaux (au sud de la Loire), de véritables fonctionnaires nommés et révocables par lui, chargés de rendre la justice au nom du roi et de percevoir ses revenus.

A sa mort en 1223, son fils Louis VIII lui succéda sans difficulté, bien qu'il n'ait pas été sacré et associé au trône du vivant de son père. Durant son très court règne, il profita de la croisade contre les albigeois pour implanter l'autorité royale en Languedoc.

Saint Louis

Son fils Louis IX, roi à 12 ans, laissa d'abord la régence à sa mère Blanche de Castille qui le maria à la fille du comte de Provence (vassal de l'empereur) et obligea le dernier comte de Toulouse à promettre sa fille et héritière à l'un des frères du roi.

Louis IX dut à sa réputation de justice et de piété d'être canonisé par l'Eglise, et est connu depuis sous le nom de Saint Louis. Il fit la paix avec le roi d'Angleterre en lui rendant la Guyenne, le Limousin et le Périgord (traité de Paris, 1259). Il s'efforça de mettre fin aux guerres féodales entre ses vassaux et renforça la justice royale en créant le *Parlement*, cour de justice nommée par lui. Il mourut, nous l'avons vu, sous les murs de Tunis, à la croisade.

Philippe III, surnommé le Hardi, son fils, régna de 1270 à 1285. Il hérita de son oncle le comté de Toulouse qui fut annexé au domaine royal sous le nom de Languedoc.

PHILIPPE LE BEL

———

Le règne de Philippe IV le Bel (1285-1314), fils de Philippe III, fut marqué par de nouvelles extensions du domaine royal : réunion à la couronne de la Champagne apportée en dot par sa femme, héritière des comtes de Champagne, de quelques villes de Flandre, et de la ville de Lyon, qui appartenait à l'Empire.

Le règne de Philippe le Bel est surtout marqué par un renforcement du pouvoir royal, par les méthodes les plus brutales et les plus discutables. On sait peu de chose sur Philippe le Bel, personnage énigmatique. Sa politique fut-elle avant tout son œuvre personnelle, ou celle de ses conseillers, les « légistes », ainsi nommés parce qu'ils s'appuyaient sur le droit romain pour faire prévaloir la toute-puissance du roi sur les coutumes féodales ? Ce qui est sûr, c'est que cette politique fut dépourvue de scrupules, ayant recours à la violence et à la spoliation.

Philippe le Bel entra en conflit avec le pape Boniface VIII pour la tutelle des évêchés en France.

Philippe le Bel se fit approuver par une assemblée réunissant des représentants des « trois ordres » — noblesse, clergé et Tiers Etat (en fait, bourgeoisie) —, assemblée tenue en 1302. C'est ce qu'on appela désormais les *« états généraux »*. L'année suivante, il n'hésitera pas à faire attaquer et arrêter le pape à Anagni, en Italie. Les habitants, indignés, le délivrèrent, et mirent les agresseurs en fuite. Mais le pape, âgé de plus de 80 ans, ne survécut que quelques jours à cette humiliation.

Le pape à Avignon

Le roi de France réussit alors à faire élire pape un homme à lui, l'archevêque de Bordeaux Bertrand de Got, sous le nom de Clément V. Le nouveau pape s'établit à Avignon et ses successeurs y demeurèrent jusqu'à la fin du XIVᵉ siècle, désormais sous la tutelle des rois de France. Là où les empereurs avaient échoué, Philippe le Bel avait réussi : l'indépendance politique des princes et des rois vis-à-vis des papes était désormais acquise.

Avec la même absence de scrupules, les légistes s'employèrent à conforter les finances royales. Le roi institua de nouvelles taxes, et l'impôt au bénéfice de l'Etat.

Tripatouillages monétaires

Depuis Saint Louis, la monnaie royale avait cours dans tout le royaume, concurremment avec les monnaies féodales, mais avec une certaine préférence due à son bon aloi (sa teneur en métal précieux). Philippe le Bel n'hésita pas à émettre des monnaies de mauvais aloi, où le cuivre était mêlé à l'or. D'autre part, il inaugura la pratique des manipulations monétaires. A cette époque (et jusqu'à la Révolution française), il n'y avait pas correspondance entre la monnaie de compte (livres, sous, deniers) et les pièces de monnaie. Philippe le Bel fit varier arbitrairement la valeur des monnaies, en augmentant la valeur pour rembourser à bon compte ses créanciers, l'abaissant au contraire lorsqu'il s'agissait pour lui de récupérer des créances. Ces manipulations, qui bouleversaient les transactions, furent pratiquées jusqu'au début du XVIIIᵉ siècle.

Confiscations

Toujours pour trouver de l'argent, Philippe le Bel fit expulser de France en 1306 les Juifs (établis en France depuis l'Antiquité) et les Lombards (banquiers italiens), en confisquant leurs biens et en annulant du même coup les dettes qu'il avait envers eux. En 1307, il s'en prit à l'ordre des Templiers, désormais replié en Europe, qui avait des biens considérables et jouait le rôle de banquier. Accusés d'hérésie, les dirigeants de l'ordre, qui s'étaient rétractés après avoir fait des aveux sous la torture, et étaient donc « *relaps* », furent brûlés sur le bûcher, l'ordre dissous et ses biens confisqués.

LES DERNIERS CAPÉTIENS DIRECTS

Après la mort de Philippe le Bel (1314), régnèrent successivement ses trois fils, qui n'eurent pas d'héritiers directs, sauf le premier, Louis X, dit le Hutin, dont le fils posthume, Jean Iᵉʳ, ne vécut (et ne régna) que quelques jours. Après Philippe V, dit le Long, et Charles IV, dit le Bel, la lignée des Capétiens directs se trouva éteinte (1328).

L'Allemagne, l'Italie,
l'Angleterre
aux XIIe et XIIIe siècles

L'ALLEMAGNE

L'Empire a été détenu de 1137 à 1250 par la dynastie souabe des Hohenstaufen ou Waiblingen (du nom d'un de leurs châteaux, d'où l'on tirera le terme « *gibelins* ») ; son premier représentant, Conrad III, l'emporte sur son rival Henri, duc de Bavière, de la famille des Welf (d'où on tirera le terme « *guelfes* »). Son neveu, le duc de Souabe, Frédéric Barberousse, lui succède en 1152.

Frédéric Barberousse

Frédéric Barberousse affirme sa volonté de restaurer l'autorité impériale, tant en Allemagne qu'en Italie ; il n'y parviendra qu'au prix de luttes incessantes, non seulement contre le pape, mais contre ses grands vassaux allemands, et contre les villes d'Italie du Nord, qui veulent s'émanciper. Lors de la diète (= assemblée) de Roncaglia, en 1158, il impose aux villes de Lombardie la présence d'un représentant impérial *(podestat)* et détruit Milan, âme de la résistance des villes. Mais en 1168, la résistance des villes lombardes se reconstitue sous la forme de la « *Ligue lombarde* », avec l'appui du pape Alexandre III : battu à Legnano (1176), il doit reconnaître, par la paix de Constance (1183), l'autonomie des villes lombardes.

En revanche, en Allemagne, il fait prévaloir son autorité, et dépouille de ses fiefs son principal vassal et rival, le guelfe Henri le Lion, duc de Saxe et de Bavière ; la Bavière sera attribuée à la dynastie des Wittelsbach, qui y régnera jusqu'en 1918.

Frédéric II et ses successeurs succomberont, nous l'avons vu, face à l'hostilité des papes, mais ils auront également à affronter la résistance de leurs vassaux allemands et des villes italiennes.

La fin de l'Etat

Après la fin des Hohenstaufen, le rêve impérial s'effondre. Tandis qu'en France, les légistes font renaître l'Etat au bénéfice du roi, en Allemagne, l'Etat disparaît. Le morcellement triomphe, avec près de 400 duchés, comtés, ou simples seigneuries relevant directement de l'empereur (ce sont les « *Freiherren* » = « *libres seigneurs* »), mais aussi fiefs ecclésiastiques, archevêchés, évêchés, abbayes, et enfin des « *villes libres* ».

Après le « *Grand Interrègne* », pendant lequel, de 1250 à 1273, il n'y a plus de roi ni d'empereur, l'habitude s'établit de confier le choix du roi et empereur à sept grands feudataires, trois ecclésiastiques, les archevêques de Mayence, Trèves et Cologne, et quatre laïques, le comte palatin du Rhin, le duc de Saxe, le margrave de Brandebourg, et le roi de Bohême. Ce sont les sept « *Electeurs* ».

En 1273, ils préfèrent au puissant roi de Bohême Ottokar II, qui possédait, outre la Bohême et la Moravie, l'Autriche et les provinces avoisinantes (Styrie, Carinthie, Carniole), le faible landgrave d'Alsace, Rodolphe de Habsbourg. Rodolphe vainquit Ottokar II et enleva à ses successeurs les provinces autrichiennes, qui deviendront le noyau principal des domaines des Habsbourg.

Cette dynastie resta d'une puissance assez modeste pour que les Electeurs, jusqu'au XVIIIe siècle, maintiennent toujours dans cette famille la couronne impériale.

L'ITALIE

L'anarchie règne également en Italie où le pape, après l'élimination des Hohenstaufen, a attribué le royaume des Deux-Siciles au prince français Charles d'Anjou. Mais l'avidité du roi français, qui écrase ses sujets de taxes pour financer une politique méditerranéenne aventureuse (intervention en Grèce, rachat du royaume de Chypre, acquisition de la Provence), l'attribution à des Français de tous les postes importants, lui aliènent ses sujets. Le lundi de Pâques 1282, à l'heure des vêpres, aux portes de Palerme, un incident entre jeunes Siciliens et agents du roi tourne à l'insurrection : ce sont les « *Vêpres siciliennes* » ; les Français sont massacrés, et les rebelles offrent le trône de Sicile au roi d'Aragon.

L'essor des villes

L'essor urbain et celui de la bourgeoisie, liés à celui du commerce, de l'artisanat, de la banque, ont été particulièrement précoces en Italie. Les relations nouées avec l'Orient, à la suite des croisades, passent par l'Italie qui en retire le principal bénéfice.

Dans l'anarchie italienne, les villes vont très tôt s'émanciper et constituer de petites républiques urbaines. Nous avons vu le combat mené par les villes lombardes contre Frédéric Barberousse ; les banquiers de l'Italie du Nord, surnommés les « *Lombards* », vont exercer leur compétence en France où ils dominent, avec les Juifs et les Templiers, le commerce de l'argent, jusqu'à leur élimination par Philippe le Bel.

Les villes italiennes sont aussi des centres d'artisanat exportateur, notamment pour le textile, qui prend des formes pré-industrielles. En général, le marchand-capitaliste reste avant tout commerçant, plus qu'entrepreneur ; il fait travailler à domicile fileuses et tisserands, qui sont apparemment des artisans indépendants, mais qui, travaillant pour un seul « client », qui leur fournit la matière première et leur achète toute leur production, sont en fait des ouvriers à domicile.

Dans ce domaine, avec les villes lombardes, jouent un rôle important les petites républiques urbaines de Toscane : Sienne, Pise, Florence.

Les villes-ports, qui se consacrent au grand commerce maritime, notamment avec l'Orient, par l'intermédiaire des croisés, des Grecs ou des Arabes, jouent bien entendu un rôle capital.

Venise

Au premier plan, Venise. Lors des invasions lombardes du IXe siècle, des réfugiés s'installent dans la zone marécageuse du littoral, dans les îles et les cordons littoraux protégés par les lagunes. Tout en reconnaissant l'autorité byzantine, Venise s'organise en cité-État indépendante de fait sous la direction d'un doge (du latin *« dux »* — qui a aussi donné *« duc »* — = *« guide »*, *« chef »*). En 828, elle reçoit les reliques de saint Marc, qui devient le saint patron de la ville et dont le lion emblématique devient le symbole de sa puissance. Construite sur pilotis dans un groupe d'îlots marécageux, Venise vit au milieu de l'eau, des canaux remplaçant les rues.

Au cours du XIe siècle, Venise s'assure le contrôle de la voie maritime conduisant à Constantinople, en s'alliant aux villes maritimes de Dalmatie. A la fin du XIe siècle, le rapport avec Byzance s'inverse : Venise devient indépendante, grâce au concours qu'elle apporte aux Byzantins dans leur lutte contre les Normands de Sicile, et l'empereur lui concède des positions commerciales privilégiées. Mais les rapports deviennent conflictuels : en 1182, on assiste dans l'Empire byzantin à un *« massacre des Latins »* (en pratique, des marchands vénitiens). La quatrième croisade donnera à Venise l'occasion d'affirmer sa domination sur la Dalmatie (sac de Zara) et de conforter sa position prédominante dans l'espace byzantin, avec la création dans les îles de la mer Ionienne et de la mer Egée d'un véritable empire colonial.

Le grand commerce développe l'activité artisanale ou industrielle (arsenal, verreries).

Le gouvernement de la république de Venise est toujours assuré par un doge élu, mais étroitement contrôlé par des conseils oligarchiques, représentant les grandes familles marchandes.

Gênes

Gênes a des origines plus obscures, et une ascension plus tardive. Elle occupe, à l'abri d'un arrière-pays montagneux, une colline dominant une baie en eau profonde. Son indépendance s'affirme au XIe siècle avec l'accord passé pour le transport des croisés de la première croisade. Pour assurer cette prestation, marchands et aventuriers génois créent une « *Compagnie* », association jurée de tous les habitants, qui deviendra la commune, en fait république indépendante. Gênes continue à apporter son assistance aux croisés et en tire l'acquisition de positions commerciales en Orient ; elle a pour rivale Pise, dont elle anéantira la puissance maritime en 1284. Exclue en 1204 de l'Empire latin de Constantinople par Venise, elle reviendra à Constantinople avec le retour des Grecs, qui lui donnent le monopole du commerce dans la mer Noire, où Gênes établit des comptoirs.

L'ANGLETERRE

Henri II Plantagenêt (1154-1189) était un prince français : il ne parlait même pas l'anglais et sur 35 années de règne, il en passa 22 en France, occupé à combattre le roi de France ou ses vassaux français.

L'autorité sur l'Eglise

Mais son autorité en Angleterre demeura ce qu'elle avait été sous les rois normands. Des « *Assises* » convoquées trois fois par an et rassemblant les grands du royaume approuvaient les lois qui étaient obligatoires pour tout le royaume et appliquées par les agents du roi. L'armée perdit son caractère féodal : Henri II dispensa du service d'ost, moyennant finance, les barons ; avec cet argent, il enrôla des mercenaires ; mais le service militaire fut par ailleurs imposé à tous les hommes libres — chevaliers, bourgeois, paysans et artisans —, ce qui donna à l'armée anglaise un caractère populaire.

Henri II prétendit imposer son autorité à l'Eglise et ce fut l'origine du drame dont nous avons déjà fait état : le meurtre de l'archevêque de Cantorbéry Thomas Becket. Ami du roi, qui l'avait fait nommer à ce poste, Thomas Becket refusa de signer les articles de Clarendon (1164) qui plaçaient l'Eglise d'Angleterre sous la totale dépendance du roi. Il dut s'exiler en France d'où il excommunia le roi. Après une apparente réconciliation, Thomas Becket revint en Angleterre, mais son premier acte fut d'excommunier les prélats qui avaient pris parti pour le roi et contre lui. Cette nouvelle provoqua la fureur d'Henri II et quatre de ses barons, croyant lui complaire, assassinèrent l'archevêque dans sa cathédrale, au pied de l'autel.

Le scandale fut tel dans la chrétienté qu'Henri II, menacé d'excommunication par le pape, dut faire annuler les articles de Clarendon, faire pénitence publique sur le tombeau de son adversaire et promettre de partir pour la croisade, avant de recevoir l'absolution.

Malgré ce drame, le pouvoir royal en Angleterre n'est pas ébranlé. L'année qui suit, Henri II entreprend la conquête de l'Irlande (1171).

La guerre en France

En France, en revanche, à l'exception de la Normandie où l'autorité ducale était solidement établie, il doit affronter des vassaux turbulents, dont ses propres fils, en connivence avec Philippe Auguste. Epuisé, il vient d'accepter les conditions de Philippe Auguste, lorsque, ayant demandé la liste des barons qui l'avaient trahi, il entend en tête le nom de son fils préféré, Jean. Il meurt deux jours après (1189).

Richard Cœur de Lion, qui lui succède, voit son frère Jean sans Terre tenter d'usurper le trône avec l'aide de Philippe Auguste alors qu'il était prisonnier en Autriche. Nous avons vu précédemment comment Jean sans Terre, devenu roi à son tour, perdit ses fiefs de France, sauf la Guyenne.

Le caractère odieux, cupide et tyrannique du roi Jean lui aliéna bientôt tous les Anglais. En voulant disposer des biens de l'Eglise, il se brouille avec le pape qui jette l'interdit sur le royaume d'Angleterre. Excommunié, déposé par le pape qui offre sa couronne à Philippe Auguste, il est obligé de capituler devant le Saint-Siège, en se reconnaissant vassal de Rome pour l'Angleterre et l'Irlande.

Après la défaite de La Roche-aux-Moines, l'archevêque de Cantorbéry et l'ensemble des barons décident d'imposer au roi le respect de leurs droits, sous la menace des armes. Le 24 mai 1215, la ville de Londres ouvre ses portes aux insurgés. Il ne reste plus au roi, dit-on, que sept chevaliers restés fidèles... Il doit accepter toutes les conditions posées par les barons et apposer son sceau sur la Grande Charte (15 juin 1215).

La Grande Charte

Issue d'une révolte féodale, la Grande Charte impose au roi le contrôle d'une assemblée de barons et de prélats. Mais elle assure aussi à tous les Anglais des garanties contre l'arbitraire : confirmation de toutes les libertés et franchises de l'Eglise, des barons, des villes ; interdiction des arrestations arbitraires, liberté du commerce, interdiction des impôts arbitraires, ceux-ci devant être consentis par le « commun conseil » du royaume.

C'est le point de départ d'une tradition qui aboutira, bien plus tard, à la conquête des libertés individuelles et au droit des sujets britanniques de consentir l'impôt.

Jean sans Terre, la Charte à peine signée, obtient du pape d'être relevé de son engagement : la révolte reprend, et les barons offrent la couronne à un fils de Philippe Auguste. La mort de Jean sans Terre, laissant un fils de neuf ans, met fin à l'éventualité d'un changement de dynastie.

Henri III

Le fils de Jean sans Terre, Henri III (1216-1272), régna à peu près en même temps que Saint Louis (1226-1270). Ses ambitions en matière de politique extérieure l'obligèrent à demander au Grand Conseil, qu'on appelait de plus en plus le *« Parlement »*, toujours plus d'argent. Il dut affronter une nouvelle révolte des barons et accepter en 1258 les *« Provisions d'Oxford »*, qui lui imposaient le contrôle permanent d'un conseil de 15 membres.

Revenu sur ses engagements, il fut battu par les barons révoltés et dut, en 1265, accepter la réunion d'un « Grand Parlement », où étaient présents non seulement les barons et les prélats, mais aussi deux chevaliers par comté et des représentants des villes.

Edouard Ier

Edouard Ier (1272-1307), fils et successeur d'Henri III, dut s'accommoder du Parlement, qui fut désormais convoqué régulièrement pour consentir l'impôt. Il conquit et soumit le pays de Galles, et le titre de prince de Galles fut désormais conféré au prince héritier. En revanche, il échoua contre l'Ecosse, dont il dut reconnaître l'indépendance.

Il avait dû reconnaître expressément, en 1297, qu'aucune taxe ne pourrait être levée sans le consentement du Parlement, représentant la nation entière, « prélats, barons, chevaliers, bourgeois et tous hommes libres ».

La guerre de Cent Ans (1337-1453)

LA CRISE DU XIVᵉ SIÈCLE
ET LES DÉBUTS DE LA GUERRE DE CENT ANS

Le XIVᵉ siècle s'ouvre par une crise économique et sociale sans précédent. L'expansion démographique, pendant un temps absorbée par les défrichements et les croisades, semble avoir dépassé les limites compatibles avec les moyens de production de l'époque. Les terres disponibles se raréfient ; celles que l'on peut encore défricher sont les plus médiocres et les rendements y sont décroissants. Le revenu paysan moyen baisse et les disettes se multiplient et s'aggravent.

C'est dans cette conjoncture déjà défavorable, avec une population dont une forte proportion est en état de moindre résistance, que se déchaîne une effroyable épidémie de peste, la *« peste noire »* (1347-1349). Elle est ainsi nommée en raison de la teinte foncée que prenait la peau des malades. Il s'agit de ce que l'on appelle aujourd'hui la peste bubonique, endémique dans certaines régions de l'Inde.

Apportée en Europe par des navires génois, elle ravage pendant deux ans tout l'Occident. En France, en Angleterre, c'est un tiers environ de la population qui va disparaître du fait de la peste.

Les origines du conflit

A cette catastrophe naturelle vont s'ajouter les ravages de la guerre. Le conflit franco-anglais, qui avait commencé avec l'avènement d'Henri II Plantagenêt, semblait s'être clos avec le traité de Paris (1259) signé entre le roi d'Angleterre Henri III et Saint

Louis. Le conflit va rebondir au début du XIVe siècle à l'occasion d'une crise dynastique : l'extinction des Capétiens directs.

En 1328, à la mort de Charles IV le Bel, les grands du royaume, en l'absence d'héritier direct, choisirent comme roi un neveu de Philippe le Bel, Philippe de Valois, qui prit le nom de Philippe VI. Ce choix, justifié explicitement du fait que Philippe de Valois était *« né du royaume »*, avait pour objectif d'écarter l'attribution de la couronne de France à un étranger, en l'espèce le roi d'Angleterre Edouard III, petit-fils, par sa mère, de Philippe le Bel. On invoqua, pour légaliser ce choix, l'existence d'une prétendue *« loi salique »*, coutume franque qui excluait les filles de la succession. Sur le moment, Edouard III reconnut Philippe VI comme roi de France, et vint même lui prêter hommage pour ses fiefs de France à Amiens, en 1329.

Il y avait d'autres motifs de conflit entre la France et l'Angleterre que ces problèmes de succession. Le principal objet de conflit était la Flandre. Le comté de Flandre était l'un des derniers grands fiefs subsistant face à l'extension du domaine royal. Le comte de Flandre s'était souvent trouvé dans le camp des adversaires du roi (ainsi à Bouvines). Philippe le Bel avait envahi la Flandre en 1305 et lui avait imposé un traité qui subordonnait étroitement la Flandre au royaume. Or, économiquement, la Flandre avait des liens étroits avec l'Angleterre. L'artisanat de la laine s'était considérablement développé en Flandre, alimentant les courants commerciaux qui, par la Champagne, la vallée de la Saône et du Rhône, reliaient la mer du Nord à l'Italie. La laine utilisée par les artisans flamands était pour une grande part importée d'Angleterre. La bourgeoisie flamande, souvent victime d'interventions royales contre ses libertés, était en majorité pro-anglaise et anti-française.

En 1337, Edouard III se ravise : il prétend faire valoir ses droits au trône de France et se proclame *« roi de France et d'Angleterre »*. En 1340, il débarque en Flandre, où la flotte anglaise détruit la flotte française dans le port de L'Ecluse. La guerre franco-anglaise, dite « guerre de Cent Ans » (elle devait en fait durer 116 ans), venait de commencer.

LA GUERRE SOUS PHILIPPE DE VALOIS
(1328-1350)
ET JEAN II LE BON (1350-1364)

Edouard III avait minutieusement préparé la guerre : le service militaire obligatoire concerne tous les sujets du roi ; les plus riches doivent s'équiper et s'armer à leurs frais, les plus pauvres servent dans l'infanterie. Les archers anglais, recrutés notamment parmi les Gallois, disposent d'un arc perfectionné, dont la portée atteint 350 mètres, et qui tire trois flèches dans le même temps que les arbalétriers génois, mercenaires au service du roi de France, tirent un « carreau ». Les coutilliers anglais, munis d'un long coutelas, glissent leur arme dans le défaut de la cuirasse des chevaliers tombés à terre et incapables de se relever, embarrassés dans leur armure.

Au contraire, Philippe VI, tout imprégné de l'idéologie féodale, s'était complu dans des rêves de croisade et ne s'était préparé en rien. L'armée française, cohue féodale de chevaliers indisciplinés et recherchant la « prouesse » (l'exploit individuel) fut taillée en pièces par les Anglais à Crécy, en Picardie (1346).

Edouard III fit alors le siège de Calais, qui ne capitula qu'après une longue résistance. Edouard III, furieux, voulut mettre la ville à sac et passer tous ses défenseurs par les armes. Six bourgeois vinrent se livrer à leur place en otages, en tenue de pénitents et la corde au cou afin que les autres fussent épargnés. La reine d'Angleterre obtint de son mari la vie sauve pour les courageux « bourgeois de Calais ». Calais devait rester anglaise de 1347 à 1558.

Après une trêve au cours de laquelle Philippe VI mourut, la guerre reprit sous son fils Jean II le Bon.

A son tour, le roi Jean fut battu par les Anglais, dirigés par le prince de Galles, surnommé le *« Prince Noir »*, parce qu'il recouvrait son armure d'un vêtement noir. A la bataille de Poitiers (1356), marquée par une résistance personnelle courageuse du roi, assisté de son fils *(« Père, gardez-vous à droite ! Père, gardez-vous à gauche ! »)*, Jean le Bon fut battu et fait prisonnier.

Philippe VI et Jean le Bon, rois chevaliers, imprégnés de la mentalité féodale, menaient grand train ; Jean le Bon dut payer rançon (une rançon dont il importait qu'elle fût élevée, pour sauvegarder sa dignité !). Le pays, ravagé par la peste et la guerre, fut écrasé d'impôts. De plus, l'un et l'autre défirent en partie ce qu'avaient fait leurs prédécesseurs en distribuant à leurs fils cadets d'importantes parties du domaine royal en « apanage ». Ainsi, Philippe, quatrième fils de Jean, qui l'avait assisté à la bataille de Poitiers, reçut le duché de Bourgogne. Philippe VI, cependant, avait réuni au domaine royal une province relevant de l'Empire, le Dauphiné, vendu par le dernier *« dauphin de Viennois »*, ruiné et sans héritier, sous condition qu'il serait donné en apanage à l'héritier du trône, qui porta désormais le titre de *« dauphin »*.

Le dauphin

Le premier à porter ce titre de dauphin fut le fils aîné de Jean le Bon, Charles, régent pendant la captivité de son père. Souffreteux et inapte aux combats, il se révéla en revanche bon politique et administrateur avisé.

Le dauphin Charles eut à affronter les états généraux de 1356 et 1357, convoqués pour consentir la levée d'un impôt extraordinaire et qui tentèrent, à cette occasion, d'obtenir un droit de contrôle permanent sur les finances royales, à l'exemple du Parlement anglais.

Le prévôt des marchands de Paris (équivalent d'un maire), Etienne Marcel, se mit à la tête d'une insurrection bourgeoise, qui se conjugua avec une révolte des paysans de la région située au nord de Paris. Ces paysans furent appelés les « Jacques », d'après le sobriquet de Jacques Bonhomme symbolisant le paysan français. Les Jacques se dressaient contre les exactions féodales, pillant et brûlant les châteaux. Le terme de *jacquerie* est entré dans le vocabulaire pour désigner une révolte paysanne. Finalement, Etienne Marcel fut vaincu et assassiné, et les Jacques firent l'objet d'une répression féroce (plus de 20 000 tués, brûlés vifs ou pendus).

Le dauphin obtint la libération de son père et lui succéda à sa mort sous le nom de Charles V (1364-1380).

Première paix

La paix avait été signée à Brétigny en 1360 à des conditions très dures : Edouard III renonçait à ses prétentions à la couronne de France, mais obtenait la restitution d'une grande partie de l'ancien domaine des Plantagenêts, ainsi que, dans le Nord, de territoires autour de Calais. Pour ces terres, il était dispensé de l'hommage au roi de France.

Devenu roi, Charles V redressa patiemment la situation. Avec le concours d'un petit chevalier breton, courageux et avisé, Bertrand du Guesclin, qu'il fit « connétable » (chef des armées royales), il débarrassa le pays des Grandes Compagnies, formées de mercenaires licenciés qui mettaient le pays au pillage, en les entraînant à la croisade en Espagne.

Lorsque la guerre reprit en 1369, Du Guesclin mena contre les Anglais une guerre de harcèlement. Lorsque Charles V et Du Guesclin moururent en 1380, les Anglais ne tenaient plus en France que la Guyenne et Calais.

LA GUERRE SOUS CHARLES VI (1380-1422)
ET CHARLES VII (1422-1461) —
JEANNE D'ARC

Le jeune roi Charles VI fut d'abord placé, jusqu'à sa majorité, sous la tutelle de ses oncles, princes apanagés issus de la famille royale, prodigues et irresponsables. Peu après sa majorité, Charles VI fut pris d'une crise de folie et les princes revinrent sur le devant de la scène : son frère Louis d'Orléans fut assassiné par son cousin le duc de Bourgogne, et une guerre civile opposa les partisans du duc d'Orléans, les « Armagnacs » (du nom du beau-père du jeune duc Charles d'Orléans, fils de la victime) et ceux du duc de Bourgogne, les « Bourguignons ».

Les uns et les autres firent appel aux Anglais. Le roi d'Angleterre

Henri V écrasa l'armée française à Azincourt, dans des conditions analogues à celles des batailles de Crécy et de Poitiers (1415).

Le dauphin Charles, seul fils survivant de Charles VI, se brouilla avec le duc de Bourgogne qu'il fit assassiner à Montereau (1419). Le nouveau duc de Bourgogne, Philippe le Bon, prit le roi fou sous son contrôle et lui fit signer le désastreux traité de Troyes (1420). Par ce traité, Charles VI donnait sa fille en mariage au roi d'Angleterre Henri V, et reconnaissait celui-ci comme son héritier, au détriment de son propre fils. Lorsque Henri V, puis Charles VI moururent, à quelques mois d'intervalle, le jeune Henri VI, fils du roi Henri V et petit-fils de Charles VI, fut proclamé « roi de France et d'Angleterre ».

Jeanne d'Arc

Le dauphin Charles, qui n'avait que 19 ans, prit le nom de Charles VII. Mais il ne contrôlait que quelques provinces du centre et du Midi, et s'établit à Bourges.

Chétif, nonchalant, sans volonté, Charles VII ne semblait pas animé de la volonté de réussir. Les Anglais, après avoir infligé plusieurs défaites à l'armée de Charles VII, mirent le siège devant Orléans, dernière place forte qu'il détenait au nord de la Loire (1428).

C'est alors qu'intervient Jeanne d'Arc.

Pour comprendre son intervention, il faut d'abord préciser l'état d'esprit de la population française. Celle-ci subit les maux de la guerre, et les Anglais, qui pillent et ravagent le pays, sont perçus comme des envahisseurs et des ennemis. Un réflexe national conduit à voir en Charles VII le défenseur naturel des Français, le souverain légitime et le représentant de la population.

Jeanne est fille d'un laboureur (paysan aisé) de Domrémy, village situé aux confins de la Champagne et de la Lorraine. La conviction naît dans son esprit que Dieu l'a désignée pour sauver le roi et chasser les Anglais. Dès l'âge de 13 ans, une « voix de Dieu » l'y aurait exhortée, puis des apparitions de ses saints préférés.

A 17 ans, elle s'adresse au seigneur de la région, le sire de

Baudricourt, resté fidèle au « roi de Bourges ». Non sans peine, elle réussit à le convaincre, et, habillée en homme, munie d'un cheval et d'une petite escorte, avec une lettre de recommandation, elle arrive à Chinon où réside Charles VII. Accueillie avec méfiance, elle s'adresse sans hésiter au roi qui s'est dissimulé dans la foule et lui expose sa mission. Dans un pays où la foi chrétienne est profonde, et la croyance au surnaturel générale, sa démarche fait impression. Après avoir pris l'avis, favorable, de théologiens de Poitiers, Charles VII la laisse partir avec une petite armée vers Orléans. Elle réussit à entrer dans la ville assiégée (avril 1429), ranime le courage des assiégés qui étaient sur le point de se rendre, attaque les fortins que les Anglais avaient édifiés autour de la ville. Le 8 mai 1429, les Anglais lèvent le siège d'Orléans : la ville est sauvée.

Sur ce succès, elle réussit à convaincre Charles VII de se faire sacrer à Reims, entreprise périlleuse, qui l'oblige à traverser une zone contrôlée par l'ennemi. La chevauchée réussit et Charles VII est sacré à Reims, ce qui, dans l'esprit du temps, assure sa légitimité.

Jeanne prisonnière

L'enthousiasme populaire est alors à son comble. Mais l'état d'esprit de Charles VII et de son entourage n'est pas au diapason. On refuse à Jeanne les soldats qu'elle demande, et elle subit des échecs, devant Paris, et à La Charité-sur-Loire. Au printemps de 1430, avec une petite troupe qu'elle a levée elle-même, elle tente de dégager Compiègne assiégée. Mais au cours d'une sortie, elle est faite prisonnière par un seigneur bourguignon, qui la vend aux Anglais.

Pour ceux-ci, il est essentiel de la déconsidérer, de montrer que sa mission n'est pas divine, mais diabolique.

Les Anglais vont la faire comparaître devant le tribunal de l'Inquisition, présidé par l'évêque de Beauvais Pierre Cauchon. Ses juges espéraient avoir facilement raison de cette paysanne ; or, elle montre une étonnante intelligence à déjouer les pièges qui lui sont tendus. Finalement, elle faiblit, et signe les aveux qu'on voulait lui dicter, puis se ressaisit et revient sur ses aveux : c'est ce qu'attendaient ses juges ; elle fut condamnée comme « relapse », livrée au « bras séculier » et brûlée vive à Rouen le 30 mai 1431.

Charles VII et ses conseillers n'ont rien fait pour sauver Jeanne d'Arc. Cependant, son intervention rend courage aux Français et démoralise les Anglais. Charles VII, mieux conseillé, met sur pied une armée plus moderne, dotée d'une artillerie (les armes à feu viennent de faire leur apparition, et commencent à se perfectionner). Peu à peu, cette armée va libérer le territoire français. Après la bataille de Castillon (1453) où périt le vieux général anglais Talbot, qui avait été l'adversaire de Jeanne d'Arc à Orléans, les Anglais évacuent la Guyenne, où ils étaient établis depuis trois siècles. Ils ne conservent plus en France, pour un siècle encore, que Calais. La guerre de Cent Ans est terminée.

L'ÂGE D'OR DE LA FIN DU XVe SIÈCLE

Le retour à la paix ne fut ni rapide, ni total. Charles VII eut à affronter les résistances des grands feudataires, en premier lieu du duc de Bourgogne, qui avait fait cause commune avec les Anglais. Comme au temps des « Grandes Compagnies », des bandes armées ravageaient les campagnes (on les avait baptisées les « Ecorcheurs »).

Cependant, peu à peu, les activités économiques reprirent, mais avec une population considérablement diminuée du fait de la guerre et des épidémies. La rareté de la main-d'œuvre eut pour conséquence une hausse des rémunérations. Pour attirer et conserver des travailleurs, les féodaux durent modérer leurs exactions. La population rurale connut alors une période de relative aisance : les paysans mangeaient de la viande, buvaient du vin. En Bretagne, les domestiques exigèrent qu'on ne leur servît aux repas du saumon, nourriture jugée commune, que trois fois par semaine au plus.

Voici, calculée approximativement, pour une base 100 en

1300, l'évolution de la population, du produit brut, et des salaires réels agricoles en Normandie (d'après Guy Bois).

	1300	1450	1550
Population	100	30	75
Produit brut après dîmes	100	40	100
Salaires réels agricoles	100	300	100

La fin du Moyen Age

LE RELÈVEMENT DE LA FRANCE

Après la bataille de Castillon, la France est pour l'essentiel libérée : mais le pays est dépeuplé, ruiné par la guerre et les bandes de mercenaires licenciés, « routiers » et « écorcheurs ».

La reconquête des terroirs abandonnés sera lente ; pour attirer le peuplement, des seigneurs suppriment le servage dans leurs domaines. Comme nous l'avons vu, la rareté de la main-d'œuvre permet temporairement, pour les survivants, une amélioration de leurs revenus.

Jacques Cœur

Le relèvement du commerce est plus rapide. Jacques Cœur (1395-1456), fils d'un pelletier de Bourges, qui s'est lié avec Charles VII lorsqu'il était réfugié dans cette ville, y joue un rôle important.

Installé sur le littoral méditerranéen, à l'écart de la guerre franco-anglaise, il se lance dans le grand commerce avec l'Orient. Ayant obtenu l'appui de Charles VII, il équipe une flotte qui ramène d'Alexandrie à Marseille ou à Montpellier les produits de luxe et les épices de l'Orient ; il stimule la production manufacturière : il exploite lui-même une teinturerie à Montpellier, des mines d'argent et de plomb dans le Lyonnais, une manufacture de tissus à Florence. Véritable entrepreneur « transnational », il dispose de plus de 300 comptoirs, de Chypre à Bruges et à Londres.

Charles VII l'anoblit, l'introduit dans son conseil... et lui emprunte beaucoup... Bien entendu, son immense fortune n'a pas été acquise sans quelques entorses à l'honnêteté, et le roi en profite pour se retourner contre lui : en 1451, il est arrêté ; en 1453, ses biens sont confisqués et il est banni. Il se met au service du pape et meurt en Grèce, à Chio, en 1456, à la tête d'une flotte qu'il commande pour le compte du souverain pontife.

Nous avons vu les perfectionnements apportés à l'armée à la fin du règne de Charles VII. L'administration, elle aussi, se perfectionne.

Les impôts

La prolongation de la guerre a abouti à l'établissement d'impôts permanents : c'est d'abord la *taille*, impôt direct payé par tous les non-privilégiés ; elle est perçue dans le cadre de la paroisse, dont tous les habitants sont solidaires : le collecteur désigné pour recevoir l'impôt est responsable de la collecte sur ses biens personnels. Ce sont ensuite les impôts indirects : les *aides* (taxes sur les boissons) et la *gabelle* (monopole royal du sel, avec obligation d'achat).

Pour la perception des impôts, la France est divisée en cinq « *généralités* », elles-mêmes subdivisées en « *élections* » (circonscriptions fiscales) où deux « *élus* » (malgré leur nom, ils ne sont nullement élus, mais nommés par le roi), un greffier, un procureur et des receveurs s'occupent du recouvrement de l'impôt.

La justice est rendue, au sommet, par le Parlement de Paris complété par des Parlements de province à Grenoble (pour le Dauphiné), à Toulouse (pour le Languedoc), à Bordeaux (pour la Guyenne). Rappelons que ces « Parlements », en France, sont des cours de justice, et non des assemblées représentatives, comme en Angleterre.

LOUIS XI ET LES DERNIÈRES COALITIONS FÉODALES

Louis XI (1461-1483), fils de Charles VII, n'avait pas le genre chevaleresque : souffreteux, peu avenant, il s'habille comme un bourgeois et aime à circuler incognito. Ambitieux, autoritaire, cruel, il faisait enfermer ses adversaires dans d'étroites cages de fer qu'il appelait ses « fillettes ». Il était grand travailleur, mais sans scrupules. Dévot jusqu'à la superstition, il portait sur son chapeau des médailles de plomb représentant des saints, et, en posant son chapeau devant lui, il pouvait se mettre en prière et les invoquer.

Dès l'âge de seize ans, il n'hésita pas à participer à des complots féodaux contre son propre père : redoutant des représailles, il se mit sous la protection du principal rival du roi, le duc de Bourgogne.

Une fois roi, il se trouva confronté aux intrigues féodales contre le trône auxquelles il avait lui-même contribué. Le fils du duc de Bourgogne Philippe le Bon, Charles le Téméraire, duc de Charolais, avait monté contre lui, avec le duc de Bretagne, le duc de Bourbon et le duc de Berry (le propre frère de Louis XI) une « ligue du Bien public » ! Louis XI faillit être victime de ses propres intrigues : s'étant rendu imprudemment à une entrevue avec Charles le Téméraire, qui venait de succéder à son père comme duc de Bourgogne, à Péronne (1468), il s'y trouva au moment même où Charles apprenait que Louis XI avait apporté son appui aux bourgeois de Liège révoltés contre lui. Il retint Louis XI dans une demi-captivité, l'obligea à participer avec lui à la répression contre ses alliés liégeois, et lui fit signer un traité humiliant.

Louis XI libéré se fit délier des engagements pris sous la contrainte par une assemblée de prélats et de seigneurs. La mort de son frère, le duc de Berry, facilita la dislocation de la coalition. En 1473, Louis XI se retrouva face à son principal et plus dangereux adversaire, Charles le Téméraire.

ASCENSION ET CHUTE DE L'ETAT BOURGUIGNON

Charles le Téméraire était l'arrière-petit-fils de Philippe le Hardi, fils cadet du roi Jean le Bon, qui lui avait donné la Bourgogne en apanage. Devenu duc de Bourgogne en 1467, il se trouvait à la tête d'un immense domaine, à cheval sur la France et l'Empire, mais divisé en deux blocs : au sud, le duché de Bourgogne, vassal du royaume de France, et la Franche-Comté de Bourgogne, appartenant à l'Empire ; au nord, la

Flandre et la Picardie (en France), et, relevant de l'Empire, les territoires qui forment aujourd'hui les Pays-Bas, la Belgique, et le Luxembourg. Il nourrit l'ambition de réunir ses domaines en annexant la Lorraine, d'en faire un Etat émancipé de toute vassalité, et, peut-être, d'accéder lui-même à l'Empire.

Mais le caractère et les moyens de Charles le Téméraire ne sont pas à la mesure de ses ambitions. Il manque de pondération, se laisse entraîner par des colères folles, se révèle médiocre administrateur et médiocre général. Il dresse contre lui le duc de Lorraine, menacé par ses ambitions, le duc d'Autriche, dont il menace les possessions en Alsace, enfin, les cantons suisses, petite confédération républicaine dont l'Autriche vient de reconnaître l'indépendance. Par deux fois, les Suisses infligent une défaite aux armées bourguignonnes, à Grandson, puis à Morat (1476). Venu assiéger Nancy, où le duc de Lorraine a repris possession de sa capitale, il est à nouveau attaqué par les Suisses et son armée est mise en pièces sous les murs de Nancy : lui-même y est tué et on retrouvera son cadavre à demi mangé par les loups (5 janvier 1477).

Louis XI s'empresse d'envahir ses domaines : Marie de Bourgogne, fille et héritière de Charles le Téméraire, cherche alors le salut dans un mariage avec le fils de l'empereur, Maximilien d'Autriche. Par la *paix d'Arras* (1482), Louis XI acquiert la Picardie et la Bourgogne ; l'Artois et la Franche-Comté seront la dot de la fille de Maximilien, fiancée au Dauphin. Le reste de l'héritage bourguignon (essentiellement les Pays-Bas et la Flandre) passe à la maison d'Autriche.

Louis XI meurt peu après, malade et hanté par la peur de la mort, cloîtré dans son château de Plessis-lès-Tours.

LA PAPAUTÉ ET LE GRAND SCHISME — LES NOUVELLES HÉRÉSIES

Depuis l'élection de Clément V, les papes résidaient à Avignon, sous la tutelle des rois de France. Cette situation se prolongera pendant 68 ans, et durant cette période, les papes seront presque tous français.

En 1377, le pape Grégoire XI revient à Rome. A sa mort, les Romains exigent un pape italien et font élire Urbain VI ; mais les cardinaux, en majorité français, déclarent cette élection imposée par la force et nulle, et élisent un pape français, Clément VII, qui s'installe à Avignon.

Rome n'est plus dans Rome

Pour la foi teintée de superstition qui est celle de l'époque, c'est un drame épouvantable. Si l'on a choisi le faux pape, ne risque-t-on pas la damnation ? Comment savoir quel est le bon pape ? Les sacrements conférés par le clergé du faux pape sont-ils valables ? En cas de vacance d'un évêché, chaque pape nomme son évêque, et les deux titulaires se combattent...

Il y a donc schisme, séparation dans l'Eglise, pas pour des désaccords de doctrine, mais en fonction du pape que l'on reconnaît. Le schisme va durer presque quarante ans. Quand un pape meurt, les cardinaux qui l'entourent lui donnent un successeur, et la dualité se perpétue. En 1409, un concile est réuni à Pise : il dépose les deux papes rivaux et en élit un troisième. Mais aucun des deux papes déchus n'accepte de se retirer et il y a désormais trois papes ! Le remède est pire que le mal.

Un nouveau concile se réunit à Constance en 1414. Deux des papes acceptent de se démettre, le troisième est déposé, refuse de s'incliner, mais est abandonné de tous. Un successeur leur est donné qui prend le nom de Martin V. Le grand schisme est clos.

Mais l'autorité des papes est ébranlée. Déjà les papes d'Avignon s'étaient discrédités par leur âpreté au gain.

Le concile de Constance n'a pu mettre fin au schisme qu'en proclamant la supériorité des conciles sur les papes.

A la faveur du schisme, de nouvelles hérésies se sont développées. En Angleterre, Wyclif (1330-1384), professeur à l'Université d'Oxford, dénonce les richesses de l'Eglise, rejette tout ce que la tradition a ajouté à l'enseignement de Jésus. Ses disciples,

les « *lollards* », inspirent des révoltes populaires et nombre d'entre eux, dénoncés comme hérétiques, finissent sur le bûcher.

L'hérésie hussite

Les idées de Wyclif sont reprises par Jan Hus, prêtre et théologien, doyen de la Faculté de théologie de Prague. D'abord soutenu par l'archevêque de Prague et par le roi de Bohême, ses références à Wyclif lui valent d'être dénoncé comme hérétique. Il dénonce la richesse du clergé et ses abus, et prend la défense de la langue tchèque. Convoqué au concile de Constance en 1414, il s'y rend muni d'un sauf-conduit de l'empereur : mais, ayant refusé de se rétracter, il est emprisonné, condamné et brûlé sur le bûcher (1415).

A la nouvelle de ce supplice, la Bohême entière se soulève. Elle résistera dix-huit ans aux « croisades » envoyées contre elle. Les « Quatre Articles de Prague » (1420) formulent les exigences des hussites : libre prédication de l'Ecriture sainte, communion sous les deux espèces — on avait supprimé la communion du vin durant le Moyen Age pour des raisons d'hygiène : boire dans le même calice favorisait la propagation des épidémies —, confiscation des biens du clergé. Mais le mouvement hussite se scinde en un mouvement populaire et révolutionnaire, celui des *taborites* (du nom de leur camp retranché de Tabor) qui prêchent l'égalité et la communauté des biens, et un mouvement modéré — celui des possédants — qu'on désigne sous le nom d'*utraquistes* (ceux qui revendiquent la communion sous les deux espèces). Devant la résistance hussite, le concile de Bâle, en 1433, concède aux hussites la communion sous les deux espèces, et la lecture en tchèque de l'épître et de l'évangile. Les taborites sont écrasés en 1434.

L'ANGLETERRE À LA FIN DU MOYEN AGE

L'Angleterre n'a pas été, comme la France, ravagée par la guerre de Cent Ans : certes, les Anglais ont dû payer de lourds impôts pour financer la guerre, mais leur économie, bien que frappée par la peste noire, s'est peu à peu relevée.

La raréfaction de la main-d'œuvre a amélioré le sort des paysans ; le servage a pour ainsi dire disparu ; pour les tenanciers, corvées et redevances en nature ont fait place presque partout à des fermages à long bail, plus favorables aux tenanciers qu'aux propriétaires. L'industrie drapière s'est développée, et désormais l'Angleterre exporte des draps plutôt que de la laine brute.

Il y a cependant une misère populaire, qui s'exprime par des révoltes, telle la jacquerie de 1381 dans l'Essex et le Kent, dirigée par le prêtre John Ball et l'ouvrier Wat Tyler, dont les tenants demandent : « *Quand Adam bêchait et Eve filait, où était donc le gentilhomme ?* »

L'essor des grands féodaux

La guerre de Cent Ans a favorisé l'ascension de quelques familles nobles enrichies par les pillages et les rançons, les dons du roi, des mariages et des achats de terres. La petite noblesse, jadis directement attachée à la royauté, prend l'habitude de s'enrôler sous la bannière ou la livrée (« *livery* ») des grands féodaux.

Une de ces grandes familles, branche cadette des Plantagenêts, celle des ducs de Lancastre, s'empare même du trône en 1399 au détriment du roi Richard II. Son chef devient roi sous le nom d'Henri IV.

Son petit-fils, Henri VI (celui qui, nouveau-né, avait été proclamé roi de France et d'Angleterre), devient fou comme son grand-père Charles VI. Sa femme, française, Marguerite d'Anjou, se rend impopulaire. Une révolte conduite par le duc d'York, qui lui aussi est issu d'une branche cadette des Plantagenêts (il descend directement du roi Edouard III), aboutit à l'élimination d'Henri VI, et à l'avènement du duc d'York sous le nom d'Edouard IV (1475).

La guerre des Deux-Roses

C'est le début d'un long conflit entre factions féodales qu'on appellera la « guerre des Deux-Roses » (1450-1485), d'après les emblèmes des deux familles rivales (rose rouge des Lancastre, rose blanche des York). Au cours de cette guerre inexpiable, les factions féodales en présence s'exterminent mutuellement.

Le dernier roi de la dynastie d'York, Richard III, fait assassiner ses neveux (les «Enfants d'Edouard» — son frère Edouard IV) pour s'approprier le trône. Il sera tué au combat par les lancastriens insurgés, dirigés par un noble d'origine galloise, Henri Tudor, descendant par sa mère des Lancastre, qui devient roi sous le nom d'Henri VII et épouse la dernière descendante de la famille d'York. Avec lui s'éteint la guerre des Deux-Roses, et commence la nouvelle dynastie des Tudors.

L'ESPAGNE À LA FIN DU MOYEN AGE

Depuis la victoire de Las Navas de Tolosa (1212), l'Espagne musulmane avait été réduite au royaume de Grenade. Mais révoltes féodales, querelles de succession et conflits internes mettent l'Espagne chrétienne dans un état d'anarchie.

A l'écart, les rois d'Aragon s'absorbent dans la création d'un empire méditerranéen (Baléares, Corse, Sardaigne, Deux-Siciles).

Avec le royaume d'Aragon, trois autres Etats chrétiens se partagent le territoire : le Portugal, qui suivra une destinée à part après avoir annexé l'Algarve, au sud ; la Navarre, bloquée dans son extension par ses voisins, et qui sera en grande partie annexée par l'Aragon ; enfin, le royaume de Castille, le plus important.

En 1469, le mariage du roi Ferdinand d'Aragon avec la reine Isabelle de Castille réalise l'unité de l'Espagne. Durant leurs règnes, l'union reste purement personnelle, chacun étant roi dans son pays. Mais l'union sera scellée en 1492 par la conquête du dernier territoire musulman d'Espagne, le royaume de Grenade.

L'année 1492 est aussi celle où Christophe Colomb, pour le compte de la reine Isabelle, prend pied en Amérique.

Ferdinand et Isabelle ont partout rétabli leur autorité. Ils répriment l'anarchie féodale. Ils veulent l'unité de l'Espagne par la religion catholique : les Juifs, en 1492, puis les musulmans, vont être chassés d'Espagne, ce qui aura des conséquences économiques catastrophiques. Hérétiques, convertis suspects d'être restés secrètement fidèles à leur ancienne religion, sont persécutés, pourchassés par l'Inquisition, voués au bûcher — on brûlera en série sous le nom d'« *autodafé* » *(*« auto da fé » = « *acte de foi* »).

L'Empire mongol —
L'Asie au Moyen Age

LES INVASIONS MONGOLES

Vers la fin du XIIe siècle, les tribus mongoles, bergers nomades établis entre le lac Baïkal et le nord de la Mongolie actuelle, vont s'unifier et faire mouvement vers le sud.

Les Mongols nomadisent avec leurs troupeaux, et leurs lourds chariots transportent leurs tentes de feutre, les yourtes. Ils sont habitués à un climat rude, chaud et sec l'été, glacial l'hiver.

Ce sont d'excellents cavaliers et des combattants intrépides, revêtus de casques de cuir garnis de plaques de métal, avant tout archers, munis de l'arc et du carquois, mais aussi pourvus d'un bouclier et d'un sabre recourbé.

Gengis Khan

Au début du XIIIe siècle, un jeune chef de tribu, Temüdjin, réussit à unifier les tribus mongoles et à leur imposer une discipline rigoureuse (1206). Il prend alors le nom de Tchinghiz Khan = le khan (roi) tout-puissant, universel. Nous avons déformé ce nom en Gengis Khan.

L'extraordinaire rapidité et l'extension des conquêtes mongoles tiennent à leurs méthodes militaires : les Mongols submergent leurs ennemis par la rapidité des attaques de leur cavalerie ; ils terrorisent les populations, imposant tribut à ceux qui se soumettent sans résister, mais massacrant sans pitié ceux qui résistent, et détruisant des villes entières.

Ils apprennent, des populations plus évoluées d'Asie centrale, la construction et l'usage des machines de siège. Dans les pays conquis, ils exceptent du massacre les artisans et une partie des lettrés, qu'ils prennent à leur service.

Avec ces lettrés, ils organisent une administration centrale chargée surtout de la rentrée des impôts, qui s'établira à Karakorum, devenue la capitale de l'Empire, dans l'ouest de la Mongolie actuelle.

Pour assurer leurs liaisons dans un espace qui va de l'Europe centrale à l'océan Pacifique, les Mongols organisent un service postal avec relais, et une police de la circulation.

Le pouvoir se transmettra dans la famille de Gengis Khan, mais — et c'est la faiblesse de l'Empire mongol — il n'y a pas de règle de succession établie. La mort de chaque empereur mongol ouvre la voie à compétition entre héritiers, avec affrontements armés internes, et arrêt des attaques vers l'extérieur. L'Europe centrale en 1241, l'Egypte en 1259, seront sauvées de l'invasion par ces crises de succession.

Vers l'ouest, les Mongols s'emparent du Turkestan (oriental et occidental), de l'Afghanistan, de la Perse (1209-1221) et lancent un raid jusqu'en Russie (1221-1223), où ils détruisent le royaume bulgare de la Volga, et s'établissent en Crimée. A l'est, les Mongols s'emparent de la Chine du Nord (Pékin est prise en 1215) et la Corée est occupée (1218).

En 1227, Gengis Khan meurt des suites d'une chute de cheval. Son fils Ögödei lui succède.

Les successeurs de Gengis Khan

L'offensive reprend à l'ouest, en Europe centrale : de 1237 à 1242, les villes et principautés russes du Nord (Moscou en 1238), puis du Sud (Kiev en 1240) sont conquises. En 1241, l'offensive atteint la Pologne : Cracovie est prise en 1241, puis Breslau, et la Silésie est ravagée. La même année, l'armée hongroise est battue, la Hongrie envahie, les Mongols sont aux portes de Vienne. Le roi de Hongrie est attaqué en Croatie, où il s'est réfugié (1242).

La mort d'Ögödei (1241) va sauver l'Europe et entraîner le repli des armées mongoles, qui, au passage, ravagent les Balkans.

Sous le règne de Möngke, neveu d'Ögödei (1251-1259), les Mongols s'emparent de la Mésopotamie et de la Syrie : en 1258,

Bagdad est prise, pillée et détruite, le dernier khalife abbasside tué et tous ses parents exécutés ; puis Alep et Damas tombent. L'Egypte, menacée, sera sauvée par la mort de Möngke. L'année suivante, les Mamelouks, esclaves-soldats qui ont pris le pouvoir en Egypte au détriment des descendants de Saladin, prennent l'offensive et reprennent la Syrie sur les Mongols (1260).

Kubilay Khan (1260-1294) succède à son frère Möngke. A la tête des armées mongoles de l'Est, il a déjà pris l'offensive en Chine, où la dynastie des Song, à la civilisation raffinée, mais peu préparée à la guerre, s'est réfugiée au sud. Les Mongols envahissent la Chine du Sud, occupent ses confins (Yunnan, Birmanie, Tonkin). Après une trêve consécutive à la mort de Möngke, Kubilay Khan, devenu chef suprême, achève la conquête de la Chine : la capitale du Sud est occupée (1276), le dernier empereur Song est tué (1279).

Kubilay Khan établit sa capitale à Pékin, et devient empereur chinois, fondateur de dynastie (dynastie des Yuan : 1279-1368). Son histoire relève désormais de l'histoire de la Chine.

A l'ouest, en conflit avec le pouvoir central et en conflit entre eux, les chefs des divers « khanats » mongols deviennent pratiquement indépendants à Kazan (Russie), en Crimée, en Perse.

L'ARRIVÉE DES TURCS OTTOMANS EN ANATOLIE

A la fin du XIIIe siècle, une tribu turque, chassée d'Asie centrale par les Mongols, s'installe en Anatolie. Ce sont les Turcs ottomans (du nom de leur premier chef, Othman ou Osman : 1299-1326). Au cours du XIVe siècle, ils s'emparent peu à peu de l'Anatolie, refoulent les Grecs sur le littoral, puis passent dans les Balkans. Ce sont les Byzantins eux-mêmes (un prétendant au trône impérial en conflit avec un autre) qui les ont introduits en Europe. Quand le chef ottoman Mourad (1359-1389) s'installe à Andrinople, l'empereur byzantin, aux abois, appelle en vain à son secours l'Europe chrétienne. Il est obligé de faire acte de soumission à Mourad et de lui payer tribut (1374).

Mourad s'attaque alors aux Serbes et aux Bulgares : il les bat successivement, et écrase les Serbes à la bataille de Kosovo (1389), où il trouve la mort.

Son fils Bayezid (Bajazet) (1389-1402) consolide la mainmise turque sur les Balkans. L'empereur byzantin Manuel II Paléologue ne conserve plus que Constantinople et sa banlieue. En 1396, enfin, une troupe de croisés sous le commandement du roi de Hongrie Sigismond, vient au secours de l'Empire d'Orient : elle est écrasée à Nicopolis.

L'Empire byzantin (ce qu'il en reste...) sera sauvé par des révoltes dans les Balkans et en Anatolie contre Bayezid, puis en 1402 par une nouvelle invasion turco-mongole, celle de Tamerlan, qui détruit l'armée ottomane et fait prisonnier Bayezid (qui meurt peu après), près d'Ankara.

TIMOUR-LANG (TAMERLAN) ET SON EMPIRE

Au cours du XIVe siècle, la domination mongole des héritiers de Gengis Khan s'effondre. En 1350, toute la Chine du Sud est insurgée contre la dynastie mongole ; un aventurier chinois, Hong-wou, chasse de la Chine les derniers Mongols en 1370, fonde la dynastie des Ming, et prend même Karakorum en 1372.

Timour, dit *Timour-Lang* (Timour le boiteux : surnom dû à une blessure de guerre), dont nous avons fait *Tamerlan* appartenait à la noblesse turque d'Asie centrale. Il émancipe l'Asie centrale de la tutelle mongole, mais, après avoir épousé la fille d'un khan mongol, il se proclame le successeur de Gengis Khan. Les « Mongols » de Tamerlan sont en fait des Turcs convertis à l'islam, dont ils vont se faire les champions fanatiques. De 1370 à 1405, Tamerlan conquiert la Perse, la Syrie, l'Irak, une partie de l'Asie Mineure. Peu après, il lance une expédition contre l'Inde et prend Delhi en 1398. Il prépare une expédition contre la Chine lorsqu'il meurt en 1405. Son empire s'écroulera après lui. Seule l'Asie centrale, autour de Samarcande, a bénéficié de ses victoires : ailleurs, il n'a laissé que des ruines et des cadavres (à Bagdad, détruite, il a fait élever, en 1405, une pyramide de 90 000 têtes coupées). Ses descendants ne conservent le pouvoir que dans quelques parties de l'Asie centrale. L'un d'eux, au XVIe siècle, créera un nouvel empire en Inde, l'Empire moghol, mais cet épisode appartient à une autre époque.

LA PRISE DE CONSTANTINOPLE PAR LES TURCS

Après la mort de Timour-Lang, le jeune Empire ottoman parut sur le point de s'écrouler : des querelles entre prétendants mirent les Ottomans en difficulté, et les Byzantins (avec les Vénitiens) reprirent le dessus pendant quelques années.

A partir de son avènement (1421), le sultan Mourad II rétablit l'autorité centrale et entreprend la conquête systématique de l'Asie Mineure et des Balkans.

Constantinople est isolée. Malgré les tentatives de résistance des Hongrois (Jean Hunyadi) et de l'Albanais Skanderbeg, les Turcs resserrent leur emprise. En mars 1453, ils commencent le siège de Constantinople. Le 29 mai 1453, les troupes turques entrent dans la ville. L'Empire byzantin a cessé d'exister. Les Grecs sont expulsés de la ville, à l'exception du patriarche de Constantinople et de ses services. La cathédrale Sainte-Sophie est transformée en mosquée.

La fin de l'Empire byzantin, après un millénaire d'existence, a été parfois retenue comme marquant la fin du Moyen Age.

LA CHINE DU VIIe AU XVe SIÈCLE

Les Tang

Après une période de troubles, la dynastie des Tang (618-907) ouvrit une nouvelle période d'unité et de progrès économique. La condition des paysans fut temporairement améliorée par un partage des terres ; l'Etat créa de nombreux ateliers artisanaux (textiles, métallurgie) ; le commerce se développa, favorisé par l'utilisation du Grand Canal ou Canal impérial, reliant fleuve Jaune et fleuve Bleu, et aussi par la création d'un système de courriers et de relais de poste. Les pays voisins sont occupés ou soumis à tribut.

Revenons un instant sur les caractères d'ensemble de l'histoire chinoise, avant et après les Tang. La Chine est constamment menacée par les nomades guerriers du Nord (la « Grande Muraille » a été construite pour s'en protéger). Il arrive que ces nomades s'emparent de tout ou partie de la Chine : ils sont finalement chassés, ou assimilés, leurs chefs devenant fondateurs de dynasties.

L'organisation de l'économie

Entre l'empereur et la masse paysanne organisée en communautés rurales, il existe une noblesse tirant ses ressources de domaines fonciers ou de concessions impériales : dans certaines périodes, elle met en échec l'autorité impériale et empiète sur elle ; il en résulte des périodes de division, voire d'anarchie. Mais, si les grands propriétaires obtiennent des exemptions fiscales qui incitent les paysans à se placer sous leur tutelle (pour échapper à l'impôt, aux corvées, au service militaire), la propriété du sol n'est jamais associée à l'exercice de droits régaliens : en droit, les grands propriétaires ne sont pas des « seigneurs ». Après les périodes de troubles, le pouvoir impérial ressurgit. *Jamais la Chine ne connaîtra, durablement, un émiettement du pouvoir analogue à celui qui caractérise la féodalité européenne.*

Le commerce, l'économie monétaire se développent. Mais jamais les marchands chinois n'obtiendront l'autonomie et la capacité d'initiative de la bourgeoisie occidentale de la fin du Moyen Age. L'économie reste étroitement contrôlée par le pouvoir impérial, qui se réserve de nombreux monopoles. Beaucoup d'innovations, dans lesquelles la Chine précède l'Europe, ne sont pas exploitées jusqu'au bout. La navigation qui avait conduit les marchands chinois, au XVe siècle, en Indonésie, en Inde, et jusqu'en Afrique orientale, est brutalement interrompue sur ordre impérial : en 1433, la cour chinoise interdit ce commerce, jugé déficitaire, et prohibe sous peine de mort la construction des navires de haute mer.

C'est à l'époque des Tang que la production du papier, jusque-là objet d'un secret de fabrication, est introduite en Asie centrale, et, de là, vers l'Occident. C'est aussi à l'époque Tang qu'apparaît la porcelaine. C'est au VIIe siècle qu'apparaît la première forme de l'imprimerie, en l'espèce la xylographie — impression de planches de bois gravées. La typographie — impression avec utilisation de caractères mobiles, d'abord en terre cuite — suivra au XIe siècle.

La poudre à canon est inventée au IXe siècle et, contrairement à une légende, n'est pas seulement utilisée à produire des pétards ou des feux d'artifice ; elle connaît des applications militaires, mais qui se limitent à la fabrication de projectiles incendiaires. L'aiguille aimantée, qui est à l'origine de la boussole, est utilisée dès le Xe siècle.

Les Song

La chute de la dynastie des Tang fut suivie d'une nouvelle période de troubles et d'anarchie, dite des « Cinq Dynasties » (qui se partagent le bassin du fleuve Jaune) et des « Dix Royaumes » (qui occupent les régions périphériques, 907-960).

La dynastie des Song (960-1127) rétablit l'unité de la Chine et un pouvoir centralisé bureaucratique. C'est alors que le pouvoir fait prévaloir le mandarinat : occupation des postes de responsabilité dans l'appareil d'Etat par des lettrés recrutés par concours, donnant de ce fait une possibilité de promotion sociale à des gens d'origine modeste. Le pouvoir des grands propriétaires fonciers reste prédominant, les mandarins d'origine modeste ayant pour vocation de s'enrichir et de s'intégrer à cette catégorie sociale.

L'Etat se réserve des monopoles commerciaux (sel, thé, alcools, parfums), mais le commerce privé se développe et, à Canton, un quartier est réservé aux commerçants étrangers. L'utilisation du papier-monnaie est introduite.

Du Champa (actuel Vietnam central), la Chine introduit des

variétés de riz précoce permettant deux récoltes par an ; la pratique du repiquage du riz et de l'irrigation se généralise, permettant le doublement des rendements.

La population, que les recensements impériaux permettent d'évaluer, passe de 20 à 30 millions en − 221 (date de la création de l'Empire par Shi Huangdi) à 65 millions en l'an 2 (date du premier recensement impérial) et à environ 100 millions (un tiers de la population mondiale de l'époque) sous les Song.

Mais les attaques de nomades venus du Nord, Khitan, puis Jürchen (Toungouses), affaiblissent la Chine. Ils exigent et obtiennent de lourds tributs (en 1004, la Chine doit payer aux Khitan 3 600 kilos d'argent et 200 000 pièces de soie), puis conquièrent la Chine du Nord. En 1126, les Jürchen prennent la capitale du Nord. La dynastie des Song poursuit son existence dans le Sud de 1127 à 1279.

Les Yuan

La conquête de la Chine par les Mongols (voir pp. 213-214) aboutit à la prise du pouvoir par Kubilay Khan et à l'avènement de la dynastie des Yuan (1279-1368).

Sous cette dynastie, la Chine connaît une période difficile du fait du pillage par les Mongols : la noblesse mongole se partage les terres, les chevaux sont réquisitionnés par la noblesse et l'armée ; le chiffre de la population retombe au-dessous de 65 millions d'habitants. L'abus du papier-monnaie par le pouvoir impérial aboutit à l'inflation et oblige, en 1287, à un échange des billets avec dévaluation (1 billet remis, contre 5 anciens de la même valeur…).

Les Ming et le départ des Mongols

Après une période de troubles et d'insurrections paysannes, la nouvelle dynastie des Ming (1368-1644) prend le pouvoir avec Taïtsou, qui établit sa capitale à Nankin. Les Mongols sont chassés de Chine, l'Empire rétablit sa tutelle sur les régions frontalières.

LE JAPON

L a population de l'archipel japonais comporte trois composantes : les Aïnous (absorbés ou refoulés vers le nord), des pêcheurs-cueilleurs d'origine austronésienne (la population des îles plus méridionales : Taiwan, Indonésie), les fondateurs de la culture Jomon, qui, bien que non agriculteurs, pratiquent la céramique, enfin, des immigrants Yayoi venus du continent qui, du IIIe siècle avant notre ère au IIIe siècle après J.-C., introduisent à partir de la Corée la culture du riz, ainsi que l'usage du bronze et du fer.

D'abord à travers la Corée, puis, à partir du VIIe siècle, directement, des éléments de civilisation chinoise s'introduisent au Japon, où apparaissent des formations étatiques encore instables. Le confucianisme est introduit vers 400, le bouddhisme en 538. Des Chinois et des Japonais ayant séjourné en Chine introduisent l'écriture chinoise, qui sera peu à peu adaptée au japonais.

C'est au VIIIe siècle que prend forme l'Etat japonais, avec l'usage de l'écriture (rédaction de chroniques historiques, de codes législatifs inspirés de la législation chinoise des Tang).

Nous ignorons totalement à quelle date le clan qui deviendra la famille impériale, se réclamant de la descendance de la déesse du Soleil, Amaterasu, a commencé à exercer la souveraineté. La cour siège d'abord à Nara (710-784), puis, à partir de 784, à Kyoto.

Organisation économique

La paysannerie, qui constitue la masse de la population, bénéficie de lots de terre périodiquement redistribués : chaque lot devait permettre la subsistance d'un individu, mais il est soumis à la perception de taxes foncières (en riz) et d'un tribut en produits (tissus, papier, nattes), et à la prestation de corvées (pour la construction et l'entretien des réseaux d'irrigation, le transport des produits et du riz, les services de garde, etc.).

La tentative d'établissement d'un Etat bureaucratique à la chinoise va être très vite dévoyée par l'usurpation du contact direct avec les populations par les fonctionnaires, qui se transforment en aristocratie.

Organisation politique

A côté de l'empereur est mentionné dès le VIIIe siècle le *shogun* : c'était à l'origine le commandant en chef des armées, mais sa fonction était occasionnelle et temporaire. A partir du XIIe siècle, la fonction devient permanente et héréditaire. Le shogun devient une sorte de « maire du palais », détenant le pouvoir réel, tandis que l'empereur, réduit à des fonctions rituelles et d'apparat, est relégué dans son palais de Kyoto.

Vers le même temps, prend forme une société féodale, une de celles qui se rapprochent le plus de la féodalité médiévale d'Occident.

Les redevances féodales sont perçues principalement en riz (40 à 60 % de la récolte) et il s'y ajoute de nombreuses taxes.

L'empereur et sa cour vivent de ce qu'ils perçoivent sur leur domaine privé (très restreint). Il en est de même du shogun, mais celui-ci dispose d'un domaine représentant à peu près le quart du territoire.

Sous l'autorité du shogun, les *daïmio*, titulaires de grands fiefs, jouissent d'une indépendance de fait, ont leurs armées, battent monnaie, etc.

En bas de l'échelle féodale, les *samouraïs*, voués au métier des armes, avec un code de l'honneur spécifique, mais souvent misérables et portés au brigandage.

La masse de la population paysanne est durement exploitée, ne conservant que le tiers ou la moitié de sa récolte. Les artisans sont groupés en corporations. Mais, phénomène spécifique, qui n'a pas son équivalent en Chine, il se forme au Japon, au cours du Moyen Age, une classe de commerçants, transporteurs et banquiers, exerçant leur activité à l'échelle nationale.

LA CORÉE

L'histoire traditionnelle relate la fondation de l'Etat coréen par un ancêtre, Tangun, issu d'une ourse (probablement totémique) métamorphosée en femme, et fixe son origine à environ 3 000 ans avant J.-C.

L'ethnie coréenne est fortement homogène, et ses traditions témoignent d'une origine sibérienne : la maison paysanne, à demi enterrée pour se protéger du froid, est chauffée par un poêle dont les conduits passent sous le sol ; à l'inverse, les Japonais, avec des hivers presque aussi rudes qu'en Corée, du moins dans le Nord du Japon, utilisent un habitat dont la légèreté reflète les origines austronésiennes.

Entre le IIIe siècle avant notre ère et le Ve siècle après J.-C., les éléments de la civilisation chinoise vont se propager en Corée. C'est par l'intermédiaire de la Corée qu'ils passent au Japon.

L'Etat de Kokuryo, qui occupe le Nord de la Corée et une partie de la Chine du Nord-Est, est mentionné par les chroniques chinoises comme fondé vers 37 avant J.-C.

Au VIe siècle après J.-C., la Corée est occupée par trois royaumes, Kokuryo au nord-ouest, Silla à l'est, Paikche au sud-ouest. Les trois royaumes luttent pour l'hégémonie, en même temps qu'ils ont à se défendre contre des intrusions chinoises et japonaises.

Au VIIIe siècle, l'unification se réalise au bénéfice de Silla ; puis, au Xe siècle, l'Etat de Silla fait place à l'Etat de Koryo (d'où l'Occident a tiré le nom de « *Corée* »). Comme la Chine, l'Etat de Koryo aura à lutter contre les nomades, Khitan, Jürchen, puis Mongols. De 1231 à environ 1370, la Corée est envahie et dévastée par les Mongols, puis réduite à vassalité. Après l'effondrement de la domination mongole, la dynastie des Li arrive au pouvoir (1392). Elle entretient avec la Chine des Ming une relation de vassalité.

La Corée a subi l'influence du confucianisme et du bouddhisme ; elle adopte, venue de Chine, la xylographie, puis utilise des caractères métalliques mobiles, et, à partir de 1446, une écriture alphabétique, adaptée au coréen, à côté des caractères chinois.

LE VIETNAM

Le Vietnam, ou plus exactement sa partie septentrionale, additionnée d'une partie de la Chine du Sud, est, du IIe siècle avant J.-C. au Xe siècle après J.-C., incorporé à la Chine, ou soumis à tribut.

La civilisation chinoise y pénètre progressivement : le confucianisme, le bouddhisme, s'y répandent. L'écriture chinoise y est utilisée.

Cette domination chinoise est entrecoupée de révoltes et de périodes d'indépendance relative. Une identité nationale commence à émerger. L'histoire traditionnelle mentionne, parmi les résistants à la domination chinoise, les sœurs Trung (39-43) et Ly Bon qui permit au Vietnam de rester indépendant pendant 60 ans, de 541 à 602.

Au début du Xe siècle, à la faveur de la chute des Tang en Chine, le Vietnam accède à l'indépendance. C'est de 1010 à 1527 que se mit en place un Etat inspiré du modèle chinois, sous les dynasties des Ly, des Trân, des Lê. Leurs rois (ou empereurs) eurent à subir les invasions mongoles (au XIIIe siècle) et chinoises (au XVe siècle) ; ils menèrent des luttes incessantes contre leur voisin du sud, le Champa, Etat hindouisé occupant le centre de l'actuel Vietnam.

Toute la partie nord du Champa sera annexée à la fin du XVe siècle et progressivement colonisée.

L'INDE

L'empire Gupta (IVe-VIe siècles) s'émiette au VIe siècle en une poussière de principautés parmi lesquelles celle de Harsa

(606-647) restaurera pendant quelques décennies une certaine unité de l'Inde du Nord.

Aux VIIe et VIIIe siècles, le bouddhisme recule ou s'abâtardit face à une résurgence de l'hindouisme. L'Inde du Sud diffusera la civilisation hindoue et l'hindouisme au-delà des mers, grâce à des marchands et aventuriers : des Etats de civilisation hindoue se créent dans le Sud de l'actuel Vietnam — le Champa —, et dans le centre et l'Ouest de l'Indochine (Etats Khmer et Môn), ainsi qu'en Indonésie.

La conquête arabe avait atteint en 712 le Sind. L'Islam va pénétrer en Inde à partir du Xe siècle, pacifiquement, par l'intermédiaire des marchands arabes qui fréquentent les ports du Dekkan, mais aussi militairement, par le nord, par des invasions de nomades guerriers, Turcs notamment, qui dévastent le pays mais finissent par s'y installer (premier royaume de Delhi, créé au début du XIIIe siècle). Le sultan de Delhi résiste aux invasions mongoles de Gengis Khan, et lorsque le danger mongol s'estompe, il réussit à imposer sa domination, non seulement à l'Inde du Nord, mais au Dekkan.

Tombé en décadence au XIVe siècle, le sultanat ne pourra pas résister à Tamerlan qui, en 1398, fait un raid sur Delhi, qu'il met à sac.

Le sultanat de Delhi impose à l'Inde une domination musulmane qui soulève l'hostilité de l'aristocratie hindouiste, mais pas de véritable résistance populaire.

Aux XIVe et XVe siècles, le Dekkan s'émancipe et tombe sous la tutelle de l'Empire de Vijayanagar, qui se réclame de l'hindouisme, mais se montre tolérant à l'égard des marchands musulmans qui fréquentent ses ports.

Essor économique

A la fin du XVe siècle, l'Inde est un pays riche et en développement. Les sultans de Delhi ont développé l'irrigation par l'utilisation de la noria (roue à godets, mue à bras d'homme ou par la force animale, permettant l'élévation de l'eau) et la pratique de deux récoltes par an sur la même terre. Dans le royaume de

Vijayanagar, un réseau de « *tanks* » (réservoirs) et de systèmes d'irrigation est construit par les temples, qui utilisent à cette fin les donations pieuses qu'ils reçoivent, en en tirant une rente sous forme d'un prélèvement sur les récoltes.

La circulation monétaire se développe ; l'Inde exporte des pierres précieuses et importe de l'argent du Sud-Est asiatique, de l'or d'Afrique. Elle exporte des tissus et des armes. Le commerce, et principalement le commerce maritime, est aux mains de marchands musulmans. C'est à eux, et aussi à des gens de caste inférieure, que les Etats et souverains de l'Inde abandonnent le commerce.

Chez les hindouistes orthodoxes, en effet, la mer est frappée d'un interdit : pour les Brahmanes, aller en mer, monter sur un bateau, expose à une souillure indélébile.

Ainsi, dans les ports du Dekkan, le commerce maritime est entre les mains d'associations familiales musulmanes, qui peuvent entreprendre des guerres sur mer, conquérir outre-mer des comptoirs ou y lever tribut, mais n'exercent en Inde aucun pouvoir, restant soumises aux souverains locaux auxquels elles paient tribut… Il n'y a pas, comme en Occident, émergence de républiques marchandes.

Bilan du Moyen Age

L'image d'un Moyen Age uniformément régressif et arriéré est, nous l'avons vu, fausse.

Dès le XIe siècle, et même avant pour certaines évolutions techniques, des progrès ont été accomplis dans divers domaines.

Les deux derniers siècles, et surtout le dernier, le XVe siècle, virent se réaliser de grands progrès, de grandes transformations.

La Renaissance ne fut pas, comme l'ont cru les hommes de cette époque, un brusque passage de l'obscurité à la lumière, mais l'aboutissement d'une longue évolution.

LES PROGRÈS TECHNIQUES

Le Xe et le XIe siècle avaient enregistré la diffusion des formes modernes d'attelage des chevaux, la ferrure des chevaux, permettant de grands progrès dans les transports, l'amélioration lente de l'outillage agricole, la diffusion du moulin à eau et l'aménagement des cours d'eau.

Le gouvernail d'étambot

Dans l'art de la navigation, le XIIIe siècle voit apparaître le gouvernail d'étambot : uni au navire par une charnière, guidé par la « barre » tenue par le pilote, il permet de manœuvrer les navires avec sécurité et précision, ce que ne permettaient pas les deux rames disposées à l'arrière de l'ancienne navigation. Le gouvernail était déjà utilisé par les Chinois, mais seulement dans la navigation fluviale.

La poudre à canon

Le XIVe siècle voit apparaître les armes à feu. La poudre à canon, mélange détonant de charbon, de soufre et de salpêtre, était connue des Chinois ; ils ne l'utilisèrent qu'à des projectiles incendiaires — à la manière du « feu grégeois » utilisé dès le VIIe siècle par les Byzantins.

C'est seulement au début du XIVe siècle que la poudre va être utilisée pour projeter, par un tube métallique, un boulet de pierre. La *« bombarde »* fait son apparition à Crécy (1346). Au début, ces engins font peur plus qu'ils ne sont efficaces ; leur sûreté de tir est moindre que celle des trébuchets hérités de l'Antiquité. Leur portée est limitée et ils explosent souvent à la figure de leurs utilisateurs.

Au XVe siècle, des progrès décisifs sont réalisés : le boulet de pierre est remplacé par le boulet de métal, plus efficace, et qui permet de réduire le calibre des canons, désormais coulés en bronze, plus légers, montés sur des affûts munis de roues, permettant de les déplacer.

Les châteaux forts médiévaux, jusque-là souvent imprenables, ne peuvent résister à l'artillerie. Seuls les souverains d'une certaine importance peuvent disposer d'une artillerie, ce qui met fin à l'autonomie des petits châtelains. L'existence de l'artillerie va contribuer à réduire l'émiettement féodal.

La boussole

L'aiguille aimantée est aussi une invention chinoise, transmise par les Arabes. Elle était d'un usage peu commode (l'aiguille était montée sur un fétu de paille, mis à flotter dans une bassine d'eau). Les Italiens du XIVe siècle eurent l'idée de monter l'aiguille sur pivot dans une petite boîte, en italien *« bossola »*. C'est la boussole, donnant la direction du nord, et qui permet aux navigateurs de s'orienter même par temps couvert (auparavant, on avait recours à l'observation des étoiles).

Le papier

Le papier, produit à l'origine à partir de chiffons, est aussi une invention chinoise, qui remonte au IIe siècle, et dont la formule demeura secrète jusqu'au VIIIe siècle, époque à laquelle elle fut transmise en Asie centrale puis, au-delà, aux Arabes.

Le papier se répandit en Europe à partir du XIIe siècle. Les Anciens avaient utilisé le papyrus (d'où est venu le mot « *papier* »), feuille d'une plante poussant dans les marais du Nil. La conquête arabe, en coupant les contacts avec l'Orient, en avait fait disparaître l'usage en Occident au profit du parchemin (« *pergamentum* », dont le nom vient de Pergame, ville de l'Asie Mineure hellénistique, d'où le procédé fut diffusé dans l'Antiquité). Il s'agit de peau de veau *(vélin)* ou d'âne, préparée pour servir de support à l'écriture.

Le papier fournit à l'écriture un support moins solide (on continuera longtemps à utiliser le parchemin pour les actes officiels importants) mais beaucoup moins coûteux. L'usage, qui se répand à la fin du Moyen Age, du linge de corps (la chemise) et des draps de lit alimente en chiffons de chanvre ou de lin les « moulins à papier » qui broient les chiffons dans l'eau et produisent la pâte à papier.

L'imprimerie

Le papier deviendra le support indispensable de l'imprimerie. Les Chinois avaient très anciennement imprimé des livres avec des planches de bois gravé. L'impression par caractères métalliques mobiles fut inventée par les Coréens en 1403, mais ne se diffusa pas. Le procédé fut redécouvert par Gutenberg, à Strasbourg, vers 1440. Le premier livre fut imprimé par lui à Mayence en 1447. Ses caractères étaient faits d'un alliage de plomb et d'antimoine, facile à fondre, mais résistant — le plomb seul s'écrase sous la pression.

La substitution de l'imprimé au manuscrit (rare, coûteux, et demandant un long travail de copiste) va s'accompagner de la généralisation du livre sous sa forme actuelle (déjà utilisée par les ouvrages liturgiques), et de la disparition du rouleau (« *volumen* » en latin, dont nous avons tiré le mot « *volume* »).

L'imprimerie va permettre, par rapport au manuscrit, une dif-

228

fusion incomparablement plus considérable de l'écrit, et par là favoriser la diffusion des connaissances.

LE PROGRÈS DES CONNAISSANCES

Dans le haut Moyen Age, les connaissances, et même la simple pratique de la lecture et de l'écriture, s'étaient renfermées dans le milieu ecclésiastique. Dans les couvents, la copie de manuscrits était une des tâches imparties aux moines. C'est grâce à eux que la plupart des œuvres de l'Antiquité nous ont été transmises. Malheureusement, l'ignorance des moines y a introduit souvent des erreurs et des fautes, voire des adjonctions et des modifications. Les évêques avaient en général une école pour y former les scribes dont ils avaient besoin.

Les universités

A partir du XIIIe siècle se constituent des groupements de maîtres et d'élèves de statut ecclésiastique, les universités. L'Université de Paris reçoit son statut et ses privilèges du roi Philippe Auguste en 1200.

L'enseignement dit « scolastique » qui s'y donne repose d'abord sur les auteurs latins chrétiens de la fin de l'Empire ; la langue que l'on y utilise est le latin, un latin parfois abâtardi, mais qui permet de réunir des étudiants de langues maternelles différentes.

Les enseignements sont répartis, à l'Université de Paris, en quatre facultés : facultés de Théologie, de Droit canon (droit ecclésiastique ; on y introduira plus tard le droit romain), de Médecine, des Arts.

La faculté des Arts, comme nos lycées, donne la culture générale nécessaire à l'accès aux autres facultés. Les études y sont réparties en sept branches : trois branches littéraires constituent le « *trivium* » : grammaire, dialectique (art du raisonnement), rhétorique (art du discours). Quatre branches scientifiques forment le « *quadrivium* » : musique, arithmétique, géométrie, astronomie.

Pour faciliter les études se créent des collèges alimentés par des donations (comme les hôpitaux). Ce sont, non des établissements d'enseignement, mais des pensions où les étudiants sont nourris et logés (l'institution subsiste sous cette forme en Grande-Bretagne). Ainsi, le collège fondé à Paris sous le règne de Saint Louis par Robert de Sorbon, dont le nom finit par désigner l'université de Paris tout entière (la « *Sorbonne* »).

La redécouverte des Anciens

Au cours du XIIIe siècle, l'enseignement va s'enrichir par la redécouverte des anciens auteurs grecs, non dans les originaux (la connaissance du grec s'était perdue en Occident), mais à partir des traductions en arabe, qui seront retraduites en latin, notamment en Espagne où chrétiens et musulmans sont en contact. Aristote, l'auteur le plus encyclopédique de l'Antiquité, devient la référence majeure ; saint Thomas d'Aquin (1225-1274) s'efforcera de réaliser une synthèse entre l'enseignement d'Aristote et le dogme chrétien.

Naissance d'une littérature profane

Hors du milieu clérical se développe aussi la littérature en langue vulgaire : c'est d'abord la « *chanson de geste* », relation des hauts faits de grands personnages, long récit rythmé et chanté devant les nobles pour égayer leurs loisirs, et dont le prototype est la « *Chanson de Roland* » (2e moitié du XIe siècle). Puis, les genres vont se diversifier : poésie, histoire, théâtre (profane comme les « *fabliaux* » ; religieux comme les « *mystères* » qui empruntent leurs thèmes à l'histoire sainte).

En Italie, Dante Alighieri (1265-1321) compose la « *Divine Comédie* », long récit en vers qui contribuera à faire du dialecte toscan la matrice de l'italien moderne.

LES ARTS

L'art médiéval par excellence est l'architecture : peintres, sculpteurs ne sont que les auxiliaires de l'architecte. Cette architecture est avant tout religieuse, et se manifeste particulièrement dans les cathédrales, les églises épiscopales où se trouve la chaire — *« cathedra »* en latin — de l'évêque. La *basilique* des premiers temps chrétiens, édifice quadrangulaire terminé par une abside en demi-cercle où se trouve l'autel, tournée vers l'est (c'est-à-dire vers Jérusalem), fait place à l'*église au plan en croix* : la galerie initiale, la *nef* (elle a la forme d'un navire retourné), aux deux tiers de sa longueur, est coupée par une galerie transversale, le *transept*, ce qui donne au plan de l'édifice la forme d'une croix.

L'art roman

Jusqu'à la fin du Xe siècle, la plupart des églises étaient couvertes de charpentes en bois — souvent brûlées lors des dernières invasions. A partir du XIe siècle, les églises reconstruites furent dotées d'une voûte en pierre, *voûte en plein cintre* (arrondie) caractéristique de l'art roman (XIe-XIIe siècles).

Ces voûtes de pierre exercent sur les murs une forte pression : pour empêcher qu'elles s'écroulent, ces murs furent renforcés à l'extérieur par des *contreforts* appuyant l'ensemble du mur. Pour ne pas réduire la résistance de ces murs, les ouvertures y furent réduites au minimum. Les églises romanes sont, de ce fait, peu éclairées.

L'art gothique

Au cours du XIIe siècle, on imagina de construire la voûte avec deux arceaux croisés appuyés sur quatre piliers, qui supportent désormais toute la poussée, et sont seuls dotés de contreforts, non plus accolés aux murs, mais plus ou moins distants et appuyant les piliers par des arcs-boutants.

Les arceaux forment un arc brisé que l'on appelle *ogive* ; l'art

231

correspondant (XIIᵉ-XVᵉ siècles) est appelé art *ogival* ou, improprement, art gothique.

Les murs dégagés de leur fonction de soutien de la voûte peuvent être percés de larges ouvertures, garnies de vitraux. Les vitraux constituent un élément de la décoration, comme les sculptures et les peintures qui garnissent les murs.

A partir de la fin du XIVᵉ siècle et au XVᵉ siècle, l'art gothique se transforme : ornementation raffinée, surchargée même, avec de véritables dentelles de pierre, et une prédilection pour des tracés ondoyants qui feront donner à ce gothique terminal le nom de *gothique flamboyant*.

Sculpture et peinture

Les progrès de la figuration se manifestent dès le XIIᵉ siècle dans les sculptures (ornant les cathédrales) puis, à partir du XVᵉ siècle, dans la peinture : peintres flamands, peintres italiens du « *quattrocento* » (le XVᵉ siècle). Aux thèmes religieux jusquelà exclusifs (épisodes de l'Evangile ou de la vie des saints) s'ajoutent des thèmes profanes (portraits, natures mortes) répondant à la demande des grands seigneurs et des riches bourgeois.

Les peintres italiens du quattrocento s'efforcent de perfectionner le réalisme de l'expression en respectant mieux les proportions, en donnant l'impression du relief et de la profondeur par l'usage de la perspective.

LES CHANGEMENTS ÉCONOMIQUES ET SOCIAUX

Les croisades ont rétabli les relations avec l'Orient et donné une impulsion considérable au commerce. Par l'intermédiaire des Arabes, puis des Turcs, l'Occident importe désormais les épices venues de l'Inde et de l'Indonésie, le sucre, les tissus de luxe, la soie, etc.

En Flandre, en Italie, le commerce donne son impulsion à l'artisanat, notamment à l'artisanat textile ; la production se développe sous le contrôle des marchands, qui font travailler fileuses et tisserands à domicile, leur fournissant la matière première et leur achetant ensuite le produit fabriqué.

Le développement du commerce

Le commerce se développe sur des itinéraires conduisant de l'Italie à la Flandre ou aux ports de l'Allemagne du Nord, où les « villes libres » maritimes ont formé une association, la Hanse, qui contrôle le commerce dans la mer du Nord et dans la mer Baltique. Ce sont les foires de Champagne et de Brie au XIIIe siècle, de Lyon et de l'Allemagne du Sud après la guerre de Cent Ans.

Nous avons vu en Italie le rôle des républiques urbaines et marchandes : Venise, Pise, Gênes, Florence. A Florence, au XVe siècle, une famille de banquiers, les Médicis, s'empare du pouvoir.

Le rôle de l'argent s'accroît et avec lui celui des techniques bancaires (prêts, lettres de change). Mais le métier des banquiers est périlleux : il attire la convoitise des souverains qui se servent de prétextes divers pour les dépouiller. Nous en avons vu l'exemple avec le comportement de Philippe le Bel vis-à-vis des Juifs, des Lombards et des Templiers, ou celui de Charles VII à l'égard de Jacques Cœur.

L'intérêt pour l'Orient, né des croisades, ne se dément pas : quête de richesses, mais aussi préoccupations politiques et religieuses. Dans la mesure où les Mongols ont attaqué Arabes et Turcs, ne pourrait-on pas songer à une alliance avec eux pour prendre le monde musulman à revers, alliance assortie (pourquoi pas ?) d'une conversion de ces alliés au christianisme ? Cet espoir sera déçu, car les Mongols, comme les Turcs, se convertiront à l'islam là où ils étaient entrés en contact avec lui.

C'est cette préoccupation qui explique, à la fin du XIIIe siècle, le voyage du Vénitien Marco Polo, chargé d'une mission du pape, qui, à travers l'Asie centrale, par la « *route de la soie* », gagnera la Chine alors sous domination mongole et y séjournera dix-sept ans, écrivant à son retour son témoignage dans le *Livre des merveilles*.

On pense aussi à trouver un allié dans le souverain chrétien dont on connaît l'existence en Ethiopie et qu'on appelle le « Prêtre Jean ».

L'idée mûrit de trouver à l'Inde et à la Chine un accès indépendant du contrôle des Arabes et des Turcs, intermédiaires obligés et adversaires du point de vue religieux.

LES TEMPS MODERNES

Les grandes découvertes maritimes

LES PROGRÈS TECHNIQUES DE LA NAVIGATION

Les Anciens — Grecs, Carthaginois, Romains — n'avaient, selon toute vraisemblance, jamais exploré la côte ouest-africaine au-delà du cap Noun (Sud du Maroc) et des îles Canaries (les *« îles Fortunées »*). En tout cas, nous n'en avons aucun témoignage certain.

Les Arabes ne firent pas mieux : ils ignorèrent même les îles Canaries.

A cette ignorance, il y a une raison majeure : la côte saharienne de l'Atlantique est constamment battue par les alizés, vents de nord-est d'une vigueur extrême. Or, la voilure en usage avant le XVe siècle ne permettait pas de naviguer contre le vent, donc, si l'on s'aventurait sur cette côte, de revenir en arrière. Quelques témoignages rappellent des navigateurs ayant dépassé le cap Noun : ils n'ont plus jamais donné de leurs nouvelles, tels les frères Vivaldi, marins génois, dont les deux galères doublèrent le cap Noun en 1291. Quelques-uns, parvenus dans le Sud de la Mauritanie, revinrent, mais par la voie terrestre.

Cependant, tout au long du Moyen Age, les techniques de la navigation (sûreté de conduite, capacité de transport, vitesse) se sont perfectionnées. Nous en avons déjà mentionné quelques éléments : utilisation du gouvernail d'étambot, qui apparaît au XIIIe siècle ; usage de la boussole (XIVe siècle).

La cartographie progresse, utilisant l'héritage des Anciens (la carte de Ptolémée) retransmis et complété par les Arabes. Les Juifs de Majorque, intégrés dans le monde musulman et restés en rapport avec leurs coreligionnaires d'Afrique du Nord, produisent les premiers *« portulans »*, cartes marines de la Méditerranée.

Outre la boussole, l'usage d'instruments (astrolabes, quadrants) permet de mesurer avec plus de précision la hauteur du Soleil à midi (de *« faire le point »*), donc de mesurer la latitude.

Le changement qui va jouer un rôle décisif, c'est le perfectionnement de la voilure : au lieu d'utiliser seulement la voile carrée antique, on va utiliser la voile triangulaire latine, connue dès le IIe siècle en Méditerranée, mais peu utilisée : avec le gouvernail d'étambot, elle permet de naviguer contre le vent, en tirant des bords, c'est-à-dire en zigzaguant. Cette conjonction va permettre de rendre accessibles à la navigation à peu près tous les itinéraires, et notamment d'explorer la côte ouest-africaine, en « remontant » les alizés au retour.

A tout cela, il faut ajouter les progrès dans la construction des navires. Au XVe siècle, l'instrument des découvertes sera la caravelle : c'est un navire dont le tonnage va de 20 à 200 t, qui apparaît vers 1430 au Portugal et se répand sur toute la côte atlantique jusqu'à la mer du Nord et la Baltique. La caravelle est dotée d'une double voilure, voile latine qui permet d'orienter le navire et éventuellement de naviguer contre le vent ; voile carrée qui permet, quand c'est possible, de capter le vent arrière.

LES CIRCONSTANCES ET LES MOBILES

Les progrès techniques ne suffisent pas à expliquer les découvertes : encore fallait-il qu'il y ait une incitation dans ce sens. Un premier élément, qui date des croisades, est la reconquête partielle de l'espace méditerranéen par les marines chrétiennes.

L'idée d'atteindre les Indes, et d'accéder à leurs produits prestigieux, sans passer par l'intermédiaire coûteux des musulmans, était ancienne. C'était, dès la fin du XIIIe siècle, l'objectif des frères Vivaldi, déjà cités.

L'idée de la sphéricité de la Terre acquise par les Anciens avait été retrouvée, ainsi que les mesures qui en avaient été faites : elle donne tablature au projet d'atteindre les Indes à travers l'océan par l'ouest.

Plus immédiatement, l'exploration de la côte d'Afrique avait pour objectif la recherche de l'or. On savait que c'était du Soudan que provenait, pour l'essentiel, l'or monnayé dans le monde arabe. Les routes caravanières étant contrôlées par les musulmans, on pensait pouvoir les « court-circuiter » par la voie maritime.

On ne peut, enfin, négliger les motivations religieuses, déjà indiquées dans un chapitre précédent : la recherche de contacts possibles avec d'éventuels alliés pour prendre à revers les musulmans.

LA ROUTE DE L'EST

L'exploration de la côte atlantique au sud du Maroc conduit, vers 1336, à la redécouverte de l'archipel des Canaries (connu des Anciens) par le Génois Lanzarote Malocello (qui laissera son nom à l'une des îles) ; celles-ci figurent sur les portulans du XIVe siècle, ainsi que Madère et l'archipel des Açores, qui ne seront occupés qu'au XVe siècle. Les Canaries, peuplées par les Guanches, une population berbère non touchée par l'islamisation, seront occupées définitivement, pour le compte du roi de Castille, par le Normand Jean de Béthencourt entre 1402 et 1405.

Les Portugais

Ce sont désormais les Portugais qui vont prendre la relève. La « *Reconquista* » achevée avec la conquête de l'Algarve (1250) les incite à poursuivre la lutte pour s'implanter en Afrique du Nord. Elle commence par la conquête de Ceuta (1415) et se termine en 1578 par la défaite et la mort du roi Sébastien, intervenu pour imposer au Maroc un prétendant au trône de son choix.

Dans l'intervalle, cette implantation temporaire au Maroc, qui a laissé des traces dans la toponymie (avant son arabisation actuelle) — Mogador, Agadir —, sert de point de départ à l'exploration du littoral situé plus au sud. Le cap Blanc est atteint en

1441, le cap Vert en 1444, le Sénégal et la Gambie sont atteints dans les années 1450, la baie de Sierra Leone en 1460.

Des expéditions systématiques sont organisées sous l'égide de l'infant de Portugal Henri, dit le Navigateur (bien qu'il n'ait, semble-t-il, jamais navigué lui-même). Il organise les expéditions annuelles, recueille les renseignements.

En 1470-1471 est atteinte la Côte-de-l'Or (le Ghana actuel) où l'on trouve enfin, apporté par des commerçants autochtones, le précieux métal, sous forme de poudre d'or. En 1482, les Portugais y édifient le fort de Saint-Georges *« -de-la-mine »* (Elmina) — bien qu'il n'y ait là aucune mine, seulement une place de commerce.

La même année 1482, l'embouchure du Congo est atteinte. En 1487, Bartolomeu Dias double pour la première fois l'extrémité sud du continent, le *« cap des Tempêtes »*, que l'on baptisera, pour conjurer le mauvais sort, *« cap de Bonne-Espérance »*.

A partir de là, la route de l'Inde par l'est est ouverte : mais dix années s'écouleront encore avant le voyage décisif, celui de Vasco de Gama, qui le mènera jusqu'à Malindi, sur la côte d'Afrique orientale, puis de là, en droiture, grâce à la mousson, vers Calicut, dans le Sud de l'Inde (1497-1498). Il est de retour à Lisbonne en 1499.

Pourquoi ce long délai ? Il est probable que ces dix années ont été employées par les Portugais à perfectionner leurs connaissances maritimes. Pour verrouiller leurs itinéraires, ils ont obtenu du pape, en 1454, une bulle interdisant toute navigation sur la côte d'Afrique sans autorisation du roi du Portugal. Pour éviter les trajets contre le vent, ils vont apprendre à se diriger vers le sud-ouest, en direction du Brésil, afin de contourner par l'ouest l'anticyclone de Sainte-Hélène, et de doubler ensuite le cap de Bonne-Espérance grâce au concours des grands vents d'ouest de ces latitudes. Il est possible que le Brésil ait été découvert par les Portugais au cours de ces années, avant la date officielle de 1500.

LA ROUTE DE L'OUEST

Elle devait être ouverte par Christophe Colomb. Ce dernier, fils d'un tisserand génois, s'était établi, comme beaucoup de ses compatriotes, au Portugal, où il fut commerçant et navigateur. Il avait fréquenté la côte d'Afrique et navigué jusqu'à Elmina.

Se fondant sur ses lectures, il conçut le projet d'atteindre les Indes par l'ouest, à travers l'Atlantique. D'après les calculs (erronés) auxquels il s'était livré, il n'y avait « *entre la fin de l'Orient et la fin de l'Occident* [...] *qu'une petite mer* ».

Les erreurs de Christophe Colomb résultaient des données des Anciens, et d'erreurs de calcul qu'il y avait ajoutées. Les Anciens avaient su calculer avec assez d'exactitude les latitudes (positions par rapport au pôle et à l'équateur). En revanche, les distances en longitude (d'ouest en est), faute de moyens appropriés, avaient été mal évaluées, et la dimension de l'Ancien Monde (le seul connu) d'ouest en est avait été considérablement surévaluée.

Christophe Colomb cherche d'abord à faire financer son projet par le roi du Portugal : mais celui-ci, qui sait acquise la voie par l'est, même si elle n'est pas encore ouverte, n'est pas intéressé.

Colomb va finalement obtenir l'appui d'Isabelle de Castille. Elle vient, avec son mari Ferdinand d'Aragon, d'achever la Reconquête par la prise de Grenade. Le soutien demandé par Colomb n'est pas obtenu sans peine, en raison de ses prétentions : il exige le titre d'amiral, la vice-royauté des terres découvertes, et 10 % de leurs revenus !

Le 3 août 1492, Christophe Colomb part de Palos, à l'embouchure du Guadalquivir, avec trois caravelles, la *Santa Maria*, la *Pinta* et la *Niña*. Hasard, ou trait de génie : il rejoint d'abord les Canaries. De là, l'alizé le conduira en 35 jours de navigation de l'autre côté de l'Atlantique, dans les îles Bahamas. Il croit avoir atteint l'Inde (d'où le nom d'*Indiens* attribué aux populations locales). Il meurt disgracié en 1506, sans savoir qu'il avait en réalité découvert un nouveau continent. C'est un autre navigateur, italien lui aussi, Amerigo Vespucci, qui donnera son nom (ou plutôt son prénom) au Nouveau Continent : l'Amérique.

De 1519 à 1522, le Portugais Magellan, passé au service du roi d'Espagne, avec ses compagnons, réalise le premier voyage circumterrestre : contournant l'Amérique par le sud (par le détroit auquel il donnera son nom), il traverse l'océan Pacifique, atteint l'archipel indonésien où il trouvera la mort ; ses compagnons reviendront de là en Espagne. La sphéricité de la Terre était démontrée.

L'EMPIRE PORTUGAIS

Le traité de Tordesillas (7 juin 1494) fixe la limite des domaines respectifs de l'Espagne (contrôlant la voie occidentale) et du Portugal (contrôlant la voie orientale). Elle est établie à 370 lieues à l'ouest des îles du Cap-Vert. La limite donne aux Portugais le promontoire brésilien, officiellement découvert par Cabral en1500, peut-être en fait déjà connu, ce qui expliquerait l'insistance des Portugais à fixer la limite à cette distance.

Profitant de leur supériorité en matière d'armement, les Portugais, en vingt ans, se rendent maîtres de l'océan Indien et des accès à l'Indonésie. Les sultanats maritimes arabes, incapables de faire front commun, sont réduits les uns après les autres. Dès son second voyage, Vasco de Gama s'est emparé de Kilwa, l'un des principaux ports arabes de la côte orientale d'Afrique ; après lui, Albuquerque, nommé vice-roi des Indes en 1509, s'empare de Goa, qui deviendra la capitale des établissements portugais en Inde, puis des ports de la côte de Malabar, de Ceylan, enfin de Malacca (1511). Il s'empare d'Ormuz, à l'entrée du golfe Persique, d'Aden et de Socotora à l'entrée de la mer Rouge. La voie arabe n'est pas seulement tournée, mais verrouillée. Pour peu de temps, car le commerce arabe n'est pas totalement éliminé et reprend après 1550. En 1520, une ambassade portugaise atteint l'Ethiopie. Si les Portugais ne trouvent pas auprès du négus (empereur) chrétien d'Ethiopie l'appui espéré pour une nouvelle croisade, ils contribueront du moins, en 1541-1542, à sauver cette chrétienté résiduelle d'un dernier assaut musulman.

Ainsi, les Portugais ont tourné, et même pour un temps interrompu, le rôle d'intermédiaire joué par le monde musulman entre l'Orient lointain et l'Occident ; ils s'en sont approprié, pour près d'un siècle, le monopole. Par une série de comptoirs fortifiés, ils contrôlent la route qui va jusqu'aux Moluques, en Indonésie — pays des épices —, et à Macao, comptoir établi en Chine. Le commerce est monopole royal. Mais Lisbonne n'est que l'entrepôt des produits venus d'Asie : la redistribution en Europe est faite par Anvers, puis par les Hollandais, intermédiaires et bientôt rivaux. Face à cette source de revenus, la côte africaine n'a plus désormais qu'un rôle accessoire, mais non négligeable comme fournisseur d'or et d'esclaves. Sur le continent américain, les Portugais se sont implantés au Brésil, où ils vont bientôt relayer l'exploitation du bois de teinture (*« brazil »* = bois de teinture couleur de braise) par les plantations sucrières.

L'EMPIRE ESPAGNOL

Des Antilles, atteintes les premières par les Espagnols, où ils n'avaient trouvé ni les épices, ni l'or espérés, ceux-ci vont se lancer à la conquête du continent, et principalement des deux empires majeurs qui s'y trouvent : l'Empire aztèque au Mexique, l'Empire inca au Pérou.

En 1519, Fernand Cortez, un petit noble espagnol, accompagné de 600 fantassins et de 16 cavaliers, avec 32 arquebuses et 10 canons, débarque au Mexique. La conquête est facilitée du fait que la domination aztèque, récente et fragile, était mal supportée par les peuples soumis. Mais surtout, n'ayant jamais vu d'hommes blancs, ni de chevaux, ni de canons, les Aztèques eux-mêmes prirent d'abord les conquérants pour des envoyés des dieux.

Cependant, la cupidité et la brutalité des Espagnols ne tarda pas à conduire à un soulèvement général : les Espagnols furent chassés de la capitale, Mexico, qui ne fut reprise qu'après de très durs combats (1521).

En 1532, deux aventuriers, Pizarro et Almagro, conquièrent dans des conditions analogues l'Empire inca. Puis ils se brouillent, Pizarro fait assassiner Almagro, dont le fils venge la mort en assassinant Pizarro. Il faudra rétablir l'ordre : une administration régulière espagnole est instituée en 1547.

Au cours du XVIe siècle, la domination espagnole va s'étendre sur la plus grande partie du continent, de la Californie et de la Floride au nord, au Rio de la Plata (l'Argentine) et au Chili au sud.

Les atrocités des conquérants sont souvent liées à leur recherche effrénée de l'or. Ils en trouveront peu, et les ressources de l'orpaillage seront épuisées avant 1550. Mais les Espagnols mettront bientôt en exploitation de très riches mines d'argent, tant au Mexique (baptisé « *Nouvelle-Espagne* ») qu'au Pérou (Pérou et Bolivie actuels).

Comme un vol de gerfauts

L'empire espagnol est un domaine royal : le commerce avec l'Amérique espagnole est un monopole royal, sous-traité à une compagnie de marchands privilégiée, la « *Casa de Contratacion* » de Séville. Il se fait par une flotte de galions, groupés pour des raisons de sécurité, partant chaque année de Séville, puis de Cadix, pour La Havane, escale dans l'île de Cuba, puis pour Vera Cruz (pour desservir le Mexique), vers l'isthme de Panama, où, après transbordement de l'autre côté de l'isthme, une flotte transporte les hommes et les produits jusqu'au port du Callao (pour desservir le Pérou), enfin vers Cartagena, en Colombie, pour desservir la Colombie (la « *Nouvelle-Grenade* ») et le Venezuela. Cette flotte apporte d'Espagne produits manufacturés et approvisionnements. Toute importation par d'autres intervenants est réputée contrebande (commerce « interlope »). En sens inverse, les galions exportent vers l'Espagne l'argent et quelques produits bruts locaux (cuirs, etc.). C'est à travers l'Amérique, la route de l'Est étant contrôlée par les Portugais, que l'Espagne communique avec sa seule possession asiatique, héritage du voyage de Magellan : les îles Philippines. Chaque année, à partir de 1565, un galion part d'Acapulco, sur la côte pacifique du Mexique, pour Manille : il y apporte de l'argent, et emporte au retour des produits de la Chine.

LES AUTRES POSSESSIONS EUROPÉENNES

Malgré le monopole royal et en dépit des moyens mis en œuvre par les Espagnols et les Portugais pour le défendre, d'autres puissances européennes vont les suivre et tenter de se faire une place sur les marchés nouveaux offerts aux convoitises européennes.

En Amérique du Nord, les pêcheurs à la recherche de la morue fréquentaient depuis longtemps les abords de Terre-Neuve. Les Vikings, depuis l'Islande et le Groenland, y avaient pris pied au XIe siècle, mais ces itinéraires avaient été abandonnés et oubliés. Jean Cabot, navigateur vénitien au service du roi d'Angleterre Henri VII, reconnaît le premier les côtes du Canada en 1497. Après lui, le navigateur florentin Verazzano, au service du roi de France François Ier, donne à la région le nom de *« Nouvelle-France »* (1524). Les trois voyages de Jacques Cartier (de 1534 à 1542), au service de la France, réalisent la première exploration détaillée du littoral. Ces régions, trop froides et de peu de ressources, ont été négligées par les Espagnols et les explorateurs cherchent surtout à trouver un problématique *« passage du Nord-Ouest »*, qui leur permettrait de pénétrer dans l'océan Pacifique.

Les Antilles, premiers points de débarquement des Espagnols, sont partiellement abandonnées par eux après l'extermination des autochtones, résultat d'une exploitation forcenée et des mauvais traitements infligés. Hollandais, Français, Anglais, vont s'y infiltrer ; il en sera de même en Guyane, aux confins des domaines espagnol et portugais (le Brésil).

Sur la côte d'Afrique et la route des Indes, le monopole portugais ne tardera pas à être battu en brèche par les Hollandais, bientôt suivis des Anglais et des Français.

Les transformations de la vie économique en Europe

L'AFFLUX DES MÉTAUX PRÉCIEUX

Une des conséquences de la conquête de l'Amérique fut l'afflux des métaux précieux en Europe. La quantité de métaux précieux circulant en Europe aurait été multipliée par douze de 1492 à 1580.

L'or raflé dans les trésors des Amérindiens ou recueilli par orpaillage fut bientôt épuisé. A partir de 1550, c'est l'argent extrait des mines du Mexique et du Pérou (Potosi, dans l'actuelle Bolivie) qui afflue. Le procédé d'amalgame au mercure utilisé pour l'extraction du métal, le bon marché de la main-d'œuvre (recrutée au titre du travail forcé) permettaient une production à la fois considérable et peu coûteuse. L'afflux d'argent va entraîner une dépréciation de l'argent par rapport à l'or : le rapport de valeur de l'or à l'argent (pour un même poids), qui était de 1 à 10, passe de 1 à 15.

Par un effet imprévu, cet afflux de métal précieux, loin d'enrichir l'Espagne, l'appauvrit. L'argent sert aux rois d'Espagne pour financer leur politique extérieure continentale et leur armée. Mais ils dépensent plus que leur revenu et font deux fois banqueroute, ruinant la première fois leurs banquiers allemands de Nuremberg et d'Augsbourg, la seconde fois leurs banquiers génois.

L'afflux d'argent et la perspective pour beaucoup d'Espagnols de faire fortune en Amérique entraîne l'abandon de la production. La consommation nationale et la fourniture des colonies sont dans une large mesure assurées par l'importation de marchandises d'autres pays d'Europe. L'argent qui sort d'Espagne ira, en grande partie, solder les achats du commerce européen en Asie, où les achats se soldent en argent. D'autre part, la même année

1492, qui fut celle de la conquête de Grenade et de la découverte de l'Amérique, fut aussi celle de l'expulsion des Juifs d'Espagne, qui devront se réfugier dans le monde musulman, en Afrique du Nord et dans l'Empire turc. L'expulsion des Juifs fut suivie de celle des musulmans, artisans et horticulteurs. Le commerce, l'artisanat, l'agriculture, en furent également frappés.

LA CROISSANCE DÉMOGRAPHIQUE ET LA HAUSSE DES PRIX

Dès le milieu du XVᵉ siècle, la croissance de la population reprend en Europe et elle est rapide de 1450 à 1550, pour s'atténuer ensuite après cette date. La conjoncture se retourne : la rareté des hommes avait entraîné au XVᵉ siècle la hausse des salaires ; dès 1550, l'excès de population a pour conséquence la détérioration des conditions de vie et stoppe l'essor vers 1600, débouchant sur une crise sociale (jacqueries, développement du banditisme). En Espagne, l'indice des salaires, pour un niveau 100 en 1571-1580, est passé de 127 en 1510 à 91 en 1600.

Dans le même temps, l'afflux de métal précieux, obtenu à faible coût et en quantité supérieure à l'augmentation de la production d'autres marchandises, aboutit à une dépréciation du métal, donc à une hausse des prix.

Cette hausse des prix touche durement les ouvriers salariés dont les revenus réels diminuent ; pour la noblesse, ceux de ses revenus qui avaient été fixés en argent (cens, etc.) s'effondrent ; à l'inverse, les revenus en nature (champarts, dîmes) se maintiennent. Dans le grand commerce et la banque, les effets furent contradictoires : élimination des uns et enrichissement des autres.

Dans l'ensemble, la noblesse et l'Etat, par les redevances exigées et la fiscalité, s'emploient à reporter l'essentiel de leurs charges sur les paysans dont les conditions de vie se détériorent. La consommation paysanne de viande et de vin disparaît au XVIᵉ siècle ; la nourriture de base est constituée de pain, de galettes ou de bouillies de céréales peu appétissantes (d'où une importante consommation de sel). Le pain, en France, est consommé principalement sous forme de « *soupe* », pain coupé en tranches (souvent très dur), arrosé d'un bouillon de légumes, parfois, mais rarement, agrémenté d'un peu de lard. Les troubles des guerres de Religion approfondiront encore la misère paysanne. La promesse (non tenue !) d'Henri IV de rendre possible à chaque famille paysanne de mettre chaque dimanche « *la poule au pot* » en est indirectement un indice. C'est, pour la majorité des paysans de ce temps, un idéal irréalisable.

LE DÉVELOPPEMENT DE LA MANUFACTURE

Le goût plus répandu du luxe dans les classes privilégiées, l'accroissement de la population, conduisent aux progrès des activités artisanales et manufacturières.

L'artisanat domine encore la production : il est le fait de petits entrepreneurs, à la fois artisans et commerçants, produisant en règle générale sur commande. Le maître artisan travaille dans son échoppe ou sa boutique, assisté de compagnons ou d'apprentis, qui vivent avec lui en famille.

Le régime des corporations, hérité du Moyen Age, s'il n'est pas aussi généralisé qu'on l'a cru autrefois, régit de nombreux métiers, suivant des règlements locaux propres à chaque ville. Les « *maîtres* » tendent à réserver à leurs enfants ou à leurs gendres l'accès à la maîtrise ; cette maîtrise devient de plus en plus difficile à atteindre pour le compagnon qui veut s'établir à son compte. Le candidat à la maîtrise doit payer des taxes, offrir un banquet aux autres maîtres, prouver sa maîtrise du métier par la production d'un « chef-d'œuvre » — jugé par un jury composé de maîtres, qui peut ainsi écarter ceux qu'il juge indésirables.

La Flandre et l'Italie avaient connu, dès le XIIIe siècle, le développement de la « *manufacture* », forme embryonnaire de l'industrie. Elle est dominée par de riches marchands-fabricants qui, notamment dans le textile, font travailler des ouvriers à domicile, à qui ils fournissent la matière première et dont ils achètent les produits. Ce procédé permet le recours à une main-d'œuvre rurale.

Dans certains cas, le travail s'effectue sous la responsabilité directe de l'entrepreneur, dans de grands ateliers ou *« fabriques »* (auxquels on réserve parfois l'appellation de *« manufactures »*).

Les salariés, les «valets», voient leurs conditions de vie se détériorer ; dans les villes, ils sont de plus en plus exclus des fonctions municipales, réservées aux riches marchands et aux maîtres des corporations.

LE GRAND COMMERCE ET LES BANQUES

Le transfert des grands axes du commerce de la Méditerranée vers l'Atlantique se fera lentement, et avec des retours en arrière. Avec la mainmise des Portugais sur la route des Indes, les navires vénitiens venus en 1504 chercher le poivre à Alexandrie devront revenir à vide… Mais l'affaiblissement de l'emprise portugaise après 1550 permettra au commerce du poivre par Alexandrie (et au commerce arabe) de se rétablir.

La fin du Moyen Age avait vu s'établir un grand axe de circulation et de commerce entre deux foyers majeurs : la Flandre et les Pays-Bas d'un côté, l'Italie de l'autre. Lyon bénéficie d'une position privilégiée sur cet axe, mais bien plus encore les villes de l'Allemagne du Sud, Augsbourg, Nuremberg.

Les grands négociants

C'est là que se réalisent les immenses fortunes de grands négociants, entrepreneurs et banquiers, tels que les Fugger et les Welser d'Augsbourg. Ils pratiquent le commerce des épices, celui des métaux (cuivre notamment), en exploitant les mines d'Allemagne centrale. Ils ont des agents en Flandre et en Italie. Ils se font banquiers, d'abord au service du pape, puis, après les découvertes, du roi d'Espagne.

En dépit de l'ouverture de l'Atlantique, le commerce méditerranéen demeure très actif. Les banquiers génois bénéficient de l'argent espagnol (qu'ils changent contre de l'or, pour la solde des troupes). Le port de Livourne, à partir de 1580, relaie celui de Pise envahi par les sables ; Florence continue à prospérer.

Dans le dernier quart du XVIe siècle, Anglais, Hollandais, accessoirement Français, viennent concurrencer le commerce italien dans les *« échelles du Levant »* (les ports de Turquie et des pays sous son contrôle). Ceci en dépit des risques encourus du fait de la piraterie (corsaires *« barbaresques »* d'Alger ou de Tunis).

Lisbonne n'est qu'un entrepôt des produits de l'Orient, de même que Cadix, après Séville, ne font que recevoir l'argent d'Amérique. Le centre de redistribution des produits orientaux et de change du métal précieux est Anvers, qui relève de l'autorité du roi d'Espagne. Anvers sera jusqu'en 1575 la principale place financière d'Europe. L'insurrection des Pays-Bas contre l'autorité espagnole va ruiner Anvers et accélérer le déplacement du centre des trafics vers Amsterdam. Les Hollandais, peuple maritime, avaient fait leur apprentissage de la mer comme pêcheurs. En 1580, la réunion de la couronne du Portugal à celle d'Espagne (pour un temps) fait des territoires portugais comme des territoires espagnols des terres ennemies (ils sont insurgés contre le roi d'Espagne) : les Hollandais iront alors chercher directement les épices en Asie et briseront le monopole portugais. Dans le même temps, ils deviennent les intermédiaires principaux du commerce de la mer du Nord et de la Baltique, allant y chercher fer et cuivre de Suède, bois, goudron, céréales, chanvre, de Pologne et de Russie.

LE RÔLE DES ÉTATS

Dans les découvertes et les conquêtes qui ont suivi, le rôle des États (ici les monarchies portugaise et espagnole) a été décisif. Ces États, en la personne de leurs souverains, en ont été les initiateurs et les premiers bénéficiaires. Le commerce avec leurs colonies est un monopole royal. Certes, ils sous-traitent ce commerce à des commerçants privés. C'est aussi à ces commerçants (et banquiers), nationaux ou étrangers, qu'ils s'adressent pour se procurer immédiatement les sommes dont ils ont besoin, ou pour changer leur argent en or (dans les armées espagnoles, c'est en or que l'on verse la solde des mercenaires).

Il y a donc une association de fait étroite, bien que parfois conflictuelle, entre les Etats et les capitalistes.

Pour faire face à leurs charges, les Etats perfectionnent leur fiscalité, qui pèse principalement sur les plus pauvres, et au premier chef sur les paysans. Mais les ressources immédiates de la fiscalité ne sont pas suffisantes ; les Etats empruntent, d'abord aux banquiers, puis directement au public : François Ier lance en 1522 le premier emprunt public d'Etat, en demandant aux bourgeois de Paris de lui prêter 200 000 livres, moyennant intérêt. Ce sont les premières *« rentes sur l'Hôtel de ville »*, garanties par le revenu de certains impôts municipaux… C'est l'origine de la dette publique, qui ne cessera de jouer un rôle croissant dans les finances des Etats.

Le mercantilisme

Pour que le souverain puisse disposer de l'argent dont il a besoin, notamment pour ses entreprises de politique extérieure et pour la guerre, l'idée se répand qu'il doit attirer dans ses Etats le maximum d'espèces monétaires, d'or ou d'argent. Il faut donc prendre des mesures pour faire entrer l'argent dans le royaume et pour l'empêcher d'en sortir.

La politique qui découle de ce principe a reçu le nom de *« mercantilisme »*. Elle sera illustrée en France, au XVIIe siècle, par Colbert.

L'Etat doit, pour parvenir à ses fins, développer l'agriculture, la manufacture, le commerce, la construction navale, afin d'avoir recours le moins possible aux importations, et aux services des intermédiaires étrangers. Le monopole du commerce des colonies va dans le même sens. A ces colonies, est appliqué jusqu'à la fin du XVIIIe siècle le régime dit de l'*« exclusif »* : le commerce avec les colonies, d'abord monopole royal, puis monopole de compagnies privilégiées, restera en tout état de cause monopole national, réservé aux nationaux, le commerce avec les étrangers étant réputé contrebande. Il sera interdit, dans les colonies d'Amérique, de produire des marchandises qui pourraient concurrencer celles de la métropole, afin de réserver à celle-ci le marché des colonies.

L'Europe au tournant des XVe et XVIe siècles

LES GUERRES D'ITALIE

Par sa richesse et l'éclat de sa civilisation, l'Italie du « *quattro-cento* » (= « *quatre cents* », les années 1400 et suivantes = le XVe siècle) attirait les convoitises étrangères.

Or si, en France, en Angleterre, dans la péninsule Ibérique, on avait assisté à la consolidation des Etats monarchiques centralisés, l'Italie, comme l'Allemagne, restait émiettée en une poussière d'Etats en perpétuel conflit.

On trouve en Italie d'abord quelques grandes républiques marchandes, cités-Etats : Venise, Gênes, Florence. Autres Etats : en Italie du Nord, le duché de Milan, dernier vestige de l'ancien royaume lombard ; en Italie centrale, les Etats du pape, qui s'étendent de la mer Adriatique (Emilie, Romagne), à la mer Tyrrhénienne (Latium). Les papes se comportent de plus en plus comme des princes guerriers aux ambitions politiques très vives, aux comportements et aux mœurs jurant avec leur condition d'hommes d'Eglise. Alexandre VI Borgia (1492-1503), d'une famille d'origine catalane, soutenu par le roi d'Aragon, vit ouvertement avec ses maîtresses, et s'emploie à constituer un domaine princier pour son fils César Borgia ; son successeur Jules II (1503-1513), combattant en cuirasse à la tête de ses troupes, rêvant de placer toute l'Italie sous son contrôle, est soldat plus que pontife. Dans le royaume des Deux-Siciles, s'opposent les ambitions rivales des rois d'Aragon et des rois de France. En plusieurs endroits, de petits chefs de bandes armées, des « *condottieri* », se sont constitué des principautés : ainsi Ludovic Sforza, à Milan, au détriment de la famille ducale des Visconti.

Les rois de France avaient hérité du « bon roi René », duc

d'Anjou et comte de Provence, les prétentions des ducs d'Anjou sur le royaume de Naples. Louis XI s'en était désintéressé. Son fils Charles VIII (1483-1498) et après lui Louis XII (1498-1515) qui descendait par sa mère des Visconti et prétendait à ce titre au duché de Milan, enfin François Ier (1515-1547), au nom de leurs « droits » sur Naples et sur Milan, se lancèrent dans des expéditions en Italie.

Ils allaient s'y heurter aux rois d'Aragon, maîtres de la Sicile et de la Sardaigne, et après eux aux Habsbourg, leurs héritiers, mais qui prétendaient aussi comme empereurs à la suzeraineté sur Milan, et enfin aux autres princes italiens, dont le pape, hostiles à toute domination étrangère.

Les Français à la conquête de l'Italie

Charles VIII, faible et chimérique, entreprit de conquérir Naples, pour partir de là vers une nouvelle croisade et rétablir l'Empire d'Orient. Pour acheter la neutralité de Maximilien de Habsbourg (héritier du domaine bourguignon) et celle de Ferdinand d'Aragon, il céda au premier l'Artois et la Franche-Comté, au second le Roussillon, provinces acquises par Louis XI. Il parvint à Naples au terme d'une grande chevauchée, pour être obligé trois mois plus tard de se replier, non sans mal, face à une coalition générale (1494-1495).

Charles VIII étant mort sans laisser d'héritier direct, le trône passa au duc d'Orléans, descendant d'un fils de Charles V, qui lui succéda sous le nom de Louis XII. Louis XII conquit le Milanais, plus s'entendit avec Ferdinand d'Aragon pour se partager le royaume de Naples. Mais bientôt les Français furent chassés de Naples, malgré les faits d'armes du chevalier Bayard. Puis, une nouvelle coalition fit perdre à Louis XII le Milanais.

Louis XII n'ayant, lui non plus, pas d'héritier direct, la couronne passa à son cousin le duc d'Angoulême, qui deviendra François Ier. Dès 1515, par la victoire de Marignan, il reprit Milan. Le pape Léon X (1513-1520) signa avec lui le Concordat de 1516, qui réglait les rapports du roi et du pape concernant l'Eglise de France ; les Suisses, qui avaient combattu les Français à Marignan, conclurent avec la France une paix perpétuelle, donnant le droit à la France de recruter des mercenaires dans les cantons suisses (1516).

Le conflit n'était pas clos : il allait rebondir avec l'accès à l'empire du nouveau roi d'Espagne Charles Ier, élu à la tête du Saint Empire sous le nom de Charles V (Charles Quint).

Au service de vaines ambitions, coûteuses et finalement sans résultat, les guerres d'Italie furent marquées par un changement des méthodes de combat : rôle croissant des armes à feu (où l'arquebuse, ancêtre du fusil, fait son apparition à côté du canon), déclin de la cavalerie au profit de l'infanterie. Elles eurent une autre conséquence indirecte : le contact avec la renaissance intellectuelle et artistique en Italie, et son introduction en France.

LA FRANCE FACE À CHARLES QUINT

La paix conclue en 1516 dura cinq ans à peine. Dès 1521, la guerre recommençait, mais l'Italie n'en était plus le seul théâtre.

En 1515 accédait au trône d'Espagne Charles Ier, héritier par sa mère Jeanne la Folle des couronnes de Castille et d'Aragon, mais aussi héritier par son père, Philippe le Beau, fils de Maximilien de Habsbourg et de Marie de Bourgogne, des domaines de la maison d'Autriche (en Autriche et en Alsace) et de la maison de Bourgogne (Pays-Bas, Flandre, Artois, Franche-Comté). De l'Aragon, il tenait la Sardaigne, la Sicile, et Naples. A ces possessions immenses s'ajoutait le tout récent empire colonial espagnol.

Elevé aux Pays-Bas, Charles ne parlait que le français et le flamand. Il se considérait avant tout comme l'héritier de Charles le Téméraire, attaché à la reconstitution du domaine bourguignon.

A toutes ces couronnes, il joignit en 1519 la couronne du Saint Empire. Celle-ci était élective, mais depuis le XIIIe siècle avait toujours été dévolue aux Habsbourg. François Ier avait lui aussi posé sa candidature à l'empire : Charles l'emporta grâce au concours financier du banquier Jacob Fugger d'Augsbourg. En 1526, son frère Ferdinand devient roi de Bohême et de Hongrie.

La France se trouvait menacée par cette aspiration à reconstituer le domaine bourguignon et littéralement encerclée par les possessions de la maison d'Autriche.

Cette rivalité, ce conflit entre la France et la maison d'Autriche, devait dominer la politique européenne pendant deux siècles, de 1519 à 1714.

François Ier

François Ier tenta de gagner l'appui du roi d'Angleterre Henri VIII en le recevant près de Calais au *« camp du Drap d'or »*, dont les tentes étaient tissées d'or : loin de le séduire, il suscita sa jalousie.

La guerre reprit en 1521. Ce fut l'invasion de la Provence, dirigée par le connétable de Bourbon, prince de la famille royale passé au service de Charles Quint. Elle fut repoussée (1523). Dans le même temps, les Français perdaient Milan après des combats où périt Bayard. Revenu en personne reprendre la situation en main, François Ier reprit Milan, mais fut ensuite battu et fait prisonnier à Pavie (1525). Il pouvait écrire à sa mère : *« Tout est perdu, fors* [sauf] *l'honneur. »*

Pour être libéré, François Ier dut renoncer au Milanais et aussi à la Bourgogne (1526). Considérant, une fois libéré, que cet engagement obtenu par la contrainte était sans valeur, il refusa de céder la Bourgogne. Charles Quint finit par abandonner cette revendication (1529). Du moins mit-il hors jeu le pape, allié de François Ier, en prenant la ville sainte (sac de Rome par les Impériaux : 1527). En 1529, Charles Quint réussit à repousser les Turcs qui avaient entrepris le siège de Vienne.

François Ier dut se tourner vers les seuls alliés possibles, au grand scandale des catholiques : les princes protestants allemands en lutte contre l'empereur, champion du catholicisme, et — bien pire encore — le sultan ottoman qui venait de reprendre, au début du siècle, le titre de khalife des croyants, chef spirituel de tous les musulmans.

L'alliance fut conclue en 1535 avec le sultan Soliman le Magnifique. Elle fut complétée en 1569, sous le règne de Charles IX, par un traité de commerce connu sous le nom de « *capitulations* », qui assurait aux commerçants français des privilèges dans l'Empire Turc (droit d'y commercer et d'y exercer leur religion ; droit d'être jugés par leurs consuls).

La guerre se poursuivit sous François Ier et sous son fils Henri II (1547-1559), avec des succès et des revers. En 1552, Henri II occupa les « *Trois-Evêchés* » — fiefs ecclésiastiques et villes de Metz, Toul et Verdun —, qui relevaient de l'Empire et que Charles Quint ne réussit pas à reprendre.

Fatigué, malade, Charles Quint, qui avait déjà laissé à son frère Ferdinand le soin de s'occuper de ses domaines allemands, abdiqua, lui laissant l'Autriche et l'Empire, tandis que son fils Philippe II recevait, avec l'Espagne et son empire, les Pays-Bas et les domaines italiens (1556). Il mourut en 1558. Cette même année, la France récupérait Calais, aux mains des Anglais depuis deux siècles.

Les adversaires épuisés conclurent la *paix de Cateau-Cambrésis* (1559). La France renonçait à toute prétention en Italie, évacuait la Savoie qu'elle avait occupée, mais gardait Calais et, *de facto*, les Trois-Evêchés. Henri II mourut peu après, la même année, tué accidentellement dans un tournoi.

LA FRANCE DE FRANÇOIS Ier ET HENRI II
(1515-1559)

Cette première moitié du siècle est marquée en France par les progrès de l'absolutisme royal. Les grands féodaux avaient été éliminés ; le mariage de la duchesse Anne de Bretagne, dernière héritière du duché, avec Charles VIII d'abord, puis avec son successeur Louis XII, avait réalisé l'union personnelle du duché de Bretagne avec le royaume de France. Le seul grand féodal qui subsiste, le duc de Bourbon, a vu ses fiefs confisqués pour félonie (il s'est mis au service de Charles Quint).

Au demeurant, les progrès de l'artillerie, l'existence d'une armée royale permanente, limitent les possibilités, pour la féodalité, de revenir aux guerres privées d'antan. Atteints par la hausse des prix qui réduit le pouvoir d'achat de leurs revenus fixes, les « grands » n'ont d'autre ressource, pour *« soutenir leur naissance »* et mener la vie de luxe qu'ils considèrent comme une obligation de leur rang, que de solliciter des pensions du roi, et, pour cela, de vivre à « sa » cour, auprès de lui et dans sa dépendance. Le clergé est également soumis : le Concordat de 1516 a reconnu au roi le droit de nommer évêques, archevêques et abbés, le pape se bornant à leur donner l'investiture canonique.

La bourgeoisie est acquise à des rois qui maintiennent l'ordre nécessaire à ses entreprises. Elle prête de l'argent au roi, non sans risque en cas de banqueroute royale (ce sera le cas sous Henri II).

La *« cour »* joue désormais un rôle capital : c'est d'abord la *« maison du roi »*, l'ensemble de ses serviteurs privés, dont les services sont dirigés par des dignitaires nobles pensionnés. Le roi appelle à sa cour les personnes qu'il veut distinguer, représentants des grandes familles aristocratiques, princes du sang, mais aussi écrivains et artistes.

L'organisation politique

A la différence des premiers Capétiens fixés à Paris, les rois de cette époque n'ont pas de résidence fixe : la cour mène une vie nomade, allant de château en château, avec une préférence pour les châteaux de la Loire, que les souverains font construire ou agrandir — Amboise, Blois, Chambord —, mais aussi Fontainebleau et Saint-Germain-en-Laye.

La toute-puissance du roi s'exprime dans la formule qui termine ses actes : *« Car tel est notre bon plaisir »*. Les états généraux ne sont plus réunis pour consentir l'impôt.

Le roi réunit autour de lui, pour prendre les décisions les plus importantes, un *« Conseil des affaires »* où il convoque des familiers et des gens de confiance. Il s'y ajoute un *« Conseil des finances »*, et un *« Conseil des parties »* qui joue le rôle de tribunal suprême.

A côté du *chancelier*, garde des sceaux royaux, qui dirige la justice, Henri II institue quatre *secrétaires d'Etat* chargés chacun des affaires financières dans une partie du royaume.

Les *Parlements* étaient, sous l'autorité royale, les instances supérieures de la justice : à côté du Parlement de Paris, il y en a désormais, à la mort d'Henri II, sept en province : à Toulouse, Grenoble, Bordeaux, Aix-en-Provence, Dijon, Rouen, Rennes.

Les Parlements étaient chargés d'enregistrer les édits royaux et avaient à cette occasion « droit de remontrance » : c'était à l'origine un avis technique (sur les inconvénients du texte proposé, ou ses contradictions avec la législation existante, analogue aux avis que donne aujourd'hui le Conseil d'Etat sur les projets de loi gouvernementaux). La tentation était grande d'en faire un instrument d'opposition politique. Les tentatives en ce sens se heurtèrent à une rapide mise au pas.

Un progrès dans la législation

Le règne de François Ier fut marqué par un grand progrès dans la législation : la France du Midi était régie par le droit romain, la France du Nord par des « coutumes », variant suivant les provinces. Le « droit coutumier » fut révisé, et mis par écrit.

L'*ordonnance de Villers-Cotterêts* (1539) introduisit l'usage du français, à la place du latin, dans les actes judiciaires. Elle créa l'état civil, en imposant aux curés d'enregistrer, sur des registres paroissiaux, naissances, mariages et décès.

Les fonctionnaires royaux (qu'on appelait « *officiers royaux* » = détenteurs d'un « office », une fonction publique), à l'origine nommés à titre temporaire, avaient progressivement rendu leurs offices viagers, puis héréditaires, les considérant comme une propriété qu'ils pouvaient vendre.

Henri II reconnut, sous certaines conditions, l'hérédité et la vénalité des offices. Ces offices étaient rentables, dans la mesure où, en plus de leur rémunération, ils comportaient des avantages honorifiques, des exemptions d'impôts, voire l'anoblissement. La tentation était grande, pour un Trésor royal toujours en détresse, de se procurer de l'argent en créant et en vendant des offices, éventuellement inutiles. Les acheteurs potentiels étaient nombreux parmi les bourgeois aisés qui y voyaient une voie vers l'intégration à la noblesse. Henri II n'hésita pas à doubler le nombre des juges au Parlement, en décidant qu'ils ne siégeraient chacun que six mois par an. L'Etat, par ce procédé, obtenait de l'argent facile, mais se privait pour l'avenir de revenus en augmentant le nombre des privilégiés. Le procédé faisait d'autre part bon marché de la compétence et de l'honnêteté des officiers royaux. Le mal devait durer autant que l'Ancien Régime.

L'EUROPE SEPTENTRIONALE ET ORIENTALE

La Scandinavie

En Scandinavie, la terre d'origine des Vikings, Suède, Norvège et Danemark, tout en conservant leur autonomie, furent réunis sous un même souverain à partir de 1376 (Union de Kalmar, consacrée en 1397), le roi commun résidant le plus souvent au Danemark. Au XVe siècle, la succession en ligne féminine fit passer la couronne aux mains de princes allemands, en dernier lieu Christian Ier d'Oldenbourg, dont la dynastie devait régner jusqu'en 1863. Mais son petit-fils Christian II (1513-1523) s'aliéna par ses brutalités les Suédois : la Suède reprit son indépendance et devait la conserver. En revanche, la Norvège demeura rattachée au Danemark (jusqu'en 1814), ainsi que les îles Féroé, l'Islande et le Groenland. Pour ce dernier territoire, colonisé par les Islandais à partir de sa découverte en 982 par Eric le Rouge, les contacts furent interrompus à la fin du XVe siècle et la population d'origine européenne y disparut pour des raisons mal éclaircies (refroidissement du climat ayant fait disparaître l'élevage du mouton ? Massacre par les Eskimos venus du Nord ?). Le Groenland ne sera réoccupé par les Danois qu'au XVIIIe siècle.

La Russie

La Russie était tombée au XIIIe siècle sous la tutelle mongole. Les princes russes étaient tributaires de l'Etat mongol ayant son siège sur la basse Volga et nommé la « Horde d'Or ». Seule, au nord, la cité commerçante de Novgorod avait conservé son indépendance.

Au cours du XVe siècle, le grand-prince de Moscou Ivan III (1462-1505) impose son autorité à Novgorod et aux principautés voisines et s'intitule *« prince de toute la Russie »*. En 1476, Ivan III refuse le tribut aux Mongols, et, après leur avoir infligé une défaite en 1480, s'en émancipe définitivement.

Les Mongols (appelés désormais Tatars), après la chute de la Horde d'Or (1502), se morcellent en trois khanats tatars : Kazan, Astrakhan, et la Crimée.

Au temps même de la domination mongole, la Russie avait connu un renouveau démographique et une expansion marquée par des défrichements. La grande propriété, aux mains des grands seigneurs, les *« boyards »*, et de l'Eglise orthodoxe (notamment des couvents), se développe. La condition des paysans, soumis à la corvée et à des redevances en nature, se détériore. Y échappent les paysans « noirs », qui vivent sur les terres de l'Etat, dépendant directement du prince, nombreux sur les terres de colonisation, notamment dans le Nord du pays.

La distinction s'affirme entre une paysannerie restée libre et une paysannerie plus ou moins asservie. Les uns et les autres sont organisés en communautés rurales. Dans le cadre de cette communauté, le *« mir »*, la terre est périodiquement redistribuée entre les familles en fonction de leurs besoins.

L'expansion paysanne se heurte, à l'est, à la présence du khanat de Kazan.

Ivan IV, dit le Terrible (1567-1584), prend à son avènement le titre de *tsar* (transposition en russe de *César* = « empereur »). Se considérant comme le seul chef d'Etat orthodoxe, il se pose en héritier des empereurs d'Orient, après la chute de Constantinople, et Moscou est proclamée la *« troisième Rome »* (la seconde ayant été Constantinople). Il prend Kazan en 1522,

Astrakhan en 1556 : la disparition de ces deux khanats ouvre la voie à la colonisation russe vers l'est et le sud.

La Pologne

La Pologne, qui apparaît comme Etat au Xe siècle, est peuplée de Slaves occidentaux, convertis à la même époque au catholicisme romain.

A partir du XIIIe siècle, elle subit la poussée germanique avec le transfert en Prusse des chevaliers Teutoniques, ordre de moines-soldats qui, évincé de Terre sainte, va désormais se consacrer à la lutte contre les populations païennes de la Baltique, « Vieux Prussiens » et Lituaniens. Au XIVe siècle, une union dynastique réunit la Pologne au grand-duché de Lituanie : le grand-duc Ladislas II Jagellon devient roi de Pologne et, avec son peuple, abandonne le paganisme pour la religion catholique.

La noblesse polonaise, encore « ouverte » au XVe siècle, se ferme peu à peu, et accroît ses pouvoirs, ainsi que ceux de la Diète, assemblée de nobles qui prétend contrôler le pouvoir royal. Dans le même temps, la condition paysanne se détériore : jusque-là libres, sous réserve de redevances en argent ou en nature au seigneur local, les paysans sont de plus en plus écrasés de redevances et de corvées par les seigneurs, incités à les pressurer pour vendre une partie croissante de la production agricole, sollicités par un marché qui se développe.

L'EMPIRE OTTOMAN

Les XVe et XVIe siècles marquent l'apogée de l'Empire ottoman, du règne de Mahomet II (Mehmet II en turc) (1451) à la fin du règne de Soliman le Magnifique (1566).

De nomades et pillards, les Turcs deviennent sédentaires, avec pour capitale depuis 1453 Constantinople, devenue Istanbul. Des expéditions de pillage, ils passent à l'administration et à l'exploitation des territoires soumis. L'Empire ottoman comprend désormais, en Europe, non seulement la Grèce et les Balkans, mais, depuis la victoire de Mohacs (1526), la presque totalité de la Hongrie : les Turcs mettent le siège devant Vienne en 1529.

Les Turcs se dotent d'une force navale et, avec leurs corsaires, mettent à mal le commerce chrétien en Méditerranée. Génois et Vénitiens sont peu à peu éliminés de l'Orient ; avec le passage sous suzeraineté ottomane du khanat tatar de Crimée, la mer Noire devient un lac turc. Rhodes est prise aux chevaliers de l'ordre des Hospitaliers en 1522, Chypre est prise aux Vénitiens en 1571, seule la Crète demeure aux mains des Vénitiens jusqu'en 1669.

A l'est, l'Anatolie orientale est conquise, puis la Syrie, et en 1517 l'Egypte, où les Mamelouks doivent accepter la suzeraineté ottomane. La Mecque et Médine en Arabie se soumettent et reconnaissent le sultan comme « *protecteur et serviteur des villes saintes* ».

Des incursions navales permettent aux Turcs de s'établir à Alger (1537), à Tripoli (1551) et à Tunis (1574). Mais la victoire des flottes espagnole et vénitienne à Lépante (1571) porte un coup d'arrêt à l'expansion turque en Méditerranée occidentale.

Organisation politique

Selon les principes qui sont ceux de l'islam, le pouvoir turc maltraite parfois, mais tolère les non-musulmans, pourvu qu'ils soient « *gens du livre* », juifs ou chrétiens. Ces non-musulmans (qui restent majoritaires en Grèce et dans les Balkans), appelés « *raïas* », sont soumis à une taxe spéciale. Les aristocraties locales, orthodoxes, sont utilisées comme intermédiaires, en Grèce et dans les Balkans. Lorsque les Juifs seront chassés d'Espagne, ils trouveront en grand nombre accueil dans l'Empire ottoman.

L'administration se centralise, sous la direction du grand vizir (= premier ministre), d'un ensemble de vizirs (ministres) et des hauts fonctionnaires civils et militaires, révocables à tout moment.

L'armée est constituée de troupes appointées par le Trésor : cavaliers turcs, ou spahis, titulaires de domaines attribués à titre viager ; janissaires, esclaves-soldats dont le recrutement est assuré par l'enlèvement de jeunes enfants chrétiens, convertis à l'islam, formés militairement, et, jusqu'au XVIᵉ siècle, astreints au célibat. Après le XVIᵉ siècle, la discipline des janissaires se relâche ; certains possèdent des sources de revenus autres que celles du service, la corruption se répand, et le corps des janissaires perd sa force militaire.

Malgré la perte de leurs colonies et comptoirs, Gênes et Venise poursuivent leur commerce avec l'Empire ottoman. La France, par les *capitulations* (voir p. 256), obtient des privilèges commerciaux.

L'afflux de l'argent américain par l'intermédiaire de Gênes entraîne, comme en Europe, un effet d'inflation et de hausse des prix. L'intrusion portugaise dans l'océan Indien porte un coup au commerce intermédiaire arabo-turc avec l'Occident, mais les courants commerciaux se rétablissent assez rapidement et l'Empire ottoman constitue un marché prospère, toutefois largement dominé par le commerce européen, qui y exporte des produits manufacturés (tissus notamment) et en importe matières premières et épices.

Le pouvoir absolu du sultan est affaibli par l'absence de règles précises de succession. En 1478, une loi autorise le sultan nouvellement intronisé à tuer tous ses frères, afin de couper court à toute prétention rivale. Mahomet II, en 1481, meurt probablement empoisonné par ses fils. Sélim Iᵉʳ, en 1512, fait assassiner son père et ses frères. Verser le sang de la famille impériale est l'objet d'un interdit : aussi prend-on soin d'éliminer les membres de la famille impériale en les étranglant avec un lacet, ou en les étouffant sous un coussin...

La Renaissance

Le XVIᵉ siècle est le temps de cette rupture qui marque le passage du Moyen Age aux Temps modernes.

Cette période est marquée par la redécouverte (à vrai dire largement amorcée au cours du siècle précédent) de l'Antiquité gréco-romaine, dont on se fait un modèle, dans les lettres comme dans les arts plastiques, le Moyen Age étant rejeté comme barbare, *« gothique »*. Elle se dénommera elle-même *« Renaissance »*.

L'admiration pour l'Antiquité païenne n'empêche pas les hommes de la Renaissance de rester profondément chrétiens. Mais la lecture des œuvres antiques met en éveil l'esprit critique, et l'imprimerie facilite la diffusion des textes. Le premier livre imprimé est la Bible. L'Eglise, au Moyen Age, s'en réservait la lecture et l'interprétation. Sa diffusion dans le public va conduire, dans le domaine religieux, à la Réforme, qui fera l'objet d'un autre chapitre.

L'HUMANISME

Ce terme d'humanisme peut prêter à confusion. Le terme d'*« humanités »* s'applique aux lettres classiques latines et grecques. Les *« humanistes »* sont ceux qui possèdent et diffusent cette culture. Or, les « humanistes » du XVIᵉ siècle se situent comme des novateurs face à l'enseignement dit « scolastique » des Universités, à base surtout théologique et d'esprit routinier, appuyé sur l'enseignement d'Aristote, retraduit en latin à partir de traductions arabes, et dans la version qu'en a donnée saint Thomas d'Aquin, associant l'aristotélisme au dogme chrétien.

Les humanistes, non seulement réhabilitent les auteurs latins païens, mais inaugurent l'accès direct à la littérature grecque, dont la connaissance s'était complètement perdue au Moyen Age en Occident. La redécouverte des auteurs grecs sera, pour une part, une conséquence indirecte de la chute de Constantinople : un certain nombre de lettrés byzantins se réfugient en Italie, par Gênes et Venise. L'un d'eux, devenu cardinal de l'Eglise romaine, Bessarion, amènera avec lui une partie de sa bibliothèque et fera collecter des manuscrits grecs jusqu'à en réunir plus de 500. L'enseignement et la connaissance du grec antique progressent rapidement. D'autres humanistes apprennent l'hébreu, dont la connaissance se maintenait dans les communautés juives, afin de pouvoir accéder à l'Ancien Testament dans sa version originale : L'Eglise considérait comme canonique — seule reçue par elle — la « Vulgate », traduction en latin de l'Ancien Testament (original hébreu) et du Nouveau Testament (original grec), faite par saint Jérôme (347-420).

Quelques imprimeurs, eux-mêmes érudits, furent les propagateurs de l'humanisme : Froben à Bâle, Alde Manuce à Venise, Henri Estienne à Paris.

Les grands humanistes

Parmi les humanistes, on peut citer Guillaume Budé, directeur de la bibliothèque royale sous François Ier. Pour diffuser les connaissances nouvelles, ignorées des Universités médiévales, François Ier crée à son instigation, à Paris, le Collège de France, établissement d'enseignement indépendant de l'Université où des « lecteurs royaux » enseignent le latin, le grec, l'hébreu, le syriaque (araméen) — langue liturgique des Arabes chrétiens —, l'arabe, les mathématiques.

Hors de France, on peut citer parmi les humanistes le Néerlandais Erasme de Rotterdam (1466-1536), l'Allemand Melanchthon (transcription en grec de son nom allemand : *Schwarzerde*), l'Anglais Thomas More, victime du roi Henri VIII en raison de son refus d'accepter la rupture avec Rome.

Erudits et imprimeurs (souvent les deux à la fois) s'emploient à restituer les œuvres écrites de l'Antiquité, souvent altérées par l'ignorance des copistes médiévaux : recherche et comparaison des manuscrits, établissement du texte le plus exact, débarrassé des fautes ou des adjonctions (interpolations) des copistes.

PROGRÈS DES CONNAISSANCES

Les humanistes s'élèvent contre la pratique scolastique consistant à tenir pour vrai ce qu'ont écrit les auteurs admis (notamment Aristote). Ils se réclament de l'esprit critique et du libre examen, ne voulant rien admettre qui ne soit prouvé.

En étudiant les langues anciennes, ils vont développer la connaissance de la grammaire et fonder la philologie classique.

Ils vont aussi développer les sciences, par investigation directe et non plus par simple référence aux auteurs anciens.

Fils d'un notaire toscan, Léonard de Vinci (1452-1519), peintre, mais aussi esprit universel, poursuit des études de mécanique s'appuyant sur les mathématiques, et travaille pour des princes à des applications pratiques (canaux, artillerie, etc.). Il dissèque des cadavres pour contribuer, par une meilleure connaissance de l'anatomie, à la fois à la médecine et à l'art pictural, ce qui n'est pas sans péril (la violation de sépulture et l'utilisation des cadavres expose à l'accusation de sorcellerie). Il identifie la circulation du sang. Il conçoit et dessine des engins relevant pour l'époque de la science-fiction (sous-marins, chars d'assaut, hélicoptères, etc.).

Le Flamand Vésale, le Français Ambroise Paré, l'Espagnol Michel Servet, font progresser la médecine et la chirurgie.

Le Polonais Copernic rejette le système de Ptolémée qui plaçait la Terre au centre de l'Univers, et explique les mouvements apparents du Soleil, de la Lune et des planètes par un système plaçant le Soleil au centre, et affirmant que la Terre tourne sur elle-même et en même temps accomplit un parcours circulaire autour du Soleil, ainsi que les planètes (1533). Il faudra un siècle et demi pour que sa conception soit admise : encore au début du XVIIe siècle, Galilée, pour avoir repris cette thèse, sera condamné par l'Église et obligé de se rétracter.

LES HUMANISTES ET LE CHRISTIANISME

L'humanisme, en réhabilitant les Anciens, réhabilitait aussi leurs conceptions, sur bien des points à l'opposé de celles de l'Eglise.

L'Antiquité ignorait le péché, exaltait la beauté des corps, la gloire et l'orgueil, la recherche du bonheur sur cette terre, alors que l'idéal de la chrétienté médiévale condamnait la jouissance, prônait l'austérité et l'humilité, afin de gagner le ciel. Certains auteurs anciens — le Latin Lucrèce, le Syrien de langue grecque Lucien de Samosate —, désormais imprimés et diffusés, prônaient l'athéisme.

Malgré cela, comme nous l'avons déjà souligné, presque tous les humanistes restent de fervents chrétiens, mais dotés d'esprit critique. Ils sont portés à rejeter ce qui, dans la « tradition » imposée par l'Eglise, leur paraît contraire aux enseignements de la Bible et des « Pères de l'Eglise » (les premiers auteurs chrétiens de la fin de l'Antiquité), qui sont eux aussi imprimés et diffusés. Ils contribuent ainsi à préparer la Réforme, dans laquelle quelques-uns d'entre eux, mais pas tous, s'engageront.

LA RENAISSANCE ARTISTIQUE

Au XVe siècle, le « quattrocento » italien, avant les grandes découvertes, l'Italie, première bénéficiaire des transactions entre Orient et Occident, est le pays le plus avancé d'Europe, économiquement et culturellement. Cette supériorité se maintiendra pendant toute la première moitié du XVIe siècle, avant que le bouleversement des circuits économiques du fait des découvertes maritimes ait produit tous ses effets.

L'Italie sera ainsi le foyer initial de la renaissance artistique, imitée et copiée par les autres pays.

Avec la Renaissance, l'art se laïcise — c'est-à-dire se dégage de la tutelle étroite de l'Eglise. Même lorsqu'il traite de sujets religieux, il s'inspire des modèles antiques, réintroduit le nu dans la peinture et la sculpture. A côté des thèmes chrétiens apparaissent des thèmes inspirés par la mythologie antique. En architecture, on en revient aux modèles antiques : colonnes et toitures à deux pans.

Au XVe siècle, Florence est au cœur du mouvement artistique italien, avec l'architecte Brunelleschi, les sculpteurs Ghiberti et Donatello, les peintres Fra Angelico, Masaccio, Piero della Francesca, enfin Botticelli. Les progrès techniques de la peinture se manifestent à travers l'étude minutieuse de l'anatomie du corps, le retour au respect des proportions, la redécouverte des lois de la perspective.

Les trois grands

Au XVIe siècle, l'Italie produit les trois plus grands artistes de la Renaissance. Léonard de Vinci (1452-1519) a déjà été mentionné comme savant et ingénieur polyvalent. Son tableau le plus célèbre est le portrait d'une femme inconnue, la « *Joconde* ». Malheureusement, Léonard, voulant innover en matière de couleurs, utilisa des mélanges qui n'ont pas toujours résisté au temps : ses fresques ont dû être restaurées, ainsi la Cène qui ornait un couvent de Milan.

Raphaël (1483-1520) travailla à Florence, puis à Rome où les papes Jules II et Léon X l'occupèrent pendant douze ans à décorer le Vatican. Il fut un dessinateur hors pair.

Michel-Ange (Michelangelo Buonarroti) (1475-1564) partagea sa vie entre Florence, sa ville natale, et Rome, où il fut appelé par les papes. Il fut à la fois sculpteur (tombeau de Jules II à Rome, tombeau des Médicis à Florence), architecte (la coupole de Saint-Pierre de Rome) et peintre (les peintures murales de la chapelle Sixtine, au Vatican).

Après ces trois « grands », on peut encore mentionner Titien (v. 1489-1576), à Venise, exclusivement peintre, grand coloriste, portraitiste et paysagiste.

Les papes Jules II et Léon X, Laurent de Médicis (dit le Magnifique) à Florence, furent les principaux protecteurs des arts.

De l'Italie, l'art de la Renaissance gagne la France : les guerres d'Italie l'ont fait connaître ; François Ier et Henri II attirent auprès d'eux des artistes italiens : ainsi, François Ier fit venir en France Léonard de Vinci, qui mourut à Amboise.

En France et en Allemagne

Dans la vallée de la Loire où ils résidaient habituellement, les rois de France firent construire des châteaux, qui gardaient quelques traits des châteaux du Moyen Age (tours, fossés), mais qui n'étaient plus des ouvrages de guerre : c'étaient des résidences d'agrément, avec de larges fenêtres, des façades ornées de sculptures.

Chez les sculpteurs, Michel Colombe, Ligier Richier et Pierre Bontemps restent dans la tradition du Moyen Age finissant par un souci d'exactitude et de réalisme qu'on retrouve en peinture chez François Clouet, portraitiste d'origine flamande. En Allemagne, cette même tradition se retrouve chez Albrecht Dürer, graveur et peintre, et chez Holbein, portraitiste, qui ont cependant fait tous deux le voyage d'Italie. En France, les sculpteurs Jean Goujon et Germain Pilon sont beaucoup plus inspirés par l'art antique.

L'inspiration italienne ne touche pas que les arts majeurs : en France, Bernard Palissy s'efforcera de retrouver les secrets de fabrication de la céramique italienne.

La renaissance des langues nationales

Dans les lettres, la Renaissance va voir également triompher le recours aux langues nationales, en lieu et place du latin, jusque-là langue exclusive de l'Eglise et des savants. Nous avons vu qu'en France, l'ordonnance de Villers-Cotterêts (1539) a introduit le français, au lieu du latin, comme langue judiciaire et administrative.

Joachim du Bellay, dans sa *Défense et Illustration de la langue française* (1549), démontre que le français est apte à exprimer toutes les idées et tous les sentiments.

Les poètes du groupe de la Pléiade (principalement Ronsard et

Du Bellay, déjà cité), tout en s'inspirant des modèles grecs et latins, écrivent en français.

Rabelais, prêtre et médecin, dans ses ouvrages de fiction fantaisiste que sont *Gargantua* et *Pantagruel*, fait le procès de l'enseignement scolastique et de la manie du latin.

Dans la seconde moitié du XVIe siècle, Montaigne, magistrat bordelais, dans ses *Essais*, se montre adversaire de l'intolérance.

La Réforme
et la Contre-Réforme

LES ORIGINES

Le Moyen Age, nous l'avons vu, avait été traversé de mouvements de réforme intérieurs à l'Eglise, en réaction contre des pratiques et des mœurs du clergé peu conformes à l'idéal chrétien. Ces mouvements avaient abouti, d'une part à la création d'ordres religieux nouveaux, acceptés par l'Eglise, mais aussi à des hérésies.

Le mouvement de réforme du XVIe siècle apparaît à bien des égards comme un prolongement, une nouvelle manifestation de cette exigence de rigueur morale.

Le dévoiement du christianisme

Il faut dire qu'au sommet même de l'Eglise, la papauté présentait aux chrétiens un étrange spectacle, avec des pontifes comme Alexandre VI Borgia et Jules II.

D'autre part, la fiscalité pontificale, fort exigeante, soulevait l'hostilité dans de nombreux pays : en Angleterre, où le royaume, qui s'était reconnu sous Jean sans Terre vassal du Saint-Siège, était lourdement taxé ; en Allemagne, où, pour financer la reconstruction de la basilique de Saint-Pierre de Rome, les papes de la Renaissance imaginèrent d'accorder (d'aucuns diront de vendre) des « indulgences » (remises de péchés) pour les solliciteurs eux-mêmes ou pour les âmes des défunts. Dans leur zèle, certains prédicateurs n'hésitaient pas à affirmer que, dès que la pièce de monnaie résonnait dans le tronc servant à la collecte, l'âme du défunt à qui l'offrande était consacrée s'échappait du purgatoire pour gagner le paradis...

A ces causes traditionnelles des exigences de réforme s'ajoutent des facteurs nouveaux, de caractère intellectuel et doctrinal, en l'espèce découlant d'un examen critique des dogmes et pratiques de l'Eglise, examen inspiré par l'humanisme.

La Réforme

C'est cet ensemble de causes qui conduisit à la Réforme, c'est-à-dire à une remise en cause profonde des dogmes et des croyances reposant sur la « tradition » ; elle aboutit pour un certain nombre de catholiques à se séparer de l'Eglise romaine, et à fonder ce que l'on appellera l'Eglise réformée, ou le protestantisme (à l'origine une « protestation » contre les pratiques et dogmes de l'Eglise catholique).

Au début, ceux qui allaient devenir des protestants ou réformés n'avaient pas l'intention de rompre avec l'Eglise catholique. Ils espéraient la transformer de l'intérieur. C'est l'intransigeance de la papauté et des structures officielles de l'Eglise, appuyée par un certain nombre de souverains, qui allait conduire à la rupture.

La connaissance directe de la Bible et des Pères de l'Eglise conduisit certains humanistes à constater qu'un certain nombre de dogmes et de pratiques reposant sur la « tradition » étaient en contradiction avec les enseignements des apôtres et des Pères de l'Eglise. Ils proposaient donc d'en revenir aux vrais principes chrétiens, en se fondant exclusivement sur la *parole de Dieu* transmise par la Bible.

Ils pensaient que la religion devait être plus intérieure, donner une place essentielle à la foi, à la conviction intime du chrétien, plus qu'aux manifestations extérieures du culte, aux cérémonies, aux donations pieuses. Elle devait être plus personnelle, chaque chrétien devant faire acte personnel de connaissance de l'Ecriture sainte, et acte de foi.

Certains humanistes comme Erasme s'attachaient à l'idée d'un christianisme simple, raisonnable, et axé surtout sur la morale. Ils pensaient que le chrétien peut atteindre la vertu et prétendre au salut, s'il bénéficie de la grâce divine.

D'autres, comme Lefèvre d'Etaples, prêtre et professeur à l'Université de Paris, ne se satisfont pas de ce christianisme aimable et moraliste. Pour eux, Jésus-Christ était avant tout, non un moraliste, mais le « *Rédempteur* », mort sur la Croix pour racheter les péchés des hommes. Marqué par le péché originel, l'homme pouvait-il, par ses seules forces, atteindre le salut ?

Ni Erasme ni Lefèvre d'Etaples ne songeaient, au départ, à rompre avec l'Eglise catholique. Ils espéraient convaincre les plus hautes autorités de l'Eglise et les souverains de rejoindre leurs idées. Ils eurent effectivement, au début, la sympathie et l'appui de certains prélats et de certains représentants de la haute société.

LUTHER ET LA RUPTURE

Martin Luther (1483-1546), fils d'un paysan saxon, fut dès sa jeunesse hanté par l'idée du salut : il craignait, malgré tous ses efforts, de ne pas remplir ses devoirs envers Dieu et d'être incapable d'échapper au péché. Pour cela, il se fit moine dans l'ordre des Augustins, puis devint professeur de théologie à l'Université de Wittenberg, en Saxe. Vers 1513, il crut trouver la solution à ses angoisses dans une doctrine qui, selon lui, était celle de saint Paul et de saint Augustin.

Pour l'Eglise de ce temps, l'homme pouvait, avec l'aide de Dieu, assurer son salut par ses *œuvres* (telles que la pénitence, ou encore des donations pieuses). Pour Luther, l'homme, dégradé par le péché originel, est incapable par lui-même d'assurer son salut. Le salut ne peut lui venir que de Dieu, qui, dans son amour pour ses créatures, lui accorde la grâce et lui inspire la *foi*, une croyance profonde, avec la volonté de vivre chrétiennement. Les œuvres ne sont pas à rejeter, mais elles ne peuvent être qu'une conséquence de la foi, et n'ont pas de valeur en elles-mêmes.

L'affaire des indulgences

C'est l'affaire des « indulgences », dont nous avons parlé précédemment, qui va mettre en avant Luther et aboutir à la rupture. Vers 1515, le pape Léon X lance une campagne de collecte pour l'achèvement de la nouvelle basilique de Saint-Pierre de Rome, en promettant des indulgences aux donateurs. La campagne est confiée aux Dominicains (ce qui suscite la jalousie des Augustins, ordre auquel appartient Luther). Cette nouvelle sollicitation financière est mal reçue en Allemagne.

Pour Luther, cette pratique des indulgences, laissant croire que le salut des âmes peut être assuré à prix d'argent, est scandaleuse et mensongère. Le 31 octobre 1517, il affiche à la porte du château de Wittenberg 95 thèses (propositions) dénonçant les indulgences. A ce moment, il n'envisage nullement de rompre avec l'Eglise, mais espère la ramener à la vraie foi.

Mais la polémique avec ses contradicteurs l'emmène de plus en plus loin : il en vient à affirmer que la tradition doit être rejetée et que la foi ne peut être fondée que sur la Bible. Il en arrive à contester la doctrine de l'Eglise en matière de sacrements, le culte de la Vierge et des saints, la croyance au purgatoire (celle-ci apparue d'ailleurs tardivement, au XIIe siècle : il s'agissait d'un lieu intermédiaire entre l'enfer et le paradis, où les pécheurs pouvaient expier par des peines temporaires leurs péchés, et ensuite accéder au paradis).

En 1520, une bulle (acte pontifical scellé par une « boule » de cire) du pape Léon X condamne les écrits de Luther et lui donne soixante jours pour se soumettre, sous peine d'excommunication. Loin de se soumettre, Luther, le 10 décembre 1520, brûle publiquement la bulle pontificale, devant ses étudiants. Il est de ce fait excommunié. C'est la rupture.

Luther au ban de l'Empire

Convoqué devant la Diète impériale (Assemblée des princes laïques et ecclésiastiques et des délégués des chevaliers et des villes) réunie à Worms, et sommé de se rétracter, Luther s'y refuse et est alors mis au ban de l'Empire (c'est-à-dire hors la loi). Il trouve un protecteur en la personne du prince électeur de Saxe, qui le cache dans son château de la Wartburg, où Luther traduira en allemand (le « haut allemand » parlé dans l'Allemagne du centre et du Sud) le Nouveau Testament (Plus tard, il traduira toute la Bible). Cette traduction allemande de la Bible fournira le premier modèle de la langue littéraire allemande moderne.

Les principes de ce qui va devenir l'Eglise réformée luthérienne sont formulés en 1530 devant la Diète d'Augsbourg. Cette « *Confession d'Augsbourg* », rédigée par l'humaniste Melanchthon, ami de Luther, rompt avec le catholicisme sur de nombreux points.

Elle rejette l'autorité du pape, les vœux monastiques et le célibat ecclésiastique. Luther lui-même se marie en 1525 avec une ancienne religieuse. La profession de foi n'admet plus que deux sacrements sur sept : le baptême et la sainte cène, où est rétablie la communion sous les deux espèces, le pain et le vin. Le culte est simplifié : lecture de passages de la Bible, sermon, chant de psaumes ou cantiques, prières, le tout en langue vulgaire et non plus en latin, incompréhensible pour la majorité des fidèles.

La Réforme et la communion (eucharistie)

*Dans le sacrement de l'*eucharistie *(en grec = « bonne grâce », « grâce divine »)* ou de la communion, *le prêtre, après avoir consacré les hosties (le pain), et après avoir lui-même consommé une hostie consacrée et bu une gorgée de vin dans le calice, distribue aux fidèles (qui doivent auparavant s'être purifiés de tout péché par la confession), les hosties et, jusqu'au XIIIᵉ siècle, le vin.*

Ce sacrement évoque le dernier repas du Christ avec ses apôtres, repas au cours duquel il leur distribua le pain et le vin en disant : « Ceci est mon corps, ceci est mon sang. *»*

Dans la doctrine catholique, l'eucharistie ou communion apporte la grâce divine par cette participation à la présence même du Christ. Selon cette doctrine, la consécration par le prêtre opère la transsubstantiation *(changement de substance) du pain et du vin en corps et sang du Christ. Selon les conceptions de la physique médié-*

---

vale, qui distingue les espèces *(du latin « species » =
« l'apparence »)* et la substance *(la réalité intime), l'espèce du pain et du vin demeure, mais au cours de la
consécration, la substance change, le pain et le vin
deviennent chair et sang du Christ. Cette « présence
réelle » demeure dans les hosties consacrées conservées
dans le ciboire et donne lieu au culte du saint sacrement.*

*Des sept sacrements de l'Eglise catholique [baptême,
eucharistie, confirmation, pénitence (confession),
mariage, extrême-onction (donnée une seule fois, aux
mourants), ordre (la consécration des prêtres)], le protestantisme ne retient que le baptême (qui efface le
péché originel) et la communion dénommée la* cène *(du
latin* « cena » = « *le repas du soir »).*

*Mais la cène prend une signification différente chez
les protestants.*

• *Luther rejette la transsubstantiation, pour y substituer
la* consubstantiation : *il admet la présence réelle du
Christ dans la cène, mais selon lui les substances du
corps et du sang du Christ coexistent avec celles du pain
et du vin, qui subsistent matériellement. Aussitôt après
la communion, la présence réelle disparaît. Ce qui évite
le culte, idolâtre pour lui, du saint-sacrement.*

• *Pour Zwingli, plus radical, la présence réelle du
Christ est rejetée : la cène n'est qu'une* commémoration,
*un renouvellement symbolique du dernier repas du
Christ. Selon lui, la thèse de la présence réelle condui-
rait à l'idolâtrie.*

• *Calvin adopte une position intermédiaire : il rejette à
la fois la présence matérielle du Christ affirmée par les
catholiques et les luthériens, et le symbolisme de Zwingli, pour affirmer une* présence spirituelle *du Christ pendant la cène.*

LES ASPECTS SOCIAUX DE LA RÉFORME

Les idées de la Réforme vont être reprises dans divers milieux sociaux (dans des sens souvent contradictoires) comme moyen d'expression d'une opposition à l'ordre existant.

Ce sera le cas de certains princes allemands — tel l'électeur de Saxe, protecteur de Luther — qui y verront un moyen de contester l'autorité impériale, l'empereur Charles Quint s'étant fait le défenseur du catholicisme romain. Ils y verront aussi un prétexte pour s'emparer des biens et fiefs ecclésiastiques, qui étaient considérables en Allemagne. Certains princes ecclésiastiques — évêques ou abbés — en prendront prétexte pour « séculariser » à leur bénéfice (c'est-à-dire transformer en fiefs personnels et héréditaires) les fiefs qu'ils détenaient en fonction de leurs charges ecclésiastiques. Ainsi, le grand maître de l'ordre des chevaliers Teutoniques (ordre de moines-soldats), Albert de Brandebourg (Hohenzollern), sécularise à son bénéfice le domaine de l'ordre et en fait un « duché de Prusse » héréditaire.

Luther, qui avait rejeté l'autorité du pape, accepte celle des princes, qui nommeront les évêques et les pasteurs luthériens.

Quand, en Allemagne, paysans et artisans pauvres se révoltent contre les seigneurs au nom de la Réforme — ce sera la « *guerre des Paysans* », sauvagement réprimée par les féodaux —, Luther se range du côté des seigneurs et appelle les princes à exterminer ces « *chiens enragés* ».

Une autre catégorie sociale va se placer sous la bannière de la Réforme : ce sont les « *chevaliers d'Empire* », petits seigneurs indépendants, relevant directement de l'empereur, désormais dépassés par la puissance des princes disposant de moyens qu'ils n'ont pas (notamment d'artillerie). Ils tenteront une insurrection, sous la direction de Franz von Sickingen et de l'humaniste Ulrich von Hutten (1522). Ils seront écrasés et Luther refusera également de les soutenir.

La Réforme luthérienne gagnera les pays scandinaves (Danemark, Norvège, Suède), mais, à cette exception près, elle reste limitée à l'Allemagne.

D'autres réformateurs vont aller plus loin que Luther : Zwingli à Zurich, en Suisse, Bucer à Strasbourg, et surtout Calvin.

CALVIN ET LE CALVINISME

En France, François Ier avait d'abord protégé les humanistes et les « évangélistes », comme Lefèvre d'Etaples, qui leur étaient liés. Mais les excès du luthéranisme et de ses partisans soulevèrent une violente réaction des traditionalistes, notamment de l'Université de Paris et du Parlement. En 1534, l'*« affaire des Placards »* — des affiches dénonçant en termes violents la *« messe papale »*, apposées jusque sur la porte de la chambre du roi — souleva une intense émotion : la répression entra en jeu, et on fit brûler quelques dizaines d'*« hérétiques »*.

Calvin

C'est alors qu'un Français, Jean Calvin (Cauvin, Calvinus en latin), publia en latin (1536), puis en français (1541), l'*Institution chrétienne*. Calvin allait plus loin que Luther. Il affirmait que la Bible est le seul fondement de la religion chrétienne. Pour lui, l'homme dégradé par le péché originel, non seulement ne peut rien par lui-même, mais est voué par Dieu, de toute éternité, à la damnation ou au salut. C'est la doctrine de la *prédestination*. Calvin supprime l'épiscopat. L'Etat doit se conformer aux règles de l'Eglise : celle-ci est constituée en chaque lieu par l'ensemble des fidèles, et elle est administrée par les pasteurs pour lesquels Calvin, comme Luther, supprime l'obligation du célibat. Les Eglises peuvent se fédérer librement en organisant des *synodes* (congrès).

L'influence de Calvin s'exerce principalement en France et aux Pays-Bas, où les réformés vont se réclamer de la doctrine de Calvin. Pour échapper à la répression, Calvin se réfugie à Genève, dont les habitants ont chassé leur seigneur, l'évêque, et constitué une république indépendante. Non sans difficultés en raison de son intransigeance, Calvin finit par imposer son autorité à

Genève et à en faire une république protestante, une « Rome » du protestantisme. Une académie y forme les missionnaires chargés de porter la parole de Dieu. Calvin impose à Genève une discipline rigoureuse : fermeture des théâtres et des cabarets, envoi au bûcher des opposants et réfractaires.

Le calvinisme séduit surtout artisans et bourgeois. Calvin se concilie les milieux d'affaires en levant l'interdiction, portée par l'Eglise, du prêt à intérêt.

Mais, en France notamment, des princes et des notables traditionnels se rallieront aussi au calvinisme, tel le prince du sang Antoine de Bourbon, roi de Navarre. En Allemagne, l'électeur palatin, un des sept électeurs impériaux, se ralliera lui aussi au calvinisme.

LES GUERRES DE RELIGION

En Allemagne, les princes protestants, après avoir institué dans leurs Etats des Eglises luthériennes et sécularisé de nombreux fiefs ecclésiastiques, entrent en conflit avec l'empereur. Pour lui résister, ils constituent la « ligue de Smalkalde » (1531), qui est soutenue par François Ier dans sa lutte contre Charles Quint. Charles Quint remporte contre les princes protestants la victoire de Mühlberg (1547). Mais, menacé à l'est par les Turcs, obligé de combattre les Français en Italie, il doit composer. En 1555, la diète d'Augsbourg légalise l'existence des Etats protestants en Allemagne et autorise chaque prince à imposer sa religion à ses sujets (en latin : *« Cujus regio, ejus religio »* = *« Celui qui détient le pays y impose sa religion »*).

En France, François Ier et Henri II combattent les réformés, qu'ils soutiennent à l'extérieur contre l'empereur. Nombre de réformés, comme l'imprimeur Etienne Dolet, sont condamnés et brûlés comme hérétiques.

Pourtant, sous l'influence de Calvin, la Réforme progresse rapidement en France et, en 1559, le premier synode des Eglises protestantes françaises, représentant plus de 2 000 communautés, rédige une profession de foi, et organise l'Eglise suivant les principes de Calvin.

Après la mort d'Henri II, sa veuve, Catherine de Médicis, exerce le pouvoir sous le règne de ses fils François II (mort au bout d'un an de règne : 1559-1560) et Charles IX (1560-1574) — elle est régente pendant sa minorité.

La Saint-Barthélemy

Des tentatives de conciliation et de coexistence échouent. Dans la nuit du 24 au 25 août 1572, alors que les principaux seigneurs protestants sont venus à Paris assister au mariage de leur chef, Henri de Bourbon, roi de Navarre, avec Marguerite de Valois, sœur du roi, la population parisienne, au son du tocsin, massacre des milliers de protestants : c'est le massacre de la Saint-Barthélemy.

La responsabilité du massacre incombe-t-elle à Catherine de Médicis, menacée par le roi d'Espagne Philippe II, et au demeurant inquiète des progrès du protestantisme, qui imposera sa politique à Charles IX ? Ou s'agit-il d'une initiative des milieux populaires parisiens fanatisés par les moines, que le roi entérinera pour éviter que la fureur populaire ne se retourne contre lui ? La question est controversée. En tout cas, le pape fait célébrer l'événement par la frappe d'une médaille.

La guerre civile

Les protestants réagissent : c'est la guerre civile et l'anarchie. Sous le règne d'Henri III, troisième fils d'Henri II (ses deux aînés sont morts jeunes et sans enfants), intelligent mais faible, le conflit s'aggrave. De part et d'autre, des atrocités sans nom sont commises. Les protestants sont soutenus par l'Angleterre ; les catholiques sont soutenus par l'Espagne. Le roi Henri de Navarre est le chef du parti protestant ; le parti catholique, qui va s'organiser sous la forme de la « Ligue » et qui est fortement implanté dans la population parisienne, encadrée par les moines mendiants, a pour chef le duc Henri de Guise, d'une branche cadette de la famille des ducs de Lorraine, qui se réclame d'une origine carolingienne. Le duc de Guise, mais aussi le roi d'Espagne, ont des visées sur le royaume de France. En 1584, le quatrième fils d'Henri II meurt et, Henri III n'ayant pas d'enfant, l'héritier du trône est, selon les règles de la loi salique, son cousin Henri de Navarre. Après s'être appuyé sur la Ligue, Henri III, inquiet des ambitions du duc de Guise, le fait assassiner. Henri III s'allie avec Henri de Navarre pour venir assiéger Paris, où la Ligue a pris le pouvoir. C'est au cours de ce siège qu'Henri III est assassiné par le moine capucin Jacques Clément (1589).

Henri IV

Avec Henri III s'éteint la dynastie des Valois. L'héritier de la branche cadette des Bourbons, Henri de Navarre, se proclame roi de France sous le nom d'Henri IV. Les rois de France porteront désormais le titre de *« roi de France et de Navarre »*. Pour gagner la majorité des Français, Henri IV se décide à abjurer le protestantisme (on lui prêtera la formule : *« Paris vaut bien une messe »*).

Cette abjuration (1593) prend de court les partisans de la Ligue et les agents du roi d'Espagne, qui espéraient faire attribuer le trône de France à Isabelle, fille de Philippe II d'Espagne et petite-fille de Henri II. Sacré en février 1594, le roi entre à Paris et achète la soumission des derniers opposants. Il faut faire la guerre au roi d'Espagne, dont les troupes ont occupé une partie de la France. Après trois ans de luttes difficiles, Henri IV et Philippe II concluent la *paix de Vervins* (1598) qui renouvelait les clauses du traité du Cateau-Cambrésis.

L'abjuration d'Henri IV a écarté de lui les protestants. De leur côté, les catholiques admettent difficilement le roi *« huguenot »* (sobriquet par lequel on désignait les calvinistes).

Après de longues et difficiles négociations, Henri IV finit par faire accepter aux parties en présence l'*édit de Nantes* (1598). L'édit accordait aux protestants la liberté de culte partout où celui-ci était célébré en 1597. En plus, il l'était dans deux faubourgs de localités par bailliage. L'égalité avec les catholiques était accordée aux protestants, dans l'accès à tous les emplois ; dans quelques villes, étaient institués des tribunaux « *mi-parties* » (mixtes) comportant des juges catholiques et des juges protestants. Enfin, le roi permettait aux protestants d'occuper pendant huit ans une centaine de « *places de sûreté* » et de se réunir en assemblée générale pour discuter de leurs intérêts. C'était accorder aux protestants la faculté de créer un Etat dans l'Etat, ce qui devait poser des problèmes par la suite, mais c'était une garantie indispensable pour eux face au fanatisme catholique.

Cet exemple de tolérance devait rester unique en Europe.

LA RÉFORME EN ANGLETERRE

La Réforme en Angleterre a présenté des caractères très particuliers. Elle fut en effet, au départ, non un mouvement de la société civile, mais le résultat d'une décision royale. Henri VIII (1509-1557) s'était d'abord montré catholique zélé : il avait même composé un livre pour réfuter Luther et s'était vu décerner par le pape le titre de « *défenseur de la foi* ».

C'est un conflit personnel qui conduisit Henri VIII à la rupture.

L'Acte de suprématie

Henri VIII voulait obtenir du pape l'annulation de son mariage avec Catherine d'Aragon, tante de Charles Quint, pour épouser une demoiselle d'honneur de la reine, Anne Boleyn. Le pape, soucieux de ne pas mécontenter Charles Quint, fit traîner l'affaire en longueur. Après six ans d'attente, Henri VIII, excédé, fit annuler son mariage par l'archevêque de Cantorbéry et épousa Anne Boleyn. Le pape répondit en déclarant cette nouvelle union nulle. Henri VIII fit alors voter par le Parlement et imposa à ses sujets l'Acte de suprématie (1534), par lequel il se proclamait lui-même chef de l'Eglise d'Angleterre (l'Eglise anglicane) et rejetait l'autorité du pape. Il en profita pour supprimer les ordres religieux et confisquer leurs biens : il y avait en Angleterre plus de 800 monastères, extrêmement riches (leurs biens représentaient près d'un quart du royaume). Le roi en garda une partie pour lui, et distribua le reste à ses favoris ou le fit mettre en vente. Il en résulta un profond bouleversement social, avec l'ascension de nombreux parvenus.

Ces mesures ne soulevèrent pas d'opposition : le clergé et surtout les moines étaient discrédités, la tutelle et l'exploitation fiscale romaines impopulaires. De toute façon, Henri VIII ne tolérait aucune opposition : son chancelier, l'humaniste Thomas More, refusant de reconnaître l'Acte de suprématie, fut condamné à mort et exécuté.

Les trente-neuf articles

Doctrine et principes d'organisation de l'Eglise anglicane seront fixés par Elisabeth Ire (1558-1603) par la *« confession de foi des Trente-Neuf Articles »* (1563).

En matière de doctrine, cette confession de foi se rapprochait sur beaucoup de points du protestantisme : rejet de l'autorité du pape, de la tradition, du culte des saints, de la croyance au purgatoire et du célibat ecclésiastique. Elle ne conservait que deux sacrements sur sept. Mais elle gardait la pompe des cérémonies, la liturgie (mais avec traduction en anglais), et la hiérarchie épiscopale.

En tout état de cause, l'Angleterre intervint en Europe pour soutenir la cause des protestants.

En Ecosse, royaume distinct, où régnait la dynastie des Stuarts, le prédicateur calviniste John Knox fit prévaloir le calvinisme sous le nom d'Eglise presbytérienne.

LA CONTRE-RÉFORME

Vers 1560, la Réforme avait gagné l'Angleterre, l'Ecosse, les pays scandinaves, la moitié environ de l'Allemagne, de la Suisse et des Pays-Bas ; la France, la Pologne, la Hongrie étaient sérieusement entamées. Seules l'Espagne et l'Italie, grâce à l'Inquisition, avaient étouffé dans l'œuf le protestantisme.

Pour se défendre, pour organiser une contre-offensive, l'Eglise catholique avait besoin de se réformer elle-même.

Cette *Contre-Réforme* fut l'objet du *concile de Trente* (1545-1563). Le concile, tout en maintenant les dogmes traditionnels, s'efforça de corriger les abus les plus flagrants à l'intérieur de l'Eglise. Il exigea que la prêtrise fût désormais subordonnée à des études préalables dans des séminaires.

Les jésuites

De nombreux ordres religieux nouveaux se créèrent pour propager la doctrine catholique. Le plus important fut la Compagnie de Jésus, créée par un ancien officier espagnol, Ignace de Loyola. Les jésuites ajoutaient aux vœux traditionnels des ordres religieux un vœu spécial d'obéissance au pape. A la différence de la plupart des autres ordres religieux, les jésuites étaient appelés à vivre dans le siècle, comme prédicateurs, confesseurs, enseignants. Dans leurs collèges, les jésuites vont donner un enseignement qui sera le prototype de notre futur enseignement secondaire, rompant avec l'enseignement scolastique et fondé sur les humanités, mais dans un esprit de fidélité au catholicisme. Ils s'efforcèrent d'y attirer les enfants de l'élite sociale — aristocratie et haute bourgeoisie —, en bref tous ceux que leur naissance préparait à exercer dans l'Etat ou la société des fonctions dirigeantes, afin d'en faire des soutiens voire des combattants de la Contre-Réforme catholique.

Le Saint-Office et l'Index

Pour lutter contre les réformés, le pape Paul III créa à Rome en 1542 une commission de cardinaux appelée Congrégation de la Suprême Inquisition ou du Saint-Office, chargée de poursuivre les hérétiques et de les livrer au « bras séculier » pour être brûlés. Le pape Pie V (1566-1572) créa une autre commission de cardinaux dite congrégation de l'Index, chargée d'établir la liste des ouvrages jugés dangereux pour la foi et dont la lecture devrait être interdite aux fidèles.

C'est également Pie V qui fixa la liturgie de la messe, telle qu'elle fut pratiquée pendant quatre siècles, jusqu'au concile de Vatican II (1962-1965).

La colonisation mercantile et esclavagiste (XVIe-XVIIIe siècles)

LA MISE EN PLACE DU SYSTÈME

Un marché mondial

Encore largement axé sur la Méditerranée dans la première moitié du XVIe siècle, le grand commerce, à la suite des grandes découvertes maritimes, va se déplacer vers l'Atlantique.

Autre fait capital : c'est la constitution, pour la première fois dans l'histoire universelle, d'un espace économique mondial, unissant tous les continents. L'histoire avait connu jusque-là de vastes « *économies-mondes* », pour reprendre la terminologie d'Imanuel Wallerstein : monde antique, autour de la Méditerranée, monde indien, monde chinois, monde musulman, espaces cohérents en fonction d'une certaine organisation des marchés, parfois d'une certaine division du travail, d'une civilisation commune, et parfois — dans le cas de l'Empire romain, de l'Empire chinois, ou du khalifat des premiers temps de l'Islam — d'une unité politique. Ces « économies-mondes » rayonnaient sur des zones marginales, avaient parfois quelques contacts limités avec les autres grands ensembles : route de l'océan Indien entre le monde romain et l'Inde, « route de la soie » entre le monde occidental et la Chine.

Désormais, à partir du XVIe siècle, la navigation maritime européenne va intégrer dans un marché mondial tous les continents. Cette intégration, certes, est souvent limitée et ne porte que sur une frange très spéciale et limitée de la production. Mais il n'est pas de partie du monde qui lui échappe : elle n'épargne vraiment que quelques « fins du monde », l'intérieur profond du continent sud-américain (spécialement l'Amazonie), l'Afrique intérieure, les grandes îles du Pacifique Sud (celles-ci ne seront atteintes qu'au XVIIIᵉ siècle).

L'Espagne et le Portugal

Les premiers bénéficiaires des découvertes ont été l'Espagne et le Portugal ; ils ont largement utilisé l'expérience et les services de navigateurs et commerçants italiens — Génois, Vénitiens. Lisbonne, Séville, puis Cadix, ne seront guère que des entrepôts ; c'est, au XVIᵉ siècle, Anvers, puis Amsterdam, qui centralisent et redistribuent les produits amenés en Europe par le commerce colonial.

Très vite, ils vont être réduits à un rôle secondaire, tout au plus lieux de passage, par des pays économiquement plus dynamiques : Pays-Bas, Angleterre, accessoirement France. Ces pays se constitueront à leur tour des empires coloniaux.

L'Exclusif

Le commerce colonial, source de bénéfices considérables, est d'abord monopole royal : ainsi en Espagne et au Portugal. Ce monopole est exercé, non directement, mais par l'intermédiaire de commerçants ou de groupes de commerçants privilégiés, ayant reçu concession de l'autorité royale : ainsi, la *« Casa de Contratacion »* de Séville pour l'Espagne. Par la suite, le monopole sera exercé par des compagnies privilégiées, ayant reçu concession pour une partie du monde ou un type de commerce : ainsi, aux Pays-Bas, Etat républicain issu des provinces insurgées contre l'Espagne au nom de la Réforme (les « Provinces-Unies »), ce sont deux compagnies, la Compagnie hollandaise des Indes orientales (créée en 1602) — pour le commerce avec l'Asie — et la Compagnie hollandaise des Indes occidentales (créée en 1621) — pour le commerce avec l'Amérique —, qui ont le monopole du commerce colonial. Au XVIIIᵉ siècle, à des dates diverses, le commerce colonial s'ouvrira à tous les nationaux.

Ce monopole se traduit pour les colonies par ce que l'on

appelle le « *régime de l'exclusif* » — dénommé parfois « *pacte colonial* », terme impropre et inexact, puisque ce régime ne résulte pas d'un « pacte » mais est imposé unilatéralement.

Dans ce régime, tout commerce des colonies avec des représentants de puissances étrangères est réputé contrebande. En Amérique espagnole, on le qualifie de commerce « *interlope* ». Ce monopole commercial est assorti de l'interdiction, pour les colonies d'Amérique, de produire sur place des marchandises (produits manufacturés) susceptibles de concurrencer celles de la métropole, pour laquelle les colonies doivent constituer un marché réservé.

Ce régime, dans la pratique, est plus ou moins bien appliqué. Dans l'Amérique espagnole surtout : l'Espagne, exsangue et appauvrie, est incapable de fournir à l'Amérique les produits dont elle a besoin ; les marchandises importées en Amérique légalement, par les galions partant de Cadix, sont, très largement, importées par l'Espagne : ainsi, par exemple, les toiles produites par la manufacture rurale de la Bretagne et du Maine sont en très grande proportion exportées en Amérique, via Cadix. Bien entendu, ce circuit aboutit à un renchérissement considérable des produits ; leur quantité est, en tout état de cause, insuffisante. Les importations réelles sont donc en forte proportion fournies par le commerce interlope, les Anglais et les Hollandais fournissant les mêmes produits à bien meilleur prix. La contrebande se fait souvent avec la complicité des autorités locales, soucieuses de s'assurer un approvisionnement suffisant, et qui perçoivent des « pots-de-vin » pour leur complaisance.

L'objet du commerce colonial est de procurer à la métropole, directement pour l'Amérique espagnole, ou indirectement, par la vente des produits de l'Inde ou de l'Asie orientale, de l'or et de l'argent.

L'ÉVOLUTION DES EMPIRES COLONIAUX

Les Hollandais

Nous ne reviendrons pas sur les empires coloniaux espagnol et portugais, dont nous avons vu la genèse. Leurs monopoles respectifs seront rapidement entamés par des concurrents. Les « Provinces-Unies » — sept provinces du Nord des Pays-Bas gagnées au calvinisme et en révolte contre l'autorité du roi d'Espagne — avaient proclamé leur indépendance en 1581. On les désigne souvent sous le nom de « Pays-Bas » (bien que ce terme s'applique également aux provinces restées catholiques et dans l'obédience espagnole, qui correspondent à la Belgique actuelle) ou encore sous le nom de la principale de ces provinces, la Hollande. Amsterdam, après Anvers, était devenue l'entrepôt des produits d'Asie importés par Lisbonne. L'*Union personnelle*, réalisée en 1580 par Philippe II, des couronnes d'Espagne et du Portugal interdisait désormais aux Hollandais l'accès du port de Lisbonne.

Les Hollandais entreprirent donc d'aller chercher directement les épices et autres produits d'Asie, brisant le monopole portugais. Ce fut l'affaire de la Compagnie des Indes orientales créée en 1602. Les Hollandais s'implantèrent aux Moluques (Indonésie) productrices d'épices et en expulsèrent les Portugais en 1605. En 1619, ils fondent Batavia, dans l'île de Java, qui deviendra la capitale des possessions de la Compagnie hollandaise des Indes orientales. En 1637, ils s'emparent du fort portugais d'Elmina, sur la côte d'Afrique, et ils s'installent également au Brésil, dont ils seront chassés en 1654. En 1638, ils s'emparent encore de deux positions majeures des Portugais sur la côte d'Afrique, l'île de São Tomé et São Paulo de Loanda (repris par les Portugais en 1648).

Toujours en 1638, les Hollandais chassent les Portugais de leurs comptoirs au Japon. En 1641, ils s'emparent de Malacca, qui contrôle la route maritime des détroits entre l'océan Indien et la mer de Chine. En 1656, ils chassent les Portugais de leurs positions dans l'île de Ceylan.

Il ne reste plus alors aux Portugais en Asie que leurs comptoirs indiens de Goa, Damao et Diu, la partie est de Timor, en Indonésie, et le comptoir de Macao, en Chine. Possessions qui leur resteront jusqu'au XXᵉ siècle. La paix signée en 1661 entre le Portugal (redevenu indépendant) et les Provinces-Unies fixe les positions respectives des deux parties.

En Amérique, les Hollandais ont acquis et conservent l'île de Curaçao (occupée en 1634), et le Surinam (Guyane hollandaise) acquis en 1667. En Amérique du Nord, les Hollandais s'implantent dans la région actuelle de New York, où ils fondent cette ville sous le nom de « La Nouvelle Amsterdam ». Ils cèdent la place aux Anglais en 1664.

Les Anglais

Les Anglais n'avaient pas attendu pour se lancer dans la course. Des pirates, comme Hawkins et Drake, entreprennent dès 1562 des expéditions de pillage contre les ports espagnols d'Amérique. Dans les Petites Antilles, ils occupent les îles négligées par les Espagnols (Bermudes, Bahamas, Saint-Christophe, Montserrat, Antigua, la Barbade). En 1651, ils s'implantent en Guyane ; en 1655, ils enlèvent aux Espagnols l'île de la Jamaïque.

En Amérique du Nord, sur la côte atlantique, sir Walter Raleigh fonde en 1584 la colonie de Virginie ; les premiers colons s'établiront en 1607. Par la suite, dans ces établissements, y compris ceux repris aux Hollandais, viendront se fixer de nombreux dissidents religieux persécutés en Angleterre.

En 1600 est fondée à Londres la Compagnie anglaise des Indes orientales qui s'engage sur les brisées des Portugais. En 1616, elle obtient du Grand Moghol, principal souverain des Indes, droit d'établissement et privilège d'exterritorialité. Les Hollandais réagiront en massacrant les commerçants anglais à Amboine, dans les Moluques (1623). Les Anglais renoncent à l'Indonésie, mais s'implantent en Inde (Surat : 1635 ; Madras : 1639 ; Calcutta : 1654).

Sur la côte d'Afrique, les Anglais s'établissent en Gambie (1618), en Côte-de-l'Or (Cape Coast Castle) en 1664.

Les Français

Les Français s'implantent au Canada avec Champlain, sous le règne d'Henri IV. Mais c'est sous le règne de Louis XIII que cette implantation devient définitive. Québec est fondée en 1608, Montréal en 1611. Champlain reçoit le titre de *« lieutenant général en Nouvelle-France »* (1612). Colbert y nomme un gouverneur et un intendant. En 1682, Cavelier de La Salle, parti du Canada, descend le Mississippi et fonde, sur le golfe du Mexique, la colonie de la Louisiane.

Dans les Petites Antilles, les flibustiers (pirates) français s'établissent à Saint-Christophe et en chassent les Anglais ; la Guadeloupe est occupée en 1635, la Martinique en 1638, puis la Dominique, Saint-Barthélemy, Sainte-Croix, Saint-Martin ; en 1642, les Français occupent la Grenade et Tobago. Les boucaniers (aventuriers vivant de chasse et de viande *« boucanée »* (fumée) à partir des troupeaux de bovins introduits par les Espagnols et revenus à l'état sauvage) et les flibustiers, qui avaient fait de l'île de la Tortue, au nord de Saint-Domingue, leur base principale, s'établissent dès 1626 dans la partie occidentale de Saint-Domingue, à peu près abandonnée par les Espagnols. Un gouverneur français y est établi en 1641.

Sur la côte d'Afrique, le fort de Saint-Louis, à l'embouchure du Sénégal, est construit en 1659, l'îlot de Gorée est pris sur les Hollandais en 1677.

C'est sous le règne de Louis XIV, avec Colbert, que se dessine une politique coloniale cohérente, avec des bureaux définitivement mis en place en 1670.

Des compagnies à privilèges sont créées : Compagnie française des Indes orientales et Compagnie française des Indes occidentales en 1664, Compagnie du Sénégal (pour faire la traite des esclaves) en 1675. En Inde, des comptoirs sont établis à Surat (1667), à Pondichéry (1670), à Chandernagor (1690), à Calicut (1701). Une tentative d'établissement à Madagascar (1638-1674) échouera. L'île Bourbon (aujourd'hui la Réunion), inhabitée, fera l'objet d'une prise de possession en 1649.

L'AMÉRIQUE ESPAGNOLE

Dans les parties de l'Amérique espagnole à population amérindienne prépondérante (en gros, les anciens Empires aztèque et inca), les populations ont été d'abord réduites en esclavage, puis soumises à une sorte de servage dans le cadre des « encomiendas », vastes domaines concédés par la couronne aux conquérants, « bénéfices » plutôt que fiefs, accordés à vie, donnant droit à la propriété de la terre mais aussi à la disposition de la population indienne et à la perception de redevances sur elle. Les bénéficiaires du système, les « encomienderos », se révoltent contre l'autorité royale en 1548 et le système est peu à peu démantelé avec l'établissement d'une administration royale : Conseil des Indes en Espagne — 1511 —, établissement en Amérique d'« audiencias », tribunaux à pouvoir administratif, le premier à Saint-Domingue en 1511 (il y en aura six en 1550), institution de vice-royautés (à Mexico et à Lima), de « corregidores » nommés à partir de 1565 pour mettre fin aux abus des « encomienderos » — on comptera dans la vice-royauté du Pérou 74 « corregimientos ».

Le système « tributaire » des anciennes monarchies aztèque et inca est repris à leur compte par les Espagnols, au bénéfice de la couronne ou des concessionnaires : redevances payées par les communautés agricoles (en nature, ou sous forme de terres cultivées au bénéfice de l'instance dominante, corvée). Ce prélèvement de main-d'œuvre — forme de travail forcé — la « mita », va être utilisé au Pérou pour approvisionner en ouvriers les mines d'argent de Potosi. Les conditions de vie et de travail dans ces mines sont telles que les survivants sont rares, et, par précaution, on fait entendre aux requis avant leur départ la messe des morts, afin d'assurer au moins le salut de leurs âmes.

Le rôle de l'Eglise

L'Eglise tint dans la colonisation une place considérable. Elle reçut des domaines immenses ; les ordres mendiants (Dominicains, Franciscains) jouent un rôle majeur dans l'évangélisation. En Amérique centrale (capitainerie générale de Guatemala), où les colons sont rares, les curés tiennent en main les villages et usurpent largement le rôle d'une administration trop lointaine.

Conséquences démographiques

La conquête espagnole est suivie d'une crise démographique due aux mauvais traitements et aux épidémies (maladies introduites par les Européens et contre lesquelles les Indiens ne sont pas immunisés ; en retour, ceux-ci transmettent aux Européens, qui l'introduisent sur l'Ancien Continent, la syphilis).

Les Grandes Antilles (Cuba, Saint-Domingue), où s'étaient faits les premiers établissements espagnols, sont rapidement dépeuplées et (sauf le port stratégique de La Havane) laissées à l'abandon.

La population du haut plateau mexicain, l'Anahuac, de 11 à 15 millions au début du XVIe siècle, tombe à 1 ou 2 millions en 1605. Il y aura une lente remontée démographique aux XVIIe et XVIIIe siècles, pour aboutir à 3,7 millions d'habitants (Indiens, Blancs, Noirs et métis) en 1793.

Conséquences économiques

Il y aura aussi crise économique, avec la chute des exportations d'argent au cours du XVIIe siècle (non sans liens avec l'effondrement démographique). Au XVIIIe siècle, l'or du Brésil (Minas Gerais) fait remonter l'apport de métal précieux d'Amérique (1720-1760).

En dehors de l'argent des mines, l'Amérique exporte peu : des cuirs, des laines, de la cochenille du Mexique (une teinture rouge carmin, préparée à partir d'insectes). Ce qui vient d'Asie par le galion de Manille compte peu.

On voit apparaître dans ces conditions, du fait de la rareté de la main-d'œuvre, le travail «libre», salarié ; en dépit de l'«*exclusif*», et pour faire face à des besoins que les importations, légales ou illégales, ne peuvent couvrir, un artisanat local, parfois préindustriel apparaît (textile, savon, chandelles, cuir), et un début d'organisation des marchés régionaux.

Au cours de la crise du XVIIᵉ siècle, une grande propriété foncière, celle des « *haciendas* » (ou « *estancias* » pour les domaines consacrés à l'élevage), fait son apparition : au bénéfice des colons créoles (Espagnols nés en Amérique) et de l'Eglise. L'« *hacienda* » vit en partie en autoconsommation, et en partie vend sur le marché. L'endettement permanent de l'ouvrier agricole, le « *péon* », vis-à-vis du propriétaire conduit à une forme de servage déguisé, le « *péonage* » — le péon endetté ne peut quitter l'hacienda.

LE COMMERCE TRIANGULAIRE, LA TRAITE DES NOIRS ET LA PLANTATION ESCLAVAGISTE

Sur la côte d'Afrique, Portugais, puis Hollandais, vont d'abord chercher l'or. Ils vont en détourner le flux, en provenance des placers aurifères de l'intérieur, des itinéraires transsahariens vers le littoral.

L'exportation d'esclaves (vers le Portugal) prend une autre dimension lorsqu'elle se dirige vers l'Amérique. On a mis en rapport le développement de la *traite* (= du commerce) des esclaves africains vers l'Amérique avec le plaidoyer de l'évêque Las Casas en faveur des Indiens d'Amérique et l'interdiction royale qui suivit de les réduire en esclavage. Les Noirs auraient été recrutés pour remplacer les Indiens. Cette vue est approximative : en réalité, les Noirs n'ont remplacé les Indiens que là où ils avaient été pratiquement exterminés : dans les îles des Antilles, dans les plaines tropicales du golfe du Mexique, et dans le Nord-Est brésilien.

C'est l'établissement, dans les Antilles et au Brésil, de la plantation sucrière esclavagiste qui est à l'origine du recrutement massif d'esclaves africains à destination de l'Amérique.

Le sucre

A la fin du Moyen Age, le sucre, extrait de la canne à sucre, est un produit importé de l'Inde ou du Moyen-Orient, rare et cher comme les épices, vendu par les apothicaires (les pharmaciens de l'époque). Les usages qui sont aujourd'hui ceux du sucre sont remplis par le miel. La production du sucre suppose une véritable « agro-industrie » : plantation et coupe de la canne — un travail très dur —, écrasement de la canne dans des moulins à sucre, clarification et concentration du sucre de canne par cuisson dans des chaudières, puis cristallisation (sucre brut) et enfin raffinage (sucre blanc) laissant comme sous-produit les mélasses, elles-mêmes consommées ou distillées pour la production du rhum ou du tafia.

La production du sucre ne peut être artisanale : elle exige un traitement immédiat de la canne, qui ne peut être exportée en l'état ; elle suppose une main-d'œuvre disponible et disciplinée, effectuant un travail complexe. Seul le raffinage (production de sucre blanc) peut être effectué ailleurs que sur la plantation, à partir de sucre brut importé.

Dans les conditions de l'époque, la production de sucre ne peut être réalisée qu'avec une main-d'œuvre d'esclaves, entièrement disponible. De l'Inde et du Moyen-Orient, la production sucrière s'est introduite en Méditerranée, dès les XIIIe et XIVe siècles, dans les colonies génoises et vénitiennes de la Méditerranée orientale (Chio, Chypre, Crète), avec une main-d'œuvre d'esclaves razziés dans le monde musulman ou achetés dans les comptoirs génois de la mer Noire. De là, la production (esclavagiste) du sucre va être introduite en Sicile, dans le royaume de Grenade, et, à la fin du XVe siècle, dans les îles de l'Atlantique (Madère, Canaries, São Tomé).

Un problème de main-d'œuvre

Vers 1500, c'est São Tomé, avec une main-d'œuvre d'esclaves noirs importés du Congo, qui est le premier producteur de sucre.

Au début du XVIe siècle, la production sucrière est introduite à

Hispaniola (Saint-Domingue), à Porto Rico et à la Jamaïque, par les Espagnols. La première exportation de sucre d'Hispaniola est enregistrée en 1522 et, en 1560, elle équivaut à la moitié de la production de São Tomé. Mais le problème de la main-d'œuvre bloque le développement de la culture de la canne dans les colonies espagnoles. C'est le Brésil portugais qui prend la relève grâce à l'importation d'esclaves achetés en Afrique et devient vers 1580 le premier producteur de canne à sucre. Pendant leur occupation du Brésil, les Hollandais prennent la relève des Portugais. Après la reconquête portugaise, un certain nombre de planteurs, hollandais ou marranes (juifs convertis d'origine portugaise, compromis par leur collaboration avec les Hollandais), émigrent vers les Antilles, où ils introduisent à la fois la culture de la canne à sucre et le système de la plantation esclavagiste.

Français, Anglais établis dans les Antilles ont d'abord implanté de petites exploitations européennes, consacrées au tabac ou à l'indigo, utilisant une main-d'œuvre européenne d'«engagés», main-d'œuvre soumise à une servitude temporaire : travail obligé pendant un certain nombre d'années (3 à 7 ans) pour le planteur qui a payé le prix de leur traversée.

Ce système fonctionnait mal : la servitude, même temporaire, avait disparu des habitudes européennes et les «engagés» supportaient mal leur condition. De plus, ils étaient mal préparés à la pratique de l'agriculture tropicale.

La plantation sucrière va implanter avec elle l'esclavage des Noirs qui vont bientôt représenter la majorité de la population : ainsi, à la Barbade (britannique), les Blancs sont encore majoritaires en 1645 : 18 500 Blancs en état de porter les armes, face à 5 680 esclaves noirs. En 1667, la proportion s'est inversée : 8 300 Blancs mobilisables contre 82 000 esclaves noirs. Le système esclavagiste s'étendra aux autres productions : tabac, indigo, café.

La plantation esclavagiste

C'est dans la seconde moitié du XVIIe siècle que s'opère la généralisation de la plantation esclavagiste dans les Iles. Tardivement, au XVIIIe siècle, ce type d'économie s'implantera dans les îles Mascareignes, dans l'océan Indien : île Bourbon et île de France, aujourd'hui la Réunion et l'île Maurice, alors possessions françaises.

Dès le départ, la plantation esclavagiste est une entreprise capitaliste : elle exige de gros investissements, pour l'aménagement du terrain, l'équipement agro-industriel, et l'achat d'esclaves ; les rentrées de fonds sont à longue échéance, en raison de la longueur des traversées. Le capitaliste est ici le marchand, soit qu'il investisse directement dans la plantation, soit qu'il finance les planteurs par ses avances. Le planteur, dont on décrira volontiers le luxe seigneurial et le mode de vie aristocratique, ne vit pas toujours dans l'aisance et demeure presque toujours lourdement endetté à l'égard du capital marchand, qui draine l'essentiel des bénéfices.

L'économie de plantation vit dans une dépendance complète à l'égard du commerce extérieur : tout ce qu'elle produit est destiné à l'exportation vers l'Europe, presque tout ce qu'elle consomme est importé. Les parcelles attribuées aux esclaves pour y faire des cultures vivrières, et pour lesquelles on leur accorde au maximum un jour par semaine, ne suffisent pas à nourrir la main-d'œuvre. Non seulement tout l'équipement, tous les produits manufacturés sont importés (au bénéfice des nationaux, dans le cadre de l'« *exclusif* »), mais une grande partie de l'alimentation est elle-même importée (farine d'Europe, morue séchée ou salée d'Amérique du Nord). Entre les Antilles françaises et le Canada, comme entre les Antilles anglaises et l'Amérique du Nord britannique, des échanges complémentaires se nouent : aux Antilles, l'Amérique du Nord envoie de la farine, des pois, de la morue séchée, du bois et du goudron ; les Antilles expédient en retour du sucre, de la mélasse, du tafia, du café et du tabac.

La traite des Noirs et le commerce triangulaire

La demande américaine en esclaves, liée au développement de la plantation, provoque l'essor de la traite des esclaves. Celle-ci n'est qu'un élément du commerce européen, qui s'intègre dans un circuit souvent dénommé *« commerce triangulaire »*. Le navire négrier, dans un premier temps, apporte à la côte d'Afrique des « marchandises de traite » qui lui servent à négocier l'achat des esclaves : textiles, quincaillerie, bimbeloterie, alcools, puis armes à feu, tous produits destinés aux couches privilégiées de la société africaine, organisatrices et bénéficiaires de la traite. De la côte d'Afrique, le navire négrier avec sa cargaison d'esclaves part pour l'Amérique, y échange sa cargaison contre des produits (sucre, tabac, etc.) qu'il ramène vers les ports européens. Une exception : le Brésil importe directement ses esclaves en les échangeant contre ses produits — tabac et tafia.

En croissance rapide dans la seconde moitié du XVIIIe siècle, le commerce des esclaves deviendra jusqu'au premier quart du XIXe siècle la forme dominante du commerce entre l'Europe et l'Afrique.

Les Européens n'auront pas besoin de pénétrer à l'intérieur de l'Afrique pour y chercher les esclaves : les Etats côtiers se spécialisent dans le rôle d'intermédiaires, leur fournissant la marchandise humaine, défendant leur fructueux monopole contre d'éventuelles intrusions européennes et surtout contre les populations de l'intérieur. Les Européens renonceront très vite à leurs tentatives de pénétrer à l'intérieur du continent, pour se contenter de simples comptoirs côtiers.

LE COMMERCE ASIATIQUE

Il est d'une tout autre nature que le commerce atlantique. Portugais, Hollandais, Anglais, Français se sont, certes, implantés en Asie. Mais leurs possessions territoriales, sauf exception et du moins jusqu'à la seconde moitié du XVIIIe siècle, se limitent à des comptoirs côtiers.

Le circuit de l'argent

Les Européens viennent chercher dans l'Inde, l'Insulinde et la Chine des produits de luxe : épices, produits de l'artisanat, textiles de luxe (mousselines, cachemires), « indiennes » (toiles de coton peintes), soies, laques et porcelaines de Chine. Impossible de proposer en retour des produits manufacturés européens : l'Orient, tant au niveau de la production courante que de la production de luxe, produit mieux, et moins cher. Il faut donc solder les achats en métal précieux, essentiellement en argent (seul admis en Chine). C'est l'argent américain qui solde les achats du commerce asiatique.

Du XVIe au XVIIIe siècle, le tiers (ou peut-être même la moitié) de l'argent fourni par l'Amérique aurait été absorbé par la Chine. Celle-ci contrôle étroitement ses entrées. Le Japon, lui, s'est fermé en 1638 au commerce européen, à l'exception d'un accès limité et contrôlé au port de Nagasaki, réservé aux seuls Hollandais.

Les comptoirs en Inde

L'Inde, politiquement plus morcelée, et où l'État le plus important, l'Empire des Grands Moghols (fondé en 1526 par les Turcs islamisés, qui se réclament de l'héritage de Tamerlan), tombe en décadence dès le début du XVIIe siècle, est plus aisément mise en dépendance commerciale. Pourtant l'Inde possède des marines locales qui fréquentent les mers de l'Extrême-Orient, et connaît un important développement du commerce et de la banque. Mais nulle part n'existe, comme en Europe, une association entre les États et la bourgeoisie marchande et financière locale. A plus forte raison, l'Inde ne connaît pas d'États marchands, comme Venise ou les Pays-Bas.

Les souverains se désintéressent du commerce maritime et n'ont pas de marine de guerre. Ils laissent donc les Européens s'établir dans des comptoirs. On a invoqué comme un élément explicatif de ce comportement le « tabou » (l'interdit) concernant la mer observé par la caste dominante des Brahmanes : le seul fait de monter sur un navire les frappe d'une impureté irréparable et en fait des hors-caste. Ce sont des étrangers (musulmans notamment) ou des gens issus des castes inférieures qui prennent en charge le commerce maritime. Les colonisateurs, jusqu'à la fin du XVIIIe siècle, utiliseront le concours des marines locales pour le commerce d'Inde en Inde, et celui des marchands-financiers autochtones.

Le commerce de l'Inde, comme celui de Chine, se fait à prix d'argent.

Il n'y a pas, comme en Amérique, d'implantation en profondeur, à une exception près, celle des Hollandais, qui, pour s'assurer le monopole des épices, prennent, par souverains locaux interposés, le contrôle des Moluques, puis de Java.

C'est seulement au cours du XVIIIe siècle qu'en Inde, Dupleix, qui représente la Compagnie française des Indes, puis après lui la Compagnie anglaise, s'avisent de consolider leurs comptoirs par une implantation territoriale. La tentative de Dupleix, considérée comme une initiative personnelle et désavouée par la compagnie, est abandonnée à la suite de la défaite française dans la guerre de Sept Ans (1763). Quant à la Compagnie anglaise, ce n'est qu'après la bataille de Plassey (1757) et la mainmise britannique sur le Bengale que son style de colonisation et de rapports commerciaux va changer. Avec cette mainmise territoriale et la constitution de la compagnie en souverain indien va commencer le « rapatriement » des richesses accumulées dans l'Inde en argent, or, pierres précieuses. Dès lors s'engage le mouvement qui transformera l'Inde, de fournisseur de produits manufacturés et de luxe, en fournisseur de matières premières (coton notamment) pour l'industrie britannique, et en acheteur de produits manufacturés anglais, avec pour conséquence la destruction de l'artisanat traditionnel, mouvement qui prendra toute son ampleur au XIXe siècle.

La Chine

Pour la Chine, c'est plus tardivement encore, à la fin du XVIIIe siècle et au XIXe siècle, que s'effectue le renversement, avec le remplacement progressif, pour solder les achats de produits chinois, de l'argent par l'opium exporté par la Compagnie anglaise des Indes. C'est vers 1820 approximativement que la balance se renverse au détriment de la Chine. La *« guerre de l'Opium »* (1839-1842) imposera à la Chine l'importation d'opium que le gouvernement chinois avait tenté de bloquer. Pour reprendre le mot de Braudel : *« Voilà la Chine payée en fumée, et quelle fumée ! »*

L'EMPIRE OTTOMAN ET L'EUROPE ORIENTALE : LE SECOND SERVAGE

Les succès militaires de l'Empire ottoman n'ont pas modifié la dépendance du monde musulman par rapport au commerce européen. Cette situation d'infériorité a commencé avec les croisades. Au Maghreb, elle est indéniable dès le XIVe siècle par rapport au commerce italien et catalan. L'Empire ottoman, certes, constitue un pôle de résistance et un marché intégré ; les corsaires turcs implantés à Tunis, Alger et Tripoli font des ravages dans les marines européennes, avec réciprocité des corsaires chrétiens, chevaliers de Saint-Jean-de-Jérusalem repliés de Rhodes à Malte, notamment. La marine turque (qui utilise des marins grecs) conserve jusqu'en 1774 la maîtrise de la mer Noire, et plus tard encore celle de la mer Rouge avec la possession d'Aden. Mais si l'économie ottomane n'est encore ni totalement dépendante, ni marginalisée, elle est pénétrée par le commerce occidental, présent dans les *« échelles du Levant »* (les comptoirs ouverts en Orient au commerce européen).

Un nouveau servage

La mise en dépendance n'est pas seulement extra-européenne. En Europe de l'Est (Russie, Pologne), l'aristocratie locale, pour se procurer les produits de luxe de l'Europe occidentale (vêtements, mobilier, vins, etc.), appesantit son exploitation sur les paysans, en s'attribuant la propriété de la terre et en généralisant le servage. Les paysans serfs, désormais attachés à la terre et éventuellement vendus avec elle, se voient contraints de travailler sur les terres seigneuriales à titre gratuit, devant assurer leur subsistance par la culture des maigres lots qui leur sont laissés à cet effet.

C'est le « *second servage* » des historiens, distinct dans ses formes du servage féodal de l'Europe occidentale, et qui se développe au moment même où ce dernier est en voie de disparition. Il connaîtra son apogée en Russie à la fin du XVIIIe siècle, où il prendra des formes proches de l'esclavage pur et simple. Il rendra possible cette petite annonce parue dans un journal de Saint-Pétersbourg : « *A vendre : un perruquier et une vache de bonne race.* »

L'Europe à l'est de l'Elbe fournit au marché de l'Europe occidentale céréales, bois, lin.

La mise en dépendance passe par le commerce extérieur : les villes maritimes de la Hanse, allemandes et baltes, en sont les agents, progressivement surclassés par les Hollandais au cours du XVIe siècle.

En Pologne, la bourgeoisie marchande de Gdansk (Dantzig), elle-même intermédiaire du grand commerce d'Amsterdam, domine entièrement le marché, à l'importation comme à l'exportation, achetant le blé des « *magnats* » (grands seigneurs) et leur fournissant les produits de luxe de l'Occident.

La Russie présente une situation un peu différente : l'immensité de son espace, la présence d'un Etat fort à partir du règne de Pierre le Grand, expliquent l'existence d'une couche de riches marchands, étroitement subordonnés à l'Etat, qui les utilise, et dont ils utilisent les moyens. Certains parviennent à s'intégrer à l'aristocratie.

L'esclavage en Amérique

Le «Code Noir» *ou* «Recueil de règlements concernant le gouvernement, l'administration de la justice, la police, la discipline et le commerce des nègres dans les colonies françaises», *dont le texte principal fut édicté sous le règne de Louis XIV (1685), resta en vigueur jusqu'en 1848 (l'abolition de l'esclavage, prononcée par la Convention en 1794, ne s'appliqua en fait qu'à Saint-Domingue, et à la Guadeloupe où l'esclavage fut rétabli en 1802).*

L'«Edit du roi touchant la police des îles de l'Amérique française» *(mars 1685) prescrit que toute voie de fait d'un esclave contre son maître sera punie de mort. De même, des voies de fait contre des personnes libres, ou les vols de chevaux ou de bœufs, peuvent être punis de mort (articles XXXIII à XXXV). Le vol de petit bétail ou de denrées sera puni des verges et du marquage par une fleur de lys à l'épaule (XXXVI). L'esclave fugitif pendant plus d'un mois aura les oreilles coupées et sera marqué d'une fleur de lys à l'épaule ; s'il récidive, il aura le jarret coupé et sera marqué d'une fleur de lys sur l'autre épaule ; la troisième fois, il sera puni de mort (article XXXVIII).*

Ces supplices (marque et mutilations) ne seront abolis qu'en 1833, sous le règne de Louis-Philippe.

Le Code Noir *édicté par le roi Charles III pour les colonies espagnoles est à peine plus clément. Le manque de respect à l'égard d'un Blanc est puni du pilori et de 25 coups de fouet ; lever la main contre un Blanc, le menacer d'un bâton ou d'une épée, est puni de cent coups de fouet et la main ayant porté l'arme sera clouée. En cas de récidive, la main sera coupée.*

L'article XLII du Code Noir français permet aux maîtres de faire enchaîner ou fouetter leurs esclaves «lorsqu'ils croient que les esclaves l'ont mérité». *Il est, en principe, interdit aux maîtres de les torturer, de les mutiler ou de les tuer. Mais, en pratique, les maîtres, quoi qu'ils fassent, ne sont jamais sanctionnés : les tribunaux, entre les mains des colons, ont pour principe que jamais un maître ne puisse être condamné sur plainte d'un esclave, de peur de mettre en péril l'autorité du régime esclavagiste.*

La France au Grand Siècle

L'expression *« le Grand Siècle »* s'applique habituellement au règne de Louis XIV, qui occupe surtout la seconde partie du XVIIe siècle.

Nous prendrons ici l'expression dans un sens élargi, du règne d'Henri IV (fin du XVIe siècle) à la mort de Louis XIV (1715).

HENRI IV ET LE RELÈVEMENT DE LA FRANCE (1594-1610)

À l'avènement d'Henri IV, la France se trouvait ruinée par les guerres de Religion. Nombre de villages avaient été abandonnés ; mendiants et brigands couraient les routes ; ligueurs catholiques et huguenots avaient pris l'habitude de défier l'autorité royale. Un signe de l'étendue des destructions : dans beaucoup de paroisses, les registres d'état civil ne s'ouvrent qu'après les guerres de Religion ; les registres relatifs à l'époque antérieure ont été détruits lors des pillages ou incendies d'églises.

Henri IV et Sully

Henri IV rétablit, non sans peine, l'autorité royale. Roi d'un pays majoritairement catholique, il soutient fermement sa nouvelle religion et prend un confesseur jésuite. Mais il maintient non moins fermement les libertés et privilèges accordés à ses anciens coreligionnaires par l'édit de Nantes.

Avec le concours de son ministre Sully (protestant, et qui l'est resté), il rétablit les finances du royaume, non sans recourir parfois à de fâcheux expédients : c'est ainsi qu'en 1604, il entérine la vénalité et l'hérédité des offices moyennant un impôt annuel équivalent à 1/60e de la valeur de la charge. Du nom du financier qui avait reçu la concession de cet impôt, Paulet, on appela cette taxe la « paulette ».

L'économie se relève lentement. « *Pâturage et labourage sont les deux mamelles dont la France est alimentée, ses vraies mines et trésors du Pérou* », aurait dit Sully. Et Henri IV émet le vœu que chaque famille paysanne puisse mettre le dimanche « *la poule au pot* ». Slogans de propagande, dirions-nous aujourd'hui, car les actions en ce sens furent limitées. C'est sous le règne d'Henri IV qu'est creusé le canal de Briare, reliant la Seine à la Loire par la vallée du Loing. En 1600, suite à une guerre contre la Savoie, Henri IV annexe la Bresse et le Bugey (en gros l'actuel département de l'Ain).

Henri IV s'apprête à entrer en guerre aux côtés des protestants allemands, suisses et hollandais contre la maison d'Autriche, lorsqu'il est assassiné par un ancien « ligueur » fanatique, Ravaillac (1610).

LOUIS XIII ET RICHELIEU

A la mort d'Henri IV, son fils, devenu le roi Louis XIII, n'avait que neuf ans. La régence fut assurée par sa mère, la reine Marie de Médicis, princesse italienne qu'Henri IV avait épousée après la dissolution de son mariage avec Marguerite de Valois, sœur de ses trois prédécesseurs. Elle laissa le gouvernement aux mains de l'Italien Concini, mari de sa confidente Leonora Galigaï. En 1617, Louis XIII fit assassiner Concini, mais n'écarta sa mère du pouvoir que pour le confier à son favori Luynes. L'autorité royale fléchit : les grands firent réunir en 1614 les états généraux, qui se séparèrent sans avoir abouti à rien. Ce fut la dernière réunion des états généraux avant 1789.

Richelieu

A partir de 1624, Louis XIII confie le pouvoir à Richelieu. Armand du Plessis, duc de Richelieu, issu d'une famille de petite noblesse, était évêque de Luçon, dans le Bas-Poitou. D'abord au service de Marie de Médicis et disgracié avec elle, il réussit à la réconcilier avec le roi et est fait cardinal. Plein de morgue aristocratique, autoritaire et cassant, ne négligeant pas (comme tous ses contemporains dans de tels emplois) d'assurer sa fortune et celle de sa famille, Richelieu est profondément attaché à la conception féodale qui fait de lui le premier serviteur du roi : il lui témoigne un dévouement total, et Louis XIII lui rend cet attachement par un soutien constant.

Pour assurer la grandeur du roi, Richelieu engage la France dans la lutte contre les Habsbourg, ce qui conduit après sa mort à un succès, mais chèrement payé.

A l'intérieur, il brise la puissance militaire des protestants qui ont apporté leur appui à l'Angleterre en guerre contre la France. L'épisode le plus fameux en est le siège de La Rochelle, bastion protestant, qui finit par capituler après avoir été réduit à la famine (1627). La guerre se poursuivit dans les Cévennes — autre bastion protestant — et les protestants doivent demander la paix. Elle leur est accordée sous la forme de l'*Edit de grâce* d'Alès (1629). Le roi n'a pas à faire la paix avec ses sujets : il leur accorde une *« grâce »*. L'édit retire aux protestants leurs privilèges militaires et politiques, mais maintient la liberté du culte et l'égalité d'accès aux emplois pour les protestants.

Richelieu a fort à faire pour briser les complots et les cabales des «grands» qui ont cru pouvoir reprendre leurs libertés et affirmer leurs prétentions : quelques-uns le paient de leur tête. Ainsi le duc de Montmorency, gouverneur du Languedoc, qui était entré en rébellion : il est condamné à mort et exécuté à Toulouse. Richelieu fait de même exécuter un grand seigneur qui, au lendemain de la publication d'un édit qui interdisait les duels, avait bravé l'autorité en se battant en duel en plein midi à Paris, place des Vosges (alors place Royale).

Pour mieux surveiller les officiers royaux, Richelieu fait appel, plus que par le passé, aux intendants nommés, qui prennent le titre d'*« intendants de justice, police et finances »*, dotés de pleins pouvoirs.

Il s'engage dans la politique coloniale (Antilles, Sénégal, Madagascar, Canada).

Se piquant de littérature (il a composé et fait jouer des pièces de théâtre), il crée l'*Académie française*. Pour sa propagande et pour contrer celle qui est faite par les journaux publiés en français aux Pays-Bas, il crée, avec le concours de Théophraste Renaudot, le premier journal français, *La Gazette*.

LE RÈGNE DE LOUIS XIV (1643-1715)

L e règne de Louis XIV fut un des plus longs de l'histoire de France : 72 ans. Richelieu était mort en 1642 ; Louis XIII le suivit dans la tombe quelques mois plus tard (1643). Le nouveau roi n'avait pas encore 5 ans.

Sa mère, Anne d'Autriche, devenue régente, confia le pouvoir à Mazarin, un Italien, passé du service du pape à celui de Richelieu, et que ce dernier avait fait faire cardinal bien qu'il ne fût pas prêtre.

Le roi affirme son autorité

L'économie traversait une période de récession ; les dépenses engendrées par la politique extérieure de Richelieu avaient poussé à l'extrême la misère populaire. Mazarin multiplia les expédients financiers sans oublier de faire fortune lui-même : l'actuel Palais-Royal, à Paris, fut construit pour lui et connu alors sous le nom de « *Palais-Cardinal* ».

Les grands et le Parlement de Paris, s'appuyant sur le mécontentement populaire, crurent pouvoir profiter de la situation pour jouer un rôle politique et remettre en cause l'autorité royale, à travers Mazarin. Ce fut la « *Fronde* ». Louis XIV en conserva un très mauvais souvenir : tout enfant, il avait dû, en plein hiver, fuir Paris pour se réfugier au château de Saint-Germain-en-Laye, où il fut réduit à coucher sur la paille. Il demeura toujours reconnaissant à Mazarin d'avoir brisé la Fronde et il lui abandonna l'exercice du pouvoir jusqu'à sa mort (1661).

Louis XIV avait alors 22 ans. Il n'avait jusque-là pris aucune part au gouvernement et passait pour ne s'intéresser qu'à ses loisirs et aux fêtes.

Il y eut un moment d'incrédulité lorsqu'il annonça à son Conseil qu'il entendait *« être à l'avenir son propre premier ministre »*.

Il tint parole. Louis XIV exerça pleinement son « métier de roi », avec conscience et application. Il travaillait plusieurs heures par jour, examinant lui-même les dossiers, seul, ou avec un de ses ministres. Conscient de ses limites, il prenait avis de tous ceux qu'il croyait compétents, mais prenait ensuite, seul, toutes ses décisions.

Un pouvoir absolu

Persuadé qu'il tenait son pouvoir de Dieu, et qu'à ce titre il n'avait aucun compte à rendre aux hommes, il voulut exercer un pouvoir absolu et choisit comme emblème le soleil (d'où son surnom de *« Roi-Soleil »*) et pour devise *« Nec pluribus impar »* (= *« sans égal, même à plusieurs »* — traduit librement : *« supérieur à tous »*).

Marié pour raison politique à l'infante d'Espagne Marie-Thérèse, dont il eut de nombreux enfants (qui moururent tous avant lui), il eut pour maîtresses attitrées, après la duchesse de La Vallière, la marquise de Montespan (dont il eut de nombreux enfants naturels, tous par la suite reconnus et titrés), et, à la fin de sa vie, madame de Maintenon, protestante convertie, qu'il épousa secrètement après la mort de la reine, et qui eut sur lui une influence fâcheuse en l'incitant à expier ses péchés sur le dos des autres, en versant dans la dévotion et en persécutant protestants et catholiques dissidents.

Son souci de prestige lui fit consacrer une partie importante de son emploi du temps à la représentation : il organisa à la manière espagnole le culte de la personne royale, régi par l'« *étiquette* », tout un cérémonial accompagnant chacun des actes de sa vie, du lever au coucher, s'effectuant en public et suivant un rituel minutieux, avec le concours des plus grands seigneurs. Ceux-ci, pourvus d'« *offices* » domestiques auprès de la personne du roi, dotés à ce titre de pensions substantielles, se trouvaient par là dépendants de lui, et privés de rôle politique.

L'ADMINISTRATION ROYALE

C'est sous le règne de Louis XIV que les institutions de la monarchie absolue, peu à peu mises en place sous ses prédécesseurs, vont prendre leur forme définitive, qu'elles conserveront jusqu'à la fin de l'Ancien Régime.

Louis XIV tint rigoureusement à l'écart du pouvoir la haute noblesse, domestiquée par les emplois de cour. Il utilisa systématiquement comme ministres des personnages d'humble extraction, qu'il enrichit et anoblit, mais qui, en raison de leurs origines, ne pouvaient songer à jouer un rôle personnel et étaient de ce fait totalement soumis à sa volonté.

Depuis François Ier, ce qui tenait lieu de gouvernement était un conseil dans lequel le roi réunissait tous les deux jours quelques personnes de confiance, qui dépendaient entièrement de lui. Eux seuls portaient le titre de *« ministre d'Etat »* : mais, du jour au lendemain, ils pouvaient cesser de l'être, tout simplement en n'étant plus convoqués au conseil.

A côté de ce conseil, qu'on appelle désormais le *Conseil-d'en-Haut*, le *chancelier*, garde des sceaux, dirigeait la justice ; un *surintendant général des Finances*, aidé d'un *Conseil des Finances*, jouait le rôle de ministre dans ce domaine. La fonction disparut au début du règne personnel de Louis XIV avec la disgrâce de son titulaire Fouquet, écarté et emprisonné moins en raison des détournements qu'il avait commis que pour avoir porté ombrage à la susceptibilité du roi par son train de vie, supérieur au sien. Il fut remplacé par Colbert, ancien intendant de Mazarin, recommandé par lui au roi, qui reçut le titre — porté jusqu'à la fin de l'Ancien Régime par ses successeurs, de *contrôleur général des Finances*.

Les quatre *secrétaires d'Etat*, qui avaient en charge chacun les affaires d'un quart du royaume, reçurent en plus une fonction spécialisée qui devint bientôt dominante : secrétaires d'Etat à la *Guerre*, à la *Marine*, aux *Affaires étrangères*, à la *Maison du Roi*.

Les titulaires de ces fonctions pouvaient être aussi membres du Conseil-d'en-Haut, mais ils ne l'étaient pas toujours.

Le secrétaire d'Etat à la Guerre fut Le Tellier, remplacé par son fils qui fut fait marquis de Louvois, et connu sous ce nom. Louvois occupa le poste jusqu'à sa mort en 1691.

Le secrétaire d'Etat aux Affaires étrangères fut Lionne, déjà en place sous Mazarin, jusqu'à sa mort en 1671.

Colbert cumula les fonctions de contrôleur général des Finances, de secrétaire d'Etat à la Marine, et de secrétaire d'Etat à la Maison du Roi, jusqu'à sa mort en 1683.

A côté du *Conseil-d'en-Haut*, le *Conseil des Finances*, qui se réunissait deux fois par semaine, traitait des affaires de sa compétence. Le *Conseil des Dépêches*, qui siégeait une fois par quinzaine, réunissait tous les ministres et les secrétaires d'Etat pour examiner la correspondance des intendants. Enfin, le *Conseil des Parties*, dont les membres portaient le titre de « *Conseiller d'Etat* », assisté de « *maîtres des requêtes* », était l'instance suprême de la justice royale, et préparait les textes des lois, portant le titre d'« *édits* », d'« *ordonnances* », ou d'« *arrêts du Conseil* ».

Dans les provinces

Dans les provinces, les *gouverneurs*, encore recrutés dans la haute noblesse et dont les fonctions étaient essentiellement militaires, furent réduits à un rôle de représentation et d'apparat. Le pouvoir réel fut plus que jamais remis à des « commissaires » nommés (à la différence des « officiers », propriétaires de leurs charges), les « *intendants de justice, police et finances* », dans le cadre de circonscriptions appelées « *généralités* », et qui ne correspondent pas toujours aux provinces. Ils étaient « *le roi présent en la province* », assistés de « *subdélégués* » nommés par eux.

Colbert et le colbertisme

Colbert fut le plus illustre des ministres de Louis XIV. Austère, grand travailleur, il ne négligea pas plus que les autres de faire sa fortune et celle de sa famille. Il s'efforça de mettre en pratique la politique *mercantiliste* dont nous avons vu les principes : faire entrer dans le royaume le maximum d'espèces monétaires et les empêcher de sortir, principes dans lesquels on voyait l'assurance de la prospérité et de la grandeur du royaume.

A cette fin, il pratiqua une politique d'économie dirigée ; par des primes et des encouragements, il favorisa la construction navale et développa la marine de commerce, pour échapper à la dépendance des Hollandais. Il développa les premières entreprises coloniales (voir p. 291). Il fit construire le *canal d'Orléans* (unissant Seine et Loire), et l'ingénieur Riquet construisit de Sète à Toulouse le *canal des Deux-Mers*, joignant théoriquement l'Atlantique à la Méditerranée (théoriquement, étant donné les capacités de navigation limitées de la Garonne).

Pour diminuer les importations, il développa ou implanta des *manufactures*, les unes, comme la Manufacture des Gobelins, travaillant exclusivement pour les résidences royales (tapisseries, mobilier), d'autres pour le public : Saint-Gobain pour les glaces, Van Robais à Amiens pour les draps, etc.

Ces manufactures recevaient des privilèges, mais en retour devaient observer des règles très strictes garantissant la qualité des produits. La fabrication des produits, tant dans les manufactures que dans le cadre des corporations artisanales, fut soumise à une réglementation minutieuse et tatillonne, qui devait par la suite devenir un frein à l'innovation.

Tout cet effort fut accompagné d'une politique protectionniste, c'est-à-dire d'un tarif douanier très élevé, protecteur, sur les marchandises importées de l'étranger, afin de réserver le marché aux produits nationaux.

Les guerres, les dépenses de prestige du roi (bâtiments) mirent à mal les finances que Colbert s'était efforcé de rétablir.

LA POLITIQUE RELIGIEUSE DE LOUIS XIV

Comme ses prédécesseurs, le roi voulut imposer sa suprématie au pape dans le gouvernement de l'Eglise de France. De 1678 à 1693, Louis XIV fut en conflit avec le pape au sujet du *droit de régale*, droit que s'était arrogé le roi de percevoir les revenus d'un évêché quand il était vacant, et même d'y nommer aux fonctions ecclésiastiques, en attendant la nomination d'un nouvel évêque. Louis XIV voulut étendre ce droit, qui n'existait que dans certains évêchés, à l'ensemble du royaume.

Pour soutenir ses prétentions, il fit adopter par les évêques de France, sur la rédaction de Bossuet, évêque de Meaux, la *« Déclaration des Quatre Articles »* (1682) qui réaffirmait l'autonomie de l'*Eglise gallicane* (l'Eglise de France) face au Saint-Siège, et les droits supérieurs du roi dans les affaires ecclésiastiques. Cette doctrine dite *« gallicane »* devait s'opposer à l'*« ultramontanisme »* (la doctrine d'au-delà des montagnes = Rome), qui prônait la supériorité du pape. Après divers épisodes, le roi dut finalement s'incliner et désavouer la déclaration des Quatre Articles en 1692.

La lutte contre les jansénistes

Louis XIV persécuta les tenants de doctrines qui, tout en se réclamant du catholicisme, avaient été condamnées par Rome. Ce fut le cas des *jansénistes*. Ils doivent leur nom à l'évêque d'Ypres, Jansénius, qui, dans l'*Augustinus*, paru en 1640, développait, en se réclamant du Père de l'Eglise saint Augustin, un rigorisme austère se rapprochant du calvinisme. Le jansénisme, introduit en France par l'abbé de Saint-Cyran, eut pour foyer principal le monastère de Port-Royal, et pour avocat principal Blaise Pascal qui, dans ses *Provinciales*, polémiqua avec les jésuites auxquels les jansénistes reprochaient leur morale complaisante à l'égard des grands de ce monde. Le monastère de Port-Royal fut rasé en 1709. Le jansénisme fut condamné par le pape en 1713 par la bulle *« Unigenitus »*. Ce fut aussi le cas des

313

quiétistes dont le mysticisme allait à l'opposé : pour avoir fait preuve de complaisance à l'égard du quiétisme, et aussi pour avoir ouvertement critiqué la politique royale, l'évêque et écrivain Fénelon fut disgracié.

La lutte contre les protestants

Mais c'est à l'égard des *protestants* que devait surtout se manifester l'autoritarisme royal. Malgré le loyalisme constant des protestants depuis la grâce d'Alès, Louis XIV ne pouvait supporter que certains de ses sujets ne pratiquent pas sa religion. Après une politique de persécution sourde et de restriction des droits des protestants (obligation de procéder aux enterrements protestants de nuit, etc.), ce fut la persécution ouverte (les « *dragonnades* », envoi en cantonnement chez les protestants de troupes — dont des dragons — retirées seulement en cas de conversion). Finalement ce fut la révocation de l'édit de Nantes (10 octobre 1685).

L'édit de révocation ordonna la destruction des temples, l'interdiction du culte réformé, le bannissement des pasteurs qui n'abjureraient pas, leur envoi aux galères s'ils continuaient à exercer leur ministère. Les simples fidèles étaient tenus de se convertir, avec interdiction de quitter la France, et obligation pour leurs enfants d'être élevés dans la religion catholique.

Les conséquences de la révocation — largement approuvée par la majorité des catholiques — furent désastreuses. Le culte réformé se poursuivit en secret, dans des lieux écartés, « *au désert* », malgré les persécutions. Mais malgré les interdictions, un grand nombre de protestants, parmi lesquels de nombreux artisans et commerçants, émigrèrent dans les pays protestants : en Angleterre, dans les Provinces-Unies, dans le Brandebourg, où ils emportèrent leur savoir-faire et leur esprit d'entreprise.

Dans les Cévennes, les huguenots se révoltèrent en 1702 : ce fut la révolte des « *camisards* », qui ne rendirent les armes qu'après avoir obtenu une amnistie.

LE SIÈCLE DE LOUIS XIV

Sous le règne de Louis XIV, à son prestige politique et militaire, la France ajouta un prestige de culture et de civilisation. La France devint, selon le mot de Taine, *« la source des élégances, de l'agrément, du beau style, des idées fines, du savoir-vivre ».* En un mot, pour les classes aisées de toute l'Europe, un modèle de civilisation.

Cependant, toute l'activité intellectuelle et artistique fut centralisée, sous le contrôle royal, notamment par l'intermédiaire des académies : à l'*Académie française*, créée par Richelieu, à l'*Académie de Peinture et de Sculpture*, créée par Mazarin, Louix XIV ajouta l'*Académie des Sciences*, l'*Académie des Inscriptions et Belles-Lettres*, l'*Académie de Musique*. Chacune fut chargée de régenter son domaine, d'y maintenir les principes établis, et d'y faire travailler à la gloire du roi. La distribution de pensions aux artistes, savants, écrivains, français et étrangers, contribuait à maintenir cette discipline.

Un âge d'or artistique

C'est surtout dans le domaine de la littérature que cette époque fut un âge d'or : celle des chefs-d'œuvre de la littérature classique française, avec le théâtre (Corneille, Racine, Molière), la poésie (La Fontaine, Boileau). Le bilan est moins éclatant dans les arts plastiques : Le Brun, peintre officiel, paraît bien conventionnel ; mais le siècle produit, en marge des institutions officielles, Nicolas Poussin, maître du classicisme, mais qui passa presque toute sa vie à Rome, comme Claude Gellée, dit le Lorrain. La tradition réaliste fut représentée par Philippe de Champaigne, peintre du jansénisme, par les frères Le Nain, qui évoquent la vie paysanne de leur temps, par Georges de La Tour, longtemps oublié et redécouvert au début de ce siècle.

Sur la musique, l'Italien Lulli exerça une véritable dictature.

Dans le domaine de l'architecture, la grande œuvre du règne fut le château de Versailles, reconstruit à partir d'une résidence de chasse de Louis XIII. Les architectes Le Vau, puis, à partir de 1678, Hardouin-Mansart, y travaillèrent. Louis XIV y fixa sa résidence, à l'écart de Paris dont il redoutait les mouvements populaires. Le château de Versailles était loin d'être achevé à la fin du règne.

Sciences et philosophie

Le développement des sciences et de la philosophie se fit à l'écart de l'influence royale, avec Descartes (mort en 1650), fondateur de la géométrie analytique et de l'optique géométrique. Il rejeta le recours à l'autorité des Anciens, pour prôner la recherche de la vérité par l'exercice de la raison, par intuition ou déduction. Blaise Pascal (mort en 1662) démontra les lois de la pression atmosphérique et l'existence du vide, et les lois de l'équilibre des liquides. Il prit parti pour les jansénistes et, torturé par la maladie, consacra ses dernières années à une apologie, inachevée, de la religion chrétienne dont les fragments furent publiés sous le titre de *Pensées*.

LA POLITIQUE EXTÉRIEURE DE LOUIS XIV

L'orgueil de Louis XIV l'entraîna dans une politique de guerres répétées, coûteuses, aux résultats incertains. A la fin du règne, il suscita contre lui une coalition générale des puissances européennes à laquelle il fut près de succomber.

Il acquit la Franche-Comté, prise à l'Espagne, quelques places de Flandre sur la frontière des Pays-Bas espagnols, Strasbourg.

En 1700, le roi d'Espagne Charles II, dernier descendant de Charles Quint, de la branche aînée des Habsbourg, mourut sans héritier direct. Charles II régnait sur l'Espagne, ses colonies, les Pays-Bas espagnols (la Belgique actuelle), les Deux-Siciles et le Milanais. Redoutant une dislocation de ses possessions, et sachant que la France ne tolérerait pas que ces possessions, comme au temps de Charles Quint, fussent réunies aux domaines allemands de la maison d'Autriche et à l'Empire, ce qui serait le cas si l'héritage revenait à la branche cadette des Habsbourg, il crut habile de léguer l'ensemble de ses possessions à un petit-fils de Louis XIV, le duc d'Anjou, petit-fils également de Marie-Thérèse d'Autriche, à condition qu'en aucun cas les couronnes de France et d'Espagne ne pourraient être réunies.

Il aurait été avantageux pour la France d'accepter les projets de partage qui auraient donné l'Espagne au fils cadet de l'empereur, l'archiduc Charles, et à la France les Deux-Siciles et Milan, qu'elle aurait pu échanger contre la Lorraine et la Savoie, achevant ainsi l'unité territoriale de la France.

L'orgueil dynastique de Louis XIV lui fit accepter le testament de Charles II. Son petit-fils, le duc d'Anjou, devint roi d'Espagne sous le nom de Philippe V. Mais une série de maladresses, laissant présager une véritable mainmise de la France sur l'Espagne et ses possessions, suscitèrent une coalition générale contre la France, dont l'Autriche et l'Angleterre furent les principaux éléments. La *guerre de Succession d'Espagne* ruina la France, qui subit défaite sur défaite et échappa de justesse à l'invasion par la victoire de Denain (1712) remportée par le maréchal Villars.

Les *traités d'Utrecht* (1713-1715), signés avec l'Angleterre et les Provinces-Unies, complétés par le *traité de Rastadt* avec l'Autriche, signé en 1714, maintinrent Philippe V sur le trône d'Espagne (où la dynastie des Bourbons règne toujours), mais en la privant, au bénéfice de l'Autriche, de ses autres possessions européennes (Pays-Bas et Italie).

LA VIE ÉCONOMIQUE ET SOCIALE

Par rapport au XVIe siècle, le XVIIe siècle est une époque de récession (baisse des prix à partir de 1660).

La misère

La misère populaire, paysanne en particulier, et l'oppression conjointe de l'exploitation seigneuriale et de la fiscalité royale, aboutissent à maintes reprises à des jacqueries, chaque fois écrasées de manière sanglante et impitoyable.

Le montant de la *taille*, l'impôt direct qui frappe les non-privilégiés, passe de moins de 17 millions de livres en 1610 à 44 millions (plus 25 millions de supplément) en 1642 !

Sous le règne de Louis XIV, la situation paysanne ne s'améliora pas.

Elle devint catastrophique à la fin du règne sous l'effet d'une période de refroidissement du climat (on a parlé de « *petit âge glaciaire* ») et d'intempéries exceptionnelles.

En 1692, l'été fut partout froid et pluvieux ; dans certaines régions, il fallut faire la moisson au mois d'octobre... En 1693-1694, dans certaines régions, il y eut pratiquement dix-huit mois consécutifs sans ensoleillement. Pour 20 millions d'habitants, un million et demi périt de froid et de misère. L'hiver de 1709, en pleine guerre de Succession d'Espagne, fut une catastrophe sans précédent. Après un hiver doux jusqu'au 5 janvier, où l'on crut la mauvaise saison terminée, brusquement, dans la « *nuit des rois* » (5 au 6 janvier 1709), les températures s'abaissèrent partout pour tomber aux environs de − 20° C, température qui se maintint pendant tout le mois, le gel restant permanent jusqu'à la fin du mois de mars.

Le froid et la faim firent d'innombrables victimes ; à Versailles, où le vin avait gelé dans les bouteilles et les tonneaux, le château fut envahi par les mendiants.

Les impôts

Louis XIV avait dépouillé la noblesse de ses prétentions politiques, mais il avait maintenu ses privilèges, notamment en matière d'impôt.

Vauban, ingénieur militaire et constructeur du système fortifié des frontières sous Louis XIV, pour avoir proposé dans son livre *Projet d'une dîme royale* (1707) l'égalité devant l'impôt, fut disgracié.

Pressé par la nécessité, Louis XIV avait tenté d'imposer les privilégiés par l'institution d'impôts payables par tous : la *capitation* en 1693, puis le *dixième* en 1710. Très vite, les privilégiés obtinrent pour ces nouveaux impôts un régime de faveur, et c'est le peuple qui en supporta le poids, s'ajoutant à celui de la taille.

Les révolutions anglaises

LA SOCIÉTÉ ANGLAISE AU XVIIᵉ SIÈCLE

Au début du XVIIᵉ siècle, l'Angleterre ne comptait guère plus de 5 millions d'habitants (la France, 15 ou 16). C'est cependant une grande puissance où l'autorité royale est solidement établie. La guerre des Deux-Roses avait ruiné ou exterminé en grande partie l'ancienne aristocratie, remplacée par une aristocratie de parvenus. La suppression des ordres religieux par Henri VIII, et la confiscation de leurs biens, contribua à ce bouleversement social.

L'aristocratie nouvelle ne dédaigne pas de s'intéresser aux affaires commerciales ou financières ; en France, tout au contraire, le seul emploi possible pour un noble, sans « *déroger* » (perdre sa noblesse), est le métier des armes, une fonction ecclésiastique, ou une charge de cour.

La société anglaise compte, à son sommet, de très grands propriétaires fonciers, les « *landlords* », qui deviendront au XVIIIᵉ siècle les détenteurs de la majeure partie du territoire ; une petite noblesse campagnarde, la « *gentry* » ; une bourgeoisie commerçante et industrielle en expansion, qui s'intègre facilement à la gentry (il suffit de devenir propriétaire foncier et de laisser passer une ou deux générations).

Il y a encore au XVIIᵉ siècle une puissante classe de paysans propriétaires libres, les « *yeomen* ». Ils avaient formé l'infanterie d'archers de la guerre de Cent Ans. Ils fournirent le gros des troupes de la première révolution anglaise. Ils disparaîtront dans la première moitié du XVIIIᵉ siècle, avec la concentration de la terre entre les mains des landlords, qui font travailler leurs terres par des fermiers, eux-mêmes gros entrepreneurs capitalistes, employant une main-d'œuvre nombreuse d'ouvriers agricoles.

Après l'« âge d'or » du XVᵉ siècle, la situation des paysans s'est très vite dégradée. La fin de la guerre des Deux-Roses et le licenciement des « *suites* » seigneuriales avait jeté sur les routes et dans la misère de nombreux indigents. L'éviction des paysans est engagée dès le XVIe siècle par les nouveaux propriétaires et lords, avides d'argent, qui transforment les tenures familiales de leurs terres en pâturages à moutons (la production de la laine est une spéculation rentable, les redevances en argent des fermiers sont dérisoires). Ils chassent les paysans, n'hésitant pas à détruire leurs maisons.

Il en résulte la formation d'une couche importante d'indigents, de pauvres et de vagabonds, réduits à la mendicité et à la délinquance. Les « *Lois sur les pauvres* » vont édicter contre eux une féroce législation répressive. La première de ces lois, édictée par Elisabeth Ire en 1572, prévoit que les mendiants de plus de quatorze ans seront fouettés et marqués au fer rouge, pendus en cas de récidive. Les paroisses doivent prendre en charge leurs indigents ; au XVIIIe siècle, ceux-ci seront enfermés dans des « *workhouses* » (= « *maisons de travail* »), prisons où ils sont soumis au travail forcé. Cette législation sur les pauvres ne sera abrogée qu'en 1834.

LE PARLEMENT ET LES STUARTS

Depuis Jean sans Terre, l'usage s'était établi que l'impôt devait être consenti par le Parlement, représentant la nation, avec deux assemblées, la *Chambre des lords*, où siègent prélats et grands seigneurs nommés par le roi ou à titre héréditaire, et la *Chambre des communes*, où siègent des députés des *comtés*, représentant la gentry, et des députés des *bourgs*.

Les Tudors, notamment Henri VIII et Elisabeth Ire, très autoritaires, n'avaient guère tenu compte du Parlement.

A la mort, sans héritier direct, d'Elisabeth Ire, c'est son cousin Jacques Stuart, roi d'Ecosse (Jacques VI en Ecosse), qui lui succède sous le nom de Jacques Ier. Désormais l'Angleterre et l'Ecosse, tout en conservant leur identité distincte, se trouvent réunies sous l'autorité d'un même roi.

Une opposition croissante

Les deux premiers rois de la dynastie des Stuarts, Jacques Ier (1603-1625) et Charles Ier (1625-1649), voudront poursuivre la même politique d'autorité que les Tudors. Mais ils vont se heurter à une opposition croissante de leurs sujets, opposition qui va se renforcer d'une composante religieuse.

Sur le plan politique, aristocratie et bourgeoisie sont d'accord pour imposer au roi le contrôle du Parlement qui les représente.

Sur le plan religieux, un nombre croissant d'Anglais, surtout dans la bourgeoisie et le peuple, sont gagnés aux idées protestantes et rejettent tout ce qui, dans l'Eglise anglicane, est conservé du catholicisme : l'autorité des évêques, la liturgie.

Ils veulent une religion « épurée » et affectent une grande austérité de mœurs et de maintien : on les appelle les *« puritains »*. Les plus extrémistes, les *« Indépendants »*, rejettent même l'autorité des pasteurs et professent que chaque chrétien, en s'appuyant sur la Bible, doit déterminer lui-même sa ligne de conduite.

En Ecosse, la population est attachée à la dynastie nationale des Stuarts. Mais, dès 1559, bien avant l'avènement de Jacques VI, la grande majorité des Ecossais s'était ralliée au calvinisme. L'Eglise presbytérienne ainsi fondée n'admettait que des pasteurs et rejetait toute hiérarchie épiscopale. En voulant rétablir cette hiérarchie, les Stuarts vont se trouver en conflit avec les Ecossais.

En Irlande, la population était demeurée catholique : les Stuarts cherchèrent à y trouver appui.

Le conflit du roi avec le Parlement

Jacques Ier et Charles Ier étaient des partisans résolus de l'absolutisme royal, et, de ce fait, de l'Eglise anglicane et de sa hiérarchie, dont ils étaient les chefs.

Né sous Jacques Ier, le conflit entre le roi et le Parlement va se développer sous Charles Ier. En 1628, le Parlement, par la

« *Pétition du droit* », rappelle ses droits et condamne l'arbitraire en matière de justice. Dans ces conditions, Charles Ier décide de gouverner sans le convoquer et prolonge cette situation pendant 11 ans, de 1629 à 1640. Il se procure de l'argent par des expédients — par exemple en créant des monopoles accordés contre argent à des commerçants. Son ministre Strafford fait poursuivre et condamner les opposants par un tribunal d'exception, la « *Chambre étoilée* ». L'archevêque de Cantorbéry, Laud, pourchasse les puritains et renforce dans la liturgie tout ce qui rappelle le catholicisme. De nombreux dissidents religieux émigrent en Amérique du Nord.

Une maladresse de Laud va provoquer une révolte : il veut imposer à l'Ecosse la liturgie anglicane. Les Ecossais se soulèvent et envahissent l'Angleterre. Sans argent, Charles Ier est obligé de convoquer le Parlement (1640).

Réuni, le « *Long Parlement* », ainsi nommé parce qu'il va siéger de 1640 à 1653, fait arrêter, condamner à mort et exécuter Strafford et Laud, les deux principaux conseillers du roi. Le Parlement interdit une fois de plus les tribunaux d'exception et les arrestations arbitraires et déclare illégales les levées d'impôts sans accord du Parlement. Enfin, il décide que le roi devra convoquer le Parlement au moins une fois tous les trois ans.

La guerre civile

Le 1er décembre 1641, le Parlement présente au roi la « *Grande remontrance* », qui énumère les reproches faits au roi et exige que la nomination des ministres soit soumise au Parlement. C'est la rupture : Charles Ier tente de faire arrêter des dirigeants de l'opposition parlementaire et échoue ; les Londoniens s'insurgent et le roi doit quitter Londres.

C'est la guerre civile : elle oppose partisans du roi et partisans du Parlement. Les premiers se recrutent dans la gentry de l'Angleterre du Nord et de l'Ouest : on les appelle les « *Cavaliers* » ; les partisans du Parlement se recrutent parmi les puritains, les *yeomen*, les marchands et artisans des villes, une partie de la *gentry*. Ils reçoivent le nom de « *Têtes rondes* », parce que certains puritains portent les cheveux coupés court.

Au début, les Cavaliers l'emportent. Mais les Têtes rondes vont trouver un chef militaire et un organisateur en la personne d'Oliver Cromwell. C'est un petit gentilhomme campagnard, puritain convaincu et excellent soldat. Réorganisée par lui, l'armée du Parlement remporte une victoire décisive en 1645. Le roi se réfugie chez les Ecossais qui le vendent aux partisans du Parlement (1647).

LA PREMIÈRE RÉVOLUTION ANGLAISE

Le Parlement était prêt à composer avec le roi, pourvu qu'il acceptât ses exigences. Mais l'armée, formée en majorité d'« *Indépendants* », ne voulait plus de roi.

La mort du roi

Cromwell marche sur Londres et expulse du Parlement 150 députés. Le Parlement ainsi épuré (on l'appellera le « *Parlement croupion* ») fut mis en demeure de juger le roi, qui fut condamné à mort comme « *tyran, traître, meurtrier et ennemi du pays* », et décapité le 9 février 1649 sur un échafaud dressé face au palais royal de Whitehall.

Cette exécution d'un roi provoqua à l'époque une grande émotion : pour l'opinion de ce temps, un roi, quel qu'il fût, avait un caractère sacré. Cette exécution prenait la signification d'une rupture radicale avec l'ordre existant.

Parmi les « *Têtes rondes* » s'était manifesté un courant ultrarévolutionnaire, celui des « *Niveleurs* », dont les partisans se recrutaient parmi les artisans et apprentis de Londres, mais aussi dans l'armée. Les Niveleurs réclamaient l'égalité, le suffrage universel, la liberté totale de conscience, la suppression des dîmes, la suppression des monopoles et privilèges des compagnies commerciales. Ils suscitèrent une grande peur parmi les possédants : aussitôt après l'exécution du roi, ils furent écrasés et éliminés par

Cromwell, et l'armée fut envoyée en Irlande. Une partie cependant des revendications des Niveleurs aboutit : la royauté fut abolie, la république proclamée, la Chambre des lords supprimée.

L'écrasement de l'Irlande

Cromwell trouva un dérivatif pour l'armée en l'utilisant contre les Irlandais catholiques qui avaient soutenu Charles Iᵉʳ et massacré des protestants. Cromwell mène une campagne impitoyable, avec des massacres de masse. Des milliers d'Irlandais sont déportés aux Antilles ou refoulés dans les mauvaises terres de l'Ouest de l'Irlande. Partout, les Irlandais sont expropriés, réduits à la condition de tenanciers précaires, les meilleures terres distribuées aux soldats de Cromwell, et bientôt en majorité rachetées et concentrées entre les mains de quelques aventuriers qui constitueront une aristocratie de *« landlords »* protestants ou anglicans : c'est l'origine de la *« question d'Irlande »* qui devait peser sur l'histoire de la Grande-Bretagne jusqu'à nos jours.

Les Ecossais s'étaient ralliés au fils de Charles Iᵉʳ et avaient envahi l'Angleterre : ils furent vaincus et Cromwell proclama la réunion en une seule République de l'Angleterre, de l'Ecosse et de l'Irlande.

Cromwell règne

En 1653, Cromwell renvoya le Parlement et régna en dictateur avec le titre de *« Lord Protecteur de la République d'Angleterre, d'Ecosse et d'Irlande »*.

Il se fit accepter par les Anglais en pratiquant une politique extérieure active, flattant l'orgueil national. En matière commerciale, l'*Acte de navigation* (1651) interdit toute importation en Angleterre autrement que par des navires anglais, ou par des navires de la nationalité des pays producteurs des marchandises importées. L'acte visait à éliminer la concurrence des Hollandais, spécialisés dans le rôle d'intermédiaires. Cette loi devait demeurer en vigueur pendant deux siècles.

En 1646, les derniers vestiges du régime féodal, déjà en

grande partie disparus sous les Tudors, furent abolis au profit d'un régime de propriété libérant les terres de toute servitude de caractère féodal.

Cromwell s'était appuyé surtout sur les couches populaires — *yeomen*, artisans des villes. Après la répression exercée contre les Niveleurs, sa politique marque un tournant en faveur des couches possédantes, anciennes et nouvelles, qui souhaitent la stabilité et l'ordre. L'hostilité de l'armée l'empêche de prendre le titre de roi. Mais il obtient l'hérédité de sa fonction de *« Lord Protecteur »*. Les milieux populaires, déçus, se détournent de lui.

A sa mort, en 1658, son fils Richard Cromwell lui succède, mais doit très vite abandonner le pouvoir. Le général Monk fit alors appel au fils de Charles Ier. Après qu'il eut promis de gouverner en accord avec le Parlement et proclamé une amnistie, la monarchie des Stuarts fut restaurée et il reçut la couronne sous le nom de Charles II (1660).

LA RESTAURATION : LES DERNIERS STUARTS

Aristocratie traditionnelle et « nouveaux riches » ayant fait fortune sous Cromwell se trouvèrent d'accord pour rappeler les Stuarts, à condition que fussent exclues toutes représailles contre les anciens partisans de Cromwell. Le Parlement élu en 1661 maintint les principes que le *« Long Parlement »* avait votés à l'unanimité en 1641 : suppression des tribunaux d'exception, interdiction au roi de publier des ordonnances contraires aux lois, ou de lever des impôts sans autorisation du Parlement.

Conflits religieux

Si la réaction politique fut limitée, la réaction fut en revanche très vive en matière religieuse. L'Eglise anglicane fut rétablie, et les ecclésiastiques qui refusèrent de s'y soumettre furent chassés de leurs postes, constituant l'Eglise des *« non-conformistes »* ou *« dissidents »*, à nouveau persécutés.

Charles II (1660-1685), favorable aux catholiques, promulgua une « *Déclaration d'indulgence* » (1672) qui suspendait les lois dirigées contre les non-anglicans, catholiques ou non-conformistes. Le Parlement y répliqua en votant le « *Test Act* » (1673), qui excluait les catholiques de tout emploi public.

Le duc d'York, frère de Charles II et héritier du trône, s'était converti au catholicisme. Pouvait-il succéder à son frère ?

Pour sa légitimité, il avait le clergé de l'Eglise « établie » et une partie de la *gentry* ; contre, se prononçaient quelques familles aristocratiques et surtout les milieux populaires, la bourgeoisie et les « *dissidents* ».

Les premiers, partisans de la « *prérogative royale* », furent baptisés « *tories* » (singulier : *tory*), du nom de rebelles catholiques irlandais ; les seconds, partisans de la prépondérance du Parlement, furent baptisés « *whigs* », surnom donné en Ecosse aux presbytériens fanatiques.

Grâce aux subsides de Louis XIV, Charles II s'efforça de se passer du Parlement. Faute de moyens, il en fut réduit à mener une politique étrangère effacée. Le Parlement vota néanmoins en 1679 la loi dite de l'« *Habeas corpus* » (= en latin, « *sois maître de ton corps* ») qui interdisait toute arrestation arbitraire.

Jacques II

A la mort de Charles II, le duc d'York lui succéda sans opposition sous le nom de Jacques II (1685-1689).

Situation paradoxale : à la tête de l'Angleterre, qui excluait les catholiques de tout emploi public, se trouvait un roi catholique ! Jacques II suspendit le « *Test Act* », fit venir auprès de lui des jésuites, installa des prêtres catholiques dans des paroisses anglicanes, fit entrer des soldats et officiers irlandais catholiques dans l'armée.

Il y eut quelques troubles, mais Jacques II fut pourtant accepté. En effet, ses deux filles, héritières potentielles, étaient toutes deux mariées à des princes protestants, Marie, l'aînée, à Guillaume d'Orange, stathouder de Hollande, Anne, la cadette, au prince héritier de Danemark. Il suffisait d'attendre la mort de Jacques II pour que tout rentrât dans l'ordre.

Mais Jacques II, devenu veuf, épousa une princesse italienne catholique dont il eut un fils en 1688, aussitôt baptisé dans l'Eglise catholique. Le risque de voir se perpétuer en Angleterre une dynastie catholique était désormais plus grand.

Cette perspective parut insupportable et les milieux dirigeants s'accordèrent pour demander à Guillaume d'Orange, gendre du roi, de venir avec son épouse occuper le trône afin de sauver le protestantisme. En novembre 1688, il débarqua en Angleterre et ne rencontra aucune résistance ; Jacques II, abandonné de tous, s'enfuit pour se réfugier en France.

LA « GLORIEUSE RÉVOLUTION » DE 1688 ET L'AVÈNEMENT DE LA DYNASTIE DE HANOVRE

Réuni en 1689, le Parlement constata le départ de Jacques II et la vacance du trône, affirma le droit du Parlement à choisir le roi, écarta les catholiques de la succession et offrit le trône à Guillaume d'Orange et à sa femme Marie.

A la différence de la première révolution anglaise, la seconde révolution, baptisée « glorieuse » par ses auteurs, ne fut pas le résultat d'un mouvement populaire, mais celui d'une décision des classes dirigeantes.

Le Parlement imposa aux nouveaux souverains la *« Déclaration des droits »* qui spécifiait que le roi ne pouvait suspendre l'application des lois, percevoir des impôts, lever et entretenir une armée en temps de paix, sans l'aval du Parlement. Une loi de tolérance accorda aux dissidents (mais non aux catholiques) la liberté de culte.

Par la suite, le Parlement adopta le principe du vote annuel des impôts et d'élections tous les trois ans. Une autre loi, l'*Acte d'établissement* (1701) exclut les catholiques de la succession au trône d'Angleterre. La *liberté de la presse* avait été établie en 1695.

Naissance du royaume de Grande-Bretagne

Guillaume III mourut en 1702. Sa belle-sœur Anne, veuve du roi de Danemark, lui succéda et régna jusqu'en 1714. Sous son règne, l'habitude de convoquer chaque année le Parlement s'instaura définitivement. Après sa mort en 1714, faute d'héritiers directs, la couronne revint, comme prévu par l'« *Acte d'établissement* », à son plus proche parent protestant, un prince allemand, l'Electeur de Hanovre, arrière-petit-fils de Jacques Ier. Il devint roi sous le nom de George Ier et avec lui commence la dynastie de Hanovre, qui prit lors de la Première Guerre mondiale le nom de Windsor.

Avant la mort de la reine Anne, les Anglais, craignant qu'à sa disparition les Ecossais n'appellent au trône le fils de Jacques II, proposèrent aux Ecossais l'*Acte d'union* (1707). L'Angleterre et l'Ecosse étaient unies depuis 1603 par la personne d'un même souverain ; l'acte d'union y substitua une union organique : l'Ecosse conserva son Eglise d'Etat presbytérienne, ses lois et ses tribunaux, mais ses députés et lords furent intégrés au Parlement britannique. Ainsi se constitua le *royaume de Grande-Bretagne*.

L'ESSOR ÉCONOMIQUE

Au cours des guerres du XVIIe et du début du XVIIIe siècle (contre l'Espagne, contre les Pays-Bas, contre la France), guerres coûteuses mais qui n'ont pas touché le sol anglais, la puissance anglaise s'est affirmée. Elle s'est affirmée contre la France, même si elle a perdu Dunkerque, acquise par Cromwell, vendue à la France par Charles II. En 1703, le *Traité Methuen* (du nom de l'ambassadeur qui l'a conclu) lie le Portugal à l'Angleterre et place le Portugal et ses colonies dans la sphère d'influence anglaise.

Prépondérance maritime

En 1713-1715, les traités d'Utrecht donnent à l'Angleterre Gibraltar et Minorque, ce qui lui donne la maîtrise de la Méditerranée. La France lui cède Terre-Neuve et l'Acadie (aujourd'hui Nouvelle-Ecosse), qui contrôlent l'accès au Canada. L'Angleterre reçoit enfin de l'Espagne l'« *asiento* », le monopole de la traite des Noirs à destination de l'Amérique espagnole, et le droit d'y envoyer chaque année un *« vaisseau de permission »*.

Au cours du XVIIIe siècle, la prépondérance anglaise en matière maritime et commerciale s'affirmera, Londres supplantant définitivement Amsterdam comme entrepôt de marchandises et comme centre financier. Si l'étroite association personnelle que Guillaume III avait réalisée entre la couronne d'Angleterre et les Pays-Bas ne lui survécut pas, les Pays-Bas se placent désormais, après en avoir été les rivaux, dans la sphère d'influence de l'Angleterre.

Développement d'un marché

La *Banque d'Angleterre*, créée en 1694, reçoit les dépôts des grands commerçants et hommes d'affaires, ainsi que ceux du Trésor public. Elle peut soutenir le commerce par son crédit, et parfois prêter de l'argent à l'Etat.

L'activité des hommes d'argent, armateurs, négociants, banquiers, spéculateurs, ne s'appuie pas uniquement, ni peut-être même principalement, sur le commerce maritime et colonial.

Evolution de l'agriculture

Le marché intérieur se développe ; l'agriculture évolue : cette évolution aboutira, au XVIIIe siècle, à la disparition des *yeomen* au profit de la grande propriété des *« landlords »*, qui confient l'exploitation de leurs domaines à de riches fermiers. Le paysage s'en trouve modifié : dans le bassin de Londres, le paysage de *« champs ouverts » (openfield)*, lié à l'exploitation des terres dans le cadre villageois, disparaît. Dans le système ancien, après la récolte, et sur les terres en jachère — une année sur trois dans l'assolement triennal en usage —, tous les villageois pouvaient exercer le *droit de « vaine pâture »*, c'est-à-dire faire paître librement leurs troupeaux, ce qui supposait l'absence de clôtures. Les grands propriétaires, pour supprimer la jachère sur leurs terres et se soustraire à ces usages, font édifier des clôtures autour de leurs terres, et le paysage prend un aspect de bocage. Ce sont les *« enclosures »* (clôtures).

Artisanat et production manufacturière

La production artisanale et manufacturière se développe considérablement, ainsi que les fabriques regroupant une main-d'œuvre plus ou moins nombreuse : à la production lainière traditionnelle (draps) s'ajoutent celles du papier, des toiles peintes (apportée par les protestants français réfugiés après la révocation de l'édit de Nantes), les industries du cuir, les brasseries, etc. Ce développement est tel que certains auteurs parlent de « première révolution industrielle » dans l'Angleterre du XVIIᵉ siècle. Cette production répond aux besoins du marché intérieur et alimente le commerce extérieur.

LA VIE CULTURELLE ET INTELLECTUELLE

Le règne d'Elisabeth Iʳᵉ est marqué par une véritable floraison culturelle, encouragée par le pouvoir. Le théâtre, qui a un public très large, allant des milieux populaires à l'aristocratie, connaît une très grande audience. Parmi de nombreux auteurs de théâtre, l'un d'eux, William Shakespeare, domine tous les autres et reste un des représentants les plus éminents, non seulement de la culture anglaise, mais de la culture universelle. Son théâtre puise dans l'histoire nationale pour exalter le patriotisme anglais, mais emprunte aussi ses thèmes à l'Antiquité ou à l'Italie, allant du drame (*Hamlet, Macbeth*) à la fantaisie souriante *(Les Joyeuses Commères de Windsor)*. Il est également poète.

La première révolution anglaise produit John Milton, puritain, partisan de Cromwell, qui, devenu aveugle, composera un poème épique, *Le Paradis perdu*, qui témoigne de ses convictions religieuses et de sa sensibilité.

La philosophie et la réflexion politique sont illustrées par Thomas Hobbes (1588-1679), contemporain de Descartes, qui, dans le *Léviathan* (1651), développe sa conception d'une politique rationnelle, justifiant l'absolutisme royal, mais aussi le droit de l'individu de résister à l'Etat par tous les moyens s'il est menacé par lui dans son existence, le souverain ne pouvant justifier son pouvoir que s'il l'exerce au profit du peuple et dans l'intérêt général.

John Locke (1632-1704), philosophe et homme politique du parti whig, se fait le théoricien de la révolution de 1688. Il prône la tolérance, la religion étant affaire privée, sauf si cette religion, comme c'est le cas du catholicisme en Angleterre, menace la sécurité de l'Etat. Il affirme que l'homme a des *« droits naturels »*, dont la liberté et la propriété ; tout gouvernement est pour lui issu d'un *« contrat social »* entre les citoyens, et par conséquent les gouvernements ne sont que les délégués du peuple souverain. Avancées dans les dernières années du XVIIe siècle, ces idées inspireront les philosophes français du XVIIIe siècle.

L'Europe continentale au XVIIe siècle

LA GUERRE DE TRENTE ANS (1618-1648)

Cette guerre, qui apparaît comme un prolongement des guerres de Religion, touche d'abord l'Europe centrale, puis également l'Europe occidentale. Elle se termine pour l'essentiel en 1648, avec la signature des *traités de Westphalie*. Elle se prolonge entre la France et l'Espagne jusqu'en 1659 avec la signature de la *paix des Pyrénées*.

En Allemagne, contrairement aux dispositions de la *paix d'Augsbourg* (1555), les sécularisations de fiefs ecclésiastiques se poursuivent ; d'autre part, alors que la paix d'Augsbourg ne reconnaissait que le luthéranisme, des princes s'étaient convertis au calvinisme.

L'origine du conflit

Le conflit débute par une tentative des Habsbourg pour supprimer le protestantisme en Bohême : les Tchèques se soulèvent ; ils seront finalement écrasés à la bataille de la Montagne Blanche (1620). De nombreux rebelles sont exécutés et leurs biens confisqués, distribués à des aventuriers allemands. La couronne de Bohême, jusque-là élective, devient héréditaire au profit des Habsbourg ; le protestantisme est interdit ; la langue allemande imposée au détriment de la langue tchèque. C'est le point de départ d'une longue servitude pour les Tchèques, qui ne prend fin qu'en 1918 avec la création de l'Etat tchécoslovaque. L'Electeur palatin, calviniste, qui a accepté des Tchèques rebelles la couronne de Bohême, est déchu, et la dignité électorale attribuée à un prince catholique, le duc de Bavière.

Par la suite, l'empereur Ferdinand II vainc le roi de Danemark, qui a tenté d'intervenir en faveur des protestants. Enfin, par l'*édit de Restitution* (1629), il oblige les protestants à restituer les fiefs ecclésiastiques usurpés depuis la paix d'Augsbourg. Il aurait voulu aller plus loin, éradiquer le protestantisme en Allemagne et y rendre, à son profit, la couronne impériale héréditaire.

Ces projets inquiètent, non seulement les princes protestants allemands, mais certains princes catholiques, et aussi ses voisins : le roi de Suède Gustave II Adolphe (luthérien) et la France de Louis XIII et de Richelieu.

La Suède, pays nordique pauvre, était entrée dans l'économie internationale grâce à ses mines de fer. Dotée d'une armée nationale, disciplinée et soudée par la foi protestante, la Suède de Gustave Adolphe venait de s'approprier une partie des côtes de la Baltique aux dépens de la Russie et de la Pologne. Elle intervient en Allemagne au secours des protestants et remporte une série de victoires, jusqu'à la mort de Gustave Adolphe en 1632. Deux ans plus tard, les Suédois subissent une défaite écrasante.

La réaction française

C'est alors que Richelieu, inquiet de la menace que représentent pour la France les Habsbourg victorieux, entre en guerre, d'abord contre l'Espagne (1635), puis contre l'empereur (1638), en alliance avec les princes protestants allemands et les Suédois.

La guerre est longue, acharnée, avec des succès et des défaites. Finalement, l'empereur doit se résigner à traiter.

Les *traités de Westphalie*, signés en 1648, consacrent l'échec des ambitions impériales : la couronne impériale reste élective ; le roi de Bavière reste Electeur, mais l'Electeur palatin se voit restituer son titre et ses Etats ; il y a donc désormais 8 Electeurs ; la Constitution de l'Empire est placée sous la garantie des puissances signataires, ce qui donne à la France et à la Suède un droit d'intervention dans les affaires allemandes. Le calvinisme est reconnu en Allemagne, les sécularisations antérieures à 1624 légitimées. La Suède reçoit la Poméranie occidentale et les évêchés sécularisés de Brême et Verden, à l'embouchure de la Weser, ce qui lui donne le contrôle du littoral de l'Allemagne du Nord. La France reçoit, en Alsace, les possessions personnelles des Habsbourg (une partie de l'Alsace, le reste continuant à relever de l'Empire).

La guerre avec l'Espagne

En 1648, l'Espagne conclut la paix avec les Provinces-Unies insurgées et reconnut leur indépendance. La guerre se poursuivit avec la France. La *paix des Pyrénées* (1659) reconnut à la France la possession du Roussillon et de l'Artois. La réconciliation franco-espagnole fut scellée par le mariage du jeune Louis XIV avec l'infante d'Espagne Marie-Thérèse.

La guerre de Trente Ans ravagea l'Allemagne et les pays dépendants de l'Empire, comme la Lorraine. Conduite par des mercenaires qui, catholiques ou protestants, vivaient sur le pays, pillant et brûlant les villages, massacrant les paysans, elle laissa l'Allemagne dépeuplée et il fallut plus d'un siècle pour que les ruines qu'elle avait laissées fussent relevées.

LES PROVINCES-UNIES :
UNE RÉPUBLIQUE MARCHANDE

Nous les avons mentionnées à plusieurs reprises. Il s'agit des sept provinces septentrionales des Pays-Bas espagnols (héritage des ducs de Bourgogne), acquises au calvinisme et insurgées contre le roi d'Espagne. La Hollande était la plus riche et la plus puissante de ces provinces, d'où les noms de Hollande et de Hollandais utilisés pour désigner les Provinces-Unies et leurs habitants.

Proclamée en 1581, leur indépendance ne fut reconnue par l'Espagne qu'en 1648.

Du hareng saur à la navigation commerciale

Situées au niveau de la mer, parfois au-dessous, avec des « *polders* » aux terres asséchées et protégées par des digues, les Provinces-Unies devaient leur richesse à l'élevage (et à la production de beurre et de fromage), et aussi à la pêche, surtout la pêche du hareng pratiquée dans la mer du Nord. Les nombreux jeûnes de l'Eglise catholique, avec des jours « *maigres* » où la consommation de la viande était interdite, créaient un marché pour la consommation du poisson, avec des difficultés dues à sa conservation. La mise au point du procédé de fumage produisant le *hareng saur* avait assuré la fortune de la Hollande.

De la pêche, les Hollandais étaient passés à la navigation commerciale, accaparant le commerce de la mer Baltique et de la mer du Nord, et l'essentiel du commerce intermédiaire de l'Europe orientale.

La Banque d'Amsterdam

Puis Amsterdam était devenue, au début du XVIe siècle, l'entrepôt des produits de l'Orient importés par Lisbonne. L'*union personnelle* des couronnes d'Espagne et du Portugal, en 1580, leur ayant fermé l'accès de Lisbonne, les Hollandais étaient allés chercher directement les épices en Asie, et s'étaient taillé un empire colonial (voir pp. 289-290). La *Banque d'Amsterdam*, créée en 1609, devint rapidement le principal établissement de crédit d'Europe. Cette place ne lui fut ravie par Londres qu'au début du XVIIIe siècle.

L'organisation politique

Les Provinces-Unies comptaient deux provinces maritimes, la Hollande (le « *pays creux* ») et la Zélande (le « *pays de la mer* ») ; les cinq autres provinces étaient surtout rurales. Aux sept provinces s'ajoutèrent des territoires communs conquis sur l'Espagne au sud du Rhin et de la Meuse, appelés « Pays des Etats-Généraux ».

Les *Etats-Généraux* constituaient l'organisme souverain de la République. Ils étaient constitués d'une quarantaine de députés des sept provinces. Mais on y votait par province, chacune ayant une voix, et la plupart des décisions devaient être adoptées à l'unanimité, chaque province conservant sa souveraineté et son autonomie. Chaque province avait ses *Etats* (son assemblée représentative), son *« pensionnaire »* (secrétaire permanent appointé, touchant une pension, d'où son nom), et un *stathouder* (gouverneur) ayant le pouvoir exécutif.

Auprès des Etats-Généraux, le pensionnaire de la province de Hollande, dit le *« grand pensionnaire »*, faisait fonction de ministre des Affaires étrangères. Le *stathouder général*, pris dans la famille des princes d'Orange-Nassau (calvinistes), cumulait généralement ses fonctions civiles avec celles de *capitaine* et *amiral général*, chef des armées.

Essor intellectuel et artistique

Remarquables par leur puissance économique, les Provinces-Unies le devinrent aussi par leur activité intellectuelle. Si le calvinisme y dominait, on y pratiquait une tolérance très large (sauf pour le catholicisme, réputé complice des Espagnols). La liberté de pensée et d'expression, y compris la liberté de la presse (une presse rédigée en français et diffusée dans toute l'Europe), y était plus grande que partout ailleurs. De nombreux Juifs persécutés en Espagne et au Portugal vinrent s'y réfugier. Descartes y vécut vingt ans, pour pouvoir travailler librement. Spinoza, philosophe d'origine juive, put s'y exprimer bien que suspect d'athéisme, et se fit le porte-parole de la liberté politique.

La richesse de la bourgeoisie favorisa l'éclosion d'une peinture moins consacrée à la religion qu'à l'ornement des appartements bourgeois (paysages, natures mortes, scènes d'intérieur). Rembrandt et Vermeer en furent les représentants les plus illustres, parmi une pléiade d'autres artistes de premier plan.

Orangistes contre Républicains

La vie politique fut marquée par l'opposition entre *« orangistes »* et *« républicains »*. Les orangistes étaient les partisans des princes d'Orange-Nassau, titulaires, avant 1648, puis après 1672, des fonctions de stathouder général. Ils s'appuyaient sur le petit peuple, marins, ouvriers, paysans, soldats. Ils étaient calvinistes fanatiques. Les républicains représentaient la grande bourgeoisie marchande et financière, hostile à la guerre. Ils gouvernèrent la Hollande pendant la période de paix suivant les traités de Westphalie (1648) jusqu'à l'agression française de 1672, début de la *guerre de Hollande*. Le grand pensionnaire Jean de Witt fut leur représentant.

Louis XIV n'avait que mépris pour cette *« république de marchands de fromage »*, mais la guerre qu'il engagea contre elle, après des succès initiaux, déboucha sur un échec et aboutit à la reprise du pouvoir par les princes d'Orange-Nassau, qui, avec le simple titre de *« stathouder général »*, firent désormais figure de souverains.

LES AUTRES PUISSANCES EUROPÉENNES

L'essor des Hohenzollern

Dans l'Allemagne morcelée et marginalisée par les conséquences de la guerre de Trente Ans et les conditions des traités de Westphalie, une puissance nouvelle émerge autour de l'électorat de Brandebourg et de la famille des Hohenzollern. Petite famille princière d'Allemagne du Sud, les Hohenzollern avaient acquis, au début du XVᵉ siècle, l'électorat de Brandebourg. Au début du XVIIᵉ siècle, ils héritent de la principauté de Clèves, en Rhénanie, et du duché de Prusse, ancien domaine de l'ordre des chevaliers Teutoniques, sécularisé par son grand maître, converti au luthéranisme. Ces possessions étaient très dispersées, relevant pour la plupart de l'Empire, sauf la Prusse, vassale de la Pologne.

La puissance des Hohenzollern prit sa première assise avec l'Électeur Frédéric-Guillaume (1640-1688), surnommé le *« Grand Electeur »*. Il imposa son autorité à l'ensemble de ses possessions, contrôla les assemblées locales, institua une fiscalité permanente, et put ainsi entretenir une forte armée. Sur les terres du

Brandebourg, pauvres (sables, marais et forêts) et dévastées par
la guerre de Trente Ans, il donna asile à des protestants persécutés (notamment huguenots français chassés par la révocation
de l'édit de Nantes) qui y apportèrent des cultures nouvelles et
implantèrent des manufactures.

En 1660, le Grand Electeur s'était émancipé de la suzeraineté
polonaise pour son duché de Prusse. Son successeur Frédéric Ier
obtint de l'empereur le droit de se proclamer « roi en Prusse »
(territoire extérieur à l'Empire) (1701) et les Electeurs de Brandebourg portèrent par la suite le titre de *« roi de Prusse »*.

La Suède de Charles XII

Nous avons vu le rôle joué par la Suède dans la guerre de
Trente Ans. Au début du XVIIe siècle, la Suède, qui possédait
déjà la Finlande et l'Estonie, avait enlevé aux Russes l'Ingrie (la
région de la future Saint-Pétersbourg) et aux Polonais la Livonie ;
en Allemagne, elle acquit la Poméranie occidentale et en 1648
les évêchés de Brême et Verden, sur la mer du Nord, et enfin, la
Scanie (au sud de son territoire, et jusque-là possession danoise).

Lorsqu'en 1697 la couronne de Suède revint à un jeune
homme de 15 ans, Charles XII, ses voisins — Danemark, Pologne,
Russie — crurent le moment venu d'enlever à la Suède ses dépendances extérieures. Mais Charles XII se révéla un général remar-
quable et, dans un premier temps, battit ses adversaires. Par la
suite, la guerre reprit avec la Russie, représentée par le tsar
Pierre le Grand. Cette fois, Charles XII fut finalement battu. Il dut
céder en 1721 une partie de la Poméranie occidentale avec la
ville de Stettin à la Prusse, Brême et Verden au Hanovre, la Carélie, l'Ingrie, l'Estonie et la Livonie à la Russie.

La Turquie sur le déclin

La Turquie, au sommet de sa puissance, occupait la plus
grande partie de la Hongrie. Les Turcs, arrêtés devant Vienne en
1663, tentèrent une nouvelle attaque en 1683, et furent refoulés :
les Autrichiens reprirent la Hongrie qui, de royaume électif,

devint royaume héréditaire au bénéfice des Habsbourg (*paix de Karlowitz* : 1699). Dès lors, la décadence de la Turquie devint irrémédiable et les rivalités des puissances européennes pour grignoter le territoire ottoman ouvrirent ce qu'il est convenu d'appeler la *question d'Orient*.

La Pologne en crise

Autre pays en déclin : la Pologne. L'union réalisée entre le royaume de Pologne et le grand-duché de Lituanie par les Jagellon avait fait de la Pologne un immense Etat (850 000 km²), de la mer Baltique à la mer Noire.

Mais la noblesse, et surtout les « magnats », grands féodaux ayant leurs propres armées, détenait la réalité du pouvoir. Depuis 1572, la couronne était élective ; chaque élection donnait lieu à des marchandages, et comportait des concessions aux magnats de la part des candidats à la couronne. La Diète, assemblée des magnats, qui venaient y siéger en armes, était incapable de prendre aucune décision. Le comble fut mis à l'anarchie lorsqu'elle adopta en 1652 la règle du *« liberum veto »* (libre opposition). Le *veto* (= l'opposition) d'un seul député suffisait à annuler toute décision.

Le territoire de la Pologne englobait, avec les Polonais et les Lituaniens catholiques, un grand nombre de Russes et d'Ukrainiens orthodoxes. Tant que ses voisins étaient faibles, la Pologne avait pu, non seulement se défendre, mais prendre des positions offensives, contre la Suède, la Russie, la Turquie. Avec la formation d'Etats forts en Russie et en Prusse, le péril commence à se dessiner.

L'émergence de la Russie

Face à ces pays en recul, ou en crise, une nouvelle puissance émerge : la Russie. Après le règne d'Ivan IV le Terrible, s'était ouverte une période de troubles, marquée par des insurrections populaires et des interventions polonaises. Elle aboutit, en 1613, à l'avènement d'une nouvelle dynastie, celle des Romanov. Après le fondateur, Michel Fedorovitch, son fils le tsar Alexis (1645-1676) reprend à la Pologne une frange de territoire peuplée de Russes et d'Ukrainiens, avec les villes de Smolensk et de Kiev (1667). Des liens se créent avec l'Occident ; des marchands et des aventuriers, surtout hollandais et allemands, s'établissent dans un faubourg de la capitale, Moscou.

Pierre le Grand

Mais l'entrée de la Russie dans la modernité va être l'œuvre de Pierre le Grand (1682-1725).

Tsar à 9 ans, d'abord sous la tutelle de sa sœur, Pierre fréquente les étrangers de Moscou et, avec des enfants de son âge, constitue une petite troupe formée à l'occidentale. A 17 ans, grâce à cette petite unité, il prend le pouvoir réel (1689).

Pierre est décidé à moderniser son pays. Il le fera avec ténacité, en employant souvent la violence. Il est lui-même un colosse de plus de 2 mètres, d'une force herculéenne, d'une activité multiple et débordante, voulant tout connaître : au cours d'un voyage incognito à l'étranger, il se fait embaucher comme charpentier sur un chantier naval hollandais, pour savoir comment on construit les navires. Il est aussi violent, capable de crises de colère irrépressibles : à la fin de sa vie, il tuera son propre fils sous le *knout* (le fouet), pour avoir comploté contre lui.

Pour ouvrir la Russie à l'Occident, il lui fallait donner à son pays un accès à la mer : il prend Azov aux Turcs en 1696, et donne ainsi à la Russie un débouché sur la mer Noire. Avec la Suède qui occupe le littoral de la Baltique, les choses seront plus difficiles. Battu par Charles XII à Narva en 1700, il conquiert néanmoins peu à peu les territoires suédois qui lui ferment l'accès à la mer Baltique : Carélie, Ingrie, Estonie, Livonie. En 1703, sur le territoire de l'Ingrie, au fond du golfe de Finlande, sur les rives de la Neva, déversoir du lac Ladoga, il jette les fondations de sa future capitale, Saint-Pétersbourg.

Quelques années plus tard, Charles XII passe à l'attaque et pénètre jusque dans le Sud de la Russie : mais, battu à Poltava (1709), il est obligé de se réfugier en Turquie : Pierre le Grand va pouvoir, en toute tranquillité, s'assurer des provinces baltes et d'une partie de la Finlande, pendant que la Prusse chasse les Suédois de Poméranie... Pierre le Grand devra restituer Azov aux Turcs en1711, mais le traité de Nystad (1721) consacre ses acquisitions sur la Suède.

La transformation de la Russie

Pour transformer la Russie, Pierre le Grand s'attaque aux mœurs et coutumes orientales : il prescrit aux nobles et aux fonctionnaires de s'habiller à l'européenne, en abandonnant les robes à l'orientale, et interdit le port de la barbe (sauf à payer un impôt spécial !).

Il construit, non sans peine, et au prix de beaucoup de vies humaines, dans les marécages de la Neva, sa nouvelle capitale, port ouvert aux navires venus d'Europe occidentale. Il crée une académie navale, une école de chirurgie, une école d'ingénieurs, développe mines et industries.

Organisation politique et administrative

Pour soutenir son pouvoir, il crée une administration : un *Sénat*, sorte de Conseil d'Etat, et dix *« collèges »* tiennent lieu de ministères. Le pays est divisé en douze *gouvernements*.

Il décide que tout noble est tenu au service du tsar, soit service civil, soit service militaire ; en revanche, tout fonctionnaire civil ou officier au service du tsar devient noble. Militaires et fonctionnaires sont répartis dans des hiérarchies parallèles comportant douze rangs, hiérarchie qu'on appelle le *« tchin »*. Ce système durera jusqu'en 1917.

L'armée traditionnelle avait pour noyau les *« streltsy »*, devenu une sorte de milice indisciplinée, dont les membres, hors de leur service, faisaient du commerce ou s'occupaient à diverses activités, tout comme les janissaires turcs de la fin du XVIIe siècle. En 1697, au cours d'un séjour de Pierre le Grand en Europe occidentale, les *streltsy* se rebellèrent. Dès son retour, ils furent massacrés et leur corps supprimé. L'armée fut réorganisée à l'européenne.

Pour s'assurer le contrôle de l'*Eglise orthodoxe*, Pierre le Grand supprime le patriarche de Moscou qui en était le chef et le remplace par un collège d'évêques, le *saint-synode*, dont le *procureur général* est nommé par lui. Ce système demeurera jusqu'à la révolution de 1917.

L'Etat russe a pris une apparence moderne : mais les résistances à la modernisation restent vives, s'appuyant sur les intérêts que le nouveau style de gouvernement menace, intérêts des grands seigneurs, les boyards, et d'une partie du haut clergé. Son propre fils, le tsarévitch Alexis, sera utilisé contre lui par les traditionalistes ; il le paiera de sa vie. Derrière la façade de l'occidentalisation des mœurs, celles-ci restent brutales, dans un pays dont la base sociale est le servage.

La France au XVIIIe siècle — Le siècle des Lumières

LOUIS XV (1715-1774)

Lorsque Louis XIV meurt, en 1715, à 77 ans, son seul descendant direct survivant (en dehors du roi d'Espagne Philippe V, qui a renoncé à toute prétention à la couronne de France) est un arrière-petit-fils, qui devient roi à 5 ans sous le nom de Louis XV.

La Régence

En attendant sa majorité, la régence fut exercée par le duc Philippe d'Orléans, neveu de Louis XIV.

La « *Régence* » fut marquée par une réaction contre l'austérité dévote de la fin du règne précédent. La haute aristocratie tenta de se faire attribuer un rôle politique, en remplaçant les ministères par des conseils dont ils étaient membres : ce fut un échec.

Pour surmonter l'héritage financier catastrophique du règne précédent, le Régent fit appel au financier écossais John Law qui créa une banque d'Etat émettant des billets remboursables à vue, et lança une « *Compagnie du Mississippi* » pour exploiter la Louisiane, depuis peu colonisée et présentée comme un Eldorado. Bientôt elle fut incorporée dans la Compagnie des Indes (1719). Les actions de la compagnie firent l'objet d'une folle spéculation. Au début de 1720, les actions atteignaient quarante fois leur valeur d'émission. Lorsqu'il fallut répartir les bénéfices (au demeurant fictifs), on s'aperçut que le rendement des actions, à ce prix, ne dépassait pas 1 %. On se mit à vendre les actions avec la même hâte qu'on les avait achetées et leur cours s'effondra. Le discrédit s'étendit aux billets de la banque, que chacun voulut se faire rembourser : la banque s'avéra incapable de rembourser les billets en or et argent, et fit banqueroute. Cet échec devait, pour longtemps, discréditer en France l'usage des billets de banque.

Le cardinal de Fleury

Après la mort du Régent (1723), le gouvernement fut tenu de 1726 à 1743 par le cardinal de Fleury, ancien précepteur du roi. Arrivé au pouvoir à 73 ans, il y demeura jusqu'à sa mort, à 90 ans, au grand dam de ses rivaux qui escomptaient sa mort prochaine.

Le cardinal de Fleury pratiqua une politique prudente de paix à l'extérieur et d'économies à l'intérieur. En 1739, il réussit à équilibrer le budget, pour la première fois depuis Colbert ! Il donna l'impulsion à la construction du réseau routier français — le meilleur d'Europe à la fin du XVIIIᵉ siècle, grâce à la généralisation de la *corvée royale* imposée aux paysans (1736). Une déclaration royale de 1726 rendit définitive *la fixité de la valeur des monnaies*, mettant fin aux manipulations monétaires pratiquées depuis Philippe le Bel.

Louis XV

En 1743, à la mort de Fleury, Louis XV avait 33 ans. On pensa qu'enfin, comme Louis XIV, il allait gouverner lui-même. Beau, intelligent, Louis XV fut au sommet de sa popularité lorsqu'il se porta à la tête des troupes françaises face à une invasion autrichienne : tombé malade, il fut l'objet de manifestations populaires d'attachement (6 000 messes commandées à Notre-Dame de Paris pour sa guérison). Il reçut le surnom de « *Louis le Bien-Aimé* ».

La déception devait être rapide. Louis XV était intelligent, mais timide (il hésitait à prendre position et à imposer son avis) et apathique (sa fonction royale l'ennuyait). En fait, il laissa le gouvernement sans direction, s'amusant à « doubler » ses ministres par un service d'espionnage, le « *Secret du Roi* », et faisant ouvrir les correspondances privées par son « *cabinet noir* ». Les ministres durent se plier à l'influence des favorites, Jeanne Poisson, qu'il fit marquise de Pompadour, puis Jeanne Bécu, qu'il fit comtesse du Barry. On lui prêta la réflexion : « *Après moi, le déluge !* »

Modifications territoriales

En 1763, à l'issue de la guerre de Sept Ans, la France perdit au bénéfice de l'Angleterre le Canada, toutes ses positions en Inde sauf cinq comptoirs, la Louisiane étant cédée à l'Espagne. L'opinion y fut peu sensible, dans la mesure où la France avait conservé la colonie la plus rentable, la partie ouest de Saint-Domingue, grande productrice de sucre.

La France devait acquérir sous le règne de Louis XV la Lorraine : le dernier duc de Lorraine ayant épousé l'héritière des Habsbourg, Marie-Thérèse, et ayant été élu empereur (on parlera désormais de la dynastie des « Habsbourg-Lorraine » pour désigner la maison d'Autriche), la Lorraine fut attribuée à titre viager à Stanislas Leszczynski, roi de Pologne détrôné, et beau-père de Louis XV. A sa mort, la Lorraine revint à la France (1766) ; en 1768, la France acheta la Corse à la république de Gênes.

La dégradation de la situation financière

Améliorée au temps de Fleury, la situation financière se dégrada à nouveau : le roi dépensait sans compter pour ses fêtes et ses plaisirs.

En 1745, le contrôleur général des Finances, Machault d'Arnouville, fit une nouvelle tentative pour soumettre à l'impôt les privilégiés : ce fut l'impôt du *vingtième* (qui remplaça le *dixième* créé par Louis XIV). C'était un impôt de 5 % sur tous les revenus, y compris ceux des privilégiés. Ce fut à nouveau une levée de boucliers de ces derniers : le Parlement de Paris protesta, l'assemblée générale du clergé se fit accorder un « abonnement » — le versement d'une somme forfaitaire en lieu et place de l'impôt, d'un montant très inférieur à celui que le clergé aurait dû payer.

Le roi contesté

De populaire qu'il avait été, le roi devint impopulaire, objet de pamphlets et de chansons outrageantes. En janvier 1757, un valet de chambre, Damiens, le frappa d'un coup de canif « *pour le rappeler à ses devoirs* »... Il fut condamné à mort et écartelé, après avoir subi d'affreux supplices.

Les Parlements recommencèrent à faire valoir leurs prétentions à contrôler les actes du gouvernement, et, par ailleurs, le conflit entre jansénistes et haut clergé reprit une nouvelle acuité.

Les Parlements soutenaient les jansénistes. Leurs principaux adversaires étaient les jésuites, qui s'étaient fait beaucoup d'ennemis. Un jésuite, le père La Valette, commerçant aux Antilles, avait fait une banqueroute de plusieurs millions. Ses créanciers se retournèrent contre la Compagnie de Jésus qui eut l'imprudence d'en appeler au Parlement de Paris. Pour prouver qu'elle était étrangère aux activités privées du père La Valette, elle produisit ses Constitutions. Le Parlement la condamna à payer, puis déclara ses Constitutions contraires aux lois du royaume, puisqu'elles obligeaient les jésuites à ne reconnaître que l'autorité du pape, et non celle du roi. La plupart des Parlements ordonnèrent la suppression de la Compagnie et, en 1764, le roi rendit un édit conforme. A la suite de la France, l'Espagne, Naples, et Parme, où régnaient des Bourbons, interdirent la Compagnie. Elle fut finalement supprimée par le pape en 1773. Elle ne devait être restaurée qu'au début du XIXe siècle.

En 1771, le chancelier Maupeou tenta une réforme du système judiciaire : les Parlements furent supprimés, remplacés par des Conseils supérieurs dont les membres étaient nommés et appointés, et étaient de ce fait soustraits à la vénalité des charges. La réforme était bonne : l'impopularité du gouvernement la fit paraître détestable et le nouveau système ne survécut pas à Louis XV. Quand il mourut de la petite vérole en 1774, on n'osa pas l'enterrer publiquement, et son corps fut acheminé de nuit vers Saint-Denis, en évitant de passer par Paris.

LOUIS XVI (1774-1793)

———

Louis XV n'avait eu qu'un fils, mort avant lui. C'est un petit-fils, âgé de vingt ans, qui lui succéda sous le nom de Louis XVI. Louis XVI était instruit, mais n'avait guère de prestance ; gros mangeur, il devint bientôt d'une obésité monstrueuse ; il s'intéressait surtout à la chasse et se distrayait à des travaux de serrurerie. Sa femme, princesse autrichienne, Marie-Antoinette, passait pour légère, ou du moins imprudente.

Essais de réforme

Louis XVI annula les réformes de Maupeou et rappela les Parlements ; il en appela au pouvoir des ministres, qui tentèrent une politique réformatrice, comme Turgot : celui-ci projetait d'établir un impôt unique payable par tous et de créer des Assemblées représentatives dans les provinces. Il proclama la liberté du commerce des grains (ce qui lui valut d'être taxé d'ami des spéculateurs), supprima les corporations, supprima la *corvée royale* — pour l'établissement et l'entretien des routes —, remplacée par un impôt payable par tous (1776). Les privilégiés obtinrent son renvoi. Le roi fit appel à Necker, un banquier protestant genevois, qui réussit à faire des emprunts. Il abolit la torture dans la procédure judiciaire, et le servage dans les domaines royaux. Il essaya d'instituer des Assemblées provinciales, nommées parmi les notables, pour participer à l'administration.

En 1781, il publia un *« Compte rendu au Roi »*, présentant le budget (jusque-là tenu secret), qui fit apparaître l'énormité des dépenses de la cour et des pensions versées aux courtisans. Les privilégiés firent pression contre lui sur le roi et Necker fut contraint de démissionner.

C'est cette incapacité à réformer les finances, en remettant en cause les privilèges de la noblesse et du clergé, qui conduisit à la Révolution.

LES IDÉES NOUVELLES : LES PHILOSOPHES

L'exemple de l'Angleterre avait fait naître, dès le début du siècle, un courant d'idées critique à l'égard de la monarchie absolue qualifiée de « *despotique* » : les idées de liberté, liberté de conscience (religieuse), liberté d'expression (liberté de la presse), de souveraineté du peuple, se répandirent.

Montesquieu

Montesquieu (1689-1755), président au Parlement de Bordeaux, développe dans son *Esprit des lois* (1748) l'idée de la « séparation des pouvoirs » comme condition d'un bon gouvernement : le roi ne devrait avoir que le pouvoir *exécutif* (celui de faire exécuter, appliquer les lois) ; le pouvoir *législatif* (celui de faire les lois) et le pouvoir *judiciaire* devraient être exercés par des instances indépendantes (il pensait aux Parlements…). Une grande partie de la noblesse, et notamment les magistrats (la noblesse de robe), appuie ce mouvement d'idées dans l'espoir d'y trouver l'occasion de jouer un rôle politique.

Les penseurs critiques de cette époque vont recevoir l'appellation de « *philosophes* ». Au nom de la liberté, de la raison, ils critiquent dans les institutions tout ce qui leur paraît absurde, barbare, arbitraire, hérité d'un Moyen Age considéré comme ignorant et fanatique.

Voltaire

A la critique de l'absolutisme royal s'ajoute celle de la religion. Voltaire (1694-1778) poursuivra de sa verve vengeresse le « *fanatisme et la superstition* », visant l'Eglise officielle, mais tout en se déclarant croyant *(déiste)*. Voltaire sera le plus illustre des philosophes du XVIIIe siècle dans la mesure où il pratiquera, avec un immense succès à l'époque, tous les genres littéraires — histoire, théâtre, roman, poésie, et même l'épopée. Il reflète les aspirations de la bourgeoisie riche, à laquelle il appartient.

Rousseau

Jean-Jacques Rousseau (1712-1778) fut, avec Voltaire, le philosophe le plus populaire. Fils d'un horloger de Genève, il en conserva le mode de vie et des conceptions beaucoup plus plébéiennes. *Le Contrat social* (1762) revendiquait l'égalité, la liberté et la souveraineté du peuple. Au nom de la morale, Rousseau professait le déisme, prêchait la vertu et le retour à la nature.

Diderot et l'*Encyclopédie*

D'autres philosophes furent franchement athées, comme Diderot qui, avec le mathématicien d'Alembert, fut l'initiateur de l'*Encyclopédie*, un *« dictionnaire raisonné des sciences, des arts et des métiers »* publié et vendu par souscription de 1751 à 1786. L'*Encyclopédie* se proposait de donner un tableau des connaissances et des techniques de son temps, dans un esprit qui était celui des philosophes.

Economistes et scientifiques

A côté des philosophes, il faut signaler l'apparition des économistes comme Quesnay et Gournay, qui professaient notamment l'exigence de la liberté du commerce et de l'entreprise.

Dans le domaine scientifique, mentionnons l'œuvre de Lavoisier, fondateur de la chimie moderne, et la réalisation, par les frères Montgolfier, de la première montgolfière à air chaud (1783), relayée dès 1784 par le ballon gonflé à l'hydrogène : c'est le début de la conquête de l'air.

LA FIN DE L'ANCIEN RÉGIME

Malgré les faiblesses du gouvernement, la France marque, au XVIIIᵉ siècle, des progrès sensibles dans tous les domaines. Les disettes temporaires dues aux mauvaises récoltes ne disparaissent pas, mais les grandes famines, comme on en avait connu à la fin du règne de Louis XIV, ne s'installent plus.

Evolution économique et sociale

La population augmente, passant de 18 millions à la fin du règne de Louis XIV à 25 millions en 1780 (compte tenu, il est vrai, de l'incorporation de la Lorraine et de la Corse). L'instruction marque un progrès : un sondage dans les registres paroissiaux (mariages) montre que, dans les années 1686-1690, la moyenne des époux sachant signer leur nom était de 29 %, celle des épouses de 14 % ; en 1786-1790, la moyenne était passée pour les époux à 54 %, pour les épouses à 35 %.

A l'imitation de l'Angleterre, quelques propriétaires fonciers s'efforcent de faire prévaloir la *« révolution agricole »* — introduction des cultures fourragères dans les assolements, suppression de la jachère, clôture des terres, partage des communaux. Mais cette action reste limitée à quelques grands propriétaires et se heurte aux résistances paysannes.

Les manufactures se développent, tout en restant loin du niveau anglais. Le commerce colonial (traite des Noirs, importation de produits coloniaux, essentiellement du sucre) connut une prospérité sans précédent après 1763, grâce à la partie française de Saint-Domingue, grosse productrice de sucre dans le cadre de la plantation esclavagiste. Ce commerce fait la prospérité de Bordeaux, de Nantes, du Havre.

L'administration se perfectionne : les intendants, souvent en poste pendant de très longues durées, marquent leurs villes de résidence par des travaux d'urbanisme (Tourny à Bordeaux, Turgot à Limoges, Sénac de Meilhan à Aix-en-Provence) ; à côté de l'administration, apparaissent les premiers grands « services publics », dirigés par des ingénieurs formés dans des écoles spécialisées : corps des Ponts et Chaussées, corps des Mines.

La période de prospérité, qui avait commencé sous le ministère de Fleury et qui avait été marquée par une hausse des prix agricoles, prit fin vers 1778. Cette prospérité n'avait pas été partagée par tous. Pour les couches populaires des villes, les salaires n'avaient pas suivi la hausse des prix et il en était résulté une baisse du pouvoir d'achat. Dans le budget de ces couches populaires, le pain représente le poste majeur : plus de 50 %. La hausse du prix du pain est donc, pour des budgets réduits, d'une conséquence extrêmement sensible, qu'on peut comprendre lorsque l'on sait qu'en 1789, la part du pain dans le budget atteint 88 %.

Situation des paysans

La paysannerie, ou du moins sa partie la plus aisée, a bénéficié de la hausse des prix agricoles. Mais cette paysannerie est très hétérogène : elle comprend une fraction riche, *« laboureurs »* (ceux qui disposent d'un attelage de labour), et *« coqs de village »* (notables ruraux qui sont souvent les fermiers des grands propriétaires nobles, fermiers des droits féodaux — chargés de les percevoir). Elle bénéficie notamment de la hausse du prix du vin — produit principalement destiné à la vente —, hausse qui atteint, vers 1777, 70 % par rapport au début du siècle.

La part de la propriété paysanne dans l'ensemble des terres françaises est de l'ordre de 35 %, minoritaire, mais non négligeable.

Une majorité de paysans ne disposent que de parcelles insuffisantes pour les faire vivre, voire se trouvent sans terre, réduits à la condition de *« manouvriers »* ou *« brassiers »*, souvent contraints à un emploi saisonnier et précaire : *« journaliers »*, recrutés et payés à la journée. Au cours du siècle, en Bretagne, et dans la région de Dijon, leur nombre a doublé. La *« vaine pâture »*, usage qui, dans les pays d'assolement triennal, permet à tous les membres de la communauté rurale de faire paître le bétail sur les terres moissonnées ou en jachère, l'usage des communaux (prés, landes, forêts), le droit de glanage (ramassage des grains tombés lors de la moisson) aident ces pauvres à survivre.

La mise en œuvre de la *« révolution agricole »* les menace : édits de clôture, partage des communaux — dans lequel les seigneurs, en vertu d'un droit de « triage », s'adjugent le tiers des superficies partagées, le reste l'étant en fonction de l'étendue des propriétés de chacun.

La majorité des paysans sont « libres » : il reste cependant des serfs (ceux du domaine royal ont été affranchis par Necker), environ un million sur 20 millions de ruraux, notamment en Franche-Comté, en Lorraine, en Nivernais. Les serfs, rappelons-le, sont attachés à la terre qu'ils ne peuvent quitter, objets d'un *« droit de suite »* de la part de leur seigneur s'ils s'enfuient ; à leur mort, leur héritage va au seigneur, sauf paiement par les héritiers de droits très élevés.

Les paysans ont à payer, s'ils ne sont pas propriétaires, des fermages (ou des redevances en nature dans le cas des métayers) ; tous sont soumis à la fiscalité royale. Impôts directs : *taille, capitation, vingtième, corvée royale* pour les routes et les transports militaires ; impôts indirects, comme la *gabelle*, qui est un monopole du sel avec obligation d'achat, monopole concédé, comme les autres impôts indirects (aides, douanes intérieures, etc.), à des financiers, les fermiers généraux, qui se chargent de la perception, à leur profit, contre une somme forfaitaire versée à l'avance aux finances royales. Ils ont à payer les droits féodaux, très divers et d'importance variable suivant les régions, *cens* (en argent), *champart* (en parts de récoltes), droit de lods et ventes (droit de mutation), etc., parfois peu importants, mais d'une perception compliquée et vexatoire. Il s'y ajoute la *dîme* due au clergé.

Conséquences de la révolution agricole

De nombreux seigneurs, au XVIIIᵉ siècle, entreprennent d'exploiter « bourgeoisement » leurs domaines (c'est le cas aussi, bien entendu, de bourgeois enrichis et ayant acheté des terres et des seigneuries). Ils se font, parfois, les initiateurs de la *« révolution agricole »*, dont nous avons vu les conséquences pour les paysans pauvres. Ils entreprennent aussi d'accroître le rendement de leurs droits féodaux, de les percevoir avec plus de rigueur, de les restaurer là où ils ont été oubliés. Ils chargent des *« feudistes »* (spécialistes du droit féodal) d'examiner les titres de leurs *« char-*

triers » (leurs archives) pour y retrouver les droits oubliés. C'est un sujet supplémentaire d'irritation pour les paysans.

Or, vers 1778, la conjoncture s'inverse. Une crise agricole s'ouvre. Il y a chute des prix du blé, mais surtout des prix du vin, sans doute résultat d'une extension excessive du vignoble, suscitée par la hausse précédente des prix.

Les cultivateurs subissent une baisse brutale de leur pouvoir d'achat qui entraîne, par diminution de la consommation, une crise de la production manufacturière, dont les débouchés diminuent brusquement. Il en résulte l'apparition d'un chômage qui annule l'effet qu'aurait pu avoir la baisse des prix pour les salariés.

Cet effet est aggravé par la signature, en 1786, d'un traité de commerce avec l'Angleterre, qui ouvre le marché français aux produits manufacturés anglais, moins chers que les produits français.

En 1788-1789, la crise agricole rebondit suite à des intempéries : le prix du blé, donc du pain, monte en flèche.

Dans le même temps, la crise financière de l'Etat s'est accrue, du fait notamment des dépenses de la guerre d'Amérique.

L'Etat contre les privilégiés

Pour l'État, il n'y a pas d'autre issue que de soumettre les privilégiés à l'impôt. Ceux-ci s'y refusent obstinément, et se présentent dans leur protestation comme les défenseurs de l'intérêt général, face à l'« arbitraire », au « despotisme » royal.

En 1786, le contrôleur général des Finances Calonne propose une « subvention territoriale », un impôt frappant tous les propriétaires, privilégiés compris. Pour tourner l'opposition du Parlement, il imagine de faire approuver son projet par une « Assemblée des notables », nommée par le roi. Mais cette assemblée — formée de privilégiés — refuse son assentiment. Loménie de Brienne, successeur de Calonne, tente de faire approuver la réforme par le Parlement : celui-ci refuse, et rappelle que seule la Nation, réunie dans ses états généraux, peut consentir un nouvel impôt.

C'est le début d'une révolte nobiliaire qui couvre les années 1787 et 1788. L'aristocratie (y compris la noblesse de robe que représentent les Parlements) espère dominer les états généraux et remplacer la monarchie absolue par une monarchie contrôlée par l'aristocratie.

Louis XVI, menacé de banqueroute et incapable de rétablir l'ordre, capitule : il renvoie Brienne et rappelle Necker, qui a la confiance des milieux financiers (août 1788).

La Révolution va commencer.

L'Europe au XVIIIᵉ siècle

LA GRANDE-BRETAGNE :
LA PRÉPONDÉRANCE ANGLAISE

Sous les deux premiers rois de la dynastie de Hanovre, George Iᵉʳ (1714-1727) et George II (1727-1760), s'établit le *régime parlementaire*. Par nécessité, George Iᵉʳ et George II doivent s'appuyer sur les *whigs* favorables à la prépondérance du Parlement ; les *tories* favorables à la *prérogative royale* (à la prépondérance du roi) étaient suspects de *« jacobisme »*, c'est-à-dire d'être des partisans des Stuarts, du fils de Jacques II qui, réfugié en France, avait pris le nom de Jacques III. Les Stuarts avaient encore des partisans, notamment en Ecosse (c'était la dynastie nationale écossaise) et en Irlande catholique. Une insurrection des *« Highlanders »* (habitants des Hautes Terres d'Ecosse) en 1715 fut aisément réprimée. Plus inquiétant fut, lors de la guerre de Succession d'Autriche, le débarquement en Angleterre du fils du prétendant, le prince Charles Edouard. Mais, après quelques succès, il subit une écrasante défaite à Culloden (1746) qui mit fin aux espérances des jacobites.

Le régime parlementaire

Princes allemands, les deux premiers rois de la dynastie de Hanovre étaient des personnages médiocres, grossiers et ivrognes, résidant plus souvent en Allemagne qu'en Angleterre. George Iᵉʳ ne parlait même pas l'anglais et communiquait avec ses ministres en latin !

L'habitude s'installa de réunir le *Conseil des ministres* hors de la présence du roi (le plus souvent absent). Le Premier ministre lui rendait compte, ensuite, des décisions prises. Le roi nommait les ministres, mais l'usage s'établit que le roi devait les choisir dans le parti ayant la majorité au Parlement. Les ministres étaient *solidaires*, c'est-à-dire que s'ils étaient désavoués par le Parlement, ils devaient tous démissionner. Ces deux principes, *solidarité* du gouvernement et *responsabilité* du gouvernement devant le Parlement, devaient définir ce que l'on appellera désormais le « *régime parlementaire* ».

En cas de désaveu par le Parlement, le gouvernement pouvait démissionner ; il pouvait aussi *dissoudre* la Chambre des communes et rendre les électeurs juges du différend : si les élections étaient défavorables au gouvernement, il était alors tenu de démissionner.

« *Régime parlementaire* » ne veut pas dire nécessairement « *régime démocratique* ». Le régime parlementaire anglais, au XVIIIᵉ siècle, ne l'était pas. L'une des chambres, celle des lords, représentait la haute aristocratie, les « *landlords* ». La *Chambre des communes* était élue : mais les *députés des comtés* étaient élus à un suffrage restreint, qui en faisait les représentants des propriétaires ruraux, de la « gentry » ; quant aux *députés des bourgs*, la liste en avait été fixée définitivement à la fin du XVIᵉ siècle et, de ce fait, des villes nouvelles devenues très importantes n'étaient pas représentées, tandis que des bourgs déchus avaient toujours droit à des députés ; on citait en exemple, caricatural, ce bourg englouti dans la mer par le recul de la falaise, et dont les ayants droit se réunissaient sur une barque à l'emplacement de l'ancien bourg pour élire leurs représentants. Il était facile d'acheter les électeurs, et on appelait ces bourgs fantômes les « *bourgs pourris* ». En fait, le poids des « *landlords* » était tel qu'ils avaient les moyens, par l'intimidation ou la corruption, de disposer des sièges des députés.

La crise

Une crise s'ouvrit avec l'avènement de George III (1760-1820). Elevé en Angleterre, très imbu de ses prérogatives, il voulut faire prévaloir sa politique personnelle et usa largement à cette fin de la corruption (achat des voix, achat des députés). Il se heurta à une très vive résistance de l'opinion. La défaite de l'Angleterre dans la guerre d'Amérique conduisit finalement cette tentative à l'échec. William Pitt, chef du parti tory, arrivé au pouvoir en 1783, rétablit le régime parlementaire tout en gardant la confiance du roi, progressivement mis hors jeu par ses crises de folie.

La prépondérance anglaise

Au cours du XVIIIᵉ siècle, la prépondérance anglaise s'affirme par l'essor de son commerce maritime et colonial et sa puissance financière. Londres surclasse définitivement Amsterdam comme entrepôt européen de marchandises et comme centre financier. L'Angleterre s'affirme comme puissance coloniale : après Terre-Neuve et l'Acadie (1713), elle acquiert, sur la France, le Canada en 1763. La France est mise hors jeu en Inde, et la bataille de Plassey (1757) marque le début de la conquête territoriale de l'Inde.

La révolution industrielle

Dominant le marché mondial, l'Angleterre, pour alimenter son commerce et aussi pour satisfaire les besoins croissants du marché intérieur britannique, doit fournir en quantité des produits manufacturés. C'est le point de départ de la *révolution industrielle*, dont l'apparition se situe en Angleterre.

Cette révolution industrielle eut pour prélude et condition la révolution agricole : elle sera facilitée par la concentration de la propriété entre les mains des landlords : nous en avons décrit les caractéristiques (voir p. 329). La main-d'œuvre rurale libérée par la concentration agraire et la révolution agricole trouvera emploi dans l'industrie, lui fournissant une de ses conditions d'existence.

La révolution industrielle a pour caractéristique la mise en œuvre massive de l'énergie mécanique, se substituant à l'énergie humaine et permettant un développement considérable de la productivité.

Elle suppose l'existence d'une main-d'œuvre disponible, n'ayant aucun moyen d'existence propre, et contrainte par là d'accepter la condition d'ouvrier salarié dans les usines.

357

Des inventions, au cours du XVIIIe siècle, créent progressivement les conditions de la révolution industrielle. C'est d'abord la
navette volante qui permet la mécanisation du métier à tisser
(John Kay, 1732), puis la *machine à filer* (John Wyatt, 1735) ;
à la même époque, Abraham Darby met au point le procédé
permettant de traiter le minerai de fer par la houille (ou charbon
de terre), qui abonde en Grande-Bretagne, en lieu et place du
charbon de bois. Enfin, James Watt met au point la *machine à
vapeur*, alimentée par la houille. Elle donne à l'industrie une
force motrice indépendante de toute localisation, alors que la
force mécanique principale jusqu'alors disponible, celle des
chutes d'eau (moulins), n'était accessible qu'en quelques lieux
privilégiés.

LA CRISE DE LA MONARCHIE AUTRICHIENNE
ET L'ASCENSION DE LA PRUSSE

Le traité de Rastadt (1714) avait donné à la monarchie autrichienne les domaines européens de la monarchie espagnole : les
Pays-Bas espagnols (devenus autrichiens), le Milanais, les
Deux-Siciles. L'empereur Charles VI (1711-1740) n'avait pas de
fils. Il avait lui-même succédé à son frère Joseph Ier qui n'avait
que des filles. Au détriment de ses nièces, il voulut assurer sa succession à sa fille aînée Marie-Thérèse.

Guerres de succession

La guerre de Succession de Pologne (1733-1738), où Stanislas Leszczynski, roi détrôné de Pologne, et beau-père de
Louis XV, avait tenté en vain de reprendre son royaume, fit
perdre à l'Autriche les Deux-Siciles, royaume attribué à un fils de
Philippe V d'Espagne, fils de son second mariage avec une princesse italienne, l'héritière du duché de Parme. François de Lorraine, époux de Marie-Thérèse, reçut en échange du duché de
Lorraine, donné à titre viager à Stanislas Leszczynski (pour revenir

à la France après sa mort), le duché de Parme et le grand-duché de Toscane (où la dynastie des Médicis s'était éteinte en 1737).

A la mort de Charles VI, une coalition générale des puissances européennes se constitua contre son héritière désignée, Marie-Thérèse. Ce fut la guerre de Succession d'Autriche (1740-1748). Par son énergie, Marie-Thérèse finit par s'imposer. Son mari François de Lorraine fut élu empereur en 1745 sous le nom de François Ier. Mais Marie-Thérèse dut abandonner la Silésie, occupée et annexée par la Prusse en 1740. D'autre part, le duché de Parme revint au deuxième fils de Philippe V et de sa seconde femme italienne, Elisabeth Farnèse. Il y eut ainsi quatre souverains régnants de la famille des Bourbons en Europe (France, Espagne, Deux-Siciles et Parme).

L'essor de la Prusse

Face à l'Autriche, la puissance prussienne s'affirme. Frédéric-Guillaume Ier (1713-1740), dit le Roi-Sergent, en crée les conditions, à travers ses deux passions : l'argent (il améliore la perception des impôts et développe la colonisation de ses Etats par des réfugiés protestants), et l'armée. Sa passion pour la chose militaire, vue sous l'angle de l'exercice et de la manœuvre, lui vaudra son surnom. Il institue le service militaire obligatoire et laisse à son successeur une des meilleures armées d'Europe.

Ces deux outils : trésor de guerre et armée, seront mis en œuvre par son successeur, Frédéric II, dit le Grand (1740-1786).

Rien ne rapprochait pourtant le Roi-Sergent, avare, grossier et brutal, ne connaissant d'autres distractions que les beuveries, le tabac et la chasse, et son fils Frédéric qui détestait tout cela, se complaisait à jouer de la flûte et à composer des vers français.

Mais Frédéric II avait le même souci d'augmenter ses revenus, de renforcer son armée, et d'utiliser ces moyens, avec une totale absence de scrupules, pour étendre son héritage. C'est ainsi qu'il profita de la crise de succession d'Autriche pour s'emparer de la Silésie, qu'il réussit à conserver. Dans les conflits européens qui suivirent, il fit preuve du même manque de scrupules, n'hésita pas à trahir ses alliés, et se trouva de ce fait à plusieurs reprises dans une situation critique.

Renversement d'alliances

En 1756, on assiste à un *« renversement des alliances »* : la France, en lutte contre la maison d'Autriche depuis François Ier, conclut une alliance avec l'Autriche face à une alliance anglo-prussienne qui vient de se constituer. Renouvelant le coup de force de 1740, Frédéric II s'empare de la Saxe et n'hésite pas à incorporer l'armée saxonne prisonnière à sa propre armée. C'est le début de la *guerre de Sept Ans* (1756-1763), dont nous avons vu les résultats désastreux pour la France dans le domaine colonial. En 1762, l'action conjointe des armées autrichienne et russe met Frédéric II à deux doigts de l'écrasement complet : il est sauvé de justesse par l'avènement en Russie de Pierre III, admirateur passionné de Frédéric II, qui change de camp et met ses troupes à sa disposition !

LE DESPOTISME ÉCLAIRÉ

Tandis qu'en France, le pouvoir royal s'avère incapable d'imposer la réforme de l'impôt aux privilégiés, et qu'en Angleterre George III échoue dans sa tentative de remettre en cause le régime parlementaire, dans les autres Etats européens, s'affirment, dans la deuxième moitié du XVIIIe siècle, à la fois des politiques réformatrices et l'absolutisme royal. On donnera aux politiques qui reflètent cette situation le nom de *« despotisme éclairé »*. Les souverains concernés paraissent s'inspirer des idées des philosophes français : ils se réclament de la raison, du bien public, de la lutte contre les préjugés et la superstition. Cela leur vaudra la sympathie des philosophes, dont certains (Frédéric II, Catherine II de Russie) se serviront à des fins de propagande. Mais ils mettent en œuvre les moyens de l'absolutisme, et restent à cent lieues de toute ouverture démocratique.

Portugal et Espagne

Au Portugal et en Espagne, les ministres Pombal (Portugal) et d'Aranda (Espagne) s'emploient à ranimer la vie économique en la libéralisant (liberté du commerce des grains, ouverture du commerce colonial à tous les nationaux) et en réduisant la puissance tentaculaire de l'Eglise catholique (expulsion des jésuites, en 1759 au Portugal — avant la France —, en 1767 en Espagne).

Charles III (1759-1788), fils et successeur de Philippe V, est le représentant en Espagne du *« despotisme éclairé »*. La population de l'Espagne passe sous son règne de 7 à 11 millions d'habitants.

Italie

En Italie, Léopold, frère de l'empereur Joseph II et grand-duc de Toscane sous le nom de Léopold Iᵉʳ (1765-1790), supprime dans ses Etats le *Saint-Office* (l'Inquisition), établit la liberté du commerce et l'égalité devant l'impôt, réforme la justice en supprimant la torture et la peine de mort.

Scandinavie

Dans les pays scandinaves, le roi de Suède Gustave III brise la résistance de la noblesse et impose une politique de réformes. En revanche, au Danemark, un ministre réformateur trop audacieux, Struensee, est renversé et mis à mort (1772). Mais un autre ministre réformateur, Bernstorff, abolit le servage en 1787.

Allemagne

En Allemagne, Frédéric II fut le type même du despote éclairé, accueillant Voltaire et entretenant avec lui une correspondance suivie. Il développe l'instruction et pose le principe d'une instruction primaire généralisée et obligatoire ; il abolit la torture. Il pratique la tolérance religieuse, accueillant même les jésuites persécutés. Mais il ne touche pas à l'ordre social fondé sur la domination des nobles propriétaires fonciers, les « *junkers* », et maintient le servage.

Autriche

En Autriche, Joseph II, fils et successeur de Marie-Thérèse, devait aller plus loin que Frédéric II en abolissant le servage et en instituant l'égalité devant l'impôt. Il publia, dès sa prise de pouvoir, en 1781, un édit de tolérance. Il prétendit soumettre l'Eglise catholique de ses Etats à son autorité, supprimant les ordres religieux « *inutiles* » (ceux qui ne s'occupaient ni d'enseignement, ni de soins aux malades). C'est ce que l'on appela le « *joséphisme* ».

En même temps, il prétendit unifier et germaniser ses Etats, très disparates et où le noyau allemand était minoritaire, en supprimant les institutions traditionnelles propres à la Bohême, à la Hongrie, aux Pays-Bas : ce fut un échec. Devant la résistance des Hongrois, il dut renoncer à l'application de ses réformes en Hongrie. Aux Pays-Bas, sa politique aboutit à une insurrection (1789-1790) et à la proclamation de l'indépendance des « *Etats belgiques unis* ». Le soulèvement ne prit fin que lorsque son frère et successeur, Léopold II (1790), eut rendu aux Pays-Bas autrichiens leurs libertés traditionnelles.

Russie

En Russie, après la mort de Pierre le Grand, sa veuve Catherine Ire puis sa fille Elisabeth occupèrent le trône : la lutte se poursuivit entre partisans de la vieille Russie et partisans de la modernisation. C'est la modernisation qui prévalut, accompagnée d'influences étrangères, allemandes sous Catherine, françaises sous Elisabeth. C'est à cette époque que le français devint la langue de l'aristocratie, tous les grands seigneurs faisant éduquer leurs enfants par des précepteurs français.

A la mort d'Elisabeth (1762), le trône revint à un petit-fils de Pierre le Grand, Pierre III. Ivrogne, inintelligent, brutal, il se plaisait à faire manœuvrer les soldats et avait la plus grande admiration pour Frédéric II de Prusse, qu'il sauva d'un péril mortel à son avènement.

Pierre III était marié à une princesse allemande, Catherine d'Anhalt-Zerbst, qu'il projetait de répudier. Profitant d'une absence de son mari, Catherine se fit proclamer impératrice par les régiments de la garde. Pierre III mourut quatre jours après, officiellement d'une *« colique hémorroïdale compliquée d'un transport au cerveau »*, en fait assassiné par les complices de Catherine.

Catherine II la Grande devait régner 34 ans (1762-1796). Intelligente, énergique, ambitieuse, elle gouverna avec application et autorité. Par ses correspondances et ses gestes de générosité, elle gagne la sympathie des philosophes français.

Dans la pratique, comme Frédéric II, elle s'employa surtout à renforcer l'autorité de l'Etat. Elle divisa la Russie en 50 gouvernements étroitement contrôlés. Elle encouragea la colonisation des riches terres de l'Ukraine et de la Basse-Volga, presque vides. Son règne fut marqué par une aggravation du servage : on retira aux serfs le droit de se plaindre de leurs maîtres auprès du souverain ; les propriétaires reçurent le droit d'exiger d'eux des corvées sans limites et de les vendre éventuellement sans la terre. Une jacquerie se développa de 1773 à 1775 dans l'Est de la Russie, dirigée par un déserteur cosaque, Pougatchev, qui se faisait passer pour Pierre III : le mouvement fut réprimé violemment et Pougatchev fait prisonnier, tué après d'atroces supplices.

Catherine II agrandit son Empire en conquérant sur les Turcs la Crimée et la rive nord de la mer Noire, et en participant au partage de la Pologne.

LE PREMIER PARTAGE DE LA POLOGNE (1772)

Dans la Pologne à la constitution anarchique, où le *« liberum veto »* aboutissait à l'impuissance de la Diète, le trône fut occupé à plusieurs reprises par les Electeurs de Saxe, qui se convertirent au catholicisme pour la circonstance. A deux reprises, Stanislas Leszczynski leur avait disputé le trône.

Le « *liberum veto* » favorisait les interventions étrangères : il suffisait à la puissance intéressée d'acheter les voix de quelques députés à la Diète pour faire obstacle à toute mesure qui la gênât.

Après la mort du roi saxon Auguste III (1763), Catherine II imposa l'élection d'un jeune noble polonais, son favori, Stanislas Poniatowski. Les troupes russes pénétrèrent en Pologne et imposèrent un véritable régime de protectorat russe.

Les victoires russes sur la Turquie (1770) firent craindre à Frédéric II la conclusion d'une alliance russo-autrichienne pour se partager les dépouilles de la Turquie, alliance qui pourrait ensuite se retourner contre lui.

Il parvint à convaincre Russes et Autrichiens de s'entendre avec lui pour procéder à un partage de la Pologne. La Prusse s'adjugea un territoire réunissant la Prusse au Brandebourg, la Russie une partie de la Lituanie, l'Autriche, la province méridionale de Galicie (1772).

La Pologne ainsi mutilée ne devait pas survivre longtemps : en 1793, un deuxième partage permit à la Russie de s'approprier tout l'Est de la Pologne (Ukraine et Biélorussie), à la Prusse d'annexer la Posnanie. Deux ans plus tard (1795), les trois « co-partageants » s'attribuaient ce qui restait de la Pologne, qui disparut en tant qu'Etat indépendant jusqu'en 1918.

La Révolution américaine

L'AMÉRIQUE DU NORD AU XVIIIᵉ SIÈCLE

La côte atlantique de l'Amérique du Nord, entre l'Océan et les monts Appalaches, avait été occupée par les Anglais. Ils s'étaient aussi établis sur la baie d'Hudson, pour y faire le commerce des fourrures. Les Français avaient occupé la vallée du Saint-Laurent — le Canada —, puis la plaine du Mississippi, la Louisiane.

Les Français occupaient un très vaste territoire, mais avec une faible emprise. En 1763, ils étaient 100 000, contre 1 600 000 Anglais. Après la guerre de Sept Ans, la France avait été complètement éliminée, les Anglais s'emparant du Canada, et la Louisiane étant abandonnée à l'Espagne.

L'Amérique anglaise était divisée en treize colonies, comportant trois ensembles : au Nord, la Nouvelle-Angleterre, peuplée principalement de puritains ayant fui les persécutions des Stuart. Sous un climat tempéré à hiver froid, ils pratiquaient comme en Europe une agriculture de subsistance (céréales et élevage). La population comprenait une majorité de petits ou moyens propriétaires paysans, mais comptait aussi une population urbaine : dans les villes et les ports comme Boston, s'étaient développées des activités commerciales, bancaires voire industrielles (chantiers navals).

Au centre, un temps occupé par les Hollandais, au XVIIᵉ siècle, la population était composite : Anglais, Hollandais, Allemands. Ici aussi, des communautés de dissidents religieux ayant fui les persécutions : la colonie de Pennsylvanie portait le nom de William Penn, dirigeant de la communauté des Quakers, qui prêchaient la non-violence et refusaient de porter les armes. Principales villes : New York (fondée par les Hollandais sous le nom de « Nouvelle Amsterdam »), Philadelphie en Pennsylvanie.

Là encore, une population pratiquant l'agriculture à l'européenne.

Au Sud, de climat semi-tropical (Maryland, Virginie, Caroline, Géorgie), dominait la grande propriété esclavagiste. Des « *gentlemen-farmers* » anglicans exploitaient des plantations avec une main-d'œuvre d'esclaves noirs. On y cultivait le riz, le tabac, l'indigo : le coton viendrait plus tard, au XIXᵉ siècle.

La population autochtone amérindienne, au demeurant peu nombreuse, avait été massacrée, ou refoulée dans des réserves.

Toutes ces colonies, principalement de peuplement blanc, étaient soumises au régime de l'exclusif commun à toutes les colonies. Le commerce avec les colonies d'Amérique du Nord était réservé aux Anglais, celui fait avec les étrangers était considéré comme de la contrebande. La métropole y avait le monopole de la fourniture des produits manufacturés qu'il était théoriquement interdit de produire sur place.

LE SOULÈVEMENT DES COLONIES ANGLAISES D'AMÉRIQUE

En fait, depuis longtemps, à la faveur des guerres avec les Français, les colonies anglaises d'Amérique du Nord avaient pris des libertés avec l'exclusif, se fournissant en produits importés auprès des Hollandais, moins chers, et fabriquant sur place des produits manufacturés, y compris des navires de haute mer.

Les difficultés vont commencer après la victoire de 1763 sur la France : la guerre a coûté cher ; l'Angleterre, où le roi George III tente d'imposer une forme de pouvoir personnel, prétend instituer dans les colonies des impôts nouveaux, et faire appliquer plus rigoureusement l'exclusif.

Or les colonies disposaient d'une certaine autonomie : à côté d'un gouverneur, nommé par le roi, mais dont les pouvoirs étaient limités, chaque colonie disposait d'une assemblée coloniale élue, au suffrage censitaire, mais sur des bases beaucoup plus larges qu'en Angleterre. Cette assemblée votait les lois et les impôts. Les colons étaient armés et constitués en milices, pour lutter contre les Indiens et les Canadiens français.

Droits de timbre et droits de douane

En 1765, le Parlement anglais imposa aux colonies un *droit de timbre* perçu sur les licences de mariage, les actes notariés, les journaux. Cette mesure suscita une protestation générale des colons, qui rappelèrent le droit des sujets britanniques à consentir à l'impôt. Devant cette levée de boucliers, le Parlement abrogea cette mesure en 1766.

En 1767, des *droits de douane* furent imposés sur l'importation des mélasses, du sucre, du thé, du papier, du verre. Nouvelles protestations, accompagnées d'incidents avec mort d'hommes. Cette fois encore le gouvernement anglais céda, rapportant en 1770 ces taxes, sauf celle sur le thé, maintenue à la requête de George III. En 1773, la *Compagnie anglaise des Indes* se vit attribuer le *monopole de l'importation du thé*. Trois navires de la Compagnie étaient venus à Boston avec un chargement de thé. Un commando d'Américains déguisés en Indiens attaqua les navires pendant la nuit, et, devant une foule enthousiaste, jeta à la mer les caisses de thé, représentant une valeur de 15 000 livres sterling (de l'époque !).

Répression provoquant l'union des colonisés

Cet incident, la « *Tea Party* » de Boston, fut le point de départ du conflit. Le gouvernement anglais réagit par la répression ; fermeture du port de Boston, annulation de la Charte du Massachusetts (la constitution de la colonie), transfert en Angleterre des émeutiers arrêtés, envoi de 10 000 hommes de troupe dans la colonie avec logement des soldats imposé à la population.

Pour se défendre, les délégués des colonies, qui n'avaient aucun lien entre elles, se réunirent en Congrès à Philadelphie en 1774. L'assemblée ne voulait pas la sécession : elle se réclama des droits des sujets britanniques à consentir l'impôt. Mais elle décida le boycottage du commerce avec l'Angleterre, et les milices locales s'emparèrent de points stratégiques et harcelèrent les soldats anglais (1775). Ce fut le début de la *guerre d'Indépendance des Etats-Unis*, qui devait durer jusqu'en 1783.

LA GUERRE D'INDÉPENDANCE

Contre les insurgés *(insurgents)*, le roi d'Angleterre avait envoyé des mercenaires allemands (en fait, des paysans recrutés de force et vendus par leurs princes), soumis à une discipline de fer, mais absolument pas motivés. Occupant les ports, ils lancent des colonnes qui brûlent et pillent, harcelés en retour par les milices. Ils apparaissent aux éléments les plus modérés comme des pillards et des bandits, et non comme des défenseurs de l'ordre, les rejetant ainsi du côté des rebelles.

En face, les insurgés défendent leur liberté et leurs biens. Ils manquent souvent de discipline et du sens de la solidarité ; ils ne se privent pas de quitter la milice pour rentrer chez eux faire la moisson ou s'occuper de leurs affaires privées. En revanche, les combats passés contre les Indiens et les Français les ont aguerris ; ils connaissent le terrain et excellent dans les actions de francs-tireurs, harcelant les Anglais.

Proclamations d'indépendance

Un second Congrès réuni en 1775 décida de créer une « *armée continentale* » pour affirmer la solidarité intercoloniale, et, dans le même souci, la plaça sous le commandement d'un homme du Sud, planteur en Virginie, George Washington.

Devant le refus du roi George de toute concession, la colonie de Virginie, dès juin 1776, proclama son indépendance. En juillet 1776, le Congrès des treize colonies réuni à Philadelphie reprit cette démarche et, le 4 juillet 1776, vota la *Déclaration d'Indépendance des Etats-Unis d'Amérique*.

Dans cette déclaration, le Congrès ne se borne plus à invoquer les droits des sujets britanniques : il passe d'emblée à des principes plus généraux :

« *Nous regardons comme des vérités évidentes par elles-mêmes que tous les hommes ont été créés égaux, qu'ils ont reçu de leur créateur certains droits inaliénables ; qu'au nombre de ces droits sont la vie, la liberté, et la recherche du bonheur ; que c'est pour assurer ces droits que les gouvernements ont été institués parmi les hommes et qu'ils ne tirent leur juste pouvoir que du consentement de ceux qui sont gouvernés.* »

Le 4 juillet, date anniversaire de la déclaration, est devenue le jour de la fête nationale des Etats-Unis, l'« *Independence Day* ».

Il restait à imposer cette indépendance à l'Angleterre. Les Anglais occupaient les ports et s'emparèrent même de Philadelphie. Le Canada français nouvellement conquis ne bougea pas : les combats entre colons français et anglais avaient occupé toute la première moitié du siècle et pour les Canadiens français, l'hostilité à l'égard des colons d'origine anglaise l'emportait sur celle qu'ils vouaient à l'autorité britannique.

Répercussions en France

En France, le mouvement des insurgés américains eut la sympathie de tous les milieux influencés par le mouvement philosophique. De son côté, le gouvernement français, Louis XVI et son secrétaire d'Etat aux Affaires étrangères, Vergennes, songèrent à saisir l'occasion d'une revanche de l'humiliation de 1763.

Une mission commerciale américaine vint en France et obtint des fournitures militaires. Puis, Paris accueille Benjamin Franklin, imprimeur et journaliste, qui a une réputation de philosophe et de savant (c'est l'inventeur du paratonnerre). Sa simplicité affectée séduit les salons.

Il obtient d'abord un soutien officieux : un corps de volontaires, commandé par de jeunes nobles libéraux comme le marquis de La Fayette, va rejoindre les « *insurgents* ». Ceux-ci mènent une lutte difficile mais remportent une victoire à Saratoga en 1777. Devant le soutien trop visible de la France aux insurgés, l'Angleterre lui déclare la guerre en 1778. L'Espagne, la Hollande entrent à leur tour en guerre contre les Anglais.

Jusqu'en 1780, la guerre franco-anglaise fut surtout une guerre navale. Ce n'est qu'à cette date que la France envoya en Amérique un corps expéditionnaire commandé par Rochambeau, et une escadre commandée par l'amiral de Grasse. Les forces conjointes américaines et françaises chassèrent les Anglais du Sud, reprirent Philadelphie, et firent enfin capituler les forces anglaises à Yorktown (17 octobre 1781).

Les Anglais se résignèrent à traiter. La paix ne fut signée que le 3 septembre 1783 à Versailles. Les Etats-Unis voyaient leur indépendance reconnue par la Grande-Bretagne qui conservait le Canada, mais cédait aux Américains l'arrière-pays, entre la chaîne des Appalaches et le Mississippi.

La France n'obtint qu'un succès de prestige, mais aucun avantage matériel, sauf la restitution de ses comptoirs au Sénégal. L'Espagne obtint la restitution de la Floride et de Minorque.

LA CONSTITUTION DES ETATS-UNIS

Un nouvel Etat, le premier Etat indépendant de population européenne sur le continent américain, avait fait son apparition. C'était une fédération de 13 Etats (les anciennes colonies) dont chacun conservait une très large autonomie, avec son gouvernement, son assemblée représentative et sa législation propre.

Les Etats-Unis se donnèrent en 1787 une Constitution, qui est toujours en vigueur aujourd'hui, sous réserve d'un certain nombre d'amendements qui la complètent.

Elle réalise une *stricte division des pouvoirs* entre le *Président* qui détient le pouvoir exécutif, le *Congrès* qui détient le pouvoir législatif, et la *Cour suprême*, organe suprême du pouvoir judiciaire.

Le *Congrès* comprend deux Chambres, la *Chambre des représentants*, où les Etats sont représentés en fonction de leur population, et le *Sénat*, où chaque Etat, grand ou petit, élit deux sénateurs.

Le *Président* est élu pour quatre ans, au suffrage indirect, par des électeurs spéciaux élus dans chaque Etat en nombre égal à celui des représentants et des sénateurs réunis de cet Etat. Le Président détient le pouvoir exécutif ; il nomme ses ministres, qui ne sont responsables que devant lui et ne sont pas solidaires (le régime n'est pas parlementaire). Il nomme les hauts fonctionnaires. Il peut opposer son veto aux lois votées par le Congrès, mais ce veto est levé si les lois visées sont confirmées par le Congrès à une majorité des deux tiers. Il ne peut dissoudre le Congrès, et il ne peut être démis par lui (il n'est pas responsable devant lui) mais le Congrès peut le mettre en accusation pénalement. Avec lui, est élu un Vice-Président, dont la seule fonction est de le remplacer en cas de décès ou d'incapacité à exercer ses fonctions, jusqu'à expiration de son mandat de quatre ans.

La Cour suprême est un organisme original : elle est formée de neuf juges, nommés à vie par le Président, sur présentation du Congrès. Elle constitue le recours suprême en matière de justice.

Cette Constitution présente le défaut de ne prévoir aucune solution en cas de conflit majeur entre le Président et le Congrès. Malgré cela, elle a fonctionné depuis deux siècles sans crise majeure.

Influences sur les idées politiques en Europe

Les principes proclamés par la Déclaration d'Indépendance des Etats-Unis eurent un grand écho en Europe : on y vit la condamnation du *« despotisme »*, de l'absolutisme. De ce point de vue, la Révolution américaine a préparé la Révolution française.

Elle eut aussi un grand écho dans les autres colonies d'Amérique, espagnoles et portugaise, qui s'en inspirèrent au début du XIXe siècle pour obtenir à leur tour leur indépendance.

Mais ce rôle de champion de la liberté, pour les Etats-Unis, avait un caractère ambigu. Ce pays *« libre »* était aussi un pays esclavagiste. En 1789, lorsque la Constitution est mise en appli-

cation, les Etats-Unis comptaient 4 millions d'habitants, dont
700 000 esclaves, principalement dans les Etats du Sud.

L'organisation territoriale

Restait à régler le sort des territoires de l'Ouest, entre monts
Appalaches et Mississippi. Une ordonnance de juillet 1787 en fit
une propriété du gouvernement fédéral, qui y exercerait son
autorité et le diviserait en territoires. Aussi longtemps que le territoire n'aurait pas plus de 3 000 habitants, il serait administré
par un gouverneur et trois juges nommés par le Congrès. Au-
dessus de ce chiffre, le territoire pouvait élire une assemblée
représentative ; au-delà de 60 000 habitants, le Congrès avait
pouvoir d'admettre le territoire comme Etat, à égalité avec les
anciens.

Cette ordonnance fut l'instrument de l'expansion territoriale
des Etats-Unis : elle donnait aux nouveaux colons la certitude
d'être traités en égaux, et non en sujets des anciens colons.

En revanche, les Amérindiens autochtones furent ignorés : ils
continuèrent d'être massacrés ou refoulés dans des réserves ; ils
n'avaient aucun droit politique.

1789-1914

La Révolution française (1789-1799)

L'ÉQUIVOQUE DISSIPÉE :
ARISTOCRATES ET PATRIOTES

La Révolution française a pour origines immédiates une crise économique et la crise financière résultant du refus obstiné des privilégiés de contribuer à la hauteur de leurs moyens aux dépenses publiques.

La révolte nobiliaire de 1787-1788 a abouti au rappel de Necker et à la *convocation des Etats Généraux* pour le 1er mai 1789.

Dans la lutte contre le pouvoir royal, peuple, bourgeoisie et privilégiés s'étaient trouvés réunis. Les Etats Généraux n'avaient pas été réunis depuis 1614. Entre alliés de la veille, le débat naquit autour de deux questions : combien de députés seraient accordés au Tiers Etat, qui représentait à lui seul l'immense majorité de la nation ? Comment voterait-on aux Etats Généraux, par tête (une voix par député) ou par ordre, ce qui donnerait la majorité aux privilégiés (deux : noblesse et clergé, contre un pour le Tiers Etat).

Le Parlement de Paris, porte-parole des privilégiés, prit un arrêt prescrivant que les Etats Généraux fussent *« convoqués et composés suivant la forme observée en 1614 »* — c'est-à-dire un même nombre de députés pour chaque ordre, et un vote par ordre.

Ce point de vue fut celui des privilégiés et de leurs partisans auxquels on donna le nom d'*aristocrates*.

En face, les partisans du Tiers Etat, conduits par la bourgeoisie, mais ayant l'appui du peuple, du bas clergé, d'origine populaire et mal payé, et de quelques nobles libéraux, demandèrent le *« doublement »* du Tiers Etat (qu'il ait à lui seul autant de députés que les deux ordres privilégiés réunis), et le *vote par tête*. Ils formèrent le parti des *nationaux* ou *patriotes*.

Croyant pouvoir jouer sur ces oppositions, Louis XVI accorda le *doublement du Tiers Etat* (ce qui déchaîna l'enthousiasme populaire et la fureur des aristocrates), mais sans se prononcer sur le mode de délibération.

Elections

Les élections se déroulèrent de février à mai 1789 et donnèrent lieu à l'élaboration et au vote par les assemblées électorales de « *Cahiers de doléances* » destinés au roi. Dans ces Cahiers, tous, privilégiés ou non, s'accordent à demander une Constitution garantissant les libertés (individuelle, de presse, etc.) et limitant le pouvoir « arbitraire » du roi, le plaçant sous le contrôle de la représentation nationale.

Mais les privilégiés, s'ils doivent admettre de renoncer à leurs exemptions financières, n'entendent pas renoncer à leurs privilèges. Le roi, de son côté, n'entend nullement renoncer à son autorité de « *droit divin* », ni remettre en cause la hiérarchie sociale fondée sur les privilèges.

Les Etats Généraux

Les Etats Généraux se réunirent, avec quelques jours de retard sur la date prévue, le 5 mai 1789.

Le roi ne demande aux Etats Généraux que de l'aider à rétablir les finances. Après plusieurs semaines d'attente, et devant le silence du roi sur le mode de délibération, le Tiers Etat se proclame « *Assemblée nationale* » et invite les députés des autres ordres à venir délibérer avec lui. Le roi fait fermer leur salle de réunion. Les députés du Tiers Etat se réunissent alors dans la salle du Jeu de Paume à Versailles et jurent de ne pas se séparer avant d'avoir donné une Constitution à la France (*serment du Jeu de Paume*, 20 juin 1789).

Le roi prend alors position : il convoque les trois ordres en « *séance royale* », pour leur donner ses ordres : il déclare nulles

les délibérations du Tiers Etat, et ordonne aux trois ordres de se séparer pour délibérer à part. C'est alors que les députés du Tiers Etat refusent de quitter la salle : le marquis de Dreux-Brézé, grand maître des cérémonies, étant venu leur dire : « *Messieurs, vous avez entendu les ordres du roi* », se serait entendu répliquer : « *La nation assemblée ne peut recevoir d'ordres.* » On attribuera à Mirabeau, noble rejeté par son ordre et élu du Tiers Etat, la réplique : « *Nous sommes ici par la volonté du peuple, et nous n'en sortirons que par la force des baïonnettes.* »

Finalement le roi capitule et laisse le Tiers Etat, que les députés des autres ordres finissent par rejoindre, se proclamer « *Assemblée constituante* ».

Le 14 juillet

Le roi envisage alors de dissoudre les Etats Généraux par la force, et réunit à cette fin des troupes autour de Paris. La population parisienne s'en émeut, constitue des milices, qui cherchent des armes. C'est dans cette recherche d'armes que les Parisiens, le 14 juillet 1789, prennent d'assaut la forteresse de la Bastille, où le bruit avait couru qu'il s'en trouvait.

La Bastille étant prison d'Etat où l'on enfermait par « lettre de cachet » (c'est-à-dire par décision arbitraire du roi), sa prise prit une valeur symbolique, comme celle du renversement de l'absolutisme royal.

Le roi capitula une nouvelle fois, et vint à Paris recevoir des mains de la municipalité révolutionnaire la cocarde tricolore, symbole de l'union du roi (le blanc) et du peuple de Paris (dont les couleurs étaient le bleu et le rouge).

Commentant les événements du 14 juillet, l'ambassadeur d'Angleterre écrivait :

> « *Ainsi s'est accomplie la plus grande révolution dont l'histoire ait conservé le souvenir* [...] *De ce moment, nous pouvons considérer la France comme un pays libre, le roi comme un monarque dont les pouvoirs sont limités, la noblesse réduite au niveau du reste de la nation.* »

LA RÉVOLUTION ÉTAIT-ELLE INÉVITABLE ?

En réalité, la Révolution ne faisait que commencer et allait durer dix ans (jusqu'en 1799). Elle allait introduire une rupture profonde dans les institutions sociales et politiques.

La Révolution anglaise de 1688 n'avait pas introduit une pareille rupture : elle avait, en apparence du moins, maintenu les institutions héritées du passé (monarchie, noblesse, Chambre des lords). C'est qu'en fait la féodalité et les privilèges avaient déjà très largement disparu après la guerre des Deux-Roses, et définitivement pendant la première Révolution, celle de Cromwell. Les formes demeuraient, le contenu était « moderne », bourgeois. Et surtout, comme on l'a vu, il n'y avait pas de cloisons étanches entre la bourgeoisie et la noblesse : le bourgeois enrichi pouvait devenir un *« gentleman »* ; les membres de la plus ancienne noblesse n'éprouvaient aucune gêne à se lancer dans les « affaires », le négoce ou la banque.

Un conflit entre nobles et bourgeois

La situation était différente en France où la noblesse s'était fermée, se réservant l'accès aux emplois *« nobles »* (la magistrature, le haut clergé, les emplois d'officiers dans l'armée). Depuis 1784, il fallait quatre quartiers de noblesse (quatre grands-parents nobles) pour être officier dans l'armée. Même exigence pour être juge au Parlement de Paris. Enfin, la noblesse se refusait à abandonner ses privilèges matériels, notamment en matière d'impôts.

La bourgeoisie aurait souhaité un compromis, à l'anglaise. Elle protestait contre la fermeture de la noblesse... parce qu'elle aurait bien voulu y accéder ! Le futur conventionnel Roland, l'époux de Madame Roland, inspecteur des manufactures, sollicitera durant des années d'être anobli et de pouvoir s'appeler officiellement *Roland de la Platière*. L'avocat Danton se faisait appeler *d'Anton*...

Mais l'aristocratie française et le roi se refuseront à toute concession dans ce domaine : pour eux, la distinction des ordres était *« de nature »*, et sa remise en cause ne pouvait conduire qu'au chaos dans la société.

Les causes profondes

La rupture profonde qui va en résulter était-elle évitable ? Le débat a été relancé par certains historiens contemporains.

Pourtant l'essentiel avait été vu et bien vu par les historiens et « politologues » du XIXe siècle. Des auteurs aussi peu suspects de partialité en faveur de la Révolution qu'Alexis de Tocqueville ou Hippolyte Taine (ce dernier, anti-révolutionnaire déclaré) avaient bien montré pourquoi l'Ancien Régime était devenu insupportable aux Français. Durant tout le XIXe siècle, le rejet de l'Ancien Régime est viscéral dans la masse de la population française, notamment dans la population rurale, alors majoritaire. A tel point que, lorsqu'en 1873, le comte de Chambord, prétendant de la branche aînée des Bourbons, qu'une majorité de l'Assemblée nationale était prête à appeler au trône, voulut imposer le remplacement du drapeau tricolore de la Révolution par le drapeau blanc de l'ancienne monarchie, tout échoua : le maréchal de Mac-Mahon, pourtant royaliste, observa que si le drapeau blanc réapparaissait, *« Les chassepots* [fusils du modèle alors en service] *partiraient d'eux-mêmes. »*

LA CONSTITUANTE (1789-1791)

Pendant l'été 1789, les troubles sociaux s'étendent dans les campagnes, déclenchant une sorte de panique, la *« grande peur »*. De nombreux châteaux sont attaqués, les « chartriers », contenant les parchemins justificatifs des droits féodaux, brûlés ; partout, comme à Paris, se constituent des municipalités révolutionnaires et des milices, qui vont prendre le nom de *« gardes nationales »*.

Dans la confusion qui résulte des troubles, les possédants — bourgeois et nobles — se retrouvent souvent pour réprimer les émeutes populaires selon les méthodes de l'Ancien Régime : jugements sommaires et pendaisons en série...

Pour apaiser les troubles paysans, l'Assemblée vote, pendant la *nuit du 4 août 1789*, l'abolition des privilèges et des droits féodaux (pour ces derniers avec restrictions : certains de ces droits devront être « rachetés »).

Pour servir de préface à la Constitution, et justifier son action, l'Assemblée adopte, le 26 août 1789, la *Déclaration des droits de l'homme et du citoyen*.

La Déclaration des droits de l'homme et du citoyen

La Déclaration comporte un préambule et 17 articles.

• *L'article 1 proclame que :* « Les hommes naissent et demeurent libres et égaux en droits » : *c'est la condamnation des privilèges et des « ordres ».*

• *L'article 3 proclame que :* « Le principe de toute souveraineté réside dans la nation » : *c'est la condamnation du pouvoir monarchique absolu de « droit divin ».*

• *L'article 4 porte que :* « La liberté consiste à pouvoir faire tout ce qui ne nuit pas à autrui », *l'exercice de ce droit ne pouvant être limité que par la loi.*

• *L'article 6 précise que :* « La loi est l'expression de la volonté générale » *et qu'elle est la même pour tous.*

• *L'article 7 précise que :* « Nul homme ne peut être accusé, arrêté ni détenu, que dans les cas déterminés par la loi. » *C'est la condamnation des « lettres de cachet » par lesquelles le roi pouvait faire emprisonner une personne sans avoir à donner de motifs.*

• *Les articles 13 et 14 établissent les principes du consentement de l'impôt par la représentation nationale et de l'égalité devant l'impôt.*

• *L'article 16 établit la séparation des pouvoirs.*

• *Enfin, l'article 17 fait de la propriété* « un droit inalié-

---

> nable et sacré». *Pour la bourgeoisie, dont la majorité*
> *des députés du Tiers Etat sont des représentants, le droit*
> *de propriété est fondamental : l'égalité est proclamée*
> «*en droits*», *mais pas sur le plan des fortunes...*

Les Constitutions républicaines ultérieures, y compris celle de la Ve République actuellement en vigueur en France, se réfèrent toujours à cette Déclaration des droits de 1789.

Les «*patriotes*» n'étaient pas hostiles au roi : les «*Cahiers de doléances*» témoignent tous d'un total loyalisme monarchique. Louis XVI était réputé «*bon*» et on le croyait acquis aux réformes : on attribuait l'hostilité qui s'était manifestée à la Révolution avant le 14 juillet à son entourage, à la cour.

Au mois d'octobre 1789, de nouvelles concentrations de troupes font peser une menace de dissolution sur l'Assemblée. Le peuple parisien, déjà secoué par des troubles consécutifs à la hausse massive du prix du pain, marche sur Versailles et oblige la famille royale à le suivre à Paris, où elle s'installe aux Tuileries (journées des 5 et 6 octobre 1789). La famille royale est désormais prisonnière du peuple de Paris.

Une monarchie constitutionnelle

La Constitution fut votée en 1791. La Constitution de 1791 établit en France une *monarchie constitutionnelle*. Le Roi ne conserve que le pouvoir exécutif, qu'il exerce par l'intermédiaire de ministres nommés par lui et responsables seulement devant lui (le régime n'est pas parlementaire). Il a sur les lois votées un droit de veto (d'opposition) suspensif, pendant deux législatures (quatre ans) au maximum.

L'Assemblée législative vote les lois et le budget. Elle est élue pour deux ans. Mais, entorse aux principes de la «Déclaration des droits», elle n'est élue que par les «*citoyens actifs*», qui paient un impôt direct d'un certain niveau. C'est ce qu'on appelle un *suffrage censitaire* (cens = impôt). Ceux qui ne paient pas un impôt suffisant, et aussi les domestiques (supposés ne pas disposer de leur libre arbitre du fait de leur condition), dénommés « *citoyens passifs* », ne votent pas.

L'égalité des droits n'est donc pas respectée.

Organisation administrative

Les impôts directs sont simplifiés et payables par tous. Il y en a quatre : *contribution foncière*, sur les terres et bâtiments ; *contribution mobilière*, sur la fortune « mobilière » (en biens mobiliers ou en argent), qui, faute d'autre moyen d'évaluation, est établie à partir du montant du loyer — ou de la valeur locative des immeubles habités —, supposé pouvoir mesurer le niveau de fortune ; la *patente*, payable par les commerçants, artisans et industriels ; l'impôt sur les *portes et fenêtres*.

Les provinces et les généralités sont supprimées et remplacées par un découpage en *départements*, maintenu jusqu'à ce jour. Pour effacer le souvenir des particularismes locaux, on leur donne des noms géographiques (de cours d'eau, de montagnes, etc.). Leur dimension est calculée de manière à permettre aux habitants les plus éloignés du chef-lieu de se rendre au chef-lieu en moins d'une journée (à cheval !). L'administration du département et celle des communes sont élues.

Le conflit avec l'Eglise

Dans le cadre de cette réforme administrative, la Constituante vote une *Constitution civile du clergé*. Comme les administrations du département, les évêques et les curés seront élus par les citoyens actifs, et le nombre des évêchés sera réduit à un par département. Le clergé sera rétribué par l'Etat et les biens du clergé — qui étaient considérables — sont repris par la nation et mis en vente pour résorber la dette de l'Etat. En attendant, ces « *biens nationaux* » serviront de garantie à un papier-monnaie, les « *assignats* ». Par la suite, aux biens du clergé viendront s'ajouter les biens confisqués des émigrés dans la catégorie des « *biens nationaux* ».

Le pape, n'ayant pas été consulté, condamne cette réforme et ce désaccord ouvrit la voie à un conflit entre partisans et adversaires de la Constitution civile du clergé. Devant les résistances, on imposa au clergé, pour percevoir le traitement prévu par la loi, de prêter un serment civique (serment de fidélité à la nation, à la loi et au roi : la loi implique la Constitution civile du clergé). Les prêtres qui refusent sont révoqués. Le clergé se divise en « jureurs » et « non-jureurs » ou « réfractaires ».

Les clivages

La mise en vente des biens nationaux attache ses bénéficiaires à la Révolution : il s'agit surtout de bourgeois — les ventes se font par lots importants —, mais aussi de paysans, qui achètent des parcelles de seconde main. L'émission incontrôlée des assignats va conduire très vite à leur dépréciation, à la hausse des prix et à l'aggravation de la misère populaire.

Un clivage s'opère entre les « patriotes ». Les bourgeois les plus modérés, effrayés par les troubles qui persistent tant dans les campagnes que dans les faubourgs ouvriers, souhaitent se rapprocher du roi pour maintenir l'ordre : c'est le cas de Mirabeau, de La Fayette, de Barnave. Les révolutionnaires les plus avancés suspectent le roi de mauvaise foi et de trahison. C'est le cas du député d'Arras Robespierre et du journaliste Marat, qui publie le journal *L'Ami du peuple*.

L'événement donne raison aux seconds, lorsque, dans la nuit du 20 au 21 juin 1791, le roi et sa famille tentent de fuir sous un déguisement et de gagner la frontière. La tentative échoue : Louis XVI est reconnu en cours de route, arrêté à Varennes et reconduit avec sa famille à Paris. Contre toute vraisemblance, et pour ne pas remettre en question la Constitution qui vient d'être adoptée, la Constituante innocente le roi, en déclarant qu'il a été « enlevé », et elle le maintient dans ses fonctions.

LA LÉGISLATIVE (1791-1792)

Lorsque l'*Assemblée législative* prévue par la Constitution se réunit le 1er octobre 1791, le malaise reste profond.

Pour des raisons opposées, le roi et la majorité de la Législative se trouvent d'accord pour déclarer la guerre à l'Autriche. Le roi escompte la défaite, et pense que, dans le malheur, les Français se tourneront vers lui pour qu'il intercède en leur faveur auprès de son beau-frère l'empereur. La droite de l'Assemblée, dont les chefs contrôlent l'armée (parmi eux, La Fayette), pense utiliser l'armée contre les révolutionnaires parisiens, pour « *rétablir l'ordre* ». La gauche, représentée notamment par Brissot, pense gagner l'Europe à la Révolution, et mettre le roi à l'épreuve — s'il trahit, on pourra s'en débarrasser. Seul Robespierre se prononce contre la guerre, et met en garde contre le risque qu'elle conduise à une dictature militaire.

Dans la guerre, la Prusse s'est jointe à l'Autriche. La guerre commence par des échecs. Le 1er août, le duc de Brunswick, qui commande l'armée prussienne, publie un « *Manifeste* » menaçant Paris d'exécution militaire et de destruction si le roi et sa famille sont menacés ou outragés. Le peuple parisien, et les volontaires venus de province pour aller combattre aux frontières, sont convaincus désormais de la trahison du roi. Le 10 août 1792, ils prennent d'assaut le palais des Tuileries. Le roi et sa famille sont internés au palais du Luxembourg, puis à la prison du Temple. L'Assemblée législative prend acte du fait accompli : le roi est « *suspendu* » de ses fonctions, et une nouvelle assemblée constituante est convoquée : la Convention, qui sera élue au suffrage universel. La Fayette, après avoir vainement tenté d'entraîner l'armée sur Paris, passe aux Autrichiens. Les Prussiens arrivent à Verdun.

A Paris, des émeutiers, persuadés qu'un complot se prépare à l'arrière, dans les prisons où sont enfermés à la fois des condamnés de droit commun, des aristocrates et des prêtres réfractaires, prennent les prisons parisiennes et y procèdent à un millier d'exécutions sommaires (ce sont les « *massacres de Septembre* »).

Le jour même où la Législative se sépare (20 septembre 1792), les Prussiens sont arrêtés par l'armée française à Valmy et se replient, évacuant le territoire français.

LA CONVENTION (1792-1795)

La nouvelle Assemblée constituante, qui a pris le nom de *Convention nationale*, dès sa première séance (21 septembre 1792) décide l'*abolition de la royauté*. Le 22 septembre, elle décide que les actes officiels seront désormais datés de l'«*An premier de la République*». Un an plus tard, un calendrier républicain, adopté entre-temps, sera mis en vigueur et restera en usage jusqu'en 1806.

Les Clubs

Ce terme anglais va désigner un type d'organisation propre à la période révolutionnaire, et qui joue un rôle voisin de celui aujourd'hui imparti aux partis politiques.

• *Le principal est le **Club des jacobins** (Société des Amis de la Constitution, séant en la salle des jacobins). Au début, il réunit les députés bretons à la Constituante, puis il s'élargit à d'autres et s'ouvre enfin au public (un public restreint : la cotisation est élevée).*
On s'y concerte avant les séances de l'Assemblée sur les questions à l'ordre du jour.

Simplement «patriote» à l'origine, le Club des jacobins prendra une orientation de plus en plus révolutionnaire. Sous la Convention, les «sociétés populaires» de province s'y affilient en grand nombre, lui envoient des rapports, en reçoivent des circulaires. Le Club des jacobins devient alors un véritable organisme politique national.

• Le **Club des feuillants**, de droite, réunit les amis de
La Fayette et disparaît après le 10 août 1792.

• Le **Club des cordeliers** a un recrutement plus populaire que les jacobins.

Tous utilisent pour se réunir d'anciennes chapelles de
couvents, d'où leurs appellations.

La Convention se répartit en trois grandes tendances : à droite,
les *girondins*, ainsi nommés parce qu'ils comptent parmi leurs
leaders les députés de la Gironde, ou *brissotins* (du nom du
député Brissot). Ils sont représentatifs de la grande bourgeoisie
provinciale. Ils ont accepté l'abolition de la monarchie, mais veulent une politique conservatrice, tenant le peuple en lisière ; à
gauche, les *montagnards* ainsi nommés parce qu'ils siègent sur
les bancs les plus élevés de l'Assemblée. Bourgeois eux aussi, ils
sont décidés à s'appuyer sur le peuple et à lui faire des concessions pour maintenir l'union de la bourgeoisie et du peuple afin
de défendre la Révolution menacée. Entre les deux, les gens de la
Plaine (ou, avec une nuance de mépris, du *Marais*), ainsi nommés parce qu'ils siègent sur les bancs inférieurs. Ceux-là hési-
tent ; ils feront bloc avec les montagnards tant que la Révolution
leur semblera menacée ; le danger écarté, ils reviendront à une
politique conservatrice.

En tant qu'Assemblée constituante, la Convention réunissait
entre ses mains tous les pouvoirs. Elle va s'ériger en tribunal pour
juger le roi. La découverte aux Tuileries de l'« *armoire de fer* »
(le coffre-fort) du roi et des papiers qu'elle contenait révèle que le
roi a « acheté » certains hommes politiques comme Mirabeau, et
correspondu avec les souverains contre lesquels la France était
en guerre. Jugé coupable de « *conspiration contre la liberté
publique et d'attentat contre la sûreté de l'Etat* », le roi est
condamné à mort et guillotiné le 21 janvier 1793. Cet instrument, la guillotine, avait été mis au point par le docteur Guillotin,

pour remplacer la pendaison ou la décapitation à la hache, jugées trop barbares.

Par cet acte, la Convention — et la République — rend impossible tout compromis avec les tenants de la monarchie et avec les puissances monarchiques européennes.

La situation s'aggrave rapidement après la formation, contre la France, d'une coalition générale de toutes les puissances monarchiques européennes, y compris la Grande-Bretagne.

La « *levée en masse* » (mobilisation générale) décidée par la Convention provoque des insurrections paysannes dans l'Ouest (Vendée), rébellion qui prendra très vite les couleurs de la religion et du royalisme.

Tandis que les girondins se refusent à toute mesure d'exception, les montagnards considèrent qu'il faut faire des concessions au peuple, afin de maintenir l'union des patriotes contre les royalistes et contre l'étranger. La population parisienne impose l'arrestation, puis l'exécution des girondins. Désormais les montagnards dominent la Convention, et le *Comité de salut public*, commission de la Convention renouvelée chaque mois, fait fonction de gouvernement.

Le Comité de salut public compte des montagnards déclarés comme Robespierre, Saint-Just et Couthon, mais aussi des conventionnels plus modérés, qui sont décidés cependant à la lutte à outrance pour la victoire de la Révolution, comme Lazare Carnot.

En août 1793, une constitution très démocratique, la Constitution de 1793, est votée et approuvée par une consultation populaire. Mais sa mise en vigueur est renvoyée à la paix.

Pour imposer sa politique, le Comité de salut public organise la *Terreur* : les girondins, puis les représentants de factions jusque-là proches des montagnards, dantonistes à droite, hébertistes à gauche, sont envoyés à la guillotine. Le Comité a le soutien des révolutionnaires plébéiens, les « *sans-culottes* » (ils portent le pantalon, et non la culotte, comme les gens de l'Ancien Régime).

Lorsqu'à la fin de 1793, les ennemis sont repoussés au-delà des frontières, la majorité de la Convention est de plus en plus réticente à soutenir la politique des montagnards. Elle bascule le

9 thermidor an II (27 juillet 1794). Robespierre et ses amis sont, à leur tour, envoyés à la guillotine.

Alors s'ouvre la *réaction thermidorienne* : maintenant, ce sont les jacobins qui sont persécutés, tandis que les girondins sont réhabilités. Une nouvelle constitution est votée, la *Constitution de l'an III*, qui rétablit un *régime électoral censitaire* et à deux degrés.

Nous n'entrerons pas ici dans le détail des guerres de la Révolution. Elles furent marquées d'abord par des échecs, puis par des victoires. Il faut retenir d'abord que la force des armées de la République tint au caractère de masse et à l'esprit civique des soldats de la Révolution, où se retrouvèrent anciens soldats de l'armée royale et volontaires. Les armées des monarchies d'Ancien Régime étaient des armées professionnelles, peu nombreuses, formées de mercenaires ou de paysans recrutés de force. La tactique de ces armées, le combat rangé en ligne, fut mise en échec par les attaques spontanées, en colonne ou en tirailleurs, des soldats révolutionnaires qui ne savaient pas combattre « *selon les règles* ».

D'autre part, la Révolution rencontra la sympathie d'une partie de la population des pays occupés, surtout des pays francophones. Dès 1791, Avignon et le Comtat Venaissin, possessions du pape, chassent le légat pontifical et votent leur annexion à la France. Plus tard, la Savoie et le comté de Nice, puis l'ensemble des pays de la rive gauche du Rhin (Pays-Bas autrichiens, partie de la Hollande, Rhénanie allemande) seront annexés et découpés en départements français.

Le *traité de Bâle* (mai 1795) conclut la paix avec les puissances de la coalition et entérine les annexions françaises.

LE DIRECTOIRE (1795-1799)

C'est le régime institué par la Constitution de l'an III, et ainsi nommé parce que le pouvoir exécutif y était confié à un collège de cinq *directeurs*.

Ce fut une période de réaction, de difficultés économiques, de corruption. Cependant, les velléités de restauration royaliste se heurtèrent à l'opposition du personnel politique mis en place par la Révolution, hostile à la remise en cause de ses acquis (l'égalité civile, la vente des biens nationaux).

Le discrédit et l'impuissance du régime directorial, la reprise des guerres et des défaites, conduisirent au coup d'Etat du 18 Brumaire an VIII (9 novembre 1799). Un certain nombre de politiciens, dont le directeur Sieyès, entendaient rétablir un pouvoir fort, répondant aux exigences de stabilité et d'ordre de la bourgeoisie. Pour faire ce coup d'Etat, il fallait le soutien d'un général populaire. C'est le général Bonaparte qui fut choisi. Celui-ci fit comprendre rapidement qu'il entendait exercer lui-même le pouvoir. Le nouveau régime du Consulat se situait en continuateur de la Révolution, mais instaurait un pouvoir personnel. La Révolution était close.

Le Consulat et l'Empire

NAPOLÉON BONAPARTE (1769-1821)

Les généraux de la Révolution étaient presque tous très jeunes, sortis du rang, ayant gravi très rapidement la hiérarchie par leurs mérites. Les officiers d'Ancien Régime, nobles, avaient pour la plupart émigré. Très peu restèrent au service de la République, et parmi ce petit nombre, beaucoup finirent sous le couperet de la guillotine.

Napoléon Bonaparte était né à Ajaccio en 1769, un an après l'annexion de la Corse à la France. Sa famille, ayant pris le parti des Français (contre les indépendantistes dirigés par Pascal Paoli), fut classée « noble », et le jeune Napoléon obtint une bourse pour le Collège de Brienne, puis l'Ecole militaire, d'où il sortit sous-lieutenant artilleur à 16 ans.

Sous l'Ancien Régime, l'obscurité de sa naissance l'aurait écarté de toute promotion. Il fut un partisan affiché de la Révolution et des montagnards, se distingua au siège de Toulon (livré aux Anglais par les royalistes, et repris sur eux en 1793) et y fut promu général. En disgrâce après Thermidor, il est utilisé contre une émeute royaliste à Paris par le directeur Barras, et aussitôt nommé à la tête de l'armée d'Italie.

C'est dans la campagne d'Italie (1796-1797) qu'il gagne sa notoriété : contre toute attente, il conquiert l'Italie et force l'Autriche à traiter. En 1798, il prend la tête de l'expédition d'Egypte, qui réussit à occuper ce pays, pour, à partir de là, menacer la domination anglaise en Inde. Mais la destruction de la flotte française par les Anglais le bloque en Egypte ; il laisse à ses adjoints (dont le dernier capitulera en 1801) le commandement de l'armée d'Egypte et rentre clandestinement en France pour y réaliser le coup d'Etat du 18 Brumaire.

Bonaparte est un homme de la Révolution. Il lui doit sa première et rapide ascension. Mais il est en même temps d'esprit très conservateur et désireux de rétablir, à son bénéfice, un système politique inspiré de la monarchie absolue, s'appuyant sur la bourgeoisie et l'ancienne aristocratie réconciliées, le tout sans porter atteinte aux acquis sociaux de la Révolution.

Il cherchera, en vain, à se faire accepter de l'Europe monarchique vaincue. Il divorcera d'avec sa femme Joséphine (ancienne maîtresse de Barras), pour épouser l'archiduchesse Marie-Louise, fille de l'empereur d'Autriche, afin de fonder une dynastie. Il se plaindra dans son exil de Sainte-Hélène de n'avoir jamais été considéré par cette Europe que comme un *« Robespierre à cheval ».*

Sa capacité de travail est prodigieuse ; son ambition sans limites. On lui prêtera ce mot : *« La place de Dieu le père ? Je n'en voudrais pas ! C'est un cul-de-sac. »* Il est cynique et sans scrupules, brutal dans son comportement (pour des propos qui lui ont déplu, il donne un coup de pied dans le ventre à l'académicien Volney) et grossier dans ses propos (ayant traité l'aristocrate Talleyrand, corrompu notoire, de *« merde dans un bas de soie »*, il suscite de la part de l'intéressé cette réflexion : *« Quel dommage qu'un si grand homme soit si mal élevé ! »*)

Grand capitaine, il est aussi bon administrateur et homme d'État que stratège et tacticien militaire.

Il suscite des admirations sans bornes et des fidélités à toute épreuve. Pour les royalistes, il est l'*« usurpateur »*, l'*« ogre de Corse »*. Pour le peuple, après sa chute, il reste la personnification de la gloire nationale et le mainteneur des acquis de la Révolution. Il fera l'objet, jusqu'à la fin du XIXe siècle, d'un véritable culte.

LE CONSULAT (1799-1804)

Au moment du coup d'État du 18 Brumaire, le Directoire avait perdu toutes les conquêtes faites en Italie et les frontières françaises étaient à nouveau menacées. Dans une *seconde cam-*

pagne d'Italie, (plus difficile que la première), Bonaparte oblige à nouveau l'Autriche à conclure la paix (1801). A son tour l'Angleterre, restée seule en lice, signe la *paix d'Amiens* (1802). La paix est assurée à l'intérieur (écrasement des derniers vestiges de la Vendée) et la sécurité est rétablie. L'économie repart.

La *Constitution de l'an VIII* qui établit le Consulat est rédigée par Bonaparte, qui ne retient d'un projet de Sieyès que ce qui lui convient. Elle élimine pratiquement le suffrage populaire, sauf pour les plébiscites. Le pouvoir exécutif est confié à trois consuls : mais en fait seul le *Premier Consul*, Bonaparte, détient tous les pouvoirs. La Constitution sera ratifiée par un plébiscite (où l'on vote par oui ou par non sur un registre signé...). Les consuls sont nommés pour dix ans. En 1802, après la paix d'Amiens, Bonaparte se fera proclamer « Consul à vie ». C'est un premier pas vers la monarchie. Les assemblées, aux pouvoirs restreints, n'ont que l'apparence du pouvoir législatif.

Outre le rétablissement de l'ordre et le relèvement de l'économie, le Consulat réalise une œuvre législative et institutionnelle considérable.

Pour remplacer la législation d'Ancien Régime, Bonaparte fait préparer et adopter le *Code civil* (1804) fondé sur le principe révolutionnaire de l'égalité civile mais aussi inspiré du droit romain. Dans ses grandes lignes, il est toujours en vigueur.

Il établit une *administration centralisée*, avec des fonctionnaires nommés, *préfet* pour le département, *sous-préfet* pour l'arrondissement, *maire* pour la commune.

Pour mettre fin aux dissensions religieuses, il signe avec le pape un *Concordat* (1801). Le pape reconnaît l'aliénation des biens du clergé et le remaniement des diocèses ; les évêques sont nommés par le gouvernement, mais reçoivent l'investiture religieuse du pape. Le clergé est payé par l'Etat. Pour bien marquer le maintien de la tolérance religieuse, le même statut, avec ses avantages (clergé rétribué par l'Etat) et ses servitudes (contrôle de l'Etat) est accordé aux protestants et aux israélites.

L'EMPIRE (1804-1815)

La guerre reprend avec l'Angleterre en 1803. Bonaparte se fait proclamer « *Empereur des Français* » sous le nom de *Napoléon 1er*, et se fait sacrer par le pape à Notre-Dame de Paris (1804).

L'œuvre institutionnelle

Il complète l'œuvre institutionnelle du Consulat par la création en 1808 de l'*Université impériale*, système d'enseignement public divisé en trois ordres : *primaire* (laissé à la discrétion des communes) *secondaire* (les collèges et les lycées, militarisés), et *supérieur* (les universités) tous placés sous l'autorité d'un recteur, dans le cadre d'une « *académie* » (circonscription groupant plusieurs départements). Cette structure subsiste dans ses grandes lignes.

Il crée une *noblesse impériale*, avec des titres attribués de droit à certaines fonctions (comtes pour les préfets, barons pour les maires de grandes villes). A ses ministres et maréchaux, il attribue des fiefs en Italie avec des titres de princes ou de ducs, ou encore, pour ses maréchaux, un titre portant le nom d'une victoire remportée par l'intéressé (Kellermann est fait duc de Valmy, le maréchal Ney, prince de la Moskova).

Napoléon aspire à la domination de l'Europe, et par-delà, à la conquête de l'Orient, dont la campagne d'Egypte avait été une première tentative (souvenir des conquêtes d'Alexandre…).

Les monarchies continentales européennes voient en lui le représentant des idées de la Révolution (égalité civile, abolition des droits féodaux).

Le *Code civil* est introduit dans la plupart des territoires conquis. L'Angleterre, de son côté, poursuit sa politique traditionnelle de rivalité commerciale et navale avec la France, et d'opposition à tout établissement d'une puissance dominante sur le continent.

La guerre avait repris avec l'Angleterre en 1803. La victoire navale anglaise de Trafalgar (1805), remportée par Nelson (qui y laissa la vie), détruit les flottes française et espagnole. Napoléon ne réussira jamais à reconstituer une flotte de guerre, et l'Angleterre aura désormais la maîtrise des mers.

La guerre

Pour atteindre la puissance anglaise, Napoléon institue en 1806 le *Blocus continental* : il s'agit d'interdire l'entrée en Europe continentale des produits anglais ou importés par les Anglais (les denrées coloniales : sucre, café, coton). Le blocus conduit Napoléon à prendre le contrôle de tout le littoral européen et engendre un mécontentement généralisé.

Sur le continent, la guerre reprend avec l'Autriche et la Russie en 1805, guerre rapidement terminée par les victoires éclair d'Ulm et d'Austerlitz (2 décembre 1805). Elle reprend à nouveau en 1806, contre les mêmes et contre la Prusse. Celle-ci est écrasée à Iéna (1806) ; les victoires chèrement payées d'Eylau et de Friedland (1807) obligent la Russie à traiter (*paix de Tilsit* : 1807). Un partage de l'Europe entre la France et la Russie est esquissé.

Mais, en 1808, l'armée française subit un premier échec en Espagne où Napoléon a voulu imposer comme roi son frère Joseph. Une guérilla se développe, appuyée par les Anglais. L'Autriche croit pouvoir en profiter pour prendre une revanche : elle est battue à Wagram (1809), doit céder de nouveaux territoires et l'empereur d'Autriche doit donner à Napoléon sa fille en mariage. Celle-ci lui donne un fils en 1811, et l'avenir de la dynastie paraît assuré.

A cette époque (1811), l'Empire français s'étend de Lübeck, sur la Baltique, à Rome (département des Bouches du Tibre). Outre la rive gauche du Rhin, il englobe la Hollande (donnée un temps comme royaume à son frère Louis), l'Allemagne du Nord, une partie de l'Italie, en tout 130 départements. Napoléon est en outre roi d'Italie (l'Italie du Nord), « *Protecteur de la Confédération du Rhin* » (qui groupe les Etats d'Allemagne centrale), « *Médiateur de la Confédération helvétique* » (la Suisse). Son frère Joseph est roi d'Espagne, son frère Jérôme roi de Westphalie, son beau-frère Murat roi de Naples. L'Autriche, la Prusse, la Russie, sont officiellement ses alliés. Seule l'Angleterre continue la guerre.

La chute

La Russie rompt cette alliance en 1812. Elle refuse de continuer à appliquer le *Blocus continental*, trop contraire à ses intérêts. Napoléon envahit la Russie, avec une immense armée, où les contingents « alliés » tiennent une grande place. Après la victoire chèrement acquise de la Moskova (bataille de Borodino pour les Russes), Napoléon occupe Moscou.

Mais la Russie ne capitule pas. L'hiver approchant, Napoléon est contraint à une retraite qui tourne à la débâcle. Une nouvelle coalition se forme contre Napoléon : Russie, Prusse, Autriche. Il est battu en 1813 à Leipzig et doit évacuer l'Allemagne.

En 1814, les coalisés envahissent la France : Russes, Autrichiens, Prussiens à l'Est, Anglais et Espagnols sur les Pyrénées. Napoléon *« chausse ses bottes de général de l'armée d'Italie »*, et remporte quelques victoires dans la *« campagne de France »*. Il est finalement écrasé par le nombre. Il abdique et est relégué à l'île d'Elbe (entre la Corse et l'Italie) où il règne sur un mini-Etat.

En France, les Alliés restaurent les Bourbons : le comte de Provence, frère de Louis XVI, devient roi sous le nom de Louis XVIII.

On affecte de prendre en compte comme roi, sous le nom de Louis XVII, le dauphin mort très jeune, mis en apprentissage chez un cordonnier sous la Terreur.

L'impopularité des Bourbons, et des émigrés revenus en France à leur suite, ne tarde pas à créer en France une situation explosive. Informé, Napoléon tente un coup d'audace : en 1815, il débarque clandestinement en Provence, et marche sur Paris. L'armée se rallie à lui et Louis XVIII, à son approche, quitte Paris pour se réfugier à Gand, en Belgique.

L'Empire est rétabli. Il ne durera que cent jours. Les Alliés mettent Napoléon hors la loi. Venu affronter les armées alliées en Belgique, il est battu à Waterloo (18 juin 1815). Pour échapper aux royalistes français, il se livre aux Anglais qui le déportent à l'île de Sainte-Hélène, dans l'Atlantique Sud, où il mourra en 1821.

L'Angleterre au XIXᵉ siècle

En 1815, l'Angleterre figure au rang des vainqueurs. Sa prépondérance industrielle, maritime et commerciale s'est maintenue et consolidée.

Toutefois, elle traverse une crise économique. Si son territoire est resté à l'abri de la guerre, c'est elle qui a animé, et surtout financé, les coalitions militaires contre la France, de 1793 à 1815.

Cette crise sera finalement surmontée, mais ce sont les pauvres, et surtout les ouvriers de l'industrie naissante qui en supporteront tout le poids. Le Parlement, pratiquement aux mains des « *land-lords* », vote en 1815, puis à nouveau en 1828, des lois sur les blés (*Corn Laws*) qui protègent le marché britannique des céréales des importations et les maintient à un prix élevé.

Si l'Angleterre conservatrice est violemment hostile aux idées révolutionnaires, sa sympathie va aux régimes constitutionnels, inspirés du modèle anglais. Elle a participé aux coalitions contre la France en raison de son hostilité à toute prépondérance d'un Etat sur le continent, et en fonction de sa rivalité commerciale et maritime avec la France, mais pas pour défendre les « anciens régimes ». Elle ne participera pas à la politique dite de la « Sainte-Alliance ».

LE RÉGIME PARLEMENTAIRE

Ce régime, qui s'est établi depuis la fin du XVIIᵉ siècle, ne repose pas sur un texte écrit, une Constitution, mais sur quelques lois et surtout sur l'usage.

Le Roi désigne le Premier Ministre, et il est d'usage qu'il choisisse pour ce poste le chef de la majorité au Parlement. Il ne participe pas aux délibérations du gouvernement. Le gouvernement ne peut se maintenir que s'il a la confiance du Parlement, et il doit se retirer s'il la perd. Le Roi (en fait, le gouvernement) peut dissoudre la Chambre des communes, mais il doit être procédé aussitôt à de nouvelles élections, et si la nouvelle Chambre n'accorde pas sa confiance au gouvernement, celui-ci doit se retirer.

Si le régime politique anglais est parlementaire, il n'est, comme nous l'avons déjà vu, nullement démocratique. En fait, les « *landlords* », l'aristocratie terrienne, contrôle, non seulement la Chambre des lords, mais par le jeu des influences et la corruption, la Chambre des communes, députés des comtés et députés des bourgs (notamment des « *bourgs pourris* »).

La réforme électorale

Sous l'influence de la révolution française de 1830, une réforme électorale, longtemps repoussée, fut enfin votée en 1832. On enleva alors à un certain nombre de «bourgs pourris» leurs sièges qui furent attribués à des villes nouvelles ; le cens électoral fut abaissé, et donna à l'Angleterre un droit de suffrage considérablement élargi, beaucoup plus large que celui accordé en France par la monarchie de Juillet (652 000 électeurs en Angleterre pour 14 millions d'habitants, contre moins de 200 000 en France pour 32,5 millions d'habitants).

La réforme électorale fit entrer au Parlement les représentants de la bourgeoisie industrielle, commerciale et financière. Si le parti *tory* (conservateur) reste celui des « *landlords* », le parti libéral (*whig*) devient celui de la bourgeoisie.

Le champion du libre-échange

Celui-ci, soucieux de faire baisser le prix du blé (et du pain) pour maintenir à un bas niveau les salaires, mena campagne pour l'abrogation des « *Corn Laws* », ce qu'il obtint en 1846.

L'Angleterre devint le champion du « *libre-échange* » auquel l'industrie et le commerce britannique étaient intéressés. Dominant le marché industriel par son avance technique, le libre-échange confirmait cette domination. En revanche, l'agriculture britannique fut sacrifiée : la Grande-Bretagne devint de plus en plus tributaire des importations pour son alimentation.

L'évolution sociale

En 1829, la *Loi d'émancipation des catholiques* rétablit en leur faveur l'égalité devant la loi : ils ne furent plus exclus des emplois publics. Ils demeurent du reste très minoritaires.

La classe ouvrière, qui a fait son apparition avec l'industrie, est de plus en plus nombreuse ; mais ses conditions d'existence défient l'imagination : journées de travail allant jusqu'à 16 et 18 heures (une loi de 1847 limite à 60 heures par semaine la durée du travail… pour les femmes et les enfants !) ; l'emploi des femmes, des enfants (dans l'industrie textile parfois à partir de 5 ou 6 ans !) se répand (avec bien entendu des salaires très inférieurs à ceux des hommes).

Cette classe ouvrière, bien qu'exclue de la vie politique officielle, commence à s'organiser. Elle fournit la base de masse des « radicaux » ou « chartistes », ainsi nommés en référence à leur programme, la « *Charte du peuple* » qui demande notamment le suffrage universel ; les chartistes développent, sans beaucoup de résultats, une certaine agitation de 1835 à 1838.

La question d'Irlande demeure : l'*Acte d'Union* de 1800 a supprimé le Parlement irlandais (d'ailleurs composé uniquement de protestants), les Irlandais (plus exactement leurs « *landlords* ») étant désormais représentés au Parlement de Londres.

Sous le long règne de la reine Victoria (1837-1901), le régime parlementaire se consolide. Des réformes électorales introduisent le scrutin secret (1867), puis un élargissement du corps électoral qui passe de 1,3 à 2,4 millions d'électeurs (1884-1885).

Palmerston, Premier Ministre de 1850 à 1865, libéral, mais autoritaire, mène une politique extérieure agressive et d'un nationalisme chauvin, appuyé sur la prépondérance économique anglaise dans le monde sur la base du « *libre-échange* ». Il proclame : « *Les cinq parties du monde sont nos tributaires volontaires.* »

Libéraux et conservateurs

De 1867 à 1886, alternent au pouvoir *libéraux*, avec Gladstone, champion du libéralisme économique, pieux et austère,
typique de la mentalité «victorienne», et *conservateurs* avec
Disraeli, fils d'un juif converti qui s'appuie sur l'aristocratie et
l'Eglise anglicane, tout en pratiquant, pour faire pièce à la bourgeoisie libérale, une politique ouvrière paternaliste (légalisation
des syndicats et du droit de grève, réglementation du travail). Au
nom des principes libéraux, qui assimilent la colonisation aux
pratiques de monopole, Gladstone est en principe hostile à l'expansion coloniale ; Disraeli prône au contraire une politique
impérialiste.

De 1886 à 1906, les conservateurs sont au pouvoir avec Salis-
bury et Balfour ; leur inspirateur est Joseph Chamberlain, ministre
des Colonies de 1895 à 1903, apôtre de l'impérialisme : l'Angleterre renonce au «libre-échange» pour une politique protectionniste de *« préférence impériale »* en faveur de ses colonies. Sur
la question d'Irlande, les conservateurs sont *« unionistes »* (partisans de l'union de l'Irlande avec la Grande-Bretagne), tandis que
les libéraux proposent le «Home Rule», l'autonomie de l'Irlande.

Les libéraux reviennent au pouvoir de 1906 à 1914, avec
Asquith et Lloyd George. Les syndicats (Trade-Unions), fortement
organisés, modifient l'équilibre électoral en constituant un troisième parti, le Labour Party. Le Labour Party (parti travailliste)
n'est pas révolutionnaire, mais réformiste ; sous sa pression, sont
adoptées un certain nombre de lois sociales : journée de travail
limitée à 8 heures dans les mines, lois sur les accidents de travail,
retraites ouvrières, assurance maladie et chômage.

En 1909, une loi introduisant l'impôt progressif sur le revenu
se heurte au veto de la Chambre des lords. Celle-ci, en 1911, est
réduite à un rôle consultatif : elle donne son avis, mais en cas de
divergence avec la Chambre des communes, c'est l'avis de celle-
ci qui l'emporte.

L'HÉGÉMONIE ANGLAISE

Durant l'ère victorienne, l'Angleterre est de loin la première puissance mondiale. Elle ne l'est pas par sa force militaire qui est réduite ; le service militaire n'existe pas en Angleterre qui n'a qu'une petite armée de métier dont les principaux effectifs sont coloniaux (l'armée des Indes). Elle a conservé longtemps des traits archaïques (la peine du fouet pour les équipages de la marine ne sera abolie qu'à la fin du XIXᵉ siècle par Disraeli). Ses interventions en Europe, entre 1792 et 1815, ont été ponctuelles, venant en appui à des alliés continentaux, avec pour objectif le rétablissement de l'équilibre européen.

Supériorité industrielle

La Grande-Bretagne avait établi dès le XVIIIᵉ siècle sa supériorité commerciale, navale, coloniale, financière : elle est désormais renforcée par sa supériorité industrielle.

La Révolution industrielle s'affirme en Angleterre dès la fin du XVIIIᵉ siècle et dans la première moitié du XIXᵉ siècle.

La mécanisation gagne d'abord l'industrie textile (navette volante, machine à filer) ; c'est l'industrie textile nouvelle du coton non liée, comme celle de la laine, aux règlements corporatifs, qui s'ouvre la première au machinisme.

La *machine à vapeur* fournit une source d'énergie mécanique peu coûteuse et utilisable partout. Le machinisme exige une consommation accrue de fer, de fonte, et d'acier. La production de fonte à partir de la houille (remplaçant le charbon de bois) va ouvrir la voie au développement de la sidérurgie.

La production de houille, qui alimente les machines à vapeur et les hauts fourneaux, passe de 2,5 millions de tonnes en 1700 à 5 millions dès 1750, 10 millions en 1800, 16 millions en 1829.

L'Angleterre se dote d'un réseau de canaux : en 1850, il n'y a guère de ville qui soit à plus de 25 km d'une voie navigable. Mais les transports sont révolutionnés dans la première moitié du XIXᵉ siècle par l'avènement des *chemins de fer* : les premières voies ferrées sont utilisées pour la desserte des mines, avec des wagons tirés par des chevaux. En 1814, l'ingénieur Stephenson met au point la première locomotive à vapeur. De 280 km en 1830, le réseau ferré britannique passe à 800 km en 1840, et 10 500 km en 1850 (la France n'a alors que 3 000 km de voies ferrées).

Le remplacement de la navigation à voiles par la navigation à vapeur s'effectuera plus tardivement, dans la seconde moitié du XIXe siècle. L'Angleterre assure dans le monde entier, par ses dépôts de charbon, l'approvisionnement de la marine à vapeur.

LES CHANGEMENTS DÉMOGRAPHIQUES

Le paysage de l'Angleterre se transforme. Sa partie la plus prospère était naguère la *« vieille et joyeuse Angleterre »* du Sud et du Sud-Est. Celle-ci reste rurale, et le paysage de *« champs ouverts »* se transforme en bocage sous l'effet des *« enclosures »*.

L'Angleterre économiquement en pointe devient celle du Nord et de l'Ouest, celle des bassins houillers et des villes industrielles, à laquelle il faut joindre le Pays de Galles et l'Ecosse. C'est aussi la Grande-Bretagne des ciels enfumés et des taudis ouvriers.

La population de la Grande-Bretagne passe de 7 millions en 1750 à 11 millions en 1801, 16,5 en 1831. L'urbanisation s'accélère : en dehors de Londres, 5 villes ont plus de 100 000 habitants en 1800, 28 en 1850.

L'Irlande fait exception : de 8 millions d'habitants vers 1840, suite à la grande famine des années 1846-1851 (maladie de la pomme de terre qui réduit à néant la principale ressource vivrière), elle tombe à 4 millions d'habitants, tant du fait de la famine que de l'émigration massive, notamment vers les Etats-Unis.

Avec l'industrialisation, l'émigration absorbe une grande partie de la population expulsée des campagnes, et une grande partie de la croissance démographique naturelle : émigration surtout vers les Etats-Unis, mais aussi vers les colonies tempérées de la Grande-Bretagne, Canada, puis Australie, Nouvelle-Zélande, et, à la fin du siècle, Afrique du Sud.

L'EXPANSION COLONIALE

En 1815, l'Angleterre ajoute à son Empire colonial un certain nombre de territoires occupés à l'occasion des guerres napoléoniennes et non restitués : pris à la France (l'île Maurice, ci-devant île de France, dans l'océan Indien) ou pris à la Hollande (Afrique du Sud, Ceylan).

Ses principales colonies sont les Indes, le Canada, plusieurs îles des Antilles dont la principale est la Jamaïque, des comptoirs sur la côte d'Afrique.

L'Inde

L'Inde représente, depuis le XVIIIe siècle, la possession anglaise la plus « rentable ». Elle est administrée par la Compagnie des Indes. Sa conquête va s'achever, pour l'essentiel, entre 1815 et 1850. Le contrôle de la « route des Indes » est assuré par la possession des îles de l'Atlantique (Sainte-Hélène, Ascension), du Cap, de l'île Maurice dans l'océan Indien. Les Anglais échouent en 1842 dans une tentative de conquête de l'Afghanistan. Ils s'emparent de la côte birmane en 1852.

L'Inde sert de base à la pénétration anglaise en Extrême-Orient. En 1819, les Anglais occupent Singapour, position de contrôle du détroit de Malacca ; suite à la « guerre de l'Opium » avec la Chine, (1840-1842), l'Angleterre obtient la cession, face au port de Canton, de l'île de Hong-Kong, qui va devenir le principal entrepôt britannique en Extrême-Orient.

Le Canada

Au Canada, l'Angleterre, dès le XVIIIe siècle, s'était employée à équilibrer la présence des colons français par une immigration britannique, qui se fixa surtout dans l'Ouest, le « *Haut-Canada* ». Dès 1791, les deux provinces (Haut et Bas-Canada) avaient un régime constitutionnel (assemblées représentatives). Une insurrection des Canadiens français en 1837 conduisit le gouvernement anglais à accorder au Canada un régime parlementaire (1848). En 1851, les immigrés anglophones étaient devenus majoritaires. La forte immigration britannique, et celle venue d'autres pays d'Europe, réduirait au XXe siècle la population francophone à moins d'un tiers de la population, concentré essentiellement dans la province du Québec. Elle se maintient grâce à sa très forte expansion démographique.

L'*Acte de l'Amérique du Nord britannique* (1867), donne au Canada sa structure fédérale : provinces ayant leurs gouvernements propres, un gouvernement fédéral siégeant à Ottawa. Sous l'autorité formelle d'un gouverneur général représentant le roi, le Canada a un gouvernement et un régime parlementaire, et une autonomie de fait.

Le régime des colonies anglaises en 1815 restait celui de l'« *exclusif* ». Il était en contradiction avec le libéralisme économique de plus en plus dominant dans l'Angleterre industrielle. Celle-ci, dès la fin du XVIIIe siècle, avait été le foyer du mouvement « *abolitionniste* », hostile à l'esclavage. L'Angleterre fut la première à interdire la traite des esclaves (1807), mesure qui serait généralisée en 1815, au moins pour l'Atlantique Nord ; elle fut la première à abolir l'esclavage dans les colonies (1833).

Dès 1825, l'« *exclusif* » fut atténué pour les colonies anglaises d'Amérique. La Compagnie des Indes avait perdu son monopole commercial.

L'Australie

En Australie, les Anglais se sont établis dès 1788. On fit d'abord de l'Australie un lieu de déportation pour les forçats. Au milieu du XIXe siècle, la colonisation libre avait relayé la déportation et l'Australie comptait 500 000 habitants. La Nouvelle-Zélande fit l'objet d'une prise de possession en 1840.

L'impérialisme

Dans la seconde moitié du XIXᵉ siècle, l'expansion coloniale se poursuit, malgré l'hostilité de principe des libéraux à la colonisation. A partir de 1875, le changement de conjoncture et la concurrence de la France (et d'autres pays) dans le partage de l'Afrique, la montée de la puissance industrielle et commerciale allemande conduisent les dirigeants anglais à se rallier à l'impérialisme, dont Rudyard Kipling fut le chantre.

En Inde, la *révolte des Cipayes* (les soldats indigènes au service de la Compagnie des Indes), énergiquement réprimée (1859), conduit à retirer à la Compagnie des Indes l'administration du pays : les Indes deviennent *« colonie de la couronne »*, administrée par un vice-roi. En 1876, Disraeli fera proclamer la reine Victoria *« impératrice des Indes »*.

Pour s'assurer le contrôle de la route des Indes, après l'ouverture en 1869 du canal de Suez, les Anglais vont mettre la main sur l'Egypte, non sans conflit avec la France, initiatrice du canal et très influente en Egypte. Théoriquement vassale de la Turquie, l'Egypte reste nominalement indépendante sous l'autorité du « khédive », de la dynastie fondée par Méhémet Ali, mais elle subit l'occupation militaire britannique (1882).

L'Afrique

En Afrique, la *« course au clocher »* qui oppose les principales puissances coloniales met en concurrence l'Angleterre avec les Allemands en Afrique orientale, avec les Français en Afrique occidentale et équatoriale : en 1898, l'incident de Fachoda, qui oppose une mission militaire française aux Anglais sur le Haut-Nil, fait craindre une guerre ; mais la France s'incline et renonce à cette région qui deviendra le Soudan anglo-égyptien.

L'Afrique australe va devenir le principal terrain de déploiement de l'impérialisme britannique. En 1870, l'Angleterre n'y possède que des colonies du Cap et du Natal. A l'intérieur, les colons d'origine hollandaise, les *Boers* (en hollandais = paysans), qui s'y sont réfugiés pour fuir la domination britannique et l'abolition de l'esclavage, ont constitué les républiques indépendantes d'Orange et du Transvaal. La découverte de gisements d'or et de diamants provoque un afflux d'aventuriers en majorité d'origine britannique. Sous l'impulsion de Cecil Rhodes, homme d'affaires, théoricien de l'impérialisme et premier ministre du Cap, les Anglais se sont emparés des territoires situés plus au Nord et qui deviendront la Rhodésie. La guerre s'engage entre les Anglais et les Républiques boers, une guerre sans merci (1899-1902) qui se termine par la victoire des Anglais et l'annexion des Républiques boers. Mais très vite, l'Orange et le Transvaal reçoivent leur autonomie, et en 1910 se constitue l'Union sud-africaine, qui associe les provinces anglaises et les anciennes Républiques boers.

L'Union sud-africaine, comme les autres colonies de peuplement blanc, Canada, Australie, Nouvelle-Zélande, reçoit le statut de *dominion*, État pratiquement indépendant, ayant pour souverain le roi d'Angleterre, avec un régime parlementaire (Gouverneur général représentant le roi, gouvernement responsable devant un parlement).

La différence tient à ce qu'en Afrique du Sud, la population blanche ne constitue qu'une minorité face à la majorité noire, mais elle seule dispose des droits politiques.

L'HÉGÉMONIE MENACÉE

En 1911, la population de la Grande-Bretagne, avec 42,5 millions d'habitants, dépasse celle de la France, en dépit du départ de millions d'émigrants tout au long du XIXe siècle.

La prépondérance anglaise reste indiscutée dans le domaine financier : la City de Londres reste le premier marché mondial des capitaux. Londres conserve également son rôle de premier marché mondial des matières premières. En 1914, l'Angleterre détient encore 45 % du tonnage de la flotte commerciale mondiale.

Mais dans l'industrie, la primauté anglaise est mise en question. Elle demeure dans les industries textiles (laine et coton) et les industries mécaniques. Dans les industries de base, elle est dépassée dans la sidérurgie par l'Allemagne, dans la production de houille par les Etats-Unis (mais elle reste le premier exportateur mondial de charbon : 47 % des exportations mondiales, contre 23 % pour l'Allemagne et 15 % pour les Etats-Unis).

Elle est surtout concurrencée par l'Allemagne dans les industries nouvelles : industries électriques, industries chimiques.

La longue position de monopole des industries britanniques a eu pour effet d'y freiner l'innovation, d'y freiner la concentration, et d'y perpétuer une certaine routine. Les puissantes firmes monopolistes allemandes, groupées en « cartels », surclassent les entreprises petites et moyennes qui dominent encore en Angleterre.

La spécialisation industrielle de la Grande-Bretagne l'a placée en situation de dépendance pour son approvisionnement en produits alimentaires et en matières premières : l'Angleterre importe ses céréales du Canada et des Etats-Unis, sa viande d'Australie et de Nouvelle-Zélande.

La laine et le coton utilisés par l'industrie britannique sont importés : le coton, surtout des Etats-Unis, mais aussi d'Egypte et de l'Inde — donc de l'Empire britannique. De même, la laine est fournie par les *dominions* — Australie, Nouvelle-Zélande, Afrique du Sud. Si l'Angleterre, non seulement se suffit en charbon mais en est le premier exportateur mondial, en revanche, la plupart des minerais métalliques indispensables à l'industrie sont importés (minerai de fer, de cuivre), ainsi que la totalité de son pétrole.

La France au XIXᵉ siècle, de la Restauration au Second Empire

LA RESTAURATION (1814-1830)

Les coalisés (Russes, Prussiens, Autrichiens, Anglais) qui occupent la France, restaurent la monarchie des Bourbons en 1814, puis à nouveau en 1815, après l'intermède des Cent-Jours, en la personne du frère de Louis XVI, qui prend le nom de Louis XVIII. Le nouveau régime a l'appui de tous les grands possédants, y compris de l'« establishment » napoléonien.

L'organisation politique

Pour obtenir l'appui de la bourgeoisie et des parvenus des époques révolutionnaire et napoléonienne, Louis XVIII a dû « octroyer » une *Charte constitutionnelle* (la terminologie — *charte* — est médiévale, le contenu — une *constitution* — moderne). La Charte maintient les institutions héritées de la Révolution et de l'Empire : le Code civil, l'administration préfectorale ; elle déclare irrévocable la vente des biens nationaux ; mais elle rétablit les libertés supprimées par l'Empire (liberté individuelle, liberté de la presse).

D'autre part, elle établit un régime représentatif, avec deux Chambres, sur le modèle anglais : mais ce régime n'est ni démocratique, ni parlementaire. La *Chambre des pairs* est formée de membres nommés par le roi ; la *Chambre des députés* est élue au suffrage censitaire, un suffrage très restreint : 90 000 électeurs : grands propriétaires fonciers, industriels, grands négociants, banquiers. Les ministres sont nommés par le roi et ne sont pas responsables devant les Chambres.

Trois grands courants politiques vont se partager l'opinion. Les « *ultras* » (ultra-royalistes, plus royalistes que le roi, disait-on) qui auraient voulu une restauration de l'Ancien Régime, et se recrutent principalement parmi les anciens émigrés. Les *constitutionnels*, partisans de la Charte, qui ont l'appui de la grande bourgeoisie et de quelques aristocrates éclairés. Enfin, les *libéraux*, opposants de gauche, de recrutement surtout populaire, mais dont les leaders se recrutent dans la bourgeoisie industrielle, les milieux intellectuels, avec quelques notables comme La Fayette : ils sont républicains ou bonapartistes, hostiles aux Bourbons, et peu représentés à la Chambre des députés.

Charles X

Louis XVIII, réaliste, et peu soucieux de retourner en exil (l'épisode des Cent-Jours lui avait servi de leçon), s'accommode des constitutionnels. Il n'en sera pas de même de son frère, le comte d'Artois, qui lui succède en 1824 sous le nom de Charles X. Inintelligent, têtu, il veut en revenir à l'Ancien Régime et se fait sacrer à Reims dans les formes traditionnelles. Il inquiète les Français par des mesures qui apparaissent comme des tentatives pour revenir à l'Ancien Régime : attribution d'une indemnité d'un milliard aux émigrés (dont les biens avaient été confisqués par la Révolution et vendus comme « biens nationaux »), loi du sacrilège (peine de mort pour la profanation des objets du culte), rétablissement du droit d'aînesse. Face à une opposition croissante, il décide, en juillet 1830, de prendre par « ordonnances » une série de mesures qui violent ouvertement la Charte (entre autres, la suppression de la liberté de la presse et une modification de la loi électorale).

Les Trois Glorieuses

Il s'ensuivit une insurrection parisienne, les « *Trois Glorieuses* » (27, 28 et 29 juillet 1830). Les insurgés étaient républicains ; les notables confisquèrent la victoire en appelant au trône le duc d'Orléans, Louis-Philippe, qui prit le titre de « *roi* des Français» (au lieu de: «*par la grâce de Dieu, roi de France et de Navarre*»), et remplaça le drapeau blanc des Bourbons par le drapeau tricolore, mais maintint la Charte, avec quelques modifications: le cens électoral fut légèrement abaissé (le nombre des électeurs passa de 90 000 à un peu moins de 200 000).

LA MONARCHIE DE JUILLET (1830-1848)

Louis-Philippe était le fils du duc d'Orléans qui avait pris parti pour la Révolution, siégé dans les rangs montagnards sous le nom de «Philippe Egalité», voté la mort de Louis XVI, pour finir lui aussi sous la guillotine. Il ne manquait pas de rappeler qu'il avait combattu dans les armées de la Révolution, à Valmy et à Jemmapes. Il affectait la simplicité et posait au «*roi bourgeois*».

L'opposition républicaine, qui prit de plus en plus une teinte socialiste, organisa des insurrections (chaque fois écrasées) et des attentats. Elle fut très vite mise pratiquement hors la loi.

La majorité à la Chambre fut constamment détenue par les conservateurs, avec deux tendances: celle d'Adolphe Thiers, journaliste et historien, qui souhaitait faire prévaloir la règle anglaise: «*le Roi règne, mais ne gouverne pas*». Il était d'autre part partisan d'une politique extérieure active, notamment contre l'Angleterre; celle de Guizot, grand bourgeois protestant du Midi, qui prônait l'association du roi au gouvernement, avec la formule «*Le trône n'est pas un fauteuil vide.*» Il était partisan d'une politique extérieure prudente, et du maintien de bonnes relations avec les Anglais. Guizot eut la faveur de Louis-Philippe qui tenait à jouer un rôle politique personnel. Guizot dirigea le gouvernement de 1840 à 1848. Il se refusa à la moindre réforme, notamment à la réforme électorale: celle-ci fit l'objet d'une campagne, réclamant un abaissement du cens, et l'octroi du droit de vote aux «capacités» (gens munis de certains titres ou diplômes, même s'ils ne payaient pas l'impôt requis).

Personnellement honnête et austère, Guizot n'hésitait pas à employer la corruption électorale et parlementaire (achat des voix des électeurs et des voix des députés). Des ministres furent impliqués dans des scandales financiers.

En 1848, une crise agricole et industrielle porta le mécontentement à son comble. A la suite de deux journées insurrectionnelles (*révolution de février 1848* : 23 et 24 février), Louis-Philippe dut prendre le chemin de l'exil et la République fut proclamée.

LA DEUXIÈME RÉPUBLIQUE (1848-1852)

La France entière entérina la décision des révolutionnaires parisiens. La Deuxième République rétablit le suffrage universel et le corps électoral passa d'un coup de 240 000 à 9 millions. Elle rétablit les libertés de presse et de réunion. Elle abolit l'esclavage aux colonies (l'esclavage avait été aboli par la Convention en 1794, mais rétabli par Bonaparte en 1802).

Les républicains parisiens, en majorité de tendance socialiste, avec des hommes comme Raspail, Blanqui, Barbès, se trouvaient en décalage avec une province restée sous la tutelle des notables.

Unanimement acceptée au début, la République dressa contre elle les campagnes en augmentant les impôts directs de 45 % pour faire face à la crise financière. Pour employer les chômeurs, elle créa des « *Ateliers nationaux* » (chantiers publics), mais les adversaires de la mesure, pour la discréditer, au lieu d'employer les travailleurs des Ateliers nationaux à des tâches utiles, leur firent creuser puis reboucher des trous sur le Champ-de-Mars... Lorsque le gouvernement décida la fermeture des Ateliers nationaux (en proposant d'envoyer les chômeurs en province ou de les incorporer dans l'armée), les ouvriers parisiens s'insurgèrent. Les *journées de Juin 1848* (23, 24, 25 et 26 juin 1848) firent, de la part du général républicain Cavaignac, l'objet d'une répression sans pitié : plusieurs milliers de tués, 11 000 arrestations, 4 000 déportations en Algérie. Cette répression priva la République de son appui populaire.

La *Constitution de 1848*, promulguée en novembre 1848, œuvre d'une Assemblée constituante, était fondée sur la souveraineté du peuple, mais aussi sur une stricte séparation des pouvoirs. Le pouvoir exécutif était détenu par un *président de la République* élu au suffrage universel et direct ; le pouvoir législatif était confié à une *Assemblée nationale* unique, élue également au suffrage universel. La responsabilité des ministres devant l'Assemblée n'était pas clairement spécifiée. Le président ne pouvait pas dissoudre l'Assemblée, celle-ci ne pouvait pas démettre le président : en cas de conflit, aucune solution n'était prévue.

Le prétendant bonapartiste, le prince Louis-Napoléon Bonaparte, fils de l'ancien roi de Hollande, frère de l'Empereur, fut élu triomphalement président de la République le 10 décembre 1848. Les campagnes, sensibles au souvenir napoléonien, avaient voté massivement pour lui. Il avait eu le soutien des royalistes, qui sous-estimaient le personnage (« *C'est un crétin qu'on mènera* », avait dit Thiers).

Le président et la majorité de droite de l'Assemblée nationale se trouvèrent d'accord pour mener la répression contre les républicains avancés. Effrayée par le succès des candidats socialistes lors d'élections partielles à Paris, l'Assemblée vota la *loi du 31 mai 1850* qui remettait en cause le suffrage universel (la loi exigeait pour être électeur trois années de résidence, ce qui excluait un grand nombre d'ouvriers contraints de se déplacer à la recherche de travail…). Louis-Napoléon se donna le beau rôle en proposant d'abroger cette loi, ce que l'Assemblée refusa.

Le coup d'Etat du Prince-Président

Le Prince-Président prépara alors un coup d'Etat qui fut réalisé le 2 décembre 1851. Il déclara l'Assemblée dissoute, le suffrage universel rétabli. A Paris, la classe ouvrière, écrasée par la répression des journées de Juin, ne réagit pas. Quelques républicains se firent tuer sur des barricades. En revanche, en province, la résistance fut beaucoup plus vive, et des républicains en armes marchèrent sur les préfectures. La répression fut terrible : 27 000 arrestations officiellement, dans la réalité probablement beaucoup plus, 15 000 condamnations, 10 000 déportés en Algérie ou en Guyane.

Le 20 décembre 1851, un plébiscite donna pleins pouvoirs au Prince-Président pour faire une nouvelle Constitution. Cette Constitution, inspirée de celle du Consulat, prévoyait un président élu pour dix ans, disposant du pouvoir exécutif et de l'initiative des lois, un corps législatif votant les lois et le budget, mais n'ayant aucun contrôle sur le gouvernement, et un Sénat nommé par le président ayant les mêmes pouvoirs. Cette Constitution établissait un régime monarchique de fait. Après une année de préparation de l'opinion, le Sénat votait le rétablissement de l'empire, approuvé par un plébiscite. Le 2 décembre 1852, un an après le coup d'État, Louis-Napoléon prenait le titre de Napoléon III, empereur des Français (ce numéro d'ordre prenait en compte comme « Napoléon II » le fils de Napoléon Iᵉʳ et de Marie-Louise, mort en Autriche sous le nom de duc de Reichstadt).

LE SECOND EMPIRE (1852-1870)

La bourgeoisie française accepta l'empire, bien qu'il la privât de ses droits politiques, dans la mesure où, après la grande peur de juin 1848, il se présentait comme le champion de l'« ordre », face aux républicains et aux socialistes.

L'empire autoritaire

De 1852 à 1860, c'est l'*empire autoritaire*. Le suffrage universel a été rétabli, mais il est faussé par la pratique de la *« candidature officielle »*, appuyée par l'administration. Les réunions des opposants sont interdites, leurs bulletins non distribués, les urnes électorales laissées la nuit à la garde des maires nommés par le gouvernement. La liberté de la presse a été supprimée : un journal ne peut paraître sans une « autorisation préalable », et il peut être l'objet de sanctions sur simple décision du préfet : avertissement, suspension, interdiction. Un journal reçut un avertissement pour avoir écrit, dans un article relatant l'inauguration d'une statue équestre de l'empereur, « *Le cheval a l'air intelli-gent* ».

Napoléon III n'était pas le « *crétin* » qu'avait cru voir en lui Monsieur Thiers. Il était sans scrupules, comme en témoigne le coup d'Etat ; il confisqua les biens de la famille d'Orléans (celle de Louis-Philippe), ce qui fit dire à ses opposants qu'il s'agissait du « *premier vol de l'aigle* » (l'aigle était le symbole impérial). Il s'entoura volontiers de fidèles dont l'intégrité et la moralité n'étaient pas les vertus premières. Il voulut être « moderne » et se fit le défenseur du principe des nationalités, ce qui, dans le cas de l'Italie, le mit en difficulté avec les catholiques, jusque-là sou-tiens fervents du régime, dans la mesure où la réalisation de l'unité italienne mettait en question l'existence de l'Etat pontifical.

Il avait épousé en 1853 une espagnole de famille noble, Eugé-nie de Montijo, dont il eut un fils. Mais sa vie privée, après comme avant, resta quelque peu désordonnée.

Rêveur, utopiste, il était souvent hésitant, dissimulait ses projets et les imposait brusquement et tardivement. Sa politique exté-rieure multiplia les faux pas, dont le dernier lui fut fatal.

L'empire libéral et l'empire parlementaire

A partir de 1860, il va être contraint à des concessions poli-tiques : c'est l'*empire libéral* (1860-1869). Ayant mécontenté les catholiques par sa politique italienne, les industriels par un traité de commerce avec l'Angleterre libre-échangiste, qui obligea les industriels français à moderniser leur outillage et à baisser leurs prix, l'empereur chercha à se concilier l'opinion publique.

En août 1859, l'amnistie fut accordée aux proscrits du 2 Décembre 1851, dont Victor Hugo, exilé à Guernesey, dans les îles anglo-normandes, qui repoussa l'offre en disant : « *Et s'il n'en reste qu'un* [exilé], *je serai celui-là.* »

En 1864, le *droit de grève* est accordé aux salariés. Mais les « *libertés nécessaires* » demandées par Thiers dans un discours de 1864 sont toujours refusées (liberté de la presse, liberté des élections, responsabilité du gouvernement devant les assem-blées). En 1867, le *droit d'interpellation* (droit de demander des explications au gouvernement sur sa politique) est accordé aux députés. En 1868 enfin, le régime de la presse est libéralisé (suppression des *« avertissements »*) et la liberté de réunion accordée, avec des restrictions.

En 1869, les progrès de l'opposition conduisent à un pas supplémentaire : les attributions du corps législatif sont élargies, et un gouvernement est constitué qui s'appuie sur la majorité du parlement. C'est l'*empire parlementaire*, qui ne durera que quelques mois (1869-1870).

Affaires et industrie

Le Second Empire est une période d'expansion économique. C'est alors que la *Révolution industrielle* s'accomplit pleinement en France, avec l'extension à tout le territoire du réseau des chemins de fer. Le capitalisme moderne triomphe et prend ses marques : 1865, loi sur le chèque ; 1867, loi sur les sociétés anonymes ; création des grandes banques de dépôts et d'affaires.

Un affairisme se développe qui touche l'entourage immédiat de l'empereur — Emile Zola en fera, sous la IIIe République, le thème de plusieurs de ses romans. Le préfet de la Seine Haussmann perce de larges avenues dans le tissu resserré, favorable aux barricades, du vieux Paris, et ouvre en même temps la voie à la spéculation immobilière.

L'empire, c'est la guerre

Lors d'un discours à Bordeaux, à la veille de l'établissement de l'empire, le Prince-Président avait affirmé : *« L'empire, c'est la paix. »* En fait, l'empire sera engagé dans de nombreuses guerres.

La Crimée

Celles de Crimée (1854-1856) et d'Italie (1859-1860) vaudront à l'empire des satisfactions de prestige, et, pour la seconde, le retour à la France de la Savoie et de Nice, cédés après plébiscite par le roi de Piémont-Sardaigne.

Mais, en appuyant le Piémont dans son action pour l'unité italienne, l'empereur mécontente les catholiques français ; il déçoit et irrite les patriotes italiens lorsqu'il envoie un contingent de troupes françaises assurer la défense de l'Etat pontifical contre les Italiens.

Le Mexique

L'*expédition du Mexique* (1862-1867) est typique de l'utopisme de Napoléon III. Profitant de l'impuissance des Etats-Unis, alors déchirés par la guerre de Sécession, il rêve de prendre pied en Amérique et se laisse manipuler par des affairistes. Une intervention pour la récupération de créances douteuses sur le Mexique conduit à l'envoi d'un corps expéditionnaire français, qui prétend imposer au Mexique un empereur, l'archiduc Maximilien, frère de l'empereur François-Joseph d'Autriche. Les troupes françaises se heurtent à celles du président libéral Juarez. En 1866, la victoire prussienne de Sadowa sur l'Autriche oblige Napoléon III à rappeler ses troupes : abandonné par la France, l'empereur Maximilien est fait prisonnier par les Mexicains et fusillé (1867).

L'Allemagne

La montée en puissance de la Prusse inquiète la France. Le chancelier prussien Bismarck laisse Napoléon III se compromettre dans des projets d'agrandissement de la France, sur la rive gauche du Rhin (ce qui indispose les Allemands), aux dépens de la Belgique (ce qui est très mal reçu à Bruxelles), puis du Luxembourg. Dupé et discrédité, Napoléon III peut difficilement supporter le nouvel affront diplomatique que constitue, en 1870, la candidature au trône d'Espagne d'un prince prussien. Bismarck manœuvre habilement pour conduire Napoléon III à déclarer la guerre à la Prusse (19 juillet 1870).

L'entourage impérial croit à une guerre victorieuse qui consolidera l'autorité de l'empereur et assurera l'avenir de la dynastie.

Il en ira tout autrement. L'impréparation de l'armée, l'incapacité du commandement, aboutiront à la défaite. La principale armée, avec l'empereur, capitule à Sedan le 2 septembre 1870. Le 4 septembre, la République est proclamée à Paris.

L'EXPANSION COLONIALE FRANÇAISE

Pendant la période napoléonienne, la France avait perdu sa plus riche colonie, la partie française de Saint-Domingue, grosse productrice de sucre. Le corps expéditionnaire envoyé par Bonaparte pour reconquérir l'île et y rétablir l'esclavage, commandé par son beau-frère le général Leclerc, avait été décimé et fait prisonnier : les anciens esclaves insurgés avaient proclamé la *République d'Haïti* (1804).

Des autres colonies, occupées par les Anglais pendant les guerres napoléoniennes, ceux-ci n'en avaient restitué en 1815 qu'une partie : la Guadeloupe et la Martinique dans les Antilles, la Guyane, l'île de la Réunion dans l'océan Indien, les cinq comptoirs de l'Inde, et, en Afrique, les comptoirs de Saint-Louis du Sénégal et de Gorée.

La monarchie de Juillet y ajoutera quelques comptoirs sur la côte de Guinée, les îles de Mayotte et de Nossy Be près de Madagascar, un protectorat sur Tahiti et les îles Marquises, en Océanie.

L'Algérie

Mais la conquête majeure du XIXe siècle, qui deviendra le laboratoire de la colonisation française, c'est celle de l'Algérie. Les Etats « barbaresques » (Alger, Tunis, Tripoli) étaient dénoncés pour leur pratique de la piraterie en Méditerranée. La conquête de l'Algérie fut, au départ, le fait du hasard : un coup de main militaire sur Alger entrepris en 1830 par le gouvernement de Charles X, à la veille de sa chute, dans l'espoir de donner au régime un éclat militaire qui lui faisait défaut.

La monarchie de Juillet reçut cet héritage, et la politique à suivre à l'égard de l'Algérie fut longtemps hésitante : abandon ? Occupation restreinte du littoral ? Occupation étendue ? L'Algérie devint le champ d'action de militaires à la recherche de coups d'éclat, mais aussi d'immigrants méditerranéens, aventuriers espérant des fortunes rapides. Pendant que le littoral était occupé, l'émir Abd-el-Kader constituait dans l'arrière-pays un véritable Etat. La lutte contre lui fut âpre de 1840 à 1848, et se termina par sa défaite.

Pendant que la conquête se poursuivait dans l'intérieur et dans le Sud, la colonisation fut renforcée par l'envoi de déportés politiques (1848-1851). Les colons aspiraient à s'emparer du pouvoir politique afin d'éliminer les « Arabes » ; les militaires administrant le *« bled »* (les campagnes) cherchaient à soustraire leurs administrés à l'avidité des colons. Napoléon III tenta de faire de l'Algérie, avec un gouverneur général militaire, un *« royaume arabe »*. La chute du régime impérial, et par conséquent le triomphe des colons et du régime *« civil »*, accéléra la dépossession des *« indigènes »*.

Les vieilles colonies (celles de 1815) furent marquées par l'abolition de l'esclavage en 1848.

Orient et Extrême-Orient

En Orient, le gouvernement impérial intervient en 1860 en Syrie, pour protéger les chrétiens du Liban. Son influence se raffermit en Egypte avec la construction par Ferdinand de Lesseps du canal de Suez (1859-1869).

En Extrême-Orient, la France s'associe à la Grande-Bretagne dans des expéditions militaires destinées à forcer l'ouverture du marché chinois. La France occupe le delta du Mékong en 1858, se fait céder en 1862 la Cochinchine (Sud-Vietnam) et établit en 1867 son protectorat sur le Cambodge.

Afrique, Amérique, Océanie

En Afrique, Faidherbe, qui a fait son apprentissage en Algérie, cherche, au Sénégal, à étendre une base territoriale autour des comptoirs initiaux.

En 1853, la France prend possession de la Nouvelle-Calédonie, en Océanie, et en fait un bagne.

On peut englober dans cette politique coloniale l'expédition du Mexique, dont nous avons vu qu'elle se solda par un échec. Elle permit du moins pendant quelques années à la France d'exploiter à son bénéfice les mines d'argent de Sonora, au moment où la découverte de l'or en Californie entraînait une dépréciation de l'or par rapport à l'argent, et de ce fait, une thésaurisation de l'argent qui gênait la circulation monétaire.

L'Europe et l'Amérique au XIXe siècle

LA « SAINTE-ALLIANCE »
ET LES MOUVEMENTS LIBÉRAUX ET NATIONAUX

Les *traités de Vienne* (1815), puis le traité dit de la *« Sainte-Alliance »* conclu entre les trois puissances continentales victorieuses (Russie, Prusse, Autriche), font prévaloir le principe de *« légitimité »* (des souverains) sur le droit des peuples à disposer d'eux-mêmes.

La France est ramenée en-deçà de ses frontières de 1790 (elle perd Sarrelouis et Landau). La Savoie et le comté de Nice sont restitués au royaume de Piémont-Sardaigne.

La Russie acquiert la Finlande (enlevée à la Suède) et elle reçoit la plus grande partie de la Pologne avec Varsovie. L'Autriche s'agrandit, en Italie, de la Lombardie et de la Vénétie, et, sur la mer Adriatique, de la Dalmatie (ancienne possession de Venise). Elle ne récupère pas les Pays-Bas autrichiens, qui, avec les anciennes Provinces-Unies (la Hollande) forment un « royaume des Pays-Bas » au bénéfice de la dynastie d'Orange-Nassau.

A la place du *Saint-Empire romain germanique* détruit par Napoléon en 1806, est créée une *« Confédération germanique »* présidée par l'Autriche. L'empereur a pris en 1806 le titre d'empereur d'Autriche. La confédération réunit 39 Etats (au lieu de 360 pour le Saint-Empire en 1792).

La Prusse a abandonné une grande partie de son ancienne « part » de Pologne à la Russie. Mais en compensation, elle reçoit le nord de la Saxe et surtout, dans l'Allemagne de l'Ouest, les deux provinces de Rhénanie et de Westphalie.

Le traité dit de la *« Sainte-Alliance »*, produit d'une crise de mysticisme du tsar Alexandre Ier (26 septembre 1815), n'a pas d'importance par lui-même. Le traité qui compte (et sur lequel repose la politique dite de la «Sainte-Alliance») est le *traité du 20 novembre 1815* conclu entre les trois puissances continentales prévoyant la tenue de *congrès périodiques* pour prendre des mesures contre le développement des idées révolutionnaires ou libérales. C'est cette politique que l'on désigne sous le nom de «politique de la Sainte-Alliance», et dont le principal promoteur fut, de 1815 à 1848, le chancelier d'Autriche Metternich. De 1818 à 1822, une série de congrès furent tenus dans cet esprit. Ils organisèrent la répression contre les étudiants allemands libéraux, réprimèrent les libéraux à Naples (1821) et en Espagne (1823) où une armée française, commandée par le duc d'Angoulême, neveu de Louis XVIII, vint rétablir l'absolutisme au bénéfice du roi Ferdinand VII. En revanche, Metternich n'obtint pas que les Constitutions accordées par les rois de Bavière et de Wurtemberg, ainsi que par le grand-duc de Bade, en Allemagne du Sud, fussent abrogées.

L'INDÉPENDANCE DE L'AMÉRIQUE LATINE

M ais la «Sainte-Alliance» ne put répondre à l'appel de Ferdinand VII pour rétablir son autorité dans les colonies espagnoles.

Pendant l'occupation de l'Espagne et du Portugal par les Français, les colonies espagnoles et portugaise d'Amérique, tout en proclamant leur fidélité à leurs souverains légitimes, profitèrent de la coupure avec la métropole pour établir des relations commerciales directes avec leur principal allié, l'Angleterre. En ce qui concerne la colonie portugaise, le Brésil, elle avait d'ailleurs servi de refuge au roi du Portugal et à sa Cour.

Mais dès le rétablissement de l'autorité des souverains dans leurs pays respectifs, l'administration prétendit rétablir l'exclusif. Pour maintenir une liberté du commerce qui leur était profitable, les colons exigèrent l'indépendance, avec l'appui officieux de l'Angleterre et des Etats-Unis.

Au Brésil, dès le retour du roi à Lisbonne (1821), la révolte éclate. Les colons proclament l'indépendance du Brésil, avec pour souverain un « *empereur constitutionnel* », Dom Pedro Ier, qui n'est autre que le fils du roi du Portugal (1822).

Dans les colonies espagnoles, compte tenu de leur diversité et de leur étendue, une série de processus d'émancipation se déroule de 1809 à 1824.

C'est en vain que Ferdinand VII essaie d'obtenir une intervention en sa faveur des puissances de la Sainte-Alliance : l'Angleterre — directement intéressée à l'établissement de relations commerciales libres avec les pays d'Amérique latine —, y oppose son veto ; les Etats-Unis, par la voix de leur Président, Monroe, annoncent qu'ils s'opposeront désormais à toute intervention européenne sur le continent américain, à toute tentative d'y rétablir une situation coloniale (*Déclaration de Monroe*, 1823).

Au Mexique, une première révolte avait éclaté en 1810 : c'est celui-là même qui avait dirigé la répression contre les insurgés, le général Iturbide, qui proclame l'indépendance en 1821 et se fait couronner empereur du Mexique. Il est renversé dès 1823, et la République établie.

En Amérique du Sud, la révolte a pour principal inspirateur Bolivar, issu d'une riche famille créole de Caracas (Venezuela). Avec lui agissent des officiers créoles comme O'Higgins, libérateur du Chili, San Martin, libérateur de l'Argentine et du Pérou ; le général Sucre remporte la victoire décisive d'Ayacucho (9 décembre 1824), qui a pour résultat la capitulation de la dernière armée espagnole sur le continent.

Bolivar aurait voulu fédérer les Etats d'Amérique latine, à l'exemple des Etats-Unis : le *congrès de Panama*, qu'il avait convoqué à cette fin (1826) fut un échec. L'Amérique espagnole se morcela en quinze républiques indépendantes. Cette désunion avait des causes géographiques : les diverses parties de l'Amérique latine étaient séparées par d'immenses distances, et plusieurs des Républiques andines prirent elles-mêmes la forme de fédérations de provinces ou d'États, les liens entre elles étant très limités. Il y eut aussi à ces désaccords des causes politiques : Bolivar était partisan d'accorder aux *« gens de couleur »* libres, métis ou indiens, l'égalité des droits. Les pays esclavagistes comme le Brésil et les États-Unis y étaient fermement opposés.

De ses anciennes possessions, l'Espagne ne conserva que deux grandes îles des Antilles, Cuba et Porto Rico.

Les structures sociales

Dans les nouveaux États d'Amérique latine, les structures sociales vont demeurer ce qu'elles étaient à l'époque coloniale, à ceci près que l'administration espagnole et ses agents disparaissent.

Au sommet, une mince oligarchie de grands propriétaires fonciers créoles, liés à l'Église catholique (elle-même grand propriétaire foncier), assise d'un *parti conservateur* ; à ce parti s'oppose un *parti libéral*, appuyé sur les grands commerçants des ports, et sur une classe moyenne de métis, d'orientation anticléricale.

L'esclavage subsiste partout. A une exception près, celle d'Haïti, que nous étudions ci-dessous. Il sera progressivement aboli au cours du XIXᵉ siècle, assez tôt là où il avait peu d'importance économique, beaucoup plus tard là où il constitue la base de l'économie : en 1886 à Cuba, en 1888 au Brésil.

Quant aux Indiens, qui sont majoritaires au Mexique et sur les plateaux andins, ils restent soumis à un servage de fait, sous la forme du péonage, et sont complètement exclus de la vie sociale et politique, situation qui, dans de nombreux pays, se prolongera jusqu'à l'époque contemporaine.

UN PRÉLUDE HORS SÉRIE :
L'INDÉPENDANCE D'HAÏTI

Le premier État américain, après les États-Unis, à prendre son indépendance a été la République d'Haïti (1ᵉʳ janvier 1804). Evénement gênant et volontiers passé sous silence : il résultait en effet d'une révolte des esclaves noirs contre le régime esclavagiste, et d'une défaite majeure essuyée par la France sous le Consulat jamais mentionnée comme telle.

La partie française de Saint-Domingue était la plus prospère des colonies françaises en 1789. Sa principale production était le sucre. Son commerce extérieur équivalait au tiers du commerce extérieur français.

La Révolution française y avait eu d'abord pour conséquence une révolte des colons blancs, qui voulaient s'émanciper du « *despotisme ministériel* » et se gouverner eux-mêmes. Mais ils n'acceptent de donner des droits politiques qu'aux Blancs. Une seconde révolte va être celle des « *gens de couleur* » libres, métis ou affranchis, dont certains avaient de la fortune (ils possédaient environ un tiers des terres et des esclaves) : les colons firent opposition à leur prétention d'exercer des droits politiques. A partir de 1791, les esclaves à leur tour se révoltent et prennent le pouvoir sous la direction de Toussaint-Louverture.

Les représentants de la Convention, pour des raisons de politique extérieure surtout — les colons avaient fait appel aux Anglais —, firent alliance avec Toussaint-Louverture. Un décret de la Convention (4 février 1794) entérinant le fait accompli, abolit l'esclavage dans les colonies françaises.

Toussaint-Louverture

Toussaint-Louverture, sous le Directoire, gouverne en chef d'Etat indépendant, mais en affectant de se considérer comme le représentant de la République française. En 1802, après la paix d'Amiens, Bonaparte décida de reconquérir l'île et d'y rétablir l'esclavage. Un corps expéditionnaire dirigé par le général Leclerc, époux de Pauline Bonaparte et donc beau-frère du Premier Consul, débarqua dans l'île. Toussaint-Louverture, fait prisonnier, fut interné au fort de Joux, dans le Jura, où il mourut. Mais l'armée française, décimée par les maladies et la guérilla, fut finalement défaite et réduite à se livrer aux Anglais. Le principal lieutenant de Toussaint-Louverture, Dessalines, proclama en 1804 l'indépendance d'Haïti, nom indien de l'île repris pour la circonstance.

Cette révolution des esclaves provoqua une grande peur dans les milieux esclavagistes d'Amérique, notamment aux Etats-Unis : la nouvelle République fut longtemps mise à l'index. En 1825, pour se faire reconnaître par la France, la République d'Haïti dut s'engager à indemniser les planteurs européens expropriés, et dut pour cela contracter une dette dont elle ne se libéra qu'à la fin du siècle.

LES ETATS-UNIS AU XIXe SIÈCLE

Washington avait été le premier président des Etats-Unis. Elu en 1789, réélu en 1793, il refusa d'accomplir un troisième mandat. De là est venu l'usage, qui s'est maintenu jusqu'en 1940, qui veut qu'un président des Etats-Unis ne puisse accomplir que deux mandats consécutifs. L'exception fut celle de Roosevelt, réélu une troisième fois au cours de la Deuxième Guerre mondiale.

Pour relever le crédit de l'Union, le gouvernement fédéral prit à sa charge toutes les dettes des Etats-Unis et des Etats, et entreprit de les rembourser grâce aux droits de douane. En 1793, les Etats-Unis se donnent une monnaie, le *dollar*. En 1800, le gouvernement fédéral s'établit sur un territoire détaché des Etats, le district de Columbia, où fut bâtie une ville destinée à devenir la capitale fédérale et à laquelle on donna le nom de Washington.

L'expansion des Etats-Unis

Les Etats-Unis, jusque-là cantonnés sur la côte Est, vont s'ouvrir l'accès à l'intérieur du continent en achetant à la France la Louisiane (1803), puis la Floride à l'Espagne (1819). En 1848, à la suite d'une guerre contre le Mexique, ils lui enlèvent un tiers de son territoire (Texas, Nouveau-Mexique, Californie). En 1867, ils achètent à la Russie l'Alaska (à l'ouest du Canada).

L'expansion vers l'Ouest attire de nombreux colons, venus d'abord des îles Britanniques (pour une forte proportion d'Irlande), puis des pays germaniques et d'Europe du Nord, plus tard, des pays slaves et d'Italie. Ces immigrants, paysans pauvres, espèrent réaliser aux Etats-Unis leur rêve : devenir de petits fermiers indépendants.

Avant même l'acquisition de la Louisiane, une ordonnance de 1787 dite « *Grande Charte de l'Ouest* » avait fait du territoire fédéral cédé par les Anglais, entre les monts Appalaches et le Mississipi, un territoire ouvert à la colonisation, où les terres étaient offertes aux colons au prix très modique de 1 dollar l'acre, avec perspective pour les immigrants de devenir des citoyens des Etats-Unis à part entière (voir plus haut).

La population des Etats-Unis passa ainsi de 4 millions d'habitants en 1790 à 31 millions en 1860.

La guerre de Sécession

Cette expansion vers l'Ouest, avec création de nouveaux Etats, pose le problème de l'esclavage : serait-il autorisé ou non dans les nouveaux Etats ?

Ce fut l'origine d'une guerre civile, la *guerre de Sécession* (avril 1861-mai 1865) qui opposa les Etats du Nord aux Etats du Sud, esclavagistes, qui avaient fait sécession (étaient sortis de l'Union) pour créer les « *Etats confédérés d'Amérique* ».

Un mouvement abolitionniste s'était développé dans le nord des Etats-Unis, sur une base humanitariste ; mais un antagonisme d'intérêts opposait aussi la bourgeoisie industrielle et financière du Nord et les planteurs du Sud, l'antagonisme qui oppose créancier et débiteur.

Au terme d'une guerre sans merci, la victoire fut remportée par le Nord, et un amendement à la Constitution interdit l'esclavage sur toute l'étendue des Etats-Unis. Le président élu en 1860, Abraham Lincoln, fut assassiné par un fanatique sudiste peu après la fin du conflit.

Questions économiques

La vie politique aux Etats-Unis, dans la seconde moitié du siècle, se polarise sur deux questions connexes : la *question douanière* et la *question monétaire*. Les exportateurs (paysans céréaliculteurs du « Middle West » et planteurs de coton du Sud) sont pour le libre-échange qui facilite leurs exportations et leur permet de s'approvisionner en produits manufacturés sur le marché anglais. Ils sont aussi pour une monnaie faible, permettant aux débiteurs de rembourser leurs créanciers à bon compte. Au contraire, les industriels et financiers du Nord veulent se réserver le marché américain grâce au protectionnisme, et sont aussi partisans d'une monnaie forte, afin de récupérer sans perte leurs créances.

Les premiers ont pour porte-parole le *parti démocrate*, les seconds le *parti républicain*.

La question noire

La question noire subsiste : dans le Sud, les anciens maîtres esclavagistes n'ont pas tardé à reprendre le pouvoir par la terreur (avec notamment l'association secrète du *« Ku Klux Klan »*, qui organise des lynchages — exécutions sommaires — de Noirs) et ils empêchent les Noirs de participer aux élections (par exemple par la *« clause du grand-père »*, qui exige, pour être électeur, d'avoir eu un grand-père citoyen — comme il y avait peu d'immigrants au Sud, cette clause excluait presque uniquement les anciens esclaves).

De l'isolationnisme à l'impérialisme

A la fin du siècle, les Etats-Unis vont passer de la doctrine de Monroe, s'opposant à toute intervention européenne sur le continent américain, à une politique interventionniste, impérialiste.

La première manifestation en est la guerre hispano-américaine (1898) qui permet aux Etats-Unis d'enlever à l'Espagne les derniers restes de son Empire colonial : Cuba et Porto Rico, dans les Antilles, et les Philippines en Asie. Cuba devient formellement indépendante, mais sa Constitution donne aux Etats-Unis un droit permanent d'intervention dans ses affaires intérieures, et les Etats-Unis reçoivent à Cuba la base navale de Guantanamo. Les Etats-Unis annexent les îles Hawaii dans le Pacifique, en 1898, et les îles Samoa (1899).

Les interventions des Etats-Unis en Amérique latine se multiplient au début du XXe siècle : les Etats-Unis y pratiquent ce que le président Théodore Roosevelt appellera la *« politique du gros bâton »* : mainmise sur la zone du canal de Panama (commencé par Lesseps, achevé après son échec par les Américains) (1903), envoi de troupes à Saint-Domingue (1905), à Haïti (1916).

LES RÉVOLUTIONS DE 1830
ET DE 1848 EN EUROPE

Les révolutions de 1830 et de 1848 en France auront leurs échos en Europe : éveil et action des mouvements nationaux et libéraux.

En 1830, ces mouvements seront réprimés (en Pologne russe, notamment).

L'indépendance de la Belgique

Un seul réussira et aboutira à l'indépendance de la Belgique.

Les anciens « Pays-Bas autrichiens », comprenaient une partie de langue française, la Wallonie, et une partie de langue néerlandaise, la Flandre. Ils avaient été incorporés en 1815 dans un royaume des Pays-Bas gouverné par la dynastie d'Orange-Nassau, à dominante calviniste.

Pour des raisons différentes, mais qui se rejoignirent pour la circonstance, catholiques et libéraux étaient opposés à la domination néerlandaise. Ils se soulèveront et obtiendront, grâce à l'appui de la France, l'indépendance de la Belgique, sous la forme d'un *royaume constitutionnel*, sur le modèle de la monarchie française de Juillet. La candidature au trône d'un prince de la famille d'Orléans sera écartée par les Anglais, qui imposeront le choix d'un prince allemand apparenté à la famille royale anglaise.

L'écrasement des nationalismes

En 1848, une poussée révolutionnaire atteindra presque tous les peuples d'Europe : on parlera du *« printemps des peuples »*. Cette poussée atteint la Prusse, l'Autriche (où Metternich doit s'enfuir), et l'ensemble de l'Allemagne, où partout des Constitutions libérales sont imposées aux souverains, et où une *Assemblée constituante de la Confédération germanique* se réunit à Francfort, élue au suffrage universel.

La poussée touche également l'Italie, y compris les Etats du pape, où une République romaine est proclamée.

Tous ces mouvements seront finalement écrasés : en Italie, les Autrichiens reprennent la Lombardie et la Vénétie, et un corps expéditionnaire français, envoyé par le Prince-Président Louis-Napoléon Bonaparte, rétablit le pape à Rome ; en Autriche, l'empereur Ferdinand abdique en faveur de son neveu, François-Joseph Iᵉʳ (qui régnera jusqu'en 1916). La Bohême et la Hongrie insurgées sont écrasées (la Hongrie avec le concours de l'armée russe) ; la « Constituante » germanique est dispersée.

L'UNITÉ ITALIENNE ET L'UNITÉ ALLEMANDE
———

En 1863, une nouvelle insurrection polonaise contre le tsar sera écrasée par les Russes.

En Allemagne et en Italie, le *mouvement libéral* (exigeant le remplacement des régimes absolutistes par des régimes constitutionnels) et le *mouvement national* (aspirant à l'unité de nations morcelées en Etats dynastiques) n'avaient fait qu'un, tant après 1830 qu'en 1848.

Dans la période qui va suivre, la revendication nationale unitaire va se réaliser tant en Allemagne qu'en Italie, mais pas par la voie révolutionnaire.

L'unité italienne

En Italie, grâce à son premier ministre Cavour, le roi de Piémont-Sardaigne Victor-Emmanuel II va réaliser à son bénéfice l'unité italienne. En 1859, grâce à l'intervention française (victoires de Magenta et de Solférino remportées sur les armées autrichiennes), il obtient la Lombardie. En 1860-1861 le républicain Garibaldi soulève l'Italie centrale et l'Italie du Sud, mais en abandonne le bénéfice au roi de Sardaigne qui prend le titre de roi d'Italie. En 1866, l'Autriche, sous la pression de la Prusse, lui cède la Vénétie.

Dernier obstacle : l'Etat pontifical, réduit au Latium (Rome et sa campagne), où le pape refuse obstinément d'abandonner son pouvoir temporel. Il y est protégé par des troupes françaises, envoyées par Napoléon III sous la pression des catholiques français.

La défaite française de 1870 entraînera le rappel des troupes françaises et permettra à l'Italie d'occuper Rome et d'achever son unité. Rome devient la capitale du royaume d'Italie. Le pape, qui se considère comme prisonnier dans son palais du Vatican, refuse de reconnaître l'Etat italien. Le conflit ne sera réglé qu'en 1929, par la signature d'un concordat entre le pape et l'Italie fasciste, et par la reconnaissance comme Etat pontifical de la Cité du Vatican.

L'unité allemande

En Allemagne, c'est la *Prusse* qui, sous l'impulsion du chancelier Bismarck, va se faire l'instrument de l'unité allemande, à son bénéfice, *« par le fer et par le feu »*.

En 1865, Bismarck obtient l'alliance de l'Autriche pour enlever au Danemark les provinces allemandes de Schleswig et de Holstein (que la Prusse finira par s'approprier) ; en 1866, il se retourne contre l'Autriche ; celle-ci, bien qu'elle ait obtenu l'alliance des grands Etats allemands (Bavière, Wurtemberg, Bade, Saxe, Hanovre) est battue à Sadowa (3 juillet 1866). Bismarck n'exige de l'Autriche aucune concession territoriale, pour ménager un rapprochement futur. Il se contente de l'« expulser » d'Allemagne : la Confédération germanique, dont l'Autriche avait la présidence, est dissoute. Il se rattrape sur les alliés allemands de l'Autriche dont plusieurs sont purement et simplement annexés à la Prusse (le royaume de Hanovre, le duché de Nassau, la Hesse-Cassel, la ville libre de Francfort-sur-le-Main, les duchés de Schleswig et Holstein).

La guerre franco-allemande de 1870-71 permet à Bismarck (la Prusse se posant en agressée) d'obtenir l'alliance de tous les souverains allemands, et de leur faire accepter, le 18 janvier 1871, dans la galerie des glaces du palais de Versailles, en France occupée, la proclamation solennelle de l'Empire allemand, au bénéfice du roi de Prusse. La victoire allemande fut suivie de l'annexion de l'Alsace-Lorraine, enlevée à la France et qui devint *« territoire d'Empire »*.

Au début du XXᵉ siècle, le Parti social-démocrate allemand, qui se réclame du marxisme, progresse rapidement et devient en 1907 le premier parti du Reichstag (la diète d'empire). Mais Guillaume II, qui a succédé à Guillaume Iᵉʳ en 1890, n'acceptera jamais ni le suffrage universel ni le régime parlementaire.

L'Autriche face aux nationalités

L'Autriche affronte de son côté, avec de plus en plus de difficultés, les tendances centrifuges résultant de l'éveil des nationalités.

A la suite de la défaite de Sadowa, l'Autriche est obligée d'accorder à la Hongrie sa reconnaissance en tant qu'Etat distinct, dans ses limites historiques, qui englobent de nombreuses minorités nationales non hongroises : c'est le *« dualisme »* ou la *« double monarchie »* (1867) : l'empereur d'Autriche est en même temps roi de Hongrie, et l'on désigne désormais l'Etat sous le nom d'*Autriche-Hongrie*.

LA RUSSIE AU XIXᵉ SIÈCLE

En Russie, le régime absolutiste, autoritaire et policier, se maintient jusqu'en 1917. Les révoltes nationales (polonaises principalement) sont jugulées ; les opposants sont emprisonnés, déportés en Sibérie ou pendus.

En 1861, le tsar Alexandre II prononce l'abolition du servage.

Mais l'obligation pour les anciens serfs de « racheter » leurs terres en limite les effets.

L'opposition se radicalise. A la fin du XIXe siècle, les mouvements révolutionnaires simplement libéraux (aspirant à un régime constitutionnel) sont relayés par des partis révolutionnaires : *parti socialiste révolutionnaire* qui se réclame de la paysannerie, et espère s'appuyer sur la tradition du *« mir »* (la communauté agricole avec redistribution périodique des terres), mais recourt au terrorisme (attentats contre le tsar et ses ministres) ; puis le *parti social-démocrate*, qui se réclame du marxisme, rejette le terrorisme et prône l'action de masse.

L'industrie moderne se développe, avec le réseau de chemins de fer.

La première révolution

Suite à la défaite russe dans la guerre russo-japonaise, (1904-1905) une première révolution éclate en Russie (1905). On y voit apparaître les premiers *« soviets »* (= conseils) ouvriers. Mais le mouvement révolutionnaire est écrasé et le gouvernement n'accorde que des réformes limitées : une assemblée représentative, la *Douma*, mais ni le suffrage universel ni le régime parlementaire.

LA QUESTION D'ORIENT

Au début du XIXe siècle, l'Empire ottoman reste un des plus grands Etats du monde. Il s'étend sur les Balkans et la Grèce, l'Asie Mineure, le « Croissant fertile » (Irak, Syrie et Palestine), l'Arabie. En Afrique, sur l'Egypte, la Libye, la Tunisie et l'Algérie.

Le déclin de l'Empire turc

Mais cet Empire est en pleine décadence. Beaucoup de gouverneurs (*pachas*) se comportent en souverains indépendants : c'est le cas de l'Egypte, où le pacha Méhémet Ali a obtenu la reconnaissance de son indépendance de fait et a fondé une dynastie ; la vassalité du dey d'Alger (qui disparaît avec la conquête française en 1830) et du bey de Tunis est toute nominale.

La Grande-Bretagne, qui en a fait une dépendance commerciale, est favorable à l'intégrité de l'Empire ottoman ; en revanche, ses voisins, l'Autriche et la Russie, souhaitent s'agrandir à ses dépens. La Russie appuie les mouvements nationaux des Balkans, au nom de la solidarité slave (pour les Serbes et les Bulgares) et au nom de la solidarité orthodoxe, qui vaut pour toutes les populations balkaniques. Elle rêve de s'assurer un accès à la Méditerranée par le contrôle des détroits et la reconquête de Constantinople à la Chrétienté. L'Autriche, en revanche, espère juguler par des annexions les mouvements nationalistes qui peuvent toucher certaines parties de ses possessions : les Serbes orthodoxes qui sont intégrés dans l'Empire ottoman parlent la même langue (le serbo-croate) que les Croates catholiques qui sont intégrés au royaume de Hongrie, et sont proches parents des Slovènes qui vivent dans des provinces autrichiennes. De même, les Roumains se trouvent en Turquie, dans les provinces danubiennes, mais aussi dans la province hongroise de Transylvanie.

La révolte grecque

La première nation à se soulever est la Grèce, dont la cause éveille les sympathies en Occident, pour des raisons historiques et culturelles. Grâce à l'appui de l'Angleterre, de la France et de la Russie, elle obtient son indépendance en 1829, pour un territoire limité. La Serbie et les provinces roumaines obtiendront du sultan un statut d'autonomie. En 1859, les provinces roumaines s'unissent pour former la Roumanie. La Bulgarie obtiendra à son tour l'autonomie en 1878, l'indépendance étant acquise la même année par la Serbie et le Monténégro. La Bulgarie devient indépendante en 1908. L'Autriche avait occupé en 1878 la Bosnie-Herzégovine, et l'avait annexée en 1908. En 1913, après plusieurs guerres, il ne reste plus à la Turquie, en Europe, qu'Istanbul et un petit territoire voisin ; l'Albanie musulmane, séparée de la Turquie, devient indépendante.

LES PAYS SCANDINAVES

———

La Suède avait dû, en 1808, céder la Finlande à la Russie ; mais en 1814, elle annexe la Norvège, enlevée au Danemark.

Sans héritier, le roi Charles XIII adopte pour lui succéder un général d'Empire, le général français Bernadotte, qui devient roi sous le nom de Charles XIV en 1818 ; la famille Bernadotte règne toujours en Suède.

Le Danemark, en 1864, a perdu les duchés de Schleswig et de Holstein, annexés en 1866 par la Prusse.

La Norvège, réunie à la Suède par la personne d'un même souverain (comme elle l'avait été antérieurement au Danemark), mais qui dispose d'institutions autonomes, prend son indépendance en 1905, et appelle au trône le frère du roi de Danemark, qui régnera sous le nom de Haakon VII.

LA SUISSE

———

Comme dans beaucoup de régions de montagne, les populations du noyau central de la Suisse avaient conservé des institutions communautaires patriarcales et s'étaient montrées réfractaires aux institutions féodales. C'est en 1291 que les trois « cantons » initiaux concluent un pacte d'alliance que les Suisses considèrent comme l'acte fondateur de la « Confédération helvétique ». Leur indépendance est reconnue par les Habsbourg en 1318.

Pauvres, les montagnards suisses s'engagent souvent comme mercenaires aux XVe et XVIe siècles. Ce sont eux qui infligent à Charles le Téméraire, en 1476, les défaites qui mettent fin à l'existence de l'Etat bourguignon. Battus par les Français à Marignan, les Suisses concluent en 1515 avec la France une *Paix perpétuelle* qui sera à l'origine de la neutralité suisse.

Au XVIIIe siècle, la Confédération est un ensemble de Républiques souveraines où, seuls, les trois cantons primitifs ont un statut démocratique (démocratie directe : assemblées populaires,

« *Landesgemeinde* », où l'on vote à main levée). Les autres ont des constitutions oligarchiques, réservant le pouvoir à une minorité.

Après la Révolution et l'Empire, la Suisse retrouve son statut en 1815 et annexe Genève (antérieurement république indépendante). Après 1830, sous l'influence de la révolution française des « *Trois Glorieuses* », les libéraux l'emportent dans quelques cantons et y instaurent le suffrage universel et les libertés fondamentales. En 1845, sept cantons conservateurs et catholiques forment une alliance secrète, le « *Sonderbund* » : le conflit avec les libéraux débouche sur une guerre civile (1847) et la victoire des libéraux.

La *Constitution du 12 septembre 1848* établit le régime toujours actuellement en vigueur : large autonomie des cantons (20 cantons et 6 demi-cantons) dont Neuchâtel (acquis sur la Prusse en 1857) et le canton du Jura, détaché du canton de Berne en 1977.

Les langues officielles sont l'allemand (parlé en « *Suisse alémanique* »), le français (parlé en « *Suisse romande* »), l'italien (parlé dans le canton du Tessin) et le romanche (parlé dans une partie du canton des Grisons).

La neutralité suisse (la Suisse n'a participé à aucune guerre depuis 1815) vaut à ce pays une part de sa prospérité (pays refuge pour les capitaux).

L'Asie et l'Afrique au XIXᵉ siècle

L'INDE

La victoire anglaise de Plassey (1757), qui conduit à la conquête du Bengale, marque un tournant dans la politique de la Compagnie anglaise des Indes, et dans les rapports économiques entre la Grande-Bretagne et l'Inde. Désormais, la source essentielle des revenus de la Compagnie va devenir l'exploitation « étatique » des territoires indiens conquis, et non plus les activités commerciales.

Dans leur entreprise de domination de l'Inde, les Anglais vont trouver l'appui de certaines couches sociales de la population, notamment de marchands-banquiers qui vont se faire les intermédiaires du commerce britannique, y compris par l'utilisation de leur flotte marchande qui navigue dans toutes les mers d'Asie (mais à qui l'accès de la Grande-Bretagne est interdit).

Par ailleurs, en 1793, par un simple règlement, l'administration de la Compagnie fit des « *zamindar* », qui étaient les concessionnaires de l'impôt dans l'Empire moghol (à l'exemple des fermiers généraux dans la France de l'Ancien Régime), des grands propriétaires fonciers, des « *landlords* » à la mode britannique : les territoires où ils étaient chargés de percevoir l'impôt furent considérés comme leur propriété personnelle, les paysans propriétaires étant transformés en fermiers.

Jusqu'à la seconde moitié du XVIIIᵉ siècle, l'Inde exportait vers l'Europe des produits manufacturés (indiennes — toiles de coton peintes —, cachemires, etc.) et recevait en échange de l'argent venu d'Amérique. La mainmise britannique va modifier le flux, qui va se transformer : exportation par l'Inde de matières premières, importation de produits manufacturés britanniques. L'abolition du monopole commercial de la Compagnie en 1813 et le triomphe de la Révolution industrielle en Angleterre consacrent cette inversion : de 1814 à 1835, les importations d'« indiennes » en Grande-Bretagne diminuent des trois quarts ; en sens inverse, les importations de cotonnades britanniques en Inde sont multipliées par 50 !

Un des résultats de cette mutation fut la ruine de l'artisanat traditionnel indien (dans le textile notamment), et le report des anciens artisans sur le travail de la terre, une terre déjà surchargée en hommes.

Nous avons vu qu'après la révolte des Cipayes (1857-1858), la Compagnie des Indes est supprimée et que l'Inde passe directement sous administration britannique. Après la proclamation de la reine Victoria comme impératrice des Indes (représentée sur place par un « vice-roi »), l'empire des Indes va comprendre deux types de territoires : les provinces, administrées directement par les Anglais, et les Etats princiers, dont les souverains restés en place sont considérés comme « vassaux » de l'Impératrice-Reine, conservent leurs revenus et leur administration, dont le pouvoir réel est cependant transféré à un « résident » britannique.

La modernisation de l'Inde (construction d'un réseau de chemins de fer, de lignes télégraphiques, etc.) se conjugue avec une paupérisation interne des campagnes. L'Inde reste jusqu'au XXe siècle dépourvue d'industries de base.

Malgré la diversité des ethnies et des religions, le sentiment antianglais se transforme en nationalisme indien : le Congrès national indien, créé en 1888, va devenir l'organe de cette résistance nationaliste.

LA CHINE

La Chine est gouvernée depuis 1644 par la dynastie mandchoue des Tsin (Qing). L'empire des Tsin atteint son apogée dans la seconde moitié du XVIIIe siècle sous le règne de Qianlong (1736-1796). Il est plus vaste que l'actuelle République populaire de Chine, englobant une partie de l'actuel Extrême-Orient russe, la totalité de la Mongolie ; l'île de Formose (Taiwan) a été définitivement conquise ; le Népal, la Birmanie, le Siam, le Vietnam, la Corée reconnaissent la suzeraineté de l'empereur de Chine.

Au XVIIᵉ siècle, sous la dynastie des Ming, les jésuites avaient été bien accueillis à la Cour, introduisant dans les milieux lettrés des éléments de mathématiques et d'astronomie occidentales. Ils avaient obtenu quelques conversions au prix d'une « *sinisation* » du christianisme (acceptation du culte des ancêtres et de Confucius, présentés comme de simples hommages sans portée religieuse). Rome ayant condamné les « *rites chinois* », et l'empereur de son côté étant passé à une politique de persécution des chrétiens, le christianisme est interdit au début du XIXᵉ siècle.

La Chine se ferme aux étrangers et les contacts sont limités avec les Russes à l'extrême nord — à Ourga, en Mongolie, où les Russes viennent acheter du thé — ; au sud avec le port de Canton et le comptoir portugais de Macao. Le type d'échanges reste celui établi depuis l'Antiquité : la Chine exporte les produits précieux de son artisanat (soies, porcelaines, laques) et du thé, contre de l'argent venu d'Amérique.

Le retournement, du même type que celui intervenu pour l'Inde, se situe au début du XIXᵉ siècle. L'économie chinoise à monnaie d'argent entre en concurrence avec une économie mondiale à monnaie d'or, et l'argent tend à se déprécier par rapport à l'or.

La guerre de l'Opium

La Compagnie anglaise des Indes développe la contrebande de l'opium (produit en Inde) et la balance des comptes chinois se détériore, l'opium prenant peu à peu la place de l'argent. Les incidents se multiplient à partir de 1830 entre marchands anglais et fonctionnaires chinois. En 1839, le représentant de l'empereur à Canton fait brûler toutes les caisses d'opium se trouvant dans la ville. Les Anglais réagissent par la manière forte ; c'est la *guerre de l'Opium* (1841-1842). Le *traité de Nankin* (1842) qui consacre la victoire anglaise impose à la Chine l'ouverture de cinq ports au commerce étranger, la levée de l'interdiction de l'opium, la limitation des droits d'entrée sur les marchandises étrangères à 5 %. Mais surtout, la Chine cède à l'Angleterre l'îlot de Hong-Kong, à proximité de Canton. Les résidents étrangers reçoivent le privilège de l'exterritorialité (ils relèvent juridiquement de leurs consuls et non des autorités chinoises). En 1844, la France obtient la réouverture de la Chine aux missionnaires.

Concessions faites aux Européens, crise monétaire, échanges inégaux aggravent la situation économique et provoquent un fort mouvement antimandchou dans la population. Le soulèvement des *Taï-Pings* (1850-1865), dirigé par un fils de paysan qui se fait proclamer empereur, embrase toute la Chine du Sud qui échappe au pouvoir des Tsin pendant quinze ans ; les Taï-Pings se réclament d'une idéologie égalitariste.

La pénétration européenne

A la faveur de ces troubles, les puissances européennes multiplient les interventions (franco-anglaises en 1856 et en 1860) avec chaque fois de nouvelles concessions : ouverture de nouveaux ports. L'intervention de 1860 est marquée par le *« sac du palais d'Eté »* à Pékin par les troupes franco-britanniques. Le Yang-Tsé-Kiang est ouvert à la navigation étrangère ; les étrangers établissent des représentations diplomatiques permanentes à Pékin ; dans les ports, les étrangers obtiennent des *« concessions »*, véritables enclaves en territoire chinois, telles la concession française et la concession internationale à Shanghai. Les Russes se font céder toute la rive gauche du fleuve Amour et le littoral de l'embouchure de ce fleuve à la frontière coréenne. A l'extrémité sud de cette « province maritime », les Russes construisent le port de Vladivostok (le *« dominateur de l'Orient »*).

A partir de 1859, sous prétexte d'assurer le paiement des indemnités de guerre et des dettes contractées par la Chine, les puissances européennes mettent la main sur l'administration des douanes, avec un personnel européen dirigé par l'Anglais Robert Hart, qui tiendra ce poste pendant un demi-siècle (1863-1907).

La pénétration européenne en Chine, avec sa brutalité, les humiliations subies, la dégradation de la situation économique, provoquent des réactions de rejet : révoltes paysannes, dont la plus importante est celle des Taï-Pings, mais il y en eut d'autres. Elles sont dirigées à la fois contre la pénétration étrangère et contre le pouvoir mandchou, accusé d'en être responsable. La répression de ces révoltes est conduite par une armée équipée et encadrée par des officiers européens.

Modernistes ou conservateurs

Dans l'élite chinoise, s'opposent deux courants : un courant « moderniste » (qui, à partir de 1868, s'appuie sur l'exemple du Japon) ; il pose en principe que pour maintenir son indépendance, la Chine doit se moderniser et introduire des innovations sur le modèle occidental ; l'autre courant est le courant conservateur et traditionaliste, opposé à tout changement. Ce courant l'emporte grâce à l'appui de l'impératrice Tseu-Hi (Cisei). Energique et ambitieuse, elle était devenue régente en 1861 pour le compte de son fils, âgé de 5 ans. A la mort de ce dernier, en 1875, elle fit attribuer le trône à son neveu, âgé de 3 ans. Une tentative de ce neveu, devenu majeur, pour faire prévaloir des réformes (1898) fut brisée par l'intervention de l'impératrice. L'empereur fut contraint de renoncer à tout pouvoir réel et plusieurs réformateurs furent exécutés. C'est l'impératrice qui régna, en fait, de 1861 à 1908.

Début de délabrement

Interventions étrangères et défaites chinoises se succèdent. Guerre sino-japonaise (1894-1895) qui oblige la Chine à reconnaître l'indépendance de la Corée et à céder au Japon l'île de Taiwan ; en 1897, l'Allemagne se fait céder la base de Kiao-Tcheou ; en 1898, la Russie, déjà présente par la construction du chemin de fer transmandchourien, se fait céder la base de Port-Arthur, dans la presqu'île de Liao-Toung ; la même année, l'Angleterre se fait céder le port de Wei-Hai-Wei, face au Liao-Toung, et la France se fait céder le port de Kwang-Tcheou-Wan, en Chine du Sud. En 1900, l'insurrection dite des *« Boxers »*, qui s'attaque aux ambassades étrangères à Pékin, sert de prétexte à une nouvelle intervention collective des puissances européennes, auxquelles s'associent le Japon et les Etats-Unis. La Chine doit payer une lourde indemnité de guerre. En 1905, la défaite russe dans la guerre russo-japonaise fait passer la base de Port-Arthur de la Russie au Japon.

La mort de l'impératrice et de son neveu l'empereur, en 1908, l'avènement d'un nouvel empereur enfant, Pou Yi, âgé de trois ans, ouvre la voie à l'anarchie.

La révolution de 1911

Les plus avancés des réformateurs, groupés dans le « *Parti démocratique nationaliste* » (*Kouo-Min-Tang*), dirigés par le docteur Sun Yat-sen, font la révolution en 1911 ; ils proclament la déchéance de la dynastie mandchoue et l'avènement de la République chinoise. Le général Yuan Shikai, représentant le gouvernement impérial, obtient l'abdication de l'empereur en 1912, tente de confisquer la République à son profit, puis de rétablir l'empire pour son propre compte (1915-1916). La Chine sombre dans l'anarchie, partagée entre les généraux qui détiennent le pouvoir dans les provinces, les « *Seigneurs de la guerre* ». Sun Yat-sen s'établit à Canton à la tête d'un gouvernement local.

LE JAPON

Le Japon, qui avait connu avec l'arrivée des premiers Européens un début de christianisation (mission de saint François-Xavier) s'est fermé au XVIIᵉ siècle aux influences européennes. Jugé subversif (on lui attribue la responsabilité des révoltes paysannes), le christianisme est vite persécuté, puis interdit (1639). Le comportement brutal et le mépris des usages locaux manifestés par les commerçants européens aboutissent à la fermeture du Japon au commerce européen. En 1641, l'accès aux ports japonais est interdit aux étrangers. Seuls les Chinois et les Hollandais sont autorisés à fréquenter le port de Nagasaki.

Néanmoins, le Japon assimile certains progrès techniques : usage des armes à feu, techniques de navigation. Au XVIIIe siècle, les *« études hollandaises »* sont autorisées, en médecine notamment, à partir d'ouvrages hollandais traduits en japonais.

Interventions européennes

Au milieu du XIXe siècle, les puissances européennes vont, comme en Chine, entreprendre de se faire ouvrir le marché japonais. Ici, l'initiative vient des Etats-Unis, qui ont acquis en 1848, avec la Californie, une façade sur le Pacifique, et entendent y jouer un rôle commercial.

En 1854, ils envoient une escadre menacer Edo (aujourd'hui Tokyo), siège du gouvernement du shogun. Ils obtiennent l'ouverture de deux ports, et les autres puissances occidentales obtiennent au cours des années qui suivent des avantages analogues.

Le comportement brutal des étrangers, qui, au moindre incident, envoient leurs canonnières bombarder les ports, le bouleversement économique résultant de leur intrusion (bouleversement des marchés, hausse vertigineuse des prix) débouchent sur un profond mécontentement populaire.

Mécontentement et humiliation rejaillissent sur le gouvernement du shogun ; ils suscitent une volonté d'indépendance et de modernisation, pour donner au Japon les moyens de résister aux puissances étrangères et de rivaliser avec elles. Les modernistes vont miser sur l'empereur, le Mikado, relégué depuis le XIIe siècle dans son palais de Kyoto.

Le Meiji

La guerre civile engagée en 1867 se termine en 1868 par le retour au pouvoir de l'empereur et l'élimination du shogun. C'est le début de l'*« ère du Meiji »* (= *l'ère des lumières*), nom qui va être donné au règne de l'empereur Mutsu-Hito.

La révolution conduite par l'empereur et ses conseillers modernistes n'est pas une révolution populaire : c'est une révolution par en haut. La condition du peuple, des paysans en particulier, n'en est pas améliorée.

L'empereur s'établit à Edo, qui prend le nom de Tokyo. La féodalité des *daïmios* qui se partageaient les provinces avec des pouvoirs régaliens (dont celui de battre monnaie) est supprimée, le pays divisé en préfectures avec des fonctionnaires nommés par le pouvoir central. Une armée moderne est créée, avec le concours de conseillers prussiens. Pour équiper cette armée, des industries modernes sont créées par l'Etat, la première ligne de chemin de fer est ouverte en 1872 ; une monnaie nationale, le *yen*, est instituée, et l'impôt est désormais perçu en monnaie et non plus en nature.

Pour former des cadres, l'instruction primaire obligatoire est instituée en 1872, et des écoles techniques créées. En 1889, une *Constitution* est promulguée, avec deux Chambres, sur le modèle, non pas anglais, mais prussien : il n'y a pas de responsabilité du gouvernement devant les Chambres (le régime n'est pas parlementaire) et les libertés sont étroitement limitées.

A partir de 1880, les industries créées par l'Etat vont être cédées, à très bas prix, au capital privé.

Le Japon avait la particularité de posséder, de longue date, un capital marchand et bancaire très concentré, opérant à l'échelle nationale. Ce sont ces compagnies marchandes et financières qui vont prendre en main ces industries, en constituant d'emblée des conglomérats opérant dans tous les domaines : industries, mines, banques, services.

Certains de ces « *zaïbatsu* », devenues aujourd'hui des « multinationales » ont des origines très anciennes : ainsi, le groupe Mitsui est issu d'une famille de fabricants de saké (alcool de riz) et de prêteurs sur gages devenus banquiers des shoguns, mentionnée dès le XIIᵉ siècle. Cette bourgeoisie financière, associée à l'ancienne aristocratie, recasée dans l'administration, l'armée, et parfois reconvertie dans les affaires, va former la nouvelle classe dirigeante.

Sur le chemin de l'impérialisme

En moins de 25 ans, le Japon devient ainsi une grande puissance, dotée d'une armée et d'une marine de guerre moderne, d'un capital industriel et financier voué à l'expansion.

Presque en même temps que les Etats-Unis et les grandes puissances européennes, le Japon entre dans la voie de l'impérialisme. En 1894-1895, la guerre sino-japonaise lui donne l'île de Taiwan (Formose) ; la guerre russo-japonaise (1904-1905) lui donne la base de Port-Arthur en Chine, le sud de l'île de Sakhaline, et le champ libre en Corée, occupée et placée sous protectorat japonais en 1906, annexée en 1910.

Entré en guerre aux côtés des Alliés lors de la Première Guerre mondiale, le Japon s'approprie la base allemande de Kiao-Tcheou en Chine, et les archipels allemands de Micronésie (îles Mariannes, îles Carolines, îles Marshall) dans le Pacifique.

L'AFRIQUE NOIRE : DE LA « TRAITE »
À LA « TROQUE » — LA CONQUÊTE COLONIALE

A lors que la découverte de l'Amérique avait été suivie d'une pénétration et d'une conquête en profondeur, l'Afrique, dont les côtes ont été reconnues par les Portugais dès le XVe siècles, reste fermée à la pénétration européenne. Les quelques tentatives de pénétration faites par les Portugais aux XVIe et XVIIe siècle n'auront pas de suite. En effet, à partir de la seconde moitié du XVIIe siècle, le principal commerce européen sur les côtes africaines devient celui des esclaves. Cette « traite » des esclaves est surtout atlantique ; elle a pour but de fournir en main-d'œuvre les plantations tropicales d'Amérique (Antilles, Brésil, sud des Etats-Unis). Accessoirement, au XVIIIe siècle, le modèle de la plantation esclavagiste va s'étendre aux îles Mascareignes (île Bourbon — la Réunion — et île de France — Maurice —,) dans l'océan Indien.

Conséquences de la traite

Combien d'esclaves africains furent-ils déportés vers l'Amérique ? Les évaluations des historiens, pour la seule traite transatlantique et pour trois siècles et demi environ (de 1500 à 1860), varient entre 10 et 20 millions d'individus. Ce fut, avant l'immigration européenne du XIXᵉ siècle vers l'Amérique, la plus grande migration de l'histoire, mais une migration forcée.

Combien d'hommes l'Afrique a-t-elle perdus du fait de la traite ? Si l'on prend en compte les pertes humaines liées à la traite (morts au cours des razzias esclavagistes, au cours des transports — à pied — des lieux de capture aux points d'embarquement du littoral, morts en mer), le montant du prélèvement humain serait à multiplier par un coefficient que nous sommes dans l'impossibilité de calculer.

Ce commerce fut, pour l'Afrique, entièrement négatif. Il n'apporta de « modernisation » aux aristocraties du littoral que sous forme de produits de consommation (tissus, quincaillerie, alcools, tabac, poudre et armes à feu). Les Etats littoraux, bénéficiaires de la traite, s'employèrent à consolider leur monopole en empêchant tout contact direct entre les Européens et les peuples de l'intérieur. Jusqu'au début du XIXᵉ siècle, les Européens s'en accommodèrent.

Le développement de la traite, en détournant vers le littoral les courants commerciaux (or et esclaves) transsahariens, va ruiner les Etats de l'intérieur bénéficiaires de ce commerce (Mali, Empire de Gao). De nouveaux Etats, d'extension plus limitée, se créent sur la côte tirant leurs ressources de la traite et consolidant leur monopole par la possession d'armes à feu : royaumes wolof du Sénégal, royaume achanti, Dahomey.

La troque

Au tournant des XVIIIᵉ et XIXᵉ siècles, l'interdiction de la traite, puis l'abolition progressive de l'esclavage en Amérique, vont avoir pour effet la substitution, à la traite des esclaves, du « *commerce légitime* », celui des produits locaux — huile de palme, arachide, gomme. La « *troque* » (c'est le nom de ce commerce qui se fait par échange, sans monnaie) remplace la « traite ».

443

En même temps, l'Europe commence à s'intéresser à un accès direct aux marchés intérieurs de l'Afrique. C'est l'ère des explorations, qui occupe tout le XIXᵉ siècle, et se termine par l'exploration du bassin du Congo — la dernière « tache blanche » sur les cartes — après 1870.

L'Afrique intérieure est marquée au XVIIIᵉ et au XIXᵉ siècle par l'émergence d'Etats musulmans (Fouta-Djalon en Guinée, Macina dans l'actuel Mali, émirat de Sokoto dans l'actuel Nigeria).

A partir de 1870, la compétition entre puissances européennes, précédemment limitée au littoral, se fait plus vive et atteint son point culminant à la fin du siècle.

La conférence de Berlin

La conférence de Berlin (1884-1885) réunit, à l'initiative de Bismarck et du ministre français des Affaires étrangères Jules Ferry, les puissances européennes ainsi que l'Empire ottoman et les Etats-Unis.

Elle avait pour objet, non de partager l'Afrique, mais au contraire d'y maintenir au maximum des zones de libre-échange menacées par les appropriations. Elle contribua dans les faits au partage de l'Afrique, d'abord en posant le principe du droit des puissances européennes à disposer des territoires africains, ensuite en consacrant, au profit du roi des Belges, la création d'un *« Etat indépendant du Congo »* (qui deviendra plus tard le Congo belge), présenté par son créateur comme devant être ouvert à tous. Le partage définitif s'effectua plus tard, dans les années 1890.

La France s'appropria un très vaste territoire, unissant à travers le Sahara ses possessions d'Afrique occidentale et d'Afrique équatoriale à l'Algérie. Mais ces espaces étaient en grande partie désertiques, et l'ensemble était moins peuplé que les « enclaves » côtières anglaises.

En Afrique du Sud, la création des colonies de Rhodésie (du Nord et du Sud : aujourd'hui Zambie et Zimbabwe) fera échec à l'intention du Portugal de réunir ses deux colonies d'Angola et de

Mozambique où son implantation littorale remontait aux XVᵉ et XVIᵉ siècles.

Nous avons vu précédemment comment l'Angleterre annexa les Républiques boers.

L'Allemagne, tard venue, s'appropria quatre territoires dispersés : Togo, Cameroun — sur la côte de Guinée —, Sud-Ouest africain — aujourd'hui Namibie — en Afrique australe, Est africain allemand (aujourd'hui Tanzanie, pour l'essentiel).

AFRIQUE DU NORD ET CORNE DE L'AFRIQUE

Nous ne reviendrons pas sur la conquête française de l'Algérie et sur l'implantation britannique en Egypte. La Tunisie sera placée sous protectorat français en 1881 ; le Maroc, seulement en 1912, une partie étant sous protectorat espagnol (le Rif) et une partie sous administration internationale (Tanger). L'intervention française au Maroc, en 1911, avait provoqué une riposte allemande (incident d'Agadir) et l'on avait craint la guerre : l'Allemagne laissa finalement les mains libres à la France au Maroc, contre la cession d'une partie de l'Afrique équatoriale, annexée à sa colonie du Cameroun.

Toujours en 1912, l'Italie, à l'issue d'une guerre italo-turque, s'empara de la Libye.

Le Soudan (Haut-Nil), possession égyptienne, avait connu au milieu du XIXᵉ siècle un développement nouveau de l'exploitation esclavagiste, avec pour objectif la recherche de l'ivoire (dont les chefs africains avaient des réserves), matière première demandée par le marché européen (boules de billard, touches de piano, manches de couteau, bijouterie). Les esclaves razziés servaient de porteurs, et s'ils survivaient, étaient vendus pour travailler dans les plantations de girofliers de l'île de Zanzibar ou dans les pays arabes.

De 1881 à 1898, une révolte à la fois nationale et religieuse émancipa le Soudan de l'autorité égyptienne et de ses conseillers européens. Son chef s'était proclamé le « *Mahdi* », le dernier prophète annoncé par le Coran. La révolte mahdiste donna au Soudan une indépendance de fait pendant dix-huit ans. En 1898, la mission de reconquête de l'Anglais Kitchener se heurta à Fachoda à la mission française Marchand, qui tentait de relier les possessions françaises d'Afrique équatoriale à Djibouti. On craignit une guerre : la France céda la place et, pour ménager les susceptibilités égyptiennes, le Soudan devint un *« condominium »* anglo-égyptien. Mais le Soudan anglo-égyptien fut, en fait, une colonie anglaise.

Dans la « corne de l'Afrique » (le promontoire par lequel l'Afrique s'avance dans l'océan Indien), Français (à Obock et Djibouti), Anglais (à Zeila et Berbera), Italiens en Erythrée (sur la mer Rouge) et en Somalie (sur l'océan Indien) s'étaient établis.

Dans l'intérieur, l'Ethiopie restait indépendante. Le négus (empereur) Ménélik Ier avait reconstitué l'unité du pays à son profit, et l'avait agrandi au sud et à l'est.

Les Italiens avaient jeté leur dévolu sur l'Ethiopie. Mais lorsqu'ils voulurent la conquérir, ils subirent à Adoua, en 1896, une défaite cuisante, désastre qui les amena à renoncer à cette conquête. Au début du XXe siècle, l'Ethiopie restait le seul Etat indépendant d'Afrique avec le Liberia, création américaine sur la côte de l'Afrique de l'Ouest, entre les mains d'anciens esclaves américains rapatriés, officiellement indépendant, en fait sous tutelle américaine.

DU XIXᵉ AU XXᵉ SIÈCLE

La France sous la IIIᵉ République (1870-1914)

La Troisième République prend fin en 1940. Nous en étudions ici la première partie, jusqu'à la Première Guerre mondiale.

LA GUERRE FRANCO-ALLEMANDE DE 1870-1871

Nous en avons vu les origines. Aussitôt connu le désastre de Sedan (capitulation des principales forces armées avec l'empereur à leur tête, fait prisonnier), la République fut proclamée à Paris.

Un gouvernement de la Défense nationale est formé à Paris, constitué de modérés, avec pour président un monarchiste, le général Trochu. La droite, la grande bourgeoisie, est pour la paix immédiate. Les républicains, surtout les plus avancés, ceux de la capitale dont beaucoup se réclament du socialisme, sont pour la résistance à outrance, en s'appuyant sur le peuple, comme en 1792. On fait appel aux volontaires qui forment la *« garde mobile »* ; on reconstitue la garde nationale, mais ouverte à tous, à Paris notamment, aux francs-tireurs sur les arrières de l'armée ennemie. Le conflit entre les deux courants devient aigu lorsque l'armée prussienne atteint Paris, qui est assiégé et connaît la famine. La résistance y durera encore six mois.

Gambetta, délégué du gouvernement, a quitté Paris en aérostat et rejoint Tours, d'où il dirige la résistance sur l'ensemble du territoire national. Mais Trochu et de nombreux officiers supérieurs sont défaitistes. A Metz, Bazaine, ancien chef du corps expéditionnaire français au Mexique, assiégé, capitule avec 150 000 hommes.

L'armistice est signé le 28 janvier 1871. Avec l'agrément des occupants allemands, une Assemblée nationale est élue au suffrage universel. Sa majorité est royaliste et favorable à la paix. Elle accepte le *traité de Francfort* (10 mai 1871). Ce traité impose la cession à l'Allemagne de l'Alsace-Lorraine (l'Alsace moins Belfort, une fraction de la Lorraine avec Metz), sans consultation des populations ; la France devra verser une indemnité de guerre de 5 milliards, et ne sera évacuée que progressivement, en fonction du paiement de l'indemnité.

LA COMMUNE DE PARIS
(18 MARS - 27 MAI 1871)
——

Durant le siège de Paris, la défense a été assurée par la garde nationale — le peuple de Paris armé. Elle s'est dotée de canons, achetés par souscription. Le peuple parisien considère l'armistice comme une trahison ; le gouvernement issu de l'Assemblée nationale et présidé par Adolphe Thiers s'est installé avec l'Assemblée à Versailles. Il se fixe pour but de mater les Parisiens, et d'abord de les désarmer. C'est une tentative faite par l'armée de Versailles pour s'emparer, à Montmartre où ils ont été entreposés, des canons de la garde nationale, qui ouvre le conflit : les soldats refusent d'ouvrir le feu sur les gardes nationaux, et les généraux qui avaient ordonné le feu sont fusillés. L'armée et l'administration quittent Paris, qui reste aux mains de la garde nationale, dirigée par un *Comité central* ; un *Conseil général de la commune de Paris* est élu le 26 mars.

La « *Commune* » de Paris prend une série de mesures révolutionnaires et appelle la province à la soutenir, mais en vain : il y aura en province quatorze « communes », très vite écrasées. Grâce aux prisonniers libérés par Bismarck, Thiers entreprend à partir du 21 mai la reconquête de Paris. Les « fédérés » (les gardes nationaux) dressent des barricades qui sont enlevées l'une après l'autre. Dans leur retraite, les fédérés incendient le palais des Tuileries et l'Hôtel de Ville. Le 28 mai, terme de la « *semaine sanglante* », la dernière barricade tombe près du

449

cimetière du Père Lachaise, et les combattants survivants sont fusillés contre le *« mur des Fédérés »*. Outre les morts dans les combats, des milliers de *« suspects »* sont fusillés sur place. Le nombre des morts est difficile à déterminer : officiellement, 17 000 morts. Il y aura 38 000 arrestations, 13 000 condamnés, 7 500 déportations en Nouvelle-Calédonie.

Pour Marx et ses disciples, la Commune de Paris serait la première révolution prolétarienne de l'histoire. Pour d'autres, elle serait le dernier avatar des *« journées révolutionnaires »* dans la tradition de 1793, moins prolétarienne que petite-bourgeoise, patriotique, républicaine dans la tradition jacobine. La réalité est sans doute qu'elle procède des deux.

LA LIBÉRATION DU TERRITOIRE, LES LOIS CONSTITUTIONNELLES DE 1875, L'ÉCHEC DE LA RESTAURATION MONARCHIQUE

Thiers, président de la République *« en attendant l'établissement des institutions définitives du pays »*, réussit, avec deux ans d'avance (par un emprunt), à payer l'indemnité de guerre et à obtenir l'évacuation des troupes allemandes dès 1873. Monarchiste, il a pris goût au pouvoir et devient républicain par ambition. L'Assemblée le destitue et le remplace par un monarchiste sûr, le maréchal de Mac-Mahon.

L'Assemblée veut restaurer la monarchie. Mais les royalistes sont divisés entre *légitimistes*, partisans du comte de Chambord (petit-fils de Charles X) et *orléanistes*, partisans du comte de Paris, petit-fils de Louis-Philippe. On croit la solution trouvée par la « fusion » de 1873 : le comte de Chambord, qui n'a pas d'enfants, reconnaît le comte de Paris comme son héritier ; ils régneront l'un après l'autre. Mais le comte de Chambord refuse d'abandonner le drapeau blanc des Bourbons pour le drapeau tricolore. La haine de l'Ancien Régime est telle en France que l'idée de hisser le drapeau blanc paraît impossible. On adopte donc une solution d'attente : les pouvoirs de Mac-Mahon sont renouvelés pour sept ans ; on attendra la mort du comte de Chambord pour proclamer roi le comte de Paris.

L'organisation politique

L'Assemblée nationale, qui dispose des pouvoirs constituants, vote une série de lois constitutionnelles désignées parfois sous le nom de « *Constitution de 1875* ». Elles mettent en place des institutions très conservatrices, adaptées à une future monarchie constitutionnelle.

Le pouvoir législatif est attribué à deux Chambres, une *Chambre des députés* élue pour quatre ans au suffrage universel ; un *Sénat* de 300 membres, dont 75 nommés à vie, les autres élus au suffrage indirect par des délégués des conseils municipaux, de telle manière que la représentation des petites communes rurales y soit majorée et que, de ce fait, l'orientation des élus soit nettement plus à droite que la représentation élue au suffrage universel et direct. Les sénateurs doivent avoir plus de quarante ans. Ces deux Chambres, siégeant ensemble à Versailles en *Assemblée nationale*, élisent le président pour sept ans et disposent du pouvoir constituant. Initialement, le mot de « république » ne figurait pas. Le vote, à une voix de majorité, de l'« *amendement Wallon* » spécifiant « *Le Président de la République est élu pour sept ans* » fit apparaître le mot, à la faveur de l'absence de quelques députés monarchistes.

L'Assemblée nationale se sépara à la fin de 1875. Les élections qui suivirent, en 1876, donnèrent à la Chambre des députés une nette majorité aux républicains. Mac-Mahon décida la dissolution de la Chambre, et fit procéder à de nouvelles élections qui, malgré les pressions administratives, maintinrent une majorité républicaine. Mac-Mahon dut s'incliner et démissionna en 1879.

LES RÉPUBLICAINS MODÉRÉS AU POUVOIR :
LES GRANDES LOIS RÉPUBLICAINES

———

Les républicains au pouvoir sont des modérés : l'aile gauche des républicains, constituée par les « radicaux », est minoritaire. Hostiles à l'« establishment » traditionnel (aristocratie, vieille bourgeoisie) qui est royaliste, ils s'appuient sur les « couches nouvelles » — affairistes, « nouveaux riches » — et, à la base, sur les milieux ruraux.

Ils font voter toute une série de grandes lois démocratiques : *liberté de réunion* et *liberté de la presse* (1881), *liberté syndicale* (1888), *libertés municipales* (loi de 1884 : conseil municipal élu au suffrage universel, maire élu par le conseil), *liberté d'association* (loi de 1901). Une série de *lois scolaires*, auxquelles est associé le nom de Jules Ferry, organisent l'enseignement primaire gratuit, obligatoire et laïque. Le nom de Jules Ferry est aussi associé à la politique coloniale dont il fut un des promoteurs.

Cependant, l'affairisme commence à faire des ravages et les conservateurs profitent de l'indignation qui en résulte pour tenter un coup de force en mettant en avant un général populaire, le général Boulanger (1881-1889). C'est un échec. Le scandale de Panama (1892-1893) ouvre une nouvelle crise : pour obtenir l'autorisation d'un emprunt à lots (qui exige le vote d'une loi), Ferdinand de Lesseps, qui, après avoir réalisé avec succès le canal de Suez, s'est lancé dans la construction du canal de Panama, a « arrosé » ministres et députés. Mais la construction du canal se heurte à des difficultés imprévues et la compagnie créée par Lesseps fait faillite, ruinant de nombreux épargnants. La construction du canal sera reprise et achevée par les Américains.

L'affaire Dreyfus

Nouvelle crise avec l'« *affaire Dreyfus* », ouverte en 1894, mais qui agitera l'opinion de 1898 à 1906. Officier d'Etat-Major, le capitaine Dreyfus, issu d'une famille juive alsacienne, est accusé d'espionnage au profit de l'Allemagne, condamné et envoyé au bagne. Le vrai coupable est un aristocrate d'origine hongroise, le commandant Esterhazy, joueur et décavé.

Par esprit de caste et antisémitisme, l'Etat-Major fait condamner Dreyfus ; en l'absence de preuves, un membre de l'Etat-Major, pour convaincre les juges militaires, forge un « faux patriotique ». L'écrivain Emile Zola, dans une lettre ouverte au président de la République, sous le titre *« J'accuse »*, dénonce l'injustice. La France se divise en *« dreyfusards »* — partisans de Dreyfus — gens de gauche, universitaires, qui fondent la *Ligue des droits de l'homme »*, et *« antidreyfusards »* — adversaires de Dreyfus — toute la droite, les royalistes, les catholiques. Dreyfus sera gracié en 1899, réhabilité et réintégré dans l'armée en 1906.

LES RADICAUX AU POUVOIR

Les radicaux, associés à quelques socialistes dans un *« bloc des gauches »*, remportent les élections de 1902.

Déjà sous les républicains modérés, le conflit avait été aigu (notamment à propos des lois scolaires) entre les républicains et les catholiques. Cependant, dès 1890, le pape Léon XIII (position confirmée dans une encyclique de 1892) appelle les catholiques au *« ralliement »* à la République, soulignant que les catholiques doivent se soumettre au gouvernement établi.

Mais la compromission du clergé dans l'affaire Dreyfus avait excité les passions anticléricales. Suite à un incident entre le Saint-Siège et le gouvernement français à propos de la nomination d'évêques, le parlement vote en 1905 la *loi de séparation de l'Eglise et de l'Etat*. Le concordat est aboli ; le clergé n'est plus rétribué par l'Etat, mais désormais les évêques sont désignés par le pape, sans interférence du pouvoir politique.

Relèvement du socialisme

Le socialisme, saigné par la répression de la Commune, se relève peu à peu. La participation d'un socialiste, Alexandre Millerand, à un gouvernement présidé par Waldeck-Rousseau, républicain modéré, où siège également le général de Galliffet, un des bourreaux de la Commune, soulève les protestations de la majorité des socialistes, hostiles à la « *participation* » ministérielle.

Les socialistes sont divisés en de nombreux courants et chapelles. En 1904, le congrès de l'Internationale socialiste (IIe Internationale, créée en 1889) réuni à Amsterdam, condamne le « *ministérialisme* » (la participation de socialistes à des gouvernements bourgeois). Il obtient qu'en 1905, les deux principaux partis socialistes, le Parti socialiste de France, qui réunit les marxistes et les blanquistes avec Jules Guesde et Edouard Vaillant, et le Parti socialiste français de Jean Jaurès fusionnent pour former le Parti socialiste unifié.

Les progrès du syndicalisme

Le syndicalisme progresse de son côté et s'organise. Les « *anarcho-syndicalistes* », qui prônent la grève générale révolutionnaire et la méfiance à l'égard des partis politiques, l'emportent sur les « *réformistes* » liés au parti socialiste. Créée en 1895, la Confédération générale du travail (C.G.T.) adopte à son congrès de 1906 la « *charte d'Amiens* » qui affirme l'indépendance du syndicalisme à l'égard des partis politiques, mais s'assigne comme but la destruction du capitalisme et l'établissement du socialisme.

Les radicaux, de leur côté, sont de plus en plus gagnés, comme naguère les républicains modérés, par l'affairisme ; ils s'alignent sur eux en matière de politique coloniale et de répression anti-ouvrière.

La manifestation du 1er mai 1906, pour la journée de huit heures, est interdite, et les dirigeants syndicaux poursuivis.

En 1907, face à une vague de grèves, Clemenceau emploie la manière forte (licenciements, envoi de l'armée). La même année, on assiste à un véritable soulèvement des viticulteurs du Midi languedocien contre l'effondrement des prix du vin. A Béziers, le 17e régiment de ligne, formé de conscrits locaux, refuse de tirer sur les manifestants. Finalement, le mouvement sera circonscrit par Clemenceau. Après lui, Aristide Briand, ancien socialiste, brise la grève des cheminots de 1910.

La division des gauches fait accéder en 1912 au gouvernement un homme de droite, avocat-conseil des patrons sidérurgistes de Lorraine, Raymond Poincaré. Face à la menace allemande, et en invoquant la dénatalité qui réduit le nombre des conscrits, il fait voter une loi portant le service militaire à trois ans.

Les élections de 1914 rendent la majorité aux radicaux.

Sciences, techniques, mouvement des idées du XIXᵉ au XXᵉ siècle

LES TECHNIQUES

Le XIXᵉ et le XXᵉ siècle ont été marqués par un progrès vertigineux des sciences et des techniques, qui tend à s'accélérer.

Ce progrès se traduit, tant dans les techniques de production que dans la vie quotidienne, par des bouleversements sans équivalent au cours des siècles précédents.

Ce qui pose problème, c'est que les bénéfices de ces progrès ne sont accessibles qu'à une très petite partie de l'humanité, en gros la population des pays « riches » (ou du « Nord ») — et encore, dans ces pays mêmes, à l'exception d'une minorité croissante d'« exclus » (sans travail, sans domicile fixe). Dans la population du « Sud », seule une très petite minorité de nantis bénéficie de ces progrès.

La « *Révolution industrielle* » inaugurée en Angleterre dès la fin du XVIIIᵉ siècle, développée au XIXᵉ siècle, reposait sur quelques éléments conjoints : l'utilisation comme source d'énergie de la machine à vapeur, permettant la mécanisation des processus de production, en premier lieu de l'industrie textile, multipliant la productivité du travail (un ouvrier produisant autant que 10, 50, 100, dans l'artisanat ancien) ; le développement de la métallurgie (fer, fonte, acier), le fer étant utilisé de plus en plus dans la fabrication des machines ; le développement de l'extraction de la houille, combustible des machines à vapeur et matière première dans la production de la fonte et de l'acier.

Elle a des conséquences économiques et sociales : le développement du capitalisme industriel (le capitalisme antérieur était surtout commercial et financier), la naissance d'une classe ouvrière formée de salariés, libérés des dépendances féodales mais privés de tout moyen d'existence autonome (ce qu'avait le petit producteur artisanal ou paysan) et obligés de s'engager comme salariés dans les usines. Les théoriciens socialistes la désigneront par le terme emprunté au latin (et au demeurant impropre) de *« prolétariat »*.

Le XIXe siècle voit l'application de la machine à vapeur aux transports : chemins de fer — le premier en Grande-Bretagne en 1825, en France, en 1837 —, navigation à vapeur (1806), facilitée par le remplacement des roues à aube par des hélices (brevet déposé en 1832), mais qui ne l'emportera définitivement sur la navigation à voiles dans les transports maritimes qu'au début du XXe siècle.

Les communications

La Révolution française avait vu la mise en place du *télégraphe optique* des frères Chappe, — des sémaphores installés sur des hauteurs, transmettant à vue des messages de proche en proche. Le *télégraphe électrique*, où des impulsions électriques servant de base à un langage codé sont transmises par un câble, est inventé dès 1844 par l'américain Morse. Le premier câble sous-marin Calais-Douvres est posé en 1860, le premier câble transatlantique en 1865. Le *téléphone*, qui permet la transmission par câble de la voix humaine, est inventé en 1876 par Graham Bell, et se répand dans les grandes villes dès la fin du XIXe siècle. La *machine à écrire*, qui va éliminer le travail fastidieux des copistes et des « commis expéditionnaires », se répand dans la même période. De même le *phonographe*, et la *« télégraphie sans fil »* (T.S.F.) ou *radiophonie*, qui transmet par ondes hertziennes, d'abord des impulsions électriques (comme le télégraphe), puis la voix humaine. L'écoute des stations radiophoniques émettrices se répand entre les deux guerres mondiales et joue un rôle politique considérable : dans les pays fascistes, écoute obligatoire des discours de Hitler et de Mussolini ; rôle de *« Radio-Londres »* (la B.B.C.) dans la Résistance en France. L'invention du *transistor* (1948, vulgarisé à la fin des années 50), remplaçant les lampes et permettant d'utiliser des postes radio mobiles sur piles, va répandre l'écoute de la radio dans les pays sans électricité (rôle politique dans les mouvements de décolonisation). A peu près à la même époque (fin des années 50 du XXᵉ siècle) se répand l'usage du *magnétophone*, qui relaie le disque du phonographe en reproduisant le son par enregistrement sur une bande aimantée. La *« bande vidéo »*, utilisée pour la reproduction simultanée de l'image et du son, est utilisée par la télévision (voir plus loin) et par les particuliers grâce au *magnétoscope* (premières bandes vidéo éditées en France en 1971). Depuis le début des années 80, le *disque compact* (C.D.) à enregistrement numérique a remplacé le disque gravé sur matière plastique (microsillon abandonné en 1993). Le CD-Rom (*Read Only Memory*) audio-visuel (1985) commence à se répandre.

La *photographie* est inventée par Niepce et Daguerre en 1829, et son usage se répand à partir de 1840. Le *cinématographe* (en abrégé *cinéma*) apparaît en 1895 et se répand au début du XXᵉ siècle. D'abord muet et en noir et blanc, le cinéma devient sonore et parlant à la fin des années 20, en couleurs peu avant la Deuxième Guerre mondiale, pour éliminer le noir et blanc dans les années 60. La *télévision*, qui transmet sur écran les images accompagnées du son, apparaît en France comme expérience pionnière en 1938, mais ne se généralise que dans les années 60, désormais en couleurs.

La deuxième révolution industrielle

L'utilisation du *gaz* obtenu par distillation de la houille, aujourd'hui relayé par le *gaz naturel*, apparaît à Paris en 1820 pour l'éclairage public, puis, dans la seconde moitié du XIXᵉ siècle pour l'éclairage privé, relayé dès le début du XXᵉ siècle par l'éclairage électrique, mais toujours utilisé pour le chauffage et la cuisine.

Le dernier quart du XIXᵉ siècle est marqué par ce que l'on appelle parfois la *« deuxième révolution industrielle »* (terme impropre, parce qu'il ne s'accompagne pas des bouleversements techniques, économiques et sociaux de la révolution industrielle proprement dite).

Cette nouvelle mutation comporte divers éléments.

Dans le domaine de l'énergie, c'est la possibilité de transformer l'énergie mécanique en énergie électrique, et réciproquement grâce à la machine Gramme (du nom de son inventeur belge) ou machine dynamo-électrique (1860). Le courant électrique pouvant être transporté à distance par câble, l'énergie se trouve disponible partout où est installé un réseau de distribution. La production électrique est *thermique* (fournie par une machine à vapeur alimentée en charbon ou au fuel) ou *hydraulique*. En 1964, la production d'électricité en France se trouvait à peu près partagée entre les deux. En 1994, la production d'énergie électrique en France est fournie à 75,2 % par le *nucléaire* (forme du thermique), à 17,7 % par l'hydraulique et à 5,3 % par le thermique classique.

L'usage des *produits pétroliers* a révolutionné les transports avec l'apparition à la fin du XIXe siècle de l'*automobile* utilisant le moteur à explosion. Le moteur Diesel (du nom de son inventeur allemand) est utilisé par l'automobile (surtout pour les poids lourds) et a remplacé la vapeur dans la navigation et les chemins de fer, ici en concurrence avec la traction électrique.

En France, la voiture à chevaux achève de disparaître au profit de l'automobile à la veille de la Deuxième Guerre mondiale. Dans l'agriculture, c'est seulement dans les années 50 et 60 que le *tracteur* élimine la traction animale (chevaline ou bovine).

Née dans les premières années du XXe siècle, l'*aviation* (à hélice, puis après la Deuxième Guerre mondiale, à réaction) utilise également les carburants pétroliers.

Le troisième élément de la *« deuxième révolution industrielle »* réside dans l'essor de l'*industrie chimique*, à partir de 1860 : colorants (à l'aniline, à partir de la houille), engrais, explosifs, produits pharmaceutiques ; production de soude (procédé Solvay, 1864) ; métallurgie de l'aluminium (par électrolyse, 1886) ; synthèse de l'acide sulfurique (1900) ; synthèse de l'ammoniac à partir de l'hydrogène et d'azote atmosphérique (procédé Haber, 1914). L'utilisation des matières plastiques et de synthèse apparaît dans les années 20 (« soie artificielle » ou rayonne), mais se développe surtout après la Deuxième Guerre mondiale (invention du nylon) et se diversifie et s'étend dans les années 60, réduisant considérablement l'usage des métaux, et surtout de l'acier, dans de nombreux usages (emballages, articles ménagers, etc.).

Progrès de la médecine

En médecine, les découvertes de Louis Pasteur (1822-1895), faites à la fin du XIXᵉ siècle, ont eu une portée immense. Il découvre dans les années 1870 l'origine microbienne (ou virale) des maladies infectieuses ; il rend la chirurgie plus efficace par l'*antisepsie* (destruction des microbes) et surtout l'*asepsie* (absence de microbes par passage des instruments et accessoires chirurgicaux à l'autoclave). Il donne une interprétation scientifique de la vaccination (pratiquée empiriquement depuis le fin du XVIIIᵉ siècle contre la variole) : l'injection de germes atténués de la maladie immunise contre celle-ci. Il étend la pratique de la vaccination à d'autres maladies (charbon des ovins, rage en 1884). Ses élèves élaboreront d'autres vaccins. Les infections sont combattues plus efficacement par les sulfamides (1938), puis par les antibiotiques (premier usage de la pénicilline : 1943, aux Etats-Unis).

Aujourd'hui, les progrès de la *biologie moléculaire* et de la *génétique* ouvrent de nouvelles et immenses perspectives à la médecine, tout comme les progrès dans les méthodes d'investigation (rayons X au début du siècle, aujourd'hui échographie, scanner, résonance magnétique nucléaire — R.M.N.).

La variole a disparu de la planète depuis 1977. Mais l'humanité n'est pas à l'abri de maladies nouvelles (virus du SIDA).

La conquête de l'espace

La conquête de l'espace, inaugurée en 1957 par le vol du Spoutnik soviétique, premier satellite artificiel de la terre, s'est poursuivie par la mise en orbite de satellites habités. Les sondes interplanétaires ont permis à l'homme d'aller sur la Lune (Apollo 11, américain, en 1969), et surtout, par engins interposés, d'explorer non seulement la Lune (dont nous ne connaissions qu'une face, toujours la même, qui est tournée vers la Terre) mais les planètes les plus proches, Mars et Vénus. Les engins américains Pioneer 10 et 11, lancés en 1972 et 1973, ont permis l'approche visuelle des planètes lointaines (Jupiter, Saturne, Uranus et Neptune) et de leurs satellites entre 1973 et 1989. Loin d'être purement gratuite, l'utilisation des satellites artificiels a débouché sur d'innombrables applications pratiques : exploration et inventaire des ressources naturelles, cartographie, météorologie, télécommunications, etc.

Enfin, l'*électronique* et l'*informatique* sont à l'origine d'une révolution scientifique et technique sans précédent, largement en cours, et dont il est difficile d'imaginer toutes les conséquences.

LES SCIENCES DE LA NATURE
PREMIÈRE MOITIÉ DU XIXᵉ SIÈCLE

Le XVIIIᵉ siècle avait vu le triomphe de la *physique mécanique*, étroitement liée aux progrès des *mathématiques*. L'œuvre de Laplace, la *Mécanique céleste* (parue de 1799 à 1825), en est une des expressions les plus caractéristiques. La découverte en 1846 de la planète Neptune, par Le Verrier, en recourant exclusivement au calcul, en illustre les possibilités.

Sadi Carnot (fils du conventionnel) (1796-1832) établit le principe qui porte son nom et selon lequel un système matériel tend toujours à l'équilibre des températures. L'Anglais Joule, l'Allemand Helmholtz énonceront sur sa lancée le *principe de la conservation de l'énergie*.

Fresnel rénove l'optique en montrant que les phénomènes lumineux se propagent par ondes.

L'Italien Volta invente vers 1800 la *pile électrique*. En 1820, le Danois Oersted constate qu'un courant électrique dérive une aiguille aimantée : Ampère et Arago développent la théorie

461

de l'*électromagnétisme* et Faraday étudie les phénomènes d'induction.

La fin du XVIIIe siècle avait vu la naissance de la chimie moderne avec Lavoisier (1743-1794) qui établit le *principe de la conservation de la matière* (« *Rien ne se perd, rien ne se crée* ») et établit les bases de la nomenclature chimique (éléments) toujours en usage.

La première moitié du XIXe siècle est marquée par le développement de la *chimie organique* : Wohler réalise en 1829 la première synthèse d'un corps organique, l'urée.

Dans les Sciences naturelles, le XVIIIe siècle avait enregistré, avec le Suédois Linné, l'établissement d'un *système général de classification des plantes*, point de départ de la classification toujours en usage des êtres vivants (systématique), même si les critères de classement ont évolué.

Au début du XIXe siècle, Cuvier crée la *paléontologie* (étude des espèces disparues à partir des fossiles). Cuvier est encore « *fixiste* », c'est-à-dire qu'au nom du principe biblique de la création, il rejette l'idée d'une évolution des espèces et attribue la disparition des espèces fossiles à des cataclysmes. L'idée d'évolution apparaît au contraire chez Larmarck et Geoffroy Saint-Hilaire. L'anglais Lyell, dans ses *Principes de géologie*, appuie cette thèse en montrant que les périodes de l'histoire de la Terre sont reliées par une évolution continue.

Le grand bouleversement vient de Darwin (*De l'origine des espèces au moyen de la sélection naturelle* : 1859) qui affirme l'évolution et la transformation des espèces (*transformisme*) par le jeu de la sélection naturelle. Il intègre l'homme dans le règne animal.

SECONDE MOITIÉ DU XIXe SIÈCLE ET XXe SIÈCLE

A la fin du XIXe siècle, la découverte des rayons X (1895), de la *radioactivité* (Becquerel : 1896), puis du premier élément radioactif, le radium (Pierre et Marie Curie : 1898), ouvre une « crise de la physique ».

Au début du XXᵉ siècle, l'élaboration de la *théorie de la relativité* par Einstein et celle de la *théorie des quanta* (Max Planck), qui établit la double nature, à la fois corpusculaire et ondulatoire, des particules élémentaires, remettent en cause la conception de la physique classique héritée de Newton.

La découverte de la radioactivité artificielle (Irène et Frédéric Joliot-Curie, 1934) — création d'isotopes radioactifs de divers éléments stables en les bombardant avec une source radioactive naturelle) — va conduire à la réalisation de deux types de réactions nucléaires : la *fission nucléaire*, qui consiste dans la rupture d'un noyau lourd en deux noyaux plus légers) et la *fusion nucléaire*, qui consiste au contraire dans la fusion de noyaux légers en un noyau plus lourd. Ces transmutations d'éléments (le vieux rêve des alchimistes !) s'accompagnent d'un dégagement considérable d'énergie, surtout dans la fusion. Ces deux processus ont été mis en œuvre en premier lieu à des fins militaires (bombe A et bombe H). La fission a permis aussi la création de centrales nucléaires fournissant de l'électricité. En revanche, la fusion reste non maîtrisée : elle pourrait fournir de grandes quantités d'énergie à très bon marché et de manière « propre ».

Dans les années vingt du XXᵉ siècle, la nature des galaxies comme amas d'étoiles est décelée, et le décalage vers le rouge de la lumière des étoiles lointaines (témoignage d'un éloignement à vitesse croissante en fonction de la distance) va donner naissance à l'idée de l'expansion de l'univers à partir d'une explosion initiale, le *« Big Bang »* (Hubble : 1929). Dans les années 70, cosmologie et physique des particules élémentaires (des atomes et des molécules, on est passé aux quarks) se rejoignent.

En biologie, la découverte des lois de l'hérédité par Mendel (1865), mais dont la portée ne sera redécouverte qu'en 1900, va déboucher sur le développement de la *génétique*, avec la découverte du rôle des chromosomes dans l'hérédité. C'est seulement dans les années 1950 à 1960 que fut découverte la nature des gènes constituant les chromosomes (molécules d'acide désoxyribonucléique — A.D.N.) et le rôle de l'acide ribonucléique

(A.R.N.) comme transmetteur du «programme» contenu dans l'A.D.N. Ces découvertes sont à l'origine de l'essor de la biologie moléculaire, où biologie et chimie se rejoignent. Depuis 1975, le génie génétique (manipulation des gènes) a des applications médicales pour l'homme, et aussi des applications pour l'agriculture et l'élevage, mais pose de redoutables questions éthiques dans son application à l'homme.

PHILOSOPHIE ET SCIENCES SOCIALES

La fin du XVIIIe siècle et le début du XIXe siècle sont marqués par l'œuvre de deux philosophes allemands majeurs : Kant et Hegel. Leur œuvre est principalement consacrée à l'exploration de la pensée logique. Leur inspiration domine la pensée philosophique jusqu'à nos jours. Marx (1818-1883) reprend la dialectique de Hegel dans un sens matérialiste, mais restera jusqu'au milieu du XXe siècle exclu de la pensée philosophique universitaire en raison de son rôle politique.

Dans la seconde moitié du XIXe siècle, les succès de la science, une science qui reste dominée par la pensée rationnelle mécaniste, celle de la physique classique, conduit à l'essor du scientisme sous la forme du positivisme illustré par Auguste Comte. Le positivisme rejette la prétention de la philosophie (plus précisément de la métaphysique) à connaître l'essence des choses et professe vis-à-vis des croyances religieuses l'agnosticisme (l'impossibilité de connaître). Il se manifeste, d'une autre manière, en Angleterre, dans l'utilitarisme de Stuart Mill et l'évolutionnisme de Spencer. Après la Commune, et devant les progrès du socialisme, le positivisme va être combattu comme conduisant à l'athéisme et à l'esprit révolutionnaire. La crise de la physique classique au début du XXe siècle sera invoquée pour proclamer la *«faillite de la science»* et proposer un retour au mysticisme et à la religion.

Sciences sociales et histoire

Au cours du XIXe siècle, les sciences sociales commencent à se dégager de la tutelle de la philosophie.

L'Allemand Bopp (1791-1867) pose les bases de la *linguistique* moderne en créant la grammaire comparée ; il montre la parenté de la plupart des langues européennes (dont le latin et le grec) avec le sanskrit, langue sacrée de l'Inde, et en déduit l'existence d'une grande famille linguistique indo-européenne. La linguistique sera rénovée au début du XXe siècle par les travaux de Saussure (1857-1913) qui donneront naissance à la linguistique structurale, aujourd'hui dépassée par la linguistique générative.

L'*histoire*, sous la Restauration et la monarchie de Juillet, est étroitement associée à la vie politique. Thiers, Mignet, Guizot cherchent à montrer dans l'histoire la nécessaire émergence de la bourgeoisie au détriment de l'Ancien Régime. Jules Michelet, *« historien poète de la patrie »*, joint à l'exaltation du peuple français le souci d'une documentation exacte, puisée dans les archives. Ernest Renan, à la fin du siècle, cherche à dégager l'histoire d'Israël et la naissance du christianisme des présupposés du dogme. Fustel de Coulanges rénove l'histoire de l'Antiquité par un effort d'analyse sociale. L'historien allemand Mommsen rénove l'histoire romaine. L'histoire s'attache, avec Langlois et Seignobos, à la fin du XIXe siècle, à préciser les méthodes et les sources (utilisation critique des documents : archives, textes anciens, archéologie), en restant « événementielle ». D'autres historiens, sous l'influence directe ou indirecte du marxisme (qui, en histoire comme en philosophie, reste hors du champ des universitaires), s'attachent à mettre en valeur les facteurs sociaux (Mathiez, Lefebvre, Soboul, dans l'histoire de la Révolution française) ou les facteurs économiques (Lucien Febvre et Marc Bloch dans les années vingt et trente du XXe siècle, Fernand Braudel dans les années 50 et 60, avec la revue *Annales*).

Des sciences nouvelles se constituent : la *sociologie* avec Emile Durkheim, au début du XXe siècle ; la *psychologie* avec Wundt et Ribot ; la *psychanalyse* — pratique médicale fondée sur une théorie prenant en compte l'inconscient et le refoulé, lié notamment à la sexualité — avec Sigmund Freud. La *géographie* passe de la simple description à la recherche de l'explication scientifique avec, au XIXe siècle, l'Allemand Humboldt et le Français Elisée Reclus, puis avec l'Allemand Ratzel et le Français Vidal de la Blache. L'*ethnologie* (on parlait à ses origines d'ethnographie, on parle aujourd'hui plus volontiers d'anthropologie, rejoignant la sociologie) étudie les sociétés exotiques ou rurales ; elle est fondée avec l'Américain Morgan (*Ancient Society* : 1877) poursuivie avec Boas, Malinovski, en France avec Marcel Mauss puis, dans les années 50, puisant avec Lévi-Strauss son inspiration dans le structuralisme linguistique.

Economie politique

L'*économie politique* produit en Angleterre, au tournant des XVIIIᵉ et XIXᵉ siècles, ses classiques, avec Adam Smith (*La richesse des nations* : 1776) et Ricardo (*Des principes de l'économie politique et de l'impôt* : 1817). Ils sont à l'origine d'une école qui s'attache à l'étude des marchés (détermination de la valeur par l'utilité et la rareté), et qui considère l'économie marchande et capitaliste comme née avec l'humanité et éternelle (point de vue contesté, en dehors des marxistes, par l'Américain Karl Polanyi, s'appuyant sur l'ethnologie). Ils sont aussi à l'origine de l'œuvre de Marx, qui, dans *Le Capital* (livre I paru en 1867, livres II et III publiés après sa mort par son ami Engels en 1885 et 1894) reprend à Ricardo l'idée de la détermination de la valeur par le travail (mesurée par le temps de travail), mais s'emploie à montrer le caractère historique de l'économie marchande et du capitalisme.

Marx s'appuie sur ses travaux historiques et économiques pour conclure à la possibilité et à la nécessité de dépasser le capitalisme par une révolution dont la classe ouvrière (les salariés) engendrée par le capitalisme sera l'instrument. C'est cet aspect révolutionnaire qui conduira à la mise à l'écart prolongée de la pensée marxiste, y compris de ses aspects philosophiques, de la sphère universitaire.

Après la révolution russe de 1917, en U.R.S.S. et dans les pays socialistes, le marxisme deviendra idéologie officielle, mais sous la forme du *« marxisme-léninisme »*, qui, sous l'influence de Staline, prendra une forme dogmatique et scolastique en contradiction complète avec les principes de la pensée de Marx. Ce n'est qu'au milieu du XXᵉ siècle que la pensée de Marx commencera à être connue et diffusée dans les universités.

LES ARTS ET LES LETTRES

Littérature

Dans les lettres, le courant prépondérant de la première moitié du XIXᵉ siècle est le *romantisme*, qui a eu en Allemagne des précurseurs au XVIIIᵉ siècle. Le romantisme rompt des lances avec le classicisme des XVIIᵉ et XVIIIᵉ siècles, qui se réclamait des auteurs anciens, et prônait l'ordre et la régularité. Le romantisme comporte un côté « révolutionnaire » (contestation de l'ordre et de la régularité classiques) et un côté passéiste (réhabilitation du Moyen Age). En poésie, il s'exprime en Angleterre avec Byron, Shelley, Keats, en France avec Lamartine et Vigny, mais surtout avec Victor Hugo, à la fois poète, auteur de théâtre (comme Alfred de Musset), romancier (*Quatre vingt-Treize*, *Les Misérables*), légitimiste à ses débuts, mais d'inspiration démocratique dès la monarchie de Juillet. Homme politique, Victor Hugo sera, après 1848, républicain et opposant à Napoléon III, et passera la durée de son règne en exil.

En Allemagne, après Goethe et Schiller, grands auteurs de la fin du XVIIIᵉ siècle et du début du XIXᵉ siècle, — le premier alliant l'inspiration classique à l'inspiration romantique —, le romantisme s'exprime dans la poésie de Heine. En Italie, il s'exprime dans la poésie de Leopardi. En France, à la même époque, le réalisme s'exprime dans les romans de Balzac et de Stendhal, qui donnent un reflet critique de la société de leur temps.

La seconde moitié du XIXᵉ siècle, avec le poids du *« scientisme »*, voit s'exprimer le naturalisme (les romanciers russes, Zola en France) ou un réalisme plus prudent (Flaubert, Maupassant).

En poésie, après le retour au classicisme des parnassiens, des courants plus révolutionnaires s'expriment avec Verlaine, Rimbaud, Mallarmé, Apollinaire. Après la guerre de 1914-1918, les *surréalistes*, inspirés par le mouvement révolutionnaire et par la psychanalyse, redécouvrent Lautréamont (mort en 1871). De ce courant seront issus Paul Eluard et Aragon — ce dernier revenant à partir de 1939 à une poésie de forme classique, tout en poursuivant son œuvre de romancier réaliste. Entre les deux guerres, Claudel et Valéry représentent en poésie un prolongement de l'inspiration classique.

Arts plastiques

Dans les arts plastiques, le *classicisme* issu de l'école de David (peintre officiel de la Révolution et de l'Empire) se prolonge avec Ingres, tandis que le *romantisme* s'exprime à travers Géricault et Delacroix. La fin du XIXᵉ siècle voit une diversification des modes d'expression en peinture : celle-ci s'émancipe progressivement des canons du classicisme (qui se prolonge chez les peintres dits « pompiers »). C'est le réalisme de Daumier et Courbet ; c'est, avec Edouard Manet, le passage du réalisme à l'impressionnisme (Monet, Renoir, Whistler). Puis c'est un éclatement dans des directions diverses, avec Cézanne, Gauguin, Van Gogh. Au début du XXᵉ siècle, Matisse et Vlaminck se réclament du *« fauvisme »* ; le *« cubisme »* marque la période qui précède immédiatement et suit la Première Guerre mondiale. Picasso, inclassable, domine tout le siècle. Dans la période contemporaine, les courants se multiplient, les uns poursuivant de manières diverses la tradition du réalisme figuratif, d'autres se réclamant de l'*abstraction*. La sculpture offre l'exemple de tendances analogues : Rodin, à sa manière, effectue en sculpture une révolution semblable à celle de l'impressionnisme ; l'expression abstraite se manifeste chez Brancusi et Lipschitz, le classicisme chez Maillol, Despiau, Wlerick.

Musique

La musique, au XVIIᵉ et au XVIIIᵉ siècle, à l'exception éclatante de Jean-Sébastien Bach, le *« cantor »* de Leipzig, avait été marquée par la prépondérance des Italiens. La fin du XVIIIe siècle et le début du XIXe siècle ouvrent la prépondérance allemande, avec Haydn, Mozart, Beethoven, tradition poursuivie par Schubert, Schumann, Brahms, bouleversée par Wagner. La France peut s'enorgueillir de Berlioz au XIXe siècle, de Debussy, Fauré au XXe siècle. La musique dodécaphonique introduit avec Schoenberg et Webern une rupture dans l'expression, qui éclatera à l'époque contemporaine en multiples courants.

LE MOUVEMENT DES IDÉES : LE SOCIALISME

L'idée d'une société égalitaire, excluant l'exploitation de la masse de la population par une classe dominante, privilégiée, apparaît très anciennement : ainsi dans l'Angleterre médiévale avec les lollards (« *Quand Adam bêchait et Eve filait, où était donc le gentilhomme ?* »), dans l'Allemagne de la Réforme avec Thomas Münzer, dans l'Angleterre de Cromwell avec les *« niveleurs »*.

Durant la Révolution française, ces idées réapparaissent, avec le constat que l'égalité devant la loi, mise en œuvre par la révolution, n'a pas supprimé les inégalités dues à la fortune. Elles vont s'exprimer explicitement sous le Directoire, avec Babeuf et la *« conspiration des Egaux »*.

Dans la première moitié du XIXe siècle, la critique de la société bourgeoise et capitaliste conduit à la formulation de théories socialistes ou communistes (les deux termes sont employés indifféremment) proposant une société idéale égalitaire (Fourier, Cabet). Ces socialistes « utopiques » ne sont pas révolutionnaires : ils attendent la transformation de la société d'une expérience communautaire dont la réussite fera tache d'huile, et espèrent qu'un mécène gagné à leurs idées la financera.

Critique de la société bourgeoise

Mais ces idées vont se développer dans les milieux républicains avancés et dans la classe ouvrière, dans la mesure où elles répondent à leurs aspirations. Le socialisme d'inspiration républicaine se développe en France à la suite de la publication en 1828 du livre de Buonarotti (survivant du groupe de Babeuf) sur la « conspiration des Egaux » ; parmi ses promoteurs Auguste Blanqui, qui mise, suivant l'exemple de la Révolution française, sur une prise du pouvoir par une conspiration armée, s'appuyant sur une insurrection populaire à l'exemple des *« journées révolutionnaires »*.

Avec Karl Marx et son ami Friedrich Engels, le socialisme prend une tournure nouvelle. Karl Marx, docteur en philosophie, est issu d'une famille bourgeoise d'origine juive de Trêves, en Rhénanie ; Friedrich Engels est le second fils d'un industriel du textile de Barmen (Westphalie).

Marx et Engels, dont les conceptions sont désignées par le terme de *« marxisme »*, se réclament d'une démarche à la fois philosophique et historique. Renonçant à entrer dans la description d'une société future idéale, ils veulent montrer la nécessité d'une société socialiste ou communiste à partir de l'étude de la société de leur temps. Pour eux, le développement de la société bourgeoise ou capitaliste conduit à une contradiction croissante entre le caractère social de la production et le caractère privé de l'appropriation de cette production, contradiction qui doit conduire à passer à une appropriation sociale de la production. Ils pensent également — s'appuyant sur les précédents historiques — que cette mutation ne peut être réalisée que par une voie révolutionnaire, comportant la prise du pouvoir politique par le prolétariat (dictature du prolétariat).

Pour fonder ses vues, Marx, avec le concours d'Engels, s'attache à une étude approfondie de la genèse et des mécanismes de l'économie capitaliste (c'est l'objet du *Capital*).

Il rattache sa conception au *« socialisme scientifique »* par opposition au *« socialisme utopique »* de ses devanciers.

Proudhon contre Marx

Les idées marxistes ne sont pas les seules à exercer leur influence dans le milieu ouvrier. D'autres courants se réclament de

Proudhon, qui prône, derrière des formules d'apparence révolutionnaire (« *La propriété, c'est le vol* ») une conception « réformiste » : corriger les « mauvais côtés » du capitalisme en conservant les bons. Ou encore l'anarchisme des Russes Bakounine et Kropotkine qui proposent la disparition de l'État. Ces courants s'affrontent au sein de l'« *Association internationale des travailleurs* » créée à Londres en 1864 (la « *Première Internationale* »). La répression qui frappe les socialistes après l'échec de la Commune de Paris en 1871 conduit à sa disparition en 1876.

Mais elle renaît en 1889 à Paris sous la forme de l'*Internationale ouvrière* ou « *Deuxième Internationale* ».

Essor des partis socialistes

Le mouvement ouvrier renaît à la fin du XIXe siècle. Le parti social-démocrate allemand créé en 1869 et qui s'est rallié aux conceptions marxistes devient rapidement le plus puissant des partis socialistes d'inspiration marxiste et leur modèle. Les partis de même inspiration qui se créent dans les pays scandinaves, en Russie, en Autriche, reprennent l'appellation de « *Parti social-démocrate* ». En France, les multiples courants socialistes s'unissent en 1905 dans le Parti socialiste unifié.

Sous la bannière de la *Deuxième Internationale*, les partis socialistes se multiplient en Europe et hors d'Europe. Bien qu'en général tous se réclament du marxisme, un courant « réformiste » et un courant « révolutionnaire » vont s'opposer au sein de la plupart de ces partis. Le courant réformiste se renforce en même temps que les succès électoraux remportés par les partis socialistes et l'importance prise par leur représentation dans les parlements.

En 1914, les partis socialistes avaient pris une place considérable dans la vie politique. En Angleterre, le « *Labour Party* », lié aux syndicats, au demeurant non membre de l'Internationale et ouvertement réformiste, rompt l'équilibre bipartite traditionnel, et, après la guerre, il prend pratiquement la place, comme parti « de gauche », du parti libéral qui devient marginal. En Allemagne, où le régime impérial n'a accordé ni le régime parlementaire, ni le suffrage universel, le Parti social-démocrate est devenu, en nombre de députés, le premier parti du Reichstag. En France également, à côté des radicaux, le parti socialiste enregistre aux élections de 1914 un succès sans précédent (104 élus à la Chambre, à côté de 172 radicaux).

Le dernier congrès de la IIe Internationale, tenu à Bâle en 1912, avait dénoncé les risques de guerre et adopté des résolutions prévoyant une action commune des socialistes contre la guerre.

Mais, en 1914, l'ensemble des partis socialistes (à l'exception de quelques individualités comme Karl Liebknecht et Rosa Luxembourg en Allemagne et du Parti social-démocrate russe *« bolchevik »*) s'alignent sur leurs gouvernements respectifs dans le soutien à la guerre et pratiquent l'*« union sacrée »*.

L'opposition à la guerre fera apparaître quelques tentatives, de la part des socialistes des pays « neutres » et de quelques socialistes des pays belligérants, pour rétablir les contacts internationaux entre socialistes (réunions de Zimmerwald et de Kienthal, en Suisse) en vue d'une action contre la guerre.

La victoire des bolcheviks dans la révolution russe d'octobre 1917 conduira ces derniers, avec Lénine, à créer en 1919 une *« Troisième Internationale »* ou *Internationale communiste*. Les socialistes réformistes, de leur côté, reconstitueront également en 1919 la *« Deuxième Internationale »*.

La IIIe Internationale fut dissoute par Staline en 1943, pendant la Deuxième Guerre mondiale. Elle devait renaître sous la forme limitée du *« Bureau d'information »* de neuf partis communistes d'Europe (*« Kominform »*) de 1947 à 1956.

Trotski, après son expulsion d'U.R.S.S., créa en 1938 une *« Quatrième Internationale »* réunissant les partis trotskistes, dont l'influence restera limitée.

LE MOUVEMENT DES IDÉES : L'EGLISE CATHOLIQUE

L'Eglise catholique conserve, au XIXe siècle, une influence considérable, surtout dans les régions rurales. Les liens de l'Eglise avec les régimes conservateurs (Napoléon III en France, la monarchie austro-hongroise), avec les monarchistes au début de la IIIe République en France, les heurts du pape Pie IX avec les mouvements révolutionnaires en 1848 et avec le mouvement national italien conduisent l'Eglise catholique à se raidir sur des positions ultra-conservatrices (le *Syllabus* — qui condamne des erreurs du monde moderne — et l'encyclique *Quanta cura* (1864) qui rejette la tolérance et la démocratie). Le *concile du Vatican* (1870) proclame le dogme de l'infaillibilité pontificale. Léon XIII, qui succède à Pie IX en 1878, manifeste une certaine ouverture en appelant les catholiques français au « ralliement » à la République, en s'ouvrant aux problèmes ouvriers dans l'encyclique *Rerum novarum* (1891). Pie X (1903-1914) revient à une certaine fermeture : intransigeance dans les relations avec la France, qui aboutira à la séparation de l'Eglise et de l'Etat (les relations ne seront reprises avec la France qu'après la guerre de 1914-1918), condamnation du « modernisme » — tentative de certains catholiques pour accepter certains résultats de la science et de la critique biblique (encyclique *Pascendi*, 1907).

Entre les deux guerres, la condamnation du bolchevisme conduira la papauté à certaines complaisances à l'égard des fascismes dont certains (le franquisme en Espagne, le salazarisme au Portugal) se réclament d'un catholicisme militant. Pie XII se verra reprocher de n'avoir pas élevé la voix contre le génocide des Juifs par Hitler.

Le concile de Vatican II (1962-1965), inauguré sous Jean XXIII, poursuivi sous Paul VI, procède à une « *mise à jour* » (« *aggiornamento* ») dans de nombreux domaines, le plus visible étant celui de la liturgie (inchangée depuis le *concile de Trente*) — abandon du latin au bénéfice de la langue parlée, tolérance religieuse, dialogue avec les autres églises chrétiennes (œcuménisme) et avec les autres religions.

Le XXe siècle

LES IMPÉRIALISMES

Le libéralisme

Comme nous l'avons vu, dans le monde capitaliste, la doctrine dominante en matière économique est le libéralisme ; ses origines se situent, en France, chez les « *physiocrates* » de la fin du XVIIIe siècle, dont la doctrine avait pour mot d'ordre « *Laissez faire, laissez passer* », et, en Angleterre, chez les pères de l'économie politique, Adam Smith et Ricardo.

Pour le libéralisme, qui exprime les intérêts de la bourgeoisie industrielle naissante, toutes les contraintes, réglementations, barrières douanières, qui font obstacle au développement des entreprises, doivent être levées. Au XVIIIe siècle, cette revendication vise les institutions héritées de l'époque féodale (privilèges, monopoles, règlements corporatifs, péages et douanes intérieures, etc.).

Dans ce cadre, la revendication du « *libre-échange* », c'est-à-dire la limitation, sinon la suppression des barrières douanières, sera le point central de la doctrine « *libérale* », développée surtout en Angleterre. Pour l'Angleterre, étant donné sa supériorité économique, le « *libre-échange* » est un moyen de triompher aisément sur tous les marchés, aucun pays industriel ne pouvant rivaliser avec elle. Ailleurs, les débuts du développement industriel se feront, le plus souvent, à l'abri du « *protectionnisme* » douanier, protégeant l'industrie nationale contre ses concurrents, et principalement contre les marchandises anglaises. Ce sera le cas de l'Allemagne, avec le « *Zollverein* » (union douanière réalisée entre la plupart des Etats allemands sous l'égide de la Prusse) en 1834 ; ce sera le cas des Etats-Unis.

A la fin du XIXe siècle, l'économie mondiale traverse une

période de récession qui aiguise la concurrence entre puissances industrielles. L'hégémonie britannique se heurte, en matière industrielle, à la concurrence de l'Allemagne et des Etats-Unis. En France, le protectionnisme concerne surtout les produits agricoles (lois Méline : 1892) et a des motifs politiques : l'importation libre des céréales américaines aurait entraîné la ruine de la paysannerie française, qui représente encore plus de la moitié de la population et constitue la base de l'électorat.

Les concentrations

D'autre part, les structures économiques se modifient. La concurrence élimine les entreprises les plus faibles, les moins modernes. Dans un certain nombre de branches industrielles majeures, la concentration des capitaux aboutit à ne laisser subsister qu'un petit nombre d'entreprises, à l'échelle nationale, voire à l'échelle mondiale. Ces très grandes entreprises peuvent se concerter entre elles pour éviter les inconvénients de la concurrence, fixer les prix et se partager les marchés. On passe ainsi d'une situation de concurrence à une situation de monopole de fait. On parle de « *cartels* » (ententes entre entreprises d'une même branche) ou de « *trusts* » (fusion d'entreprises d'une même branche), de *concentration horizontale* (réunissant des entreprises d'un même secteur de production) ou *verticale* (réunissant des entreprises de nature très diverses, mais concourant à une même production, de la matière première au produit fini : par exemple, mines de fer et de charbon, hauts fourneaux, usines métallurgiques, industries mécaniques). C'est ce que l'on appelle aujourd'hui entreprises « *multinationales* » — ou mieux, *transnationales*, opérant dans un grand nombre de pays, mais ayant généralement un noyau national dominant.

On assiste également à une fusion entre capitaux bancaires et capitaux industriels : les très grandes firmes industrielles créent leurs propres banques (ainsi, en France, la banque de l'Union européenne sera la banque du groupe sidérurgique Schneider) ; à l'inverse, les très grandes banques d'affaires interviennent directement dans l'industrie par leur pénétration dans le capital et dans les conseils d'administration des entreprises industrielles.

Le partage du monde

Entre 1870 et 1900 s'achève pour l'essentiel le partage du monde entre les grandes puissances : Grande-Bretagne, France, Allemagne, Pays-Bas, Portugal, Belgique, Italie, Russie et, hors d'Europe, Etats-Unis et Japon. L'Afrique, notamment, au terme d'une âpre compétition, est presque entièrement partagée entre les puissances européennes. Les pays demeurés indépendants d'Asie et d'Amérique latine font l'objet d'une mise en dépendance économique et politique. En Amérique latine, l'influence anglaise est relayée au début du XXᵉ siècle par celle des Etats-Unis ; en Asie, la Perse (aujourd'hui Iran), le Siam (aujourd'hui Thaïlande), la Chine, font l'objet de partages en *« zones d'influence »*. Un peu partout, y compris en Angleterre, le *« libre-échangisme »* est supplanté par le protectionnisme impérial (qui crée des espaces douaniers protégés réunissant métropole et colonies).

La compétition anglo-française, très vive à la fin du XIXᵉ siècle (incident de Fachoda en 1898) s'apaise par des accords de partage débouchant sur une véritable alliance, l'*Entente cordiale*, conclue en 1904. La France et l'Angleterre se rapprochent dans une commune inquiétude face à l'expansion allemande. L'Allemagne, tard venue dans la compétition coloniale, s'estime mal partagée. En 1911, l'incident d'Agadir a opposé l'Allemagne à la France, qui s'apprête à prendre possession du Maroc : l'Allemagne laisse finalement le champ libre à la France, moyennant la cession d'une partie de l'Afrique équatoriale française qui sera annexée au Cameroun allemand (1912). D'autre part, entre la France et l'Allemagne, existe toujours le contentieux relatif à l'Alsace-Lorraine annexée, qui élit au Reichstag des députés *« protestataires »* (c'est-à-dire opposés à l'annexion). L'idée de la *« revanche »*, pour récupérer les provinces perdues, reste vivace en France, bien que discrète (*« Pensons-y toujours, n'en parlons jamais »*). Du côté anglais, une rivalité de plus en plus aiguë se dessine avec l'Allemagne, sur le plan commercial et maritime. L'Allemagne, en plein essor industriel, avec des unités plus concentrées et plus modernes, et une politique commerciale agressive, enlève aux Anglais des parts de marché ; elle prétend d'autre part devenir une grande puissance maritime (dans un discours, l'empereur Guillaume II proclame *« Notre avenir est sur l'eau »*).

La Russie, qui a conclu contre l'Allemagne avec la France, dès 1894, une alliance défensive, résout à son tour ses conflits coloniaux avec la Grande-Bretagne (à propos de la Perse, de l'Afghanistan et du Tibet) en 1907. Dès 1908, prend forme une *« Triple-Entente »* qui réunit la Grande-Bretagne, la France et la Russie.

En face, une *« Triple Alliance »* (qu'on appellera la *« Triplice »*) réunit depuis 1882 l'Allemagne, l'Autriche-Hongrie et l'Italie. L'Autriche et la Russie sont en compétition dans les Balkans, où la Russie soutient contre l'Empire ottoman les mouvements nationaux slaves ou de religion orthodoxe, tandis que l'Autriche redoute une montée de mouvements nationaux qui pourrait l'atteindre dans sa cohésion.

Dernier aspect à évoquer, traité dans le précédent chapitre : la progression des partis socialistes affiliés à la IIᵉ Internationale dans les principaux pays européens.

LA PREMIÈRE GUERRE MONDIALE (1914-1918)

C'est un incident survenu dans les Balkans qui va servir de détonateur, en 1914, à une situation devenue explosive.

Le 28 juin 1914, le neveu de l'empereur François-Joseph, l'archiduc héritier d'Autriche François-Ferdinand, est assassiné lors d'une visite officielle à Sarajevo, capitale de la Bosnie-Herzégovine, province turque occupée par les Autrichiens en 1878 et annexée en 1908.

L'auteur de l'attentat est un nationaliste serbe : les nationalistes serbes nourrissent l'espoir de réunir dans un même Etat l'ensemble des Slaves du Sud, de créer une *« Yougoslavie »* qui réunirait à la Serbie (détachée de l'Empire ottoman et indépendante) les territoires des Slaves du Sud vivant en Autriche et en Hongrie (Bosnie, Croatie, Slovénie).

L'Autriche s'en prend à la Serbie et lui déclare la guerre (28 juillet 1914). La Russie, protectrice traditionnelle de la Serbie, mobilise ; l'Allemagne, se disant menacée, déclare la guerre à la Russie. La France, alliée de la Russie, mobilise à son tour : le 3 août 1914, l'Allemagne déclare la guerre à la France, et l'envahit en traversant la Belgique, dont la neutralité était garantie par un accord international dont l'Allemagne était signataire. Dès la violation de la neutralité belge, la Grande-Bretagne déclare à son tour la guerre à l'Allemagne.

Nous n'entrerons pas ici dans le récit détaillé de la *« Grande Guerre »*. Indiquons simplement que, dès 1914, la Turquie rejoint le camp des « Empires centraux », et, en 1915, l'Italie rejoint le camp des Alliés (la *« Triplice »* n'avait pas joué, s'agissant d'un accord défensif — l'Autriche et l'Allemagne n'avaient pas été agressées, mais avaient pris l'initiative de la guerre). L'entrée en guerre aux côtés des Alliés des Etats-Unis, en 1917, fera pencher définitivement la balance du côté des Alliés.

Les champs de bataille se situèrent essentiellement en Europe. A l'ouest, après avoir envahi la Belgique, les armées allemandes étaient arrivées à 30 km de Paris lorsqu'elles furent stoppées sur la Marne par une contre-offensive : la victoire de la Marne (4-12 septembre 1914) fut remportée par Joffre grâce au concours de Galliéni, commandant la place de Paris, qui réquisitionna les taxis de la capitale pour amener au plus vite les renforts nécessaires à pied d'œuvre.

On croyait en 1914 que la guerre serait de courte durée. Elle se prolongea pendant quatre ans. De la *guerre de mouvement* des premières semaines, on passa dès l'automne 1914 à la *guerre de positions*, à la *guerre de tranchées*, dans laquelle les armées ennemies se font face parfois à quelques mètres de distance.

Les soldats vivaient enterrés dans les tranchées, dans la boue, dans la vermine, sous la menace permanente des bombardements. Les offensives, menées à la baïonnette, sous le feu de l'artillerie ennemie, sacrifiaient les hommes par milliers, sinon dizaines de milliers, pour gagner quelques centaines de mètres. Comme moyens d'attaque, à l'artillerie traditionnelle s'ajoutent grenades, shrapnells, crapouillots, gaz asphyxiants. L'aviation qui venait de naître fut utilisée comme moyen d'observation et de combat.

Parmi les batailles les plus terribles, celle de Verdun, dont les forts furent successivement pris et repris, et qui fit 500 000 morts (1916).

En 1917, l'offensive du général Nivelle dans la Somme fut une effroyable boucherie sans résultats. Les premiers refus de monter en ligne se manifestent et le général Pétain fait procéder à des exécutions pour l'exemple. La haine des soldats s'accumule contre les profiteurs de la guerre, qui, à l'arrière, font fortune, et contre les « *embusqués* », ceux qui ont réussi à ne pas aller au front.

L'année 1917 représente un tournant sous deux aspects : l'entrée en guerre des Etats-Unis, le retrait de la Russie du conflit.

Pour atteindre l'Angleterre, dont l'essentiel des approvisionnements viennent d'outre-mer, l'Allemagne décide de livrer une guerre sous-marine à outrance. Cette guerre porte directement atteinte aux intérêts des Etats-Unis qui déclarent la guerre à l'Allemagne le 2 avril 1917. L'effet moral est considérable. Les effets pratiques ne se feront pas sentir avant 1918, avec l'intervention des troupes américaines en Europe et l'utilisation des chars de combat (*tanks*). De mars à juillet 1918, l'armée allemande tente une dernière offensive qui n'aboutit, au mieux, qu'à une progression d'une soixantaine de kilomètres. En juillet, les Alliés, avec leurs renforts américains, passent à leur tour à l'offensive. L'armée allemande s'effondre. L'armistice est signé à Rethondes, dans un wagon, au milieu de la forêt de Compiègne, le 11 novembre 1918.

Sur le front oriental, l'armée allemande a infligé à l'armée russe, nombreuse mais mal équipée et mal organisée, de sévères défaites, mal compensées par quelques reculs temporaires infligés par les Russes aux Autrichiens en Galicie (sud de la Pologne). A la suite de la révolution russe d'octobre 1917, la Russie et l'Allemagne signent la *paix de Brest-Litovsk* (3 mars 1918).

Dans les Balkans, où la Turquie et la Bulgarie ont rejoint le camp austro-allemand, la Serbie est envahie et les débris de son armée rejoignent les Alliés en Grèce, à Salonique, où un corps anglo-français a débarqué, la Grèce ayant rejoint le camp des Alliés. La Roumanie, qui s'était jointe aux Alliés, est à son tour envahie.

L'Italie, d'abord neutre (l'accord de la Triplice n'ayant pas joué), entre en guerre contre l'Autriche en 1915. Le front n'y évolue guère, jusqu'au moment où, en octobre-novembre 1917, le concours apporté aux Autrichiens par des unités allemandes inflige à l'armée italienne, à Caporetto, une défaite qui la met hors jeu.

Si l'essentiel de la guerre s'est déroulé en Europe, on s'est battu aussi en Afrique, autour des colonies allemandes (les troupes du colonel Von Lettow-Vorbeck basées dans l'Est africain allemand résisteront jusqu'en 1918) et au Moyen-Orient (Palestine, Arabie) contre les Turcs. Avec l'entrée en guerre des Etats-Unis, puis du Japon, de la Chine, et de plusieurs pays d'Amérique latine, la guerre est devenue, véritablement et pour la première fois dans l'histoire, *mondiale*.

Au total, la guerre a coûté à l'Europe huit millions et demi de morts ; à la France (40 millions d'habitants), 1 350 000 morts.

Le traité de Versailles

Le traité de Versailles (1919) entre les Alliés et l'Allemagne et les traités annexes (de Saint-Germain-en-Laye avec l'Autriche, du Trianon avec la Hongrie, de Sèvres avec la Turquie) bouleversent la carte de l'Europe. Les quatre grandes monarchies d'Europe centrale et orientale (Allemagne, Autriche-Hongrie, Empire ottoman, Russie) disparaissent. L'Alsace-Lorraine fait retour à la France ; de nouveaux Etats nationaux apparaissent ou ressurgissent : Pologne, Tchécoslovaquie, Yougoslavie (au début : royaume des Serbes, Croates, Slovènes). La Roumanie double son territoire aux dépens de la Hongrie. Mais le nouveau découpage pose des problèmes en plaçant des minorités (allemandes et hongroises, par exemple) à l'intérieur des frontières des nouveaux Etats.

L'Allemagne, rendue responsable de la guerre, doit s'engager à payer de lourdes réparations et ses colonies lui sont enlevées pour être partagées entre les vainqueurs (Angleterre et France essentiellement) sous couvert d'un «mandat» de la Société des Nations, qui leur en confie l'administration. De même les dépendances arabes de la Turquie sont partagées en territoires sous mandat : Irak, Palestine et Transjordanie à la Grande-Bretagne, Syrie et Liban à la France.

La *Société des Nations* est créée sur l'initiative du président américain Wilson, pour assurer le règlement pacifique des conflits. Mais la majorité républicaine du Sénat américain, dont la majorité des deux tiers est requise pour ratifier les traités internationaux, refuse de ratifier le traité de Versailles, et s'oppose à l'adhésion des Etats-Unis à la Société des Nations.

A l'exemple de la Russie, une vague révolutionnaire (essentiellement motivée par le rejet de la guerre) gagne, à partir de novembre 1918, plusieurs pays d'Europe : Allemagne, où la révolution à Berlin, avec constitution de «*conseils*» («*soviets*») d'ouvriers et de soldats, contraint Guillaume II à abdiquer, puis à Vienne (où l'empereur Charles Iᵉʳ a succédé en 1916 au vieil empereur François-Joseph). Des soviets se forment en Bavière (où la république des Soviets sera éphémère), en Hongrie, où la république des Soviets est proclamée sous la direction de Bela Kun. Tous ces mouvements sont réprimés : en Allemagne, les sociaux-démocrates et les milieux de l'extrême droite et de l'Etat-Major se rejoignent pour écraser le mouvement spartakiste (du nom de la «Ligue Spartakus») qui se réclame de l'exemple bolchevik ; ses dirigeants Karl Liebknecht et Rosa Luxembourg sont assassinés. La république des Soviets de Hongrie est écrasée par une intervention des Alliés, qui mettent en place un gouvernement d'extrême droite, dirigé par l'amiral Horty. Seule la Russie, où les interventions alliées ont échoué, reste aux mains des révolutionnaires et la frontière avec la Pologne est fixée au *traité de Riga* (1921).

D'UNE GUERRE À L'AUTRE : RÉVOLUTION RUSSE ET MONTÉE DES FASCISMES

C'est pendant la guerre, et en raison de la guerre, qu'avait éclaté la Révolution russe. En Russie, la corruption et l'incapacité du gouvernement tsariste étaient devenues insupportables. La révolution y éclate en février (mars de notre calendrier) 1917. Le tsar abdique, la République est établie, dirigée par des libéraux et des socialistes modérés. La masse populaire, soldats et paysans, a deux exigences majeures : la paix et la terre (une réforme agraire aux dépens des grands propriétaires fonciers). Le nouveau gouvernement n'apporte ni l'une ni l'autre. En accord avec les Alliés, il tente de poursuivre la guerre ; il refuse de donner la terre aux paysans. Les soldats commencent à fraterniser avec les soldats de l'autre camp et à déserter.

Les *bolcheviks* (en russe = majoritaires), aile révolutionnaire du Parti social-démocrate russe, qui s'est constitué en parti distinct (l'autre aile, réformiste, les *mencheviks* = minoritaires, participe au gouvernement provisoire), dirigés par Lénine et auxquels s'est rallié Trotski, revendiquent la paix et la terre pour les paysans.

La deuxième révolution de 1917

Une deuxième révolution, dite « *d'Octobre* » (26 octobre du calendrier julien alors en usage en Russie, 7 novembre de notre calendrier) les conduit au pouvoir et à la proclamation de la république des Soviets (Soviet = conseil d'ouvriers, de paysans, de soldats).

La paix de Brest-Litovsk (3 mars 1918) met fin à la guerre avec l'Allemagne et l'Autriche, à des conditions très dures (abandon des pays baltes et de l'Ukraine). Après la défaite allemande, les Alliés interviennent et apportent leur soutien à des généraux tsaristes qui s'implantent dans diverses régions, mais sont finalement refoulés. Le traité de Riga, avec la Pologne reconstituée (1921), assure la stabilisation de la république des Soviets, au prix de l'abandon d'une partie de la Biélorussie et de l'Ukraine. En 1922 se crée l'« *Union des Républiques socialistes soviétiques* » (U.R.S.S.) qui regroupe quatre républiques soviétiques : Russie, Ukraine, Biélorussie, et Transcaucasie (fédération de républiques caucasiennes). Par la suite, il y aura jusqu'à seize républiques fédérées.

Dès novembre 1917, la République soviétique avait offert la paix immédiate, sans annexions ni contributions, avait accordé la terre aux paysans (grands propriétaires expropriés sans indemnité), placé sous contrôle ouvrier l'industrie (elle sera très vite nationalisée, souvent du fait du départ des propriétaires), proclamé l'égalité et le droit à la libre disposition de toutes les nationalités.

La période de la « *guerre civile* » (et des interventions étrangères : France, Grande-Bretagne, Etats-Unis, Japon) (1918-1921) avait conduit à l'étatisation de la plupart des grandes entreprises, à la réquisition des récoltes pour faire face à la famine dans les villes (ce fut le « *communisme de guerre* »).

En 1921, la Russie révolutionnaire a survécu ; mais elle est épuisée, ruinée, ravagée par la famine et les épidémies, boycottée par l'ensemble du monde capitaliste au sein duquel elle suscite une grande peur. L'Allemagne toutefois reconnaît l'U.R.S.S. en 1922, la France en 1924.

La « *Nouvelle politique économique* » (N.E.P.) adoptée en 1921 laisse une place au secteur privé, relâche la pression sur la paysannerie et permet un redressement progressif de l'économie.

Staline

La mort de Lénine, en 1924, pose le problème de sa succession. Staline, plus habile, réussit à éliminer Trotski, exclu du Parti en 1927, expulsé d'U.R.S.S. en 1929. A partir de 1928, la N.E.P. prend fin et Staline engage l'U.R.S.S. dans une politique d'industrialisation étatique planifiée (premier plan quinquennal : 1928-1932) qui a pour but d'en faire une puissance industrielle au niveau des pays occidentaux. Parallèlement, à partir de 1929, l'agriculture est collectivisée, les paysans regroupés dans des *kolkhozes* (fermes coopératives) ou des *sovkhozes* (fermes d'Etat).

Les tensions héritées de la guerre civile, l'effort exigé par les transformations économiques vont permettre à Staline d'établir une dictature qui, au nom de l'*« intérêt de classe »* des travailleurs, recourt à des mesures de répression de masse : dans la collectivisation, les opposants présumés *« koulaks »* (paysans riches) sont massivement déportés en Asie centrale et beaucoup y laissent la vie. A partir de 1934, Staline généralise une politique de répression et de terreur qui frappe en priorité les cadres du *Parti communiste* (nom pris en 1919 par le parti bolchevik), dont des centaines de milliers vont être envoyés dans les camps de Sibérie ou du Grand Nord, ou feront l'objet de condamnations à mort ou d'exécutions sommaires.

Cependant, les succès économiques réels de l'U.R.S.S. (au moins sur le plan industriel), la disparition du chômage vers 1930 (au moment où il bat des records en Occident), la législation sociale la plus avancée du monde à l'époque (semaine de 40 heures, congés payés — qui ne seront acquis en France qu'en 1936 —, retraite à 60 ans pour les hommes et 55 ans pour les femmes, gratuité de l'enseignement à tous les niveaux et des services de santé) donnent à l'U.R.S.S. le prestige du modèle révolutionnaire qui a réussi à éliminer le capitalisme.

En sens inverse, la peur du communisme incarné par cette Union soviétique explique le comportement des pays capitalistes et la montée du fascisme, qui se présente comme le champion du combat contre le communisme.

Le problème des réparations

La période 1919-1929 fut dominée par la question des réparations dues par l'Allemagne à la France. La France, en 1919, grâce à un système d'alliances avec les pays d'Europe centrale nouvellement créés ou agrandis (Pologne, Tchécoslovaquie, Yougoslavie, Roumanie) est devenue la puissance dominante en Europe.

De ce fait, la Grande-Bretagne et les Etats-Unis (qui n'ont pas ratifié le traité de Versailles), toujours hostiles à l'établissement d'une puissance prépondérante en Europe, se montrent complaisants à l'égard de l'Allemagne, afin de rétablir l'« *équilibre européen* ». L'Allemagne cessera bientôt de payer les « réparations » à la France.

Les difficultés économiques de l'après-guerre, la rancœur des anciens combattants, en Allemagne, mais aussi en Italie (qui n'a pas obtenu de la guerre tous les agrandissements désirés), nourrissent, d'un côté les troubles sociaux, de l'autre la renaissance des mouvements nationalistes.

La vague révolutionnaire qui a balayé l'Europe après 1918 n'a pas épargné les pays occidentaux. Au sein des anciens partis socialistes, qui se sont compromis pendant la guerre dans l'« *Union sacrée* » (l'alignement sur leurs gouvernements respectifs), se développe un courant révolutionnaire qui se réclame de la IIIe Internationale. Les socialistes réformistes qui ont reconstitué la IIe Internationale tiennent un langage encore très révolutionnaire, se réclament de la dictature du prolétariat, mais récusent l'expérience bolchevique. Un peu partout, la scission s'opère entre partis socialistes qui prétendent continuer l'ancienne tradition, et les partis communistes qui s'affirment révolutionnaires. En France, le *Parti socialiste unifié*, au *congrès de Tours* (décembre 1921) se rallie à l'Internationale communiste et prend peu après le nom de *Parti communiste S.F.I.C.* (section française de l'Internationale communiste). La minorité refuse de s'incliner et crée le *Parti socialiste S.F.I.O.* (section française de l'Internationale ouvrière).

La montée du fascisme

La peur du communisme, le discrédit des partis de droite traditionnels incitent les classes dirigeantes, en premier lieu en Italie, à donner leur soutien à des mouvements nouveaux qui se disent « *révolutionnaires* », « *ni droite ni gauche* », mais réservent l'essentiel de leurs coups à la gauche, mouvements auxquels, d'après l'exemple italien, le premier en date, on donnera l'appellation de « *fascistes* ».

Italie

Le Parti fasciste italien a été créé par Mussolini, ancien dirigeant socialiste, passé en 1915 au service des Alliés pour soutenir l'entrée en guerre de l'Italie à leurs côtés. Ses adhérents s'organisent en « *faisceaux* » (fascio en italien), d'où l'appellation de « parti fasciste ». Le fascisme se réclame d'un nationalisme exacerbé ; il affiche au début des revendications sociales (nationalisations, réforme agraire, verbiage « antibourgeois ») qui disparaîtront très vite à l'approche du pouvoir. Il dénonce la démocratie, le parlementarisme, professe le culte du « *chef* » (le « *Duce* » = le « *guide* »), prêche la guerre *régénératrice* », exalte la violence. Les groupes fascistes attaquent et incendient les sièges des organisations socialistes et communistes, syndicales, coopératives ; dirigeants et militants sont passés à tabac, parfois mortellement, ou on leur inflige le supplice de l'absorption d'un litre d'huile de ricin. Dès 1921, Mussolini est appelé au pouvoir par le roi Victor-Emmanuel III. La « fascisation » totale des institutions ne s'achèvera qu'en 1926.

Allemagne

En Allemagne, c'est la crise de 1929 qui va servir de détonateur. Partie des Etats-Unis, cette crise, suivie d'une dépression qui se prolongera jusqu'en 1934-1935, gagne le monde entier : effondrement des prix, faillites, développement sans précédent du chômage. Elle frappe tout particulièrement l'Allemagne, fragilisée par les suites de sa défaite.

Ici, le fascisme est représenté par le Parti national-socialiste (en abrégé *nazi*) d'Adolf Hitler. Groupuscule créé dans les années 20, il progresse très rapidement à partir de 1930. Finance et grande industrie, qui appuyaient jusque-là les partis de droite traditionnels, vont miser sur Hitler et lui apporter leur soutien financier. Ce ne sont pas, comme on le croit parfois, les élections qui ont porté Hitler au pouvoir. Au sommet de son influence, aux élections de juillet 1932, Hitler n'a obtenu que 37 % des voix. Aux élections suivantes, il est en recul. C'est pourtant à ce moment, en janvier

1933, que le président du Reich, le maréchal Hindenburg, que le Parti social-démocrate a fait élire pour faire échec à Hitler, appelle Hitler au poste de chancelier (= premier ministre) du Reich. Dans son programme et ses pratiques, aux thèmes précédemment énumérés à propos du parti fasciste italien, Hitler ajoute le racisme, et plus particulièrement l'antisémitisme.

En quelques mois, Hitler établit sa dictature : partis d'opposition interdits, opposants et Juifs envoyés dans des camps de concentration ou assassinés. Les dirigeants des S.A. (sections d'assaut) réclamaient la mise en vigueur du programme « social » du parti nazi, ce qui inquiétait les milieux capitalistes et l'armée. Dans la nuit du 30 juin 1933 (la « *Nuit des longs couteaux* ») les dirigeants des S.A. sont exécutés sommairement par les S.S. (groupes de protection).

Un réseau d'organisations dépendant du parti nazi, *Front du travail*, qui « associe » patrons et ouvriers et qui a pris la place des syndicats dissous, *Jeunesse hitlérienne*, (l'adhésion des jeunes y est pratiquement obligatoire), etc., quadrille littéralement toute la société. Le salut fasciste (à la romaine), le bras levé, accompagné de la formule « *Heil Hitler* » (« *Vive Hitler* ») devient quasi obligatoire et désigne à la suspicion toute personne qui voudrait s'y dérober.

Le réarmement à outrance, avant même la fin de la dépression, permet à Hitler de résorber le chômage, et l'amélioration de la situation économique va assurer à Hitler un certain consensus.

La préparation à la guerre, une guerre de revanche dans laquelle la France est la première visée (Hitler l'a écrit dans son unique ouvrage, « *Mein Kampf* » = « *Mon combat* »), devient ouverte : l'Allemagne de Hitler, au mépris des dispositions du traité de Versailles, se réarme (1935) ; elle réoccupe la rive gauche du Rhin démilitarisée (1936), s'empare de l'Autriche, puis d'une partie de la Tchécoslovaquie (1938) avant de la démembrer et d'en annexer la partie tchèque sous le nom de « *protectorat de Bohême-Moravie* » (1939).

De son côté, Mussolini attaque et annexe l'Ethiopie (1934-1936), puis l'Albanie (1939).

La guerre d'Espagne

La montée du fascisme conduit, au moins en Espagne et en France, les forces de gauche à se rapprocher : des coalitions de *« Front populaire »*, associant socialistes, communistes, radicaux, se forment et gagnent les élections, en Espagne en février 1936, en France en avril-mai 1936.

Dès juin 1936, le gouvernement républicain espagnol (la monarchie a été renversée en 1931) se heurte à une rébellion militaire, dirigée par des généraux, dont le général Franco, qui éliminera progressivement ses rivaux. Grâce à l'appui italien et allemand en matériel et en hommes, Franco écrase, au terme d'une longue guerre civile (1936-1939), la République espagnole.

Le Front populaire

En France, de puissants mouvements de grève (mai-juin 1936) obtiennent d'importantes réformes sociales (semaine de quarante heures, congés payés, reconnaissance officielle des syndicats, signature de conventions collectives fixant les salaires et les conditions de travail, élection de délégués du personnel, etc.). Mais le Front populaire se disloque dès 1937 et le gouvernement passe à une coalition de la droite et des radicaux.

Munich

C'est ce gouvernement, présidé par le radical Daladier, qui, avec le gouvernement anglais conservateur de Neville Chamberlain, signe en octobre 1938 les désastreux accords de Munich, qui livrent pratiquement la Tchécoslovaquie à l'Allemagne, alors que la France était liée par un accord d'assistance mutuelle avec la Tchécoslovaquie.

L'inertie et l'attitude d'abandon des démocraties occidentales paraissent aujourd'hui incompréhensibles. La tactique de Hitler et de Mussolini est de se présenter en toute occasion comme les champions de l'ordre social contre le communisme, et d'accuser quiconque se met en travers de leurs ambitions de « *faire le jeu de Moscou »*. Ainsi, ils interviennent ouvertement en Espagne, et obtiennent de la France et de la Grande-Bretagne qu'elles n'apportent aucun appui au gouvernement légal au nom d'un accord de *« non-intervention »*, qu'elles-mêmes violent ouvertement.

Le Japon attaque la Chine

Le Japon, dont le régime est traditionaliste, militariste et autoritaire, s'engage dès 1937 dans une guerre de conquête de la Chine. La similitude des idéologies et des démarches (politique de violence et de fait accompli, départ de la Société des Nations) rapproche les trois pays agresseurs qui signent le *« pacte antikomintern »*. A l'été 1939, de durs combats sont livrés en Mongolie par l'Armée Rouge contre l'armée japonaise d'invasion : une sévère défaite des Japonais au lac Khassan conduit à l'arrêt des combats.

LA DEUXIÈME GUERRE MONDIALE
(1939-1945)

Aussitôt après son coup de force contre ce qui restait de la Tchécoslovaquie, amputée par les accords de Munich (mars 1939), Hitler présente des revendications territoriales à la Pologne.

Cette fois, la France et l'Angleterre affirment leur intention de résister, et se tournent vers l'Union soviétique, qui avait été tenue à l'écart des entretiens de Munich, et dont les propositions de pacte de sécurité collective avaient été jusque-là repoussées.

Mais l'U.R.S.S. craint de voir détourner sur elle seule une attaque allemande, et sa méfiance s'accroît lorsqu'il s'avère que la mission militaire anglo-française venue à Moscou en août 1939 n'a pas de pouvoirs pour traiter. Hitler, sans renoncer à ses ambitions à l'Est (la conquête de l'« espace vital » nécessaire selon lui à la race germanique), ne veut pas, comme en 1914-1918, combattre sur deux fronts. Il propose à Staline un *Pacte de non-agression germano-soviétique* qui est signé à Moscou le 23 août 1939.

Le 1ᵉʳ septembre 1939, en application d'un plan adopté dès avril 1939, Hitler envahit la Pologne. Le 3 septembre, la France et l'Angleterre déclarent la guerre à l'Allemagne. La Deuxième Guerre mondiale commence. Elle durera près de six ans (3 septembre 1939 - 2 septembre 1945).

La drôle de guerre

La Pologne est vaincue et occupée en moins de trois semaines : c'est la *« guerre éclair »*, avec emploi massif de l'aviation et des chars. Sur le front de l'ouest, c'est pendant des mois la *« drôle de guerre »*. Les armées s'observent, les combats sont réduits à quelques coups de main dans la forêt sarroise de la Warndt. L'U.R.S.S. se crée un glacis en récupérant les parties de la Biélorussie et de l'Ukraine attribuées à la Pologne en 1921, puis, au début de 1940, les pays baltes et la Bessarabie roumaine. Une guerre contre la Finlande (octobre 1939-mars 1940) lui permet d'annexer une zone de protection autour de Leningrad.

Au début d'avril 1940, l'Allemagne occupe le Danemark et attaque la Norvège (où, avec l'intervention des Alliés, les combats se poursuivront jusqu'en juin). En France, Daladier a été remplacé comme président du Conseil par Paul Reynaud ; en Angleterre, Winston Churchill, conservateur mais adversaire de toujours de la politique d'*« apaisement »* à l'égard de Hitler pratiquée par Chamberlain, succède à ce dernier.

La guerre éclair

Le 10 mai 1940, toujours par surprise et sans déclaration de guerre, les armées allemandes déferlent à l'Ouest, en envahissant la Belgique et les Pays-Bas, puis la France, avec les méthodes de la « guerre éclair ». Paris est occupé le 14 juin. Le 10 juin, l'Italie déclare la guerre à la France.

L'armistice

Le maréchal Pétain, nommé président du Conseil, signe l'armistice le 25 juin 1940. Les conditions de l'armistice sont sévères et déshonorantes : la France est désarmée (elle conserve cependant une petite « armée d'armistice » aux effectifs réduits) ; plus d'un million de prisonniers de guerre seront retenus en Allemagne jusqu'à la paix ; les antifascistes allemands réfugiés en France doivent être livrés ; la France, dont plus de la moitié du territoire reste occupé, doit payer une indemnité d'occupation de 400 millions par jour. Sans qu'il en soit question dans l'accord d'armistice, l'Alsace-Lorraine est annexée à l'Allemagne.

La France est divisée en une zone occupée sous tutelle allemande directe, qui comprend toute la moitié nord de la France et toute la côte atlantique, et une zone « *libre* » (on dira plus tard « *Sud* ») où s'établit, à Vichy, le maréchal Pétain. Celui-ci s'est fait accorder, le 10 juillet 1940, par les Chambres réunies en Assemblée nationale à Vichy, les pleins pouvoirs, y compris pour donner une nouvelle Constitution à la France, qui remplace la République par l'« *Etat français* ». Pétain est « *chef de l'Etat* » avec un pouvoir absolu, les Chambres sont mises en sommeil.

On s'attend à un débarquement allemand en Angleterre. Mais il n'a pas lieu, et la possession par les Anglais d'un moyen de défense encore secret, le radar, qui permet de prévoir l'arrivée des avions allemands, empêche ceux-ci de détruire l'aviation anglaise. En avril et mai 1941, l'Allemagne envahit la Yougoslavie, puis la Grèce, attaquée par les Italiens qui s'y trouvent en difficulté.

L'Allemagne attaque la Russie

Le 22 juin 1941 — toujours par surprise —, l'Allemagne, avec le concours de la Finlande et de la Roumanie, envahit l'U.R.S.S. Attaque prévisible, dont Staline a été averti, mais à laquelle il n'a pas voulu croire. En septembre 1941, les armées allemandes sont aux portes de Moscou et de Leningrad. Mais l'armée soviétique n'est pas détruite, et l'hiver, que Hitler n'avait pas prévu (il espérait obtenir en quelques semaines une capitulation suite à sa « guerre éclair »), met l'armée allemande en difficulté. En 1942, Hitler renonce à prendre de front Moscou et Leningrad, et lance une attaque au sud, vers la Volga et le Caucase (d'où vient l'essentiel du pétrole soviétique). En septembre 1942, il atteint Stalingrad, sur la Volga.

Les Etats-Unis étaient restés en dehors de la guerre, mais aidaient la Grande-Bretagne (livraisons à crédit par la loi « *prêt-bail* »). En août 1941, sur le cuirassé anglais *Prince of Wales*, le président américain Roosevelt et Churchill signent la « Charte de l'Atlantique », qui proclame le droit des peuples à disposer d'eux-mêmes et prévoit après la guerre l'établissement d'une organisation internationale pour le faire respecter.

Pearl Harbor

Dans la nuit du 7 au 8 décembre 1941, le Japon entre en guerre contre les Etats-Unis, sans déclaration de guerre préalable, en attaquant et détruisant la flotte américaine basée à Pearl Harbor, dans les îles Hawaii. Le 11 décembre, les Etats-Unis déclarent la guerre à l'Allemagne et à l'Italie. La guerre est devenue mondiale.

En quelques mois, les Japonais occupent toute l'Asie du Sud-Est et menacent l'Australie. Mais l'effort de guerre américain va permettre la riposte. A l'été 1942 (bataille de la mer de Corail, Guadalcanal), l'offensive japonaise en direction de l'Australie est brisée. Grâce à leur supériorité navale et aérienne, les Etats-Unis reprennent l'offensive, profitant de la dispersion des forces japonaises.

L'Afrique du Nord

En Afrique du Nord, où les Allemands, venus à la rescousse des Italiens en difficulté en Libye, menacent un moment l'Egypte, les Anglais finissent par reprendre l'avantage, et les chassent de Libye (novembre 1942). Au même moment (8 novembre 1942), les Alliés débarquent en Afrique du Nord (sous contrôle de Vichy). Les dernières forces allemandes qui avaient occupé la Tunisie capitulent en mai 1943. Suite au débarquement allié en Afrique du Nord, les troupes allemandes envahissent la « *zone libre* », qui devient la « *zone Sud* ».

Stalingrad

C'est dans cette même période que se produit, en U.R.S.S., à Stalingrad, le tournant décisif de la guerre. Hitler veut à tout prix y réaliser une percée, mais Stalingrad résiste (septembre 1942-février 1943). Une contre-offensive soviétique prend l'armée allemande au piège et ses 300 000 survivants capitulent le 3 février 1943. Désormais, l'armée allemande recule, tout en résistant pied à pied.

Les débarquements

En juillet 1943, les Alliés (anglo-américains) débarquent en Sicile. Mussolini est destitué et, le 8 septembre, l'Italie signe l'armistice. Elle est aussitôt envahie par les armées allemandes, jusqu'au sud de Rome. Il faudra la reconquérir au prix de longs et durs combats (octobre 1943-avril 1945).

En France, les Alliés débarquent en Normandie le 6 juin 1944, puis en Provence le 15 août. Harcelés sur leurs arrières par les Forces françaises de l'intérieur (F.F.I.) — les forces de la Résistance —, les Allemands sont contraints à la retraite. Paris insurgé est libéré le 24 août, Strasbourg est libéré le 23 novembre. Les Allemands tiennent jusqu'à la capitulation quelques places côtières (les «poches» de l'Atlantique). Sur le front de l'est, l'avance soviétique est constante à partir 'e janvier 1944. En août 1944, la Roumanie change de camp ; le 10 avril 1945, l'armée soviétique entre à Vienne. Le 27 avril 1945, Soviétiques et Américains font leur jonction à Torgau, sur l'Elbe. Mussolini, remis en place par les Allemands, est exécuté par les partisans italiens le 28 avril 1945. Le 30 avril, Hitler se suicide dans son bunker de Berlin. Le 8 mai 1945, le maréchal Keitel signe la capitulation sans conditions de l'Allemagne.

La guerre dans le Pacifique

Dans le Pacifique, au prix de très durs combats, les Américains prennent pied dans les îles proches du Japon d'où ils peuvent bombarder les villes japonaises. Les 5 et 9 août 1945, les Amé-

ricains lancent sur les villes japonaises d'Hiroshima et de Nagasaki les deux premières bombes atomiques, qui font des centaines de milliers de morts. Dans le même temps (8 août),
l'U.R.S.S. entre en guerre contre le Japon et occupe la Chine du
Nord-Est et le nord de la Corée.

Le 10 août, le Japon demande l'armistice. Le 2 septembre
1945, sur le cuirassé Missouri, en baie de Tokyo, le Japon signe
sa capitulation sans conditions. La Deuxième Guerre mondiale a
pris fin.

LES RÉSISTANCES

De Gaulle

Le 18 juin 1940, le général de Gaulle, qui s'était fait connaître
par des ouvrages de doctrine militaire dont la défaite montrait la
pertinence, et qui pour cette raison avait été nommé sous-secré-
taire d'Etat dans le dernier gouvernement Reynaud, lance à la
radio de Londres un appel aux Français à poursuivre le combat.
Il obtient le ralliement du Tchad, puis de l'Afrique équatoriale
française et du Cameroun, ainsi que des colonies françaises du
Pacifique. Les autres colonies resteront, plus ou moins longtemps,
dans l'obédience de Vichy.

Vichy

Le régime de Vichy se réclame d'une « révolution nationale »
en fait conservatrice. Pour la majorité des milieux de droite, c'est
la revanche si longtemps attendue contre la République et le
Front populaire. Les écoles catholiques reçoivent des subventions,
et les congrégations interdites depuis le début du siècle sont à
nouveau autorisées. Dès octobre 1940, sans aucune demande
des Allemands, un *« statut des juifs »* discriminatoire est mis en
vigueur par Vichy. Si l'orientation de droite est prépondérante,
de nombreux dirigeants socialistes ou syndicalistes, par opportu-
nisme ou par anticommunisme, se rallient à Vichy. Le mot de

« *collaboration* », ayant figuré dans le communiqué consécutif à l'entrevue de Montoire entre Hitler et Pétain (24 octobre 1940), sera retourné contre le régime de Vichy et les partisans des Allemands.

L'illusion d'un Pétain jouant le « *double jeu* » et protégeant la France du pire sera largement et longtemps partagée en zone « *libre* ». En zone occupée, la présence allemande dissipe vite le mythe. En zone Sud, le climat se modifie dès le début de 1942 (retour au gouvernement de Pierre Laval, imposé par les Allemands). Un discours de Pétain dénonce la levée d'un « *vent mauvais* ». Lorsque la zone Sud est à son tour occupée (11 novembre 1942) et que le recrutement de main-d'œuvre française pour l'Allemagne s'intensifie (Service du travail obligatoire — S.T.O. — pour les jeunes gens des classes mobilisables, février 1943), l'état d'esprit de la zone Sud s'aligne sur celui de la zone Nord. Le fer de lance du régime devient la « *Milice française* » dont le chef, Darnand, a prêté serment de fidélité à Hitler.

Résistance et collaboration

Résistance et collaboration ne sont, de manière active, le fait que de petites minorités : risques pour la Résistance (torture, exécutions, déportations) et difficulté à trouver le contact ; hostilité de l'esprit public pour la collaboration et crainte de représailles. Des camps de concentration français reçoivent communistes, Juifs, gaullistes. Vichy prête la main à la « *solution finale de la question juive* » décidée par Hitler en livrant les Juifs aux nazis : 13 000 Juifs parisiens, dont 4 000 enfants, sont raflés par la police française et parqués dans le Vélodrome d'Hiver (le Vel' d'Hiv') les 16 et 17 juillet 1942, pour être déportés et gazés ; en tout 75 000 Juifs sont déportés, dont 10 000 enfants et adolescents, dont 3 % seulement reviendront.

Le « S.T.O. » va renforcer la résistance dans la mesure où de nombreux réfractaires rejoignent les maquis et la Résistance.

La Résistance comporte deux courants majeurs : les mouvements « gaullistes » — en zone Sud, trois principaux, *Combat*, *Libération*, *Franc-Tireur*, qui fusionnent en 1944 pour devenir les *« Mouvements unis de Résistance »* (M.U.R.) — et les mouvements d'inspiration communiste (P.C. et Front national). Chacun a son organisation militaire : pour le P.C. et le Front national, les *Francs-Tireurs* et *Partisans français* (F.T., P.F.), pour les M.U.R., l'*Armée secrète* (A.S.).

Les mouvements gaullistes privilégient le renseignement et la préparation du *« Jour J »* (le jour du débarquement) ; les communistes privilégient, à partir de 1941, l'action directe contre les Allemands, que les précédents — et le général de Gaulle *« L'ordre que je donne est de ne pas tuer d'Allemands »* (1941) — d'abord rejettent, et à laquelle ils se rallient à partir de 1943.

L'ensemble des mouvements de résistance se regroupent le 27 mai 1943 dans le *« Conseil national de la Résistance »* (C.N.R.) qui, non sans quelques frictions, se place sous l'autorité du *Comité français de libération nationale* (Alger, juin 1943), devenu *Gouvernement provisoire de la République française* (3 juin 1944), présidé par le général de Gaulle.

Ailleurs en Europe

Les autres pays de l'Europe occupée ont également leurs forces de résistance et de collaboration, avec des variantes dues à l'histoire particulière de chaque pays. En Norvège, en Hollande, les chefs nazis locaux (Quisling en Norvège) constituent des gouvernements au service des Allemands. Dans tous les pays, on retrouve la distinction, et parfois l'opposition entre une résistance d'inspiration communiste favorable à l'action directe, et une résistance d'inspiration plus traditionaliste.

LES « TRENTE GLORIEUSES » (1944-1974) ET LE CONFLIT EST-OUEST

De 1944 à 1974, l'expansion économique à l'Ouest a été continue. Les économistes ont baptisé ces années du nom de *« Trente Glorieuses »*.

Pendant une brève période (jusqu'au début de 1946) l'entente entre Alliés qui s'était manifestée dans les conférences de Yalta (4-11 février 1945) et de Potsdam (17 juillet-2 août 1945) semble se maintenir.

L'Allemagne est partagée en quatre zones d'occupation confiées aux quatre principaux alliés (Grande-Bretagne, Etats-Unis, France, U.R.S.S.). Berlin, enclavée dans la zone soviétique, est de même partagée en quatre secteurs.

En 1945 a été créée par les vainqueurs, à San Francisco, l'*Organisation des Nations Unies* (O.N.U.) qui se donne pour objectif le règlement pacifique des conflits, et le respect du droit des peuples à disposer d'eux-mêmes.

Un tribunal international siégeant à Nuremberg juge et condamne les principaux dirigeants nazis pour crimes de guerre et crimes contre l'humanité.

Le début de la guerre froide

Mais, dans son discours de Fulton (Etats-Unis), le 3 mai 1946, Churchill (qui a été battu aux élections et n'est plus au gouvernement) dénonce le *« rideau de fer »* établi par l'U.R.S.S. en Europe de l'Est. C'est le début de la *« guerre froide »* entre les puissances occidentales et l'U.R.S.S.

Dès 1947, la tension s'accentue : en France, en Italie, en Belgique, les communistes sont expulsés des gouvernements ; en Europe de l'Est, des régimes communistes se substituent aux gouvernements d'union nationale.

En mai 1949, les trois pays occidentaux créent dans leurs zones d'occupation un Etat allemand, la *République fédérale d'Allemagne* (R.F.A.) ; l'U.R.S.S. riposte en octobre en créant dans sa zone la *République démocratique allemande* (R.D.A.).

Toujours en 1949, les Etats-Unis créent l'*Organisation du traité de l'Atlantique Nord* (O.T.A.N.) qui réunit sous leur égide dix Etats européens dont l'Allemagne fédérale et le Canada. L'U.R.S.S. crée face à l'O.T.A.N., avec les « démocraties populaires » de l'Europe de l'Est, l'*Organisation du pacte de Varsovie* (1955).

La guerre froide prend une dimension mondiale avec le triomphe, en Chine, des communistes dirigés par Mao Tsé-toung : le gouvernement « nationaliste » se réfugie, sous la protection américaine, dans l'île de Taiwan, pendant que la Chine continentale devient *République populaire de Chine* (1949). De 1951 à 1953, la guerre de Corée oppose la Corée du Nord communiste, appuyée par des troupes chinoises, aux troupes américaines intervenues sous la bannière de l'O.N.U. en faveur de la Corée du Sud.

On craint une troisième guerre mondiale avec utilisation d'armes nucléaires dont les Américains avaient eu le monopole jusqu'en 1949 : à cette date, l'U.R.S.S. s'en est dotée ; les Américains réalisent l'arme thermonucléaire (bombe H) en 1951, l'U.R.S.S. en 1953.

Le conflit Nord-Sud

Le conflit Est-Ouest se double d'un conflit Nord-Sud. Bien que la Charte des Nations Unies proclame le droit des peuples à disposer d'eux-mêmes, les puissances coloniales (Grande-Bretagne, France, Pays-Bas, Belgique, Portugal) n'admettent pas que le principe s'applique à leurs colonies.

Dès 1947, l'Angleterre doit accorder son indépendance à l'Inde, qui se divise en Inde et Pakistan (musulman). Des guerres coloniales jalonnent l'après-guerre : France en Indochine (1946-1954) puis en Algérie (1954-1962), Pays-Bas en Indonésie (1945-1949), Britanniques en Malaisie (1948-1960) et au Kenya (1952-1956), Portugal dans ses colonies d'Afrique (1961-1974).

Dans la mesure où les pays socialistes apportent leur appui aux mouvements de libération nationale et où un certain nombre de ceux-ci se réclament de l'idéologie socialiste, le conflit Nord-Sud prend l'aspect d'un avatar du conflit Est-Ouest. C'est à ce titre que les puissances occidentales justifient leur action : elles ne combattent pas les mouvements d'indépendance, mais la subversion communiste. Ce sera la justification de la guerre menée par les Etats-Unis au Vietnam, prenant le relais de la France (1954-1975) ; de même pour le conflit qui oppose Cuba, jadis placée dans la zone d'influence américaine, aux Etats-Unis après la révolution qui porte au pouvoir Fidel Castro.

La vie politique en France

En France, un référendum organisé par le gouvernement provisoire du général de Gaulle en 1945 exclut le retour à la IIIᵉ République et prévoit l'élection d'une Constituante, chargée de proposer dans les six mois une Constitution qui devra être ratifiée par référendum ; faute de quoi, une nouvelle Constituante devra être élue pour recommencer le travail. De fait, la première Constitution (adoptée par la première Constituante), votée par une majorité constituée des socialistes, des communistes et des députés d'outre-mer, est rejetée par référendum, et c'est une deuxième Constituante, élue en juin, qui adopte la Constitution ratifiée de justesse par référendum, qui sera celle de la IVᵉ République (octobre 1946).

La première Constituante a voté cependant des réformes qui resteront : *nationalisations* (des banques de dépôts, des assurances, des industries d'armement, des mines de charbon, du gaz et de l'électricité) ; création de la *Sécurité sociale* et du régime de *retraites des salariés*, *abolition du travail forcé dans les colonies*, et octroi de la *citoyenneté aux anciens « sujets » coloniaux*. Le *vote des femmes* a été introduit dès 1945.

La Constitution de la IVᵉ République prévoit, comme celle de la IIIᵉ, un président de la République élu pour 7 ans par un congrès réunissant à Versailles les membres des deux assemblées : *Assemblée nationale* élue au suffrage universel et direct, et *Conseil de la République* (qui reprendra bientôt le nom de *Sénat*) élu au suffrage indirect et qui n'a qu'un rôle consultatif (en cas de désaccord, l'Assemblée nationale décide en dernier ressort).

Depuis le gouvernement provisoire de 1944, les communistes participent au gouvernement où sont représentés également le parti socialiste et le Mouvement républicain populaire (M.R.P.) de tendance démocrate-chrétienne. Cette structure « tripartite » subsiste après le départ du général de Gaulle qui quitte le gouvernement en janvier 1946.

Après l'expulsion des ministres communistes au printemps 1947, les majorités gouvernementales de la IVe République sont dites de « *troisième force* », associant socialistes, radicaux et modérés de droite et excluant à la fois les communistes et les gaullistes constitués en parti (le « *Rassemblement du peuple français* » — R.P.F. —) en 1947.

Les difficultés liées aux guerres coloniales (défaite française en Indochine à Dien Bien Phu en 1954, abandon de l'Indochine, puis début de l'insurrection en Algérie) conduisent à une crise en 1958 (prise du pouvoir par les généraux à Alger). Le général de Gaulle est rappelé au pouvoir et propose une nouvelle Constitution, approuvée par référendum, qui sera celle de la Ve République.

Elle veut écarter le « *régime des partis* » en donnant au Président de la République (élu au suffrage universel et direct à partir de 1962) des pouvoirs très étendus, empiétant largement sur les prérogatives traditionnelles des assemblées.

En *mai-juin 1968*, un puissant mouvement de grèves et de manifestations étudiantes et ouvrières ébranle le pouvoir, manifestant un rejet de la « *société de consommation* ». Les élections qui suivent donnent toutefois une majorité de droite accrue. Mais le général de Gaulle, suite au rejet d'une proposition sur la régionalisation proposée par référendum, démissionne en 1969 et meurt l'année suivante. Ses successeurs Georges Pompidou et Valéry Giscard d'Estaing s'appuient comme lui sur des majorités de droite.

L'Angleterre

En Angleterre, le parti travailliste, au pouvoir de 1945 à 1950, accomplit des réformes sociales parallèles à celles réalisées en France en 1946 : nationalisation des charbonnages et de la sidérurgie, du gaz et de l'électricité ; Sécurité sociale avec médecine gratuite mais fonctionnarisée. Les conservateurs reviennent au pouvoir en 1951.

Les Etats-Unis

Aux Etats-Unis, le président Kennedy est mystérieusement assassiné à Dallas le 22 novembre 1963. Les années 60 sont marquées par un puissant mouvement de déségrégation de la population noire (suppression de la ségrégation dans les écoles, les transports). L'envoi au Vietnam du contingent crée un mouvement d'opposition à la guerre chez les étudiants. La politique militaire des présidents Nixon et Reagan (républicains) contribue à l'accroissement vertigineux de la dette de l'Etat.

La Communauté européenne

En Europe, la Communauté économique européenne (C.E.E.), constituée en 1957 à six (France, Allemagne, Italie, Belgique, Pays-Bas, Luxembourg), s'élargit en 1972 à la Grande-Bretagne, à l'Irlande et au Danemark.

Face à cette tendance à l'intégration européenne, on constate une montée des nationalismes minoritaires et des particularismes régionaux avec parfois des manifestations de violence (Irlande du Nord, Pays basque espagnol, Corse).

L'ÉMERGENCE DU « SUD » (TIERS-MONDE) ET L'ÉMANCIPATION DES COLONIES

Au lendemain de la Deuxième Guerre mondiale, le régime colonial, qui concerne presque toute l'Afrique et une partie de l'Asie, est encore intact.

Les indépendances

L'après-guerre sera marqué par le développement des mouvements d'indépendance. Des tendances différentes y participent : mouvements nationalistes « bourgeois », s'inspirant des nationalismes européens du XIXᵉ siècle, mouvements révolutionnaires réclamant à la fois l'indépendance et une révolution sociale.

Certaines indépendances se réaliseront de manière relativement pacifique, d'autres seront l'aboutissement de longues guerres de libération, dont nous avons déjà mentionné les principales.

Les Etats-Unis concèdent l'indépendance aux Philippines en 1946 (tout en y conservant des bases militaires); les Anglais accordent l'indépendance à l'Inde en 1947, avec une division entre Inde et Pakistan (partie de l'Inde à majorité musulmane).

La France reconnaît en 1956 l'indépendance du Maroc et celle de la Tunisie ; celle de la Guinée en 1958 (qui a rejeté la Constitution de 1958), puis celle de presque toutes ses colonies d'Afrique équatoriale en 1960, et en 1962 celle de l'Algérie. Les colonies britanniques d'Afrique deviendront pour la plupart indépendantes entre 1960 et 1966. La Belgique accorde l'indépendance au Congo belge (aujourd'hui Zaïre) en 1960, et en 1962 à ses territoires sous mandat du Rwanda et du Burundi. Les colonies portugaises n'accéderont à l'indépendance qu'à la suite de longues guerres coloniales (1960-1975), après la chute du régime fasciste de Salazar.

En Afrique australe, où la colonisation était « interne » (régime de l'*« apartheid »* = ségrégation des races : droits politiques réservés aux Blancs), les indépendances, avec obtention de l'égalité pour la majorité noire, viendront plus tardivement (Zambie : 1964 ; Zimbabwe : 1980 ; Namibie : 1990, Afrique du Sud : 1994).

Le Moyen-Orient

Au Moyen-Orient, les anciens « territoires sous mandat » ont accédé à l'indépendance (Syrie et Liban dès 1945 ; Irak théoriquement en 1932, en réalité seulement en 1958, Egypte en 1952).

L'émancipation de la Palestine va poser un problème particulier. L'O.N.U. avait prévu en 1947 un partage entre Juifs (venus s'établir en Palestine à l'appel des mouvements sionistes, prônant le retour des Juifs en Israël) et les Palestiniens arabes autochtones. Mais l'Etat juif d'Israël a proclamé unilatéralement son indépendance en 1947 et s'est approprié la majeure partie du territoire, avec expulsion des Palestiniens. Après deux guerres avec les pays arabes voisins, Israël occupe depuis 1967 la partie restante de la Palestine. La conférence de Madrid (avril 1991) a ouvert le dialogue entre l'Etat d'Israël et l'Organisation de libération de la Palestine (O.L.P.) dirigée par Yasser Arafat, et débouché sur un accord prévoyant l'évacuation par l'armée israélienne de la Cisjordanie et de Gaza, l'établissement d'une administration autonome palestinienne et des élections (qui ont eu lieu en 1996). Mais la poursuite du processus se heurte à des difficultés (terrorisme des mouvements extrémistes, présence de colonies israéliennes en territoire palestinien).

Le Tiers-Monde

A partir des années 50, les anciens pays coloniaux ont été désignés sous le nom de «Tiers-Monde» (les deux premiers *«mondes»* étant le monde capitaliste et le monde socialiste), ou de pays *«sous-développés»* ou encore *«pays en voie de développement»*. Cette terminologie discutable est remplacée aujourd'hui par celle de *«Sud»*, opposé au *«Nord»*. Pour essayer de se faire entendre, les pays du «Sud» ont essayé de se grouper : pour la première fois en 1955 avec la conférence de Bandung (Indonésie), qui a réuni les Etats alors indépendants d'Asie et d'Afrique et lancé le mouvement de solidarité afro-asiatique pour exiger l'indépendance des territoires encore colonisés à l'époque. Par la suite, s'est constitué le mouvement des *«non-alignés»* par lequel ces pays voulaient manifester leur souci d'indépendance à l'égard des deux *«blocs»*. A la conférence d'Alger de ce mouvement (1973), le président algérien Boumédiène avait revendiqué le droit pour les pays libérés de recouvrer la propriété de leurs ressources économiques et la substitution aux rapports économiques inégaux du Nord et du Sud, des relations plus équitables : sans succès.

LA CRISE ÉCONOMIQUE ET L'EFFONDREMENT
DES PAYS SOCIALISTES D'EUROPE

La société de consommation

Jusqu'au début des années 70, la croissance avait été rapide et relativement continue dans les pays industriels développés (capitalistes). Les progrès de la technique avaient permis une production de masse et l'apparition d'une *« société de consommation »*, à l'exemple de celle des Etats-Unis. Le chômage, certes, subsiste, mais demeure marginal. Le niveau moyen de vie s'élève, même s'il reste des îlots de pauvreté qui touchent particulièrement, en France, les immigrés (portugais, nord-africains), avec l'existence de «bidonvilles» autour de certaines grandes agglomérations comme Paris, qui sont résorbés progressivement.

La possession dans les familles du réfrigérateur, de la machine à laver, du téléphone, du poste de télévision, se généralise. De même, la possession d'une ou plusieurs automobiles, souvent rendue indispensable comme moyen de travail ; car la ségrégation sociale dans l'habitat s'accentue ; les catégories sociales à bas ou moyens revenus sont refoulées des centres-villes vers des banlieues de plus en plus lointaines.

La crise

L'expansion des *« Trente Glorieuses »* avait été portée, pour atténuer les effets des crises cycliques, par une intervention massive des Etats dans l'économie (politique sociale, expansion monétaire, développement du crédit).

La conjoncture change au début des années 70. On date généralement le changement de la *« crise pétrolière »* de 1973-1974, qui vit les prix du pétrole multipliés par quatre, engendrant dans le monde une crise de l'énergie. En fait, les premiers symptômes étaient apparus dès la fin des années 60 ; et la crise pétrolière avait été précédée en 1972-1973 par une *« crise céréalière »* provoquée par les Etats-Unis (prix du blé et du maïs multipliés par trois, hausse massive du prix du soja, etc.).

Ces crises spéculatives sont en réalité beaucoup plus l'effet que la cause d'une récession de l'économie capitaliste mondiale, qui se traduit en 1974-1975 par une baisse de la production de l'ordre de 10 à 20 %, et par une hausse d'ampleur bien plus considérable du chômage : dans l'ensemble des grands pays capitalistes, de 10 millions de chômeurs en 1969-1970, on passe à 17 millions en 1975-1976.

Cette crise cyclique, à la différence des précédentes (qui jalonnent l'histoire économique du monde capitaliste depuis 1825, à des intervalles variables), inaugure une dépression profonde et durable qui va se traduire par un ralentissement général de la croissance, avec des périodes de régression ou de stagnation, et par une croissance considérable du chômage, de la précarité, par des conditions d'existence se détériorant jusqu'à la perte du logement (multiplication des *« sans domicile fixe »*), une remise en question des acquis sociaux consacrés par la législation du travail (liberté de licenciement, travail de nuit et des jours fériés, mise en cause du *« salaire minimum »* par le travail à temps partiel, et d'autres procédés).

Les taux d'intérêt élevés engendrés par les déficits des Etats (qui, pour combler leurs déficits, empruntent à des taux élevés) favorisent l'utilisation spéculative de l'argent au détriment de l'utilisation productive, la seule génératrice de richesses réelles, mais moins rentable et plus risquée.

La troisième révolution industrielle

Les effets de la *« troisième révolution industrielle »*, celle des matières de synthèse, de l'électronique et de l'informatique, se conjuguent avec les phénomènes précédents : substitution des matières plastiques ou de synthèse à l'utilisation des métaux — notamment de l'acier. La production houillère est à peu près abandonnée en Europe occidentale, et la sidérurgie qui y était liée disparaît aussi pour se fixer dans les ports d'importation du charbon et du minerai de fer (Fos et Dunkerque pour la France) mais avec une capacité de production très réduite.

En liaison avec les changements techniques, on peut enregistrer les effets sur les économies capitalistes développées de la délocalisation de certaines activités fortes consommatrices de main-d'œuvre vers les pays du Sud (et notamment les *nouveaux pays industriels*) asiatiques) : sidérurgie, textile, mais aussi électronique, optique.

La révolution électronique et informatique, à peine entamée, a bouleversé profondément les techniques de la communication avec des conséquences dans les domaines les plus divers : par exemple, bouleversement des techniques de la composition, de l'impression, qui n'avaient pas changé dans leur principe depuis Gutenberg ; effet sur les marchés financiers de la transmission quasi instantanée sur toute la terre des fluctuations des marchés, des ordres des spéculateurs.

Les pays du Sud

Si l'on excepte les *nouveaux pays industriels* de l'Asie du Sud-Est (Corée, Taiwan, Singapour, Hong-Kong, mais aussi partiellement l'Indonésie, la Thaïlande, le Vietnam, la Chine), l'ensemble des pays du Sud (et surtout de l'Afrique) ont subi avec beaucoup plus de force les effets de la récession.

Les ressources des pays du Sud, constituées principalement par l'exportation de matières premières minérales ou végétales, sont atteintes par la *détérioration des termes de l'échange*, c'est-à-dire la baisse des prix de ces produits sur les marchés internationaux par rapport aux prix des produits manufacturés et d'équipement que ces pays doivent importer. Les *aides* des pays développés sont de plus en plus réduites. En revanche, la dette des pays du Sud se gonfle et le service de cette dette absorbe l'essentiel des ressources d'exportation. Dans les années 1980, les pays du Sud se sont trouvés contraints, pour échapper à la cessation de paiement, de se placer sous la tutelle du *Fonds monétaire international* (F.M.I.) et de la *Banque mondiale*. Ces organismes, sous contrôle des pays « riches » (et essentiellement des Etats-Unis), imposent aux pays auxquels ils consentent des crédits de survie, des *plans d'ajustement structurels* ayant pour objectif majeur de veiller au remboursement de la dette, et leur imposant des politiques « libérales » ruineuses : suppression des protections douanières au détriment de leur agriculture et de leurs industries, peu compétitives, diminution massive des crédits sociaux (santé, éducation), diminution drastique de la masse salariale, etc.

La baisse du niveau de revenus dans les pays du Sud (de l'ordre de 30 % dans les pays d'Afrique subsaharienne dans les années 80) est accentuée par la poussée démographique : alors que, dans les pays du Nord, après le *« baby-boom »* — poussée de natalité — qui a marqué les années suivant immédiatement la Seconde Guerre mondiale, la natalité s'est effondrée, ne permettant plus, depuis les années 1960-1970, le remplacement des anciennes générations, les pays du Sud sont le théâtre d'une explosion démographique, depuis le milieu du siècle, la baisse de la mortalité se conjuguant avec le maintien d'un niveau élevé de natalité (croissance de l'ordre de 2 à 3 % par an).

Le fossé qui sépare le Nord et le Sud s'accentue. Le différentiel de revenu par habitant, calculé par Paul Bairoch, donne les résultats suivants (le revenu moyen par habitant des pays du Sud étant représenté par 1) :

1800 : 1,1 à 1,2
1900 : 2,8
1950 : 5,1
1980 : 7,7
1991 : 17,6 (ce dernier chiffre calculé par nous).

De la rénovation à l'abandon du communisme

Avec la crise de l'économie capitaliste, le second événement majeur du dernier quart du XXe siècle est l'effondrement du système socialiste formé autour de l'U.R.S.S. et sur son modèle.

Après la mort de Staline en 1953, la révélation et la dénonciation des crimes de Staline par Khrouchtchev, lors du XXe congrès du Parti communiste de l'U.R.S.S. en 1956, semblait avoir marqué un tournant. Les succès obtenus par l'U.R.S.S. dans la compétition spatiale, une amélioration certaine du niveau de vie semblaient témoigner d'une consolidation du système. Les conflits internes, avec la Yougoslavie (exclue du système en 1949), avec la Chine (1962-1980), s'étaient réglés. Le ralliement au moins formel de nombreux pays du Tiers-Monde semblait montrer une expansion continue.

Le monde communiste a échappé à la crise de 1974-75, et poursuit sa croissance économique, même si celle-ci, à partir des années 80, marque une baisse progressive de son rythme.

Sur le plan militaire (notamment nucléaire) et dans d'autres domaines de pointe (domaine spatial), l'U.R.S.S. semble avoir rattrapé et parfois dépassé les Etats-Unis.

Mais la direction ultra-centralisée de l'économie, efficace au temps des premiers plans quinquennaux et de l'économie de guerre, s'avère de plus en plus inadaptée avec la croissance et la diversification de l'économie. Les tentatives de décentralisation (notamment celle de Khrouchtchev dans les années 60) ont échoué devant la pesanteur des routines et des situations acquises. La croissance s'essouffle.

L'énorme effort que la compétition militaire avec les Etats-Unis et leurs alliés impose à l'U.R.S.S. limite les progrès de la consommation de masse. Si les pays socialistes ont à leur actif une politique sociale (*absence de chômage* et sécurité de l'emploi, *gratuité des services sociaux et de l'enseignement, maintien à bas prix des biens et services de première nécessité*), le niveau de vie moyen reste inférieur à celui des pays occidentaux les plus développés. Le décalage entre pouvoir d'achat théorique et marchandises disponibles engendre des pénuries accentuées par l'archaïsme du système de distribution.

Le mécontentement s'accroît contre ces pénuries, contre l'absence de libertés (notamment celle de voyager à l'étranger).

Gorbatchev et la perestroïka

En 1985, Mikhaïl Gorbatchev accède au poste de premier secrétaire du Parti communiste de l'U.R.S.S. Il proclame son intention de rénover le communisme en corrigeant ses défauts : « *restructuration* » de l'économie (« *perestroïka* ») par la démocratie — élection des directeurs d'entreprises, restauration de l'autorité des assemblées locales élues (les *soviets*) —, introduction des mécanismes de marché en lieu et place de la planification centralisée et rigide, *« glasnost »* (*« transparence »*) — liberté d'expression et d'information, réforme morale —, lutte contre la corruption et l'alcoolisme.

Les réformes proposées par Gorbatchev échouent : elles se heurtent à la fois à la résistance de l'appareil du parti qui bloque les changements, et à l'impatience des réformateurs qui veulent tout changer tout de suite. En fait, très vite, c'est le système lui-même qui est mis en cause à travers ses principes essentiels : prééminence du parti, étatisation de l'économie.

Eltsine et la C.E.I.

Entre 1989 et 1990, le système s'effondre. Suite à une réforme constitutionnelle, Gorbatchev est élu le 14 mars 1990 président de l'Union. Mais, l'année suivante, son rival Boris Eltsine est élu président de la *Fédération de Russie*, dont le territoire représente la plus grande partie de l'U.R.S.S. Le 17 mars 1991, un référendum confirme par 76 % des voix le maintien de l'Union, mais elle devient *« Union des Républiques souveraines »* (la référence au socialisme et aux *soviets* est éliminée).

Le putsch manqué du 19-21 août 1991 marque la prise du pouvoir réel par Eltsine. Le Parti communiste est *« suspendu »*, et Gorbatchev entérine la mesure en démissionnant de ses fonctions de premier secrétaire du parti. En dépit du référendum de mars, les Républiques prennent leur indépendance de fait, et, fin décembre, se constitue, avec une partie d'entre elles, la *« Communauté des Etats indépendants »* (C.E.I.). Le 25 décembre 1991, Gorbatchev prend acte de la disparition de l'U.R.S.S. et de ses pouvoirs, en démissionnant d'une présidence qui ne signifie plus rien. L'U.R.S.S. a cessé d'exister.

Les autres pays communistes

Des évolutions parallèles se déroulent dans le même temps dans les divers pays socialistes d'Europe (y compris en Albanie, qui avait rompu de longue date avec Moscou), et se mettent en place des gouvernements qui se réclament du *« marché »*, de la libre entreprise, de la démocratie.

En Allemagne de l'Est, le régime de la République démocratique allemande est lâché par Gorbatchev : le 9 novembre 1989, les autorisations nécessaires aux Allemands de l'Est pour franchir le mur qui, depuis 1961, sépare Berlin-Ouest de Berlin-Est, sont supprimées : aussitôt, on commence à démolir le mur. Les premières élections libres (18 mars 1990) donnent la majorité aux démocrates-chrétiens ; l'union monétaire avec l'Ouest est acquise le 1ᵉʳ juillet, et, le 3 octobre 1990, l'Allemagne de l'Est (R.D.A.) est incorporée à l'Allemagne fédérale (R.F.A.).

Seuls continuent à se réclamer du socialisme, hors d'Europe, la Chine, le Vietnam, La République populaire démocratique de Corée (Corée du Nord) et Cuba.

Les lendemains qui déchantent

La disparition du système communiste européen a bouleversé les données politiques : à l'antagonisme Est-Ouest semble se substituer un antagonisme Nord-Sud, illustré par la *« guerre du Golfe »* contre l'Irak (1990-1991) et l'intervention en Somalie (1992-1993), opérations dans lesquelles les Etats-Unis et leurs alliés font figure de gendarmes du monde, avec des résultats problématiques en regard des moyens utilisés.

D'aucuns en ont conclu à la fin du communisme, voire à la fin de l'histoire, avec un monde régi par une domination unipolaire, celle des Etats-Unis.

Cependant, les contradictions et difficultés internes du capitalisme, précédemment évoquées, s'aggravent, et le fossé séparant nantis et exclus s'approfondit.

Dans les ex-pays socialistes, le retour au capitalisme a débouché sur d'amères désillusions : la population espérait, avec la liberté, l'accès à la société de consommation, l'abondance, un afflux de capitaux venus de l'Ouest, tout cela conjugué avec le maintien des protections sociales.

Or le recul, sinon l'effondrement de la production (surtout en

Russie), l'écroulement de la protection sociale, la montée d'un affairisme maffieux, les progrès de l'insécurité, le développement des conflits ethniques (Yougoslavie, conflit russo-tchétchène) démentent ces espoirs, et la démocratie piétine. Un des effets de cette situation est la remontée, voire le retour au pouvoir des anciens communistes, mais qui en général renient leurs anciens principes politiques et ne proposent pas une politique très différente de celle de leurs prédécesseurs réformateurs.

Un monde qui bouge

D'autre part, si les Etats-Unis exercent désormais une incontestable et exclusive supériorité militaire, leur situation économique est minée par l'ampleur de leur dette. L'Allemagne, le Japon, consolident au contraire leurs positions économiques dans le monde. La *Communauté économique européenne*, élargie à 12 membres (Grèce : 1978 ; Espagne et Portugal : 1986) est devenue en 1992, par le *traité de Maastricht*, l'*Union européenne*. Elle s'est élargie à 15 membres le 1er janvier 1995 (entrée de l'Autriche, de la Finlande, de la Suède). Mais sa vocation de pôle de résistance du continent face aux Etats-Unis et au Japon est rendu problématique par la sensibilité de certains de ses membres à l'égard des exigences américaines.

L'AVENIR DE LA PLANÈTE

Aux problèmes économiques, géopolitiques et sociaux que nous avons évoqués s'ajoutent de manière de plus en plus aiguë les problèmes écologiques.

En modifiant l'environnement pour l'adapter à ses besoins, ou à sa soif de profits immédiats, l'homme joue le rôle d'apprenti sorcier : ses interventions déclenchent, involontairement, des conséquences négatives : usure des sols, gaspillage des ressources minérales et autres non renouvelables, modification de la composition de l'atmosphère.

En France (et dans bien d'autres pays sous des formes analogues), la déforestation, la destruction dans certaines régions des haies qui retenaient l'eau, l'utilisation excessive des engrais chimiques et la multiplication des élevages « hors sol » bouleversent l'équilibre hydrologique : accentuation des crues catastrophiques en cas de précipitations exceptionnelles, contamination des nappes phréatiques. Le bétonnage croissant des agglomérations avec ses effets (ruissellement des eaux naguère absorbées par le sol) joue dans le même sens.

Le dégagement de gaz dans l'atmosphère par les industries et les véhicules a pour effet de rendre l'air de certaines agglomérations (Mexico, Tokyo, Athènes, Paris), par périodes ou en permanence, difficilement respirable (développement des allergies, des affections asthmatiques). A long terme, l'accroissement de la teneur de l'air en gaz carbonique et en méthane peut provoquer, par *« effet de serre »*, le réchauffement de la planète avec des conséquences telles que la fusion partielle des glaces polaires et l'élévation du niveau de la mer ; le dégagement de certains gaz industriels contribue à détruire la couche d'ozone de la haute atmosphère qui nous protège contre les rayonnements ultraviolets.

A la veille du XXIe siècle, l'humanité se trouve confrontée à de redoutables problèmes économiques, sociaux, écologiques, en général aujourd'hui perçus, mais en face desquels les détenteurs de l'autorité semblent impuissants à faire prévaloir les solutions, qui existent cependant.

Pour la survie de l'humanité, certaines échéances ne pourront indéfiniment être remises à plus tard.

INDEX DES NOMS DE PERSONNES, DES GROUPES ET DES PEUPLES

INDEX DES NOMS DE LIEUX, DES NOTIONS ET DES ÉVÉNEMENTS

D

E

N

8554

IMP. BUSSIÈRE, SAINT-AMAND (CHER). — N° 402.
D. L. FÉVRIER 1998/0099/065

ISBN 2-501-02438-9

Imprimé en France